D1403578

COLLECTION « BEST-SELLERS »

MICHAEL CRICHTON

LE MONDE PERDU

Roman

traduit de l'américain par Patrick Berthon

ROBERT LAFFONT

Titre original : THE LOST WORLD
© Michael Crichton, 1995
Traduction française : Édition Robert Laffont, S.A., Paris, 1996

ISBN 2-221-08129-3
(édition originale : ISBN 0-679-41946-2 Alfred A. Knopf, Inc., New York)

Pour Carolyn Conger

Ce qui m'intéresse, au fond, c'est de savoir si Dieu a eu le choix dans la création du monde.

ALBERT EINSTEIN

Au plus profond du régime chaotique, de légers changements de structure provoquent presque invariablement des changements d'importance dans le comportement. La maîtrise d'un comportement complexe semble exclue.

STUART KAUFFMAN

Les conséquences ont un caractère fondamentalement imprévisible.

IAN MALCOLM

Introduction

EXTINCTION À LA LIMITE KT

La fin du XXᵉ siècle a vu dans le domaine scientifique un vif regain d'intérêt pour l'extinction des espèces.

Le sujet n'a rien de véritablement nouveau. En 1796, peu après la « Révolution » américaine, le baron Georges Cuvier fut le premier à établir que certaines espèces avaient disparu. Le concept d'extinction avait donc été accepté par la communauté scientifique plus de soixante ans avant que Darwin expose sa théorie de l'évolution. Mais les nombreuses controverses qu'elle souleva laissèrent le plus souvent de côté la question de l'extinction.

L'extinction d'une espèce fut longtemps considérée comme un détail aussi insignifiant qu'une panne d'essence pour une automobile. Elle apportait simplement la preuve d'un défaut d'adaptation. La question de l'adaptation des espèces fit l'objet d'études passionnées et d'ardentes discussions. On ne s'arrêta guère sur le fait que certaines avaient échoué. Qu'y aurait-il eu à dire ? Mais, à partir des années 70, deux éléments nouveaux contribuèrent à braquer l'attention sur la question de l'extinction.

Le premier fut la prise de conscience de la multiplication très rapide des êtres humains et des conséquences de cette surpopulation sur la planète : disparition des habitats traditionnels, défrichement de la forêt pluviale, pollution de l'air et des eaux, peut-être même modification des conditions climatiques globales. Simultanément, quantité d'espèces animales étaient menacées ou frappées d'extinction. Certains scientifiques élevèrent la voix pour donner l'alarme ; d'autres gardèrent le silence sur leur inquiétude. L'écosystème de la Terre était-il menacé ? Le comportement de l'espèce humaine aboutirait-il à sa propre extinction ?

Nul ne savait à quoi s'en tenir. Comme personne ne s'était jamais donné la peine d'étudier méthodiquement le phénomène, les connaissances sur l'extinction dans les périodes géologiques précédentes restaient très limitées. Les chercheurs entreprirent donc d'étudier la disparition des espèces animales, dans l'espoir d'apaiser les inquiétudes que faisait naître le présent.

Le second élément avait trait aux découvertes récentes sur l'extinction des dinosaures. On savait depuis longtemps que toutes les espèces de dinosaures ont disparu en un temps relativement court, à la fin du crétacé, il y a soixante-cinq millions d'années. La rapidité avec laquelle elles ont disparu faisait l'objet d'une vive et déjà ancienne controverse. Certains paléontologues étaient persuadés qu'une catastrophe naturelle avait déclenché le processus ; d'autres estimaient que les dinosaures avaient disparu beaucoup plus progressivement, sur une période de dix mille à dix millions d'années.

En 1980, le physicien Luis Alvarez et son équipe découvrent un taux d'iridium très élevé dans des roches de la fin du crétacé et du début du tertiaire, la fameuse limite KT (le crétacé étant noté K, pour éviter la confusion avec le cambrien et d'autres périodes géologiques). L'iridium est rare sur la Terre, mais abondant dans les météorites. Alvarez attribua la présence d'une telle concentration d'iridium dans les roches de la limite KT à l'impact d'un météorite géant de dix kilomètres de diamètre. Il émit l'hypothèse que les débris et les poussières résultant de cet impact avaient obscurci le ciel, empêché la photosynthèse, tué plantes et animaux, mettant un terme au règne des dinosaures.

Ce scénario dramatique enflamma l'imagination du public et des médias. Il donna lieu à une controverse qui se prolongea plusieurs années. Où se trouvait ce cratère météorique ? Différents sites furent proposés. Il y avait eu, dans le passé de la planète, cinq grandes périodes d'extinction ; étaient-elles toutes dues à la chute de météorites ? Existait-il un cycle de destruction de vingt-six millions d'années ? La Terre était-elle d'ores et déjà sous la menace d'un nouvel impact dévastateur ?

Dix ans plus tard, ces questions demeuraient sans réponse. La controverse se poursuivit avec âpreté, jusqu'en août 1993, quand, à l'occasion d'un séminaire hebdomadaire du Santa Fe Institute, un mathématicien iconoclaste du nom de Ian Malcolm déclara que toutes ces questions importaient peu, que les discussions sur l'impact d'un météorite n'étaient que « suppositions frivoles et gratuites ».

– Regardons les chiffres, déclara Malcolm, sur l'estrade, en se penchant vers son auditoire. Il y a aujourd'hui sur notre planète cinquante millions d'espèces de plantes et d'animaux. Nous trouvons cette diversité remarquable, mais elle est sans commune mesure avec ce qui a existé. On peut estimer qu'il y a eu cinquante milliards d'espèces depuis l'apparition de la vie sur la Terre. Ce qui signifie que, sur mille espèces ayant existé sur notre planète, il en subsiste une seule. 99,9 p. 100 des espèces ont donc disparu. Les extinctions massives ne comptent que pour 5 p. 100 de ce total. Dans leur écrasante majorité, les espèces ont disparu l'une après l'autre.

La vérité, expliqua Malcolm, était que la vie sur la Terre était marquée par une suite ininterrompue de disparitions. La durée de vie moyenne d'une espèce était de l'ordre de quatre millions d'années. Un million pour les mammifères. Apparition, développement et extinction au bout de quelques millions d'années, tel était le schéma général. Une espèce par jour, en moyenne, avait disparu depuis le début de la vie sur la Terre.

— Pourquoi? poursuivit Malcolm. À quoi sont dus l'essor et le déclin des espèces terrestres, dans un cycle de vie de quatre millions d'années? Une des réponses est que nous n'avons pas conscience de l'activité continue qui caractérise notre planète. Prenons les cinquante mille dernières années, un instant à l'échelle géologique. Dans ce laps de temps, la forêt pluviale s'est singulièrement réduite, avant de recommencer à s'étendre. La forêt pluviale n'existe pas depuis l'origine des temps; en réalité, elle est assez récente. Il y a dix mille ans, à l'époque où des hommes chassaient sur le continent américain, les glaces sont descendues jusqu'à New York, provoquant la disparition de nombreux animaux. Au long de son histoire, notre planète voit les espèces vivre et mourir dans un environnement en perpétuelle évolution. Cela explique probablement 90 p. 100 des disparitions. Si le niveau des mers baisse, si elles deviennent plus salées, le plancton disparaîtra. Mais il n'en va pas de même des animaux complexes, tels que les dinosaures, car ils se sont protégés – au propre et au figuré – contre ces dangers. Pourquoi les animaux complexes disparaissent-ils? Pourquoi ne s'adaptent-ils pas? Ils semblent physiquement avoir la capacité de survivre. Et pourtant, sans raison apparente, ils meurent. Mon idée est que les animaux complexes s'éteignent non pas à cause d'un changement dans leur adaptation physique à l'environnement, mais plutôt à cause de leur comportement. Dans ses derniers développements, la théorie du chaos, ou dynamique non linéaire, offre, là-dessus, des indications tentantes. Elle suggère que le comportement d'animaux complexes peut changer très rapidement, pas toujours en mieux, qu'il peut cesser de réagir à l'environnement et entraîner le déclin et la mort. Elle donne à entendre que des animaux peuvent cesser de s'adapter. Est-ce ce qui est arrivé aux dinosaures? Est-ce la véritable cause de leur disparition? Nous ne le saurons peut-être jamais. Mais ce n'est pas par hasard si les humains s'intéressent de si près à l'extinction des dinosaures; leur déclin a permis aux mammifères – dont nous sommes – de se multiplier. Ce qui nous pousse à nous demander si l'extinction des dinosaures se reproduira, tôt ou tard, pour notre espèce. Si, en fin de compte, la responsabilité incombe non pas à un destin aveugle – sous la forme d'un météorite – mais à notre propre comportement. Pour le moment, nous n'avons pas la réponse. Mais j'ai quelques suggestions.

Prologue

« LA VIE AU BORD DU CHAOS »

Le Santa Fe Institute occupait les bâtiments d'un ancien couvent, dans Canyon Road ; les séminaires se tenaient dans une salle qui avait servi de chapelle. Un rayon de lumière jouait sur l'estrade où le conférencier fit une pause théâtrale.

Ian Malcolm avait quarante ans ; c'était un personnage connu de l'Institut. Il avait été l'un des pionniers de la théorie du chaos, mais sa carrière prometteuse avait été interrompue par une grave blessure, lors d'un voyage au Costa Rica. En fait, la mort de Malcolm avait été annoncée par plusieurs agences d'information.

– J'ai été navré de couper court aux réjouissances dans les départements de mathématiques de tout le pays, déclara-t-il par la suite, mais il se trouve que je n'étais que *légèrement* mort. Les chirurgiens ont fait des miracles, ils seront les premiers à le confirmer. Me voilà donc de retour... dans ma dernière itération, si je puis dire.

Tout de noir vêtu, appuyé sur une canne, Malcolm donnait une impression de sévérité. Il était connu dans l'enceinte de l'Institut pour ses analyses peu conventionnelles et sa tendance au pessimisme. Sa causerie du mois, intitulée « La vie au bord du chaos », était caractéristique de sa manière de penser. Malcolm y présentait son analyse de la théorie du chaos appliquée à l'évolution.

Il n'aurait pu souhaiter auditoire mieux informé. Le Santa Fe Institute avait été fondé au milieu des années 80 par un groupe de scientifiques qui s'intéressaient aux applications de la théorie du chaos. Ces scientifiques venaient de domaines très variés : physique, économie, biologie, informatique. Mais ils avaient en commun la conviction que la complexité du monde recelait un ordre sous-jacent, qui avait jusqu'alors échappé à la science et serait mis en évidence par la théorie du chaos, maintenant appelée « théorie de la complexité ». Comme l'avait dit l'un d'eux, la théorie de la complexité était « la science du XXIe siècle ».

L'Institut avait étudié le comportement d'un grand nombre de systèmes complexes – grandes entreprises, neurones du cerveau humain, réactions enzymatiques en chaîne à l'intérieur d'une cellule, comportement de groupe des oiseaux migrateurs –, des systèmes si complexes qu'il n'avait pas été possible de les étudier avant l'avènement de l'ordinateur. Le champ de la recherche était vierge, les découvertes surprenantes.

Il ne fallut pas longtemps aux scientifiques pour remarquer que les systèmes complexes montraient certains comportements communs. Ils commencèrent à considérer ces comportements comme caractéristiques de tous les systèmes complexes. Ils se rendirent compte qu'ils ne pouvaient être expliqués en analysant les composantes des systèmes. La méthode scientifique consacrée par l'usage du réductionnisme – démonter la montre pour voir comment elle marche – ne donnait rien avec les systèmes complexes, car le comportement intéressant semblait naître de l'interaction spontanée des composantes. Le comportement n'était ni préparé ni dirigé. Il fut donc appelé « auto-organisé ».

– Parmi les comportements auto-organisés, dit Malcolm, deux sont d'un intérêt particulier pour l'étude de l'évolution. Le premier est l'adaptation. Nous la voyons partout. Les grandes entreprises s'adaptent au marché, les cellules du cerveau s'adaptent aux feux de signalisation, le système immunitaire s'adapte à l'infection, les animaux s'adaptent à leur alimentation. Nous en sommes venus à penser que la capacité de s'adapter est caractéristique des systèmes complexes... et pourrait être une des raisons pour lesquelles l'évolution semble aller vers des organismes de plus en plus complexes.

Malcolm changea de position sur l'estrade, fit passer son poids sur sa canne.

– Plus important encore, poursuivit-il, la manière dont les systèmes complexes semblent trouver le juste milieu entre la nécessité de l'ordre et l'exigence du changement. Ils tendent à se situer à un endroit que nous appelons « le bord du chaos ». Nous imaginons le bord du chaos comme un endroit où il y a assez d'innovation pour garder un système vivant en mouvement et assez de stabilité pour l'empêcher de basculer dans l'anarchie. C'est une zone de conflits et de perturbations, où l'ancien et le nouveau sont constamment en guerre. Trouver le point d'équilibre ne peut qu'être délicat. Si un système vivant se rapproche trop près du bord, il risque de tomber dans l'incohérence et la dissolution ; s'il s'en écarte trop, il se pétrifie, devient rigide, totalitaire. Les deux états conduisent à l'extinction. L'excès est aussi destructeur que le défaut de changement. Ce n'est qu'au bord du chaos que les systèmes complexes peuvent prospérer...

– L'extinction, reprit Malcolm après un silence, est la conséquence inévitable d'un état comme de l'autre, trop de changement ou trop peu.

Nouveaux hochements de tête dans la salle. Ce type de raisonnement était familier à la plupart des chercheurs présents. En fait, le concept de bord du chaos était plus ou moins regardé comme un dogme au Santa Fe Institute.

– Malheureusement, poursuivit Malcolm, le fossé est profond entre cette construction théorique et la réalité de l'extinction. Nous n'avons aucun moyen de savoir si notre raisonnement est juste. Les organismes fossiles nous apprennent qu'un animal a disparu à une époque donnée, mais ils ne disent pas pourquoi. Les simulations sur ordinateur ne sont guère utiles; il est évidemment impossible de réaliser des expériences. Nous sommes, en conséquence, obligés de reconnaître que l'extinction – invérifiable et qui ne se prête pas à l'expérimentation – n'est peut-être pas un sujet scientifique. Cela pourrait expliquer pourquoi cette question a suscité de si vives controverses religieuses et politiques. Je me permets de rappeler qu'il n'y a jamais eu de débat de nature religieuse sur le nombre d'Avogadro, la constante de Planck ou les fonctions du pancréas. Pour ce qui est de l'extinction, la controverse fait rage depuis deux siècles. Je me demande comment la question sera tranchée, si... Oui, qu'y a-t-il?

Au fond de la salle, une main s'était levée et s'agitait impatiemment. Malcolm se renfrogna, visiblement agacé. La tradition de l'Institut voulait que l'on attende la fin de la causerie pour poser des questions; il était mal vu d'interrompre un orateur.

– Vous aviez une question?

Un homme d'une trentaine d'années se leva.

– Plutôt une observation, dit-il.

Brun et maigre, en short et saharienne, le contradicteur était précis dans ses attitudes et ses mouvements. Malcolm le reconnut: c'était un paléontologue de Berkeley, du nom de Levine, qui passait l'été à l'Institut. Malcolm ne lui avait jamais parlé, mais il le connaissait de réputation. Levine était considéré comme le meilleur paléontologue de sa génération, peut-être le meilleur au monde. Mais la plupart des gens éprouvaient de l'antipathie pour lui, le trouvaient pompeux et arrogant.

– Je reconnais, poursuivit Levine, que les organismes fossiles ne sont pas d'une grande utilité pour aborder le problème de l'extinction. D'autant moins que votre thèse l'attribue au comportement; des os n'apprennent pas grand-chose sur le comportement. Mais je conteste le fait que votre thèse soit invérifiable. En réalité, elle débouche sur une conclusion. Mais vous n'y avez peut-être pas encore pensé.

Un silence pesant s'abattit dans la salle. Malcolm se renfrogna un peu plus. L'éminent mathématicien n'avait pas l'habitude de s'entendre dire qu'il n'avait pas considéré ses idées dans tous leurs détails.

– Où voulez-vous en venir?

– À ceci, répondit Levine, apparemment insensible à la tension qui régnait dans la salle. Au crétacé, les dinosaures étaient répartis sur toute la planète. Des restes ont été découverts sur les cinq continents, dans toutes les zones climatiques, jusqu'à l'Antarctique. Si leur extinction est véritablement le résultat de leur comportement et non la conséquence d'une catastrophe, d'une maladie, d'un changement de la végétation ou de toute autre explication à l'échelle planétaire, il semble hautement improbable qu'ils aient tous changé de comportement au même moment et partout. Il s'ensuit que des descendants de ces animaux peuvent encore être vivants. Pourquoi ne pas les chercher?

— Vous le pouvez, riposta froidement Malcolm, si cela vous amuse. Et si vous n'avez rien de plus important à faire.

— Non, non, poursuivit Levine, je parle sérieusement. Imaginons que les dinosaures ne soient pas éteints. Imaginons que certains vivent encore. Quelque part, dans un endroit écarté de la planète.

— Vous faites allusion à un Monde perdu? fit Malcolm.

Il y eut dans la salle des hochements de tête entendus. Les scientifiques de l'Institut avaient mis au point un code pour se référer aux scénarios évolutionnistes les plus répandus. Ils parlaient du « Champ des Balles », de la « Ruine du joueur », du « Jeu de la vie », du « Monde perdu », de la « Reine rouge » et du « Bruit noir ». Il s'agissait de manières bien définies de parler de l'évolution. Mais toutes étaient...

— Non, poursuivit Levine, avec obstination. Je parle au sens littéral.

— Dans ce cas, vous vous fourvoyez entièrement, répliqua Malcolm, avec un geste dédaigneux de la main, avant de se diriger vers le tableau, au fond de la salle. En réfléchissant à ce qu'implique la notion de bord du chaos, reprit-il pour son auditoire, nous pouvons commencer par nous demander quelle est l'unité minima de vie. La plupart des définitions contemporaines font référence à l'ADN, mais deux exemples donnent à penser que cette définition est trop restrictive. Si l'on considère les virus et ce qu'on appelle les prions, il est manifeste que la vie Peut exister sans ADN...

Au fond de la salle, Levine demeura un moment bouche bée. Puis il se rassit, à contrecœur, et commença à prendre des notes.

L'HYPOTHÈSE DU MONDE PERDU

Peu après midi, la conférence achevée, Malcolm traversa d'un pas claudiquant la vaste cour de l'Institut. À ses côtés se trouvait Sarah Harding, une jeune biologiste de terrain, de retour d'Afrique. Malcolm la connaissait depuis plusieurs années, depuis qu'elle lui avait demandé d'être son directeur d'études pour la thèse de doctorat qu'elle préparait à Berkeley.

Ils formaient, dans la cour accablée de soleil, un couple pour le moins insolite : lui, tout de noir vêtu, austère et voûté, s'aidant d'une canne ; elle, en bermuda et tee-shirt, l'air jeune et dynamique, les cheveux bruns coupés court, dégageant le front. Le domaine de Sarah était les prédateurs africains, les lions et les hyènes. Le lendemain, elle devait reprendre l'avion pour Nairobi.

Ils étaient très liés depuis les opérations de Malcolm. Profitant d'une année sabbatique à Austin, Sarah avait aidé Malcolm à recouvrer la santé, après les nombreuses interventions chirurgicales qu'il avait subies. Un temps, on avait cru qu'une idylle naissait et que Malcolm, un célibataire endurci, allait se ranger. Mais Sarah avait repris le chemin de l'Afrique et Malcolm était parti à Santa Fe. Quelle qu'eût été la nature de leurs rapports, il ne restait entre eux que de l'amitié.

Ils revinrent sur les questions posées à la fin de la conférence. Du point de vue du conférencier, les objections soulevées étaient prévisibles : les extinctions massives avaient été déterminantes ; l'humanité devait son existence à la rupture du crétacé, qui avait provoqué la disparition des dinosaures et permis aux mammifères de prendre le relais. Comme l'avait formulé pompeusement un auditeur : « La fin du cré-

19

tacé a permis à notre conscience sensible de se faire jour à la surface de la planète. »

La réplique de Malcolm avait été immédiate.

« Qu'est-ce qui vous fait croire que nous sommes doués de sensibilité et de conscience ? Nous n'en avons aucune preuve. L'être humain ne pense jamais par lui-même, il trouve cela trop incommode. La plupart des membres de notre espèce se contentent de répéter ce qu'on leur dit... et réagissent mal lorsqu'on leur présente une opinion divergente. Le trait caractéristique de l'humanité n'est pas la conscience, mais la conformité, et le résultat caractéristique est l'affrontement religieux. Les autres animaux se battent pour un territoire ou pour la nourriture ; nous sommes les seuls dans le règne animal à nous battre pour nos " croyances ". La raison en est que les croyances déterminent le comportement qui, pour l'espèce humaine, fait partie intégrante de l'évolution. À une époque où notre comportement risque de provoquer l'extinction de notre espèce, je ne vois aucune raison de présupposer que nous sommes doués de conscience. Nous sommes des esprits conformistes, bornés, autodestructeurs. Tout autre jugement sur l'espèce humaine ne serait qu'illusion complaisante. Question suivante. »

– Ça ne leur a pas beaucoup plu, fit Sarah Harding en riant.

– Je reconnais que c'est décourageant, dit Malcolm, mais on ne peut rien y faire. Il y avait là quelques-uns de nos meilleurs scientifiques, reprit-il en secouant la tête, et je n'ai pas entendu une idée intéressante. À propos, que sais-tu sur ce type qui m'a interrompu ?

– Richard Levine ? Très agaçant, non ? Il a une réputation d'emmerdeur fini !

– M'étonne pas, grogna Malcolm.

– Le problème est qu'il a une grosse fortune. Tu connais les poupées Becky ?

– Non, répondit Malcolm en la regardant du coin de l'œil.

– Toutes les petites filles américaines en ont. Il y a différents modèles : Becky, Sally, Frances... Levine est l'héritier de l'affaire. Un fils à papa prétentieux, un tempérament impétueux, qui fait tout ce qui lui passe par la tête.

– As-tu le temps de déjeuner ? demanda Malcolm.

– Bien sûr, cela me ferait...

– Docteur Malcolm ! Attendez ! S'il vous plaît, docteur !

Malcolm se retourna. Il vit, au milieu de la cour, la silhouette dégingandée de Richard Levine qui se hâtait vers eux.

– Merde ! murmura le mathématicien entre ses dents.

– Docteur Malcolm, fit Levine en arrivant à leur hauteur, je m'étonne que vous n'ayez pas pris ma suggestion plus au sérieux.

– Comment aurais-je pu, rétorqua Malcolm. C'est absurde.

– Oui, mais...

– J'allais déjeuner avec Mlle Harding, coupa Malcolm, avec un geste en direction de Sarah.

– Je pense que vous devriez reconsidérer la question, insista Levine. J'ai la conviction que mes arguments sont valables : il est tout à fait possible, même probable, qu'il y ait encore des dinosaures vivants. Vous n'ignorez pas que des rumeurs sur d'étranges animaux courent avec insistance au Costa Rica, où, si je ne me trompe, vous vous êtes déjà rendu.

– En effet, et, dans le cas du Costa Rica, je peux affirmer que...

– Au Congo aussi, poursuivit Levine, sans l'écouter. Depuis plusieurs années, au Zaïre, dans la forêt dense de Bokambu, des Pygmées signalent la présence d'un gros sauropode, peut-être un apatosaure. Dans la jungle des hauts plateaux de l'Irian Jaya vivrait un animal de la taille d'un rhinocéros, peut-être un cératopsien.

– Pure imagination ! lança Malcolm. Rien n'a jamais été observé. Nous n'avons ni photographies ni preuves tangibles.

– Peut-être, reconnut Levine, mais l'absence de preuve n'est pas la preuve de l'absence. Je suis persuadé qu'il peut exister un lieu où vivent des survivants d'un lointain passé.

– Tout est possible, fit Malcolm avec un haussement d'épaules.

– En réalité, insista Levine, la survie est possible. Je reçois sans cesse des appels en provenance du Costa Rica, qui signalent l'existence de nouveaux animaux. Des restes, des fragments.

Malcolm s'arrêta net.

– Dernièrement ?

– Pas depuis quelque temps.

– C'est bien ce qu'il me semblait, fit le mathématicien.

– Le dernier appel remonte à neuf mois, poursuivit Levine. J'étais en Sibérie, pour observer le bébé mammouth congelé, et je n'ai pas pu revenir à temps. On m'a dit qu'il s'agissait d'une sorte de très gros lézard, atypique, trouvé mort dans la jungle du Costa Rica.

– Et alors ? Qu'en a-t-on fait ?

– On a brûlé les restes.

– Il n'en subsiste donc rien ?

– En effet.

– Pas de photo ? Pas de preuve ?

– Apparemment pas.

– Alors, ce ne sont que des on-dit.

– Peut-être, mais je suis sûr que cela vaudrait la peine de monter une expédition, pour savoir à quoi s'en tenir sur ces survivants qui auraient été signalés.

– Une expédition ? fit Malcolm en ouvrant de grands yeux. Pour découvrir un hypothétique Monde perdu ? Qui va payer ?

– Moi, répondit Levine. Le projet est déjà ébauché.

– Mais cela coûterait...

– Peu importe le coût. Le fait est que la survie est possible ; elle a été constatée chez différentes espèces d'autres genres et il se peut qu'il existe aussi des survivants du crétacé.

– Pure imagination ! répéta le mathématicien en secouant la tête.

– Docteur Malcolm, reprit Levine après un silence, j'avoue que je suis très surpris de votre attitude. Vous venez d'avancer une thèse et je vous offre la possibilité d'en prouver le bien-fondé. Je croyais que vous sauteriez sur l'occasion.

– Je ne saute plus depuis longtemps, répliqua Malcolm.

– Mais vous pourriez me prendre au mot et...

– Je ne m'intéresse pas aux dinosaures.

– Tout le monde s'intéresse aux dinosaures !

– Pas moi.

Malcolm prit appui sur sa canne et se remit en marche.

– À propos, lança Levine, qu'avez-vous fait au Costa Rica ? Il paraît que vous y êtes resté près d'un an.

– J'étais cloué dans un lit d'hôpital. Je suis resté six mois en soins intensifs. Je ne pouvais même pas prendre l'avion.

– Oui, fit Levine, je sais que vous étiez blessé. Mais qu'étiez-vous allé faire là-bas ? Vous ne cherchiez pas des dinosaures ?

Malcolm se retourna vers lui, les yeux plissés pour se protéger du soleil ; il s'appuya sur sa canne.

– Non, répondit-il. Pas des dinosaures.

Ils s'étaient installés tous les trois à une petite table d'angle du café Guadalupe, sur l'autre rive du Santa Fe. Sarah Harding buvait une Corona à la bouteille, en observant les deux hommes assis en face d'elle. Levine avait l'air content de se trouver en leur compagnie, comme si le fait de partager leur table était une petite victoire. Malcolm paraissait las, comme un père ayant passé trop de temps avec un enfant hyperactif.

– Vous voulez savoir ce que je me suis laissé dire ? fit Levine. Eh bien, il paraît qu'il y a quelques années une société de biotechnologie du nom d'InGen a fabriqué des dinosaures et les a mis en liberté dans une île du Costa Rica. Mais quelque chose a foiré, il y a eu plusieurs morts et les dinosaures ont été détruits. Personne ne veut en parler, pour des raisons juridiques. Un accord de non-divulgation ou quelque chose de ce genre. De son côté, le gouvernement du Costa Rica ne veut pas que le tourisme en pâtisse. Motus, bouche cousue ! Voilà ce que je me suis laissé dire.

– Vous croyez ça ? demanda Malcolm, feignant l'étonnement.

– Au début, non, répondit Levine. Le problème est que les rumeurs continuent de courir. On dit que vous y étiez, avec Alan Grant et quelques autres.

– Avez-vous posé la question à Grant ?

– L'an dernier, à Pékin, où nous participions à un colloque. Il a répondu que c'était absurde.

Malcolm hocha lentement la tête.

– Vous dites la même chose? demanda Levine en buvant une gorgée de bière. Vous connaissez Grant, non?

– Non, je ne l'ai jamais rencontré.

– Alors, ce n'est pas vrai? poursuivit Levine en scrutant le visage du mathématicien.

– Connaissez-vous le concept du techno-mythe? fit Malcolm en soupirant. C'est Geller qui l'a lancé, à Princeton. L'idée de base est que nous avons perdu tous les vieux mythes : Orphée et Eurydice, Persée et Méduse. Nous avons donc mis à la place des techno-mythes modernes. Geller en a recensé une douzaine. L'un est qu'un extraterrestre vit dans un hangar de la base aérienne Wright-Patterson. Un autre que quelqu'un a inventé un carburateur limitant la consommation d'essence à un litre et demi aux cent kilomètres, mais que les constructeurs ont acheté le brevet et le gardent sous le coude. Il y a aussi cette histoire d'après laquelle les Russes ont développé les perceptions extra-sensorielles chez des enfants, dans une base secrète, quelque part en Sibérie; ces gamins auraient le pouvoir de tuer en n'importe quel endroit de la planète, par la seule force de leur pensée. On dit encore qu'il y a à Nazca, au Pérou, des vestiges d'une aire d'atterrissage d'engins spatiaux d'une autre planète. Que la CIA a répandu le virus du sida pour se débarrasser des homosexuels. Que Nikola Tesla a découvert une incroyable source d'énergie, mais que ses notes ont été égarées. Qu'à Istanbul un dessin du xe siècle montre la Terre vue de l'espace. Que l'Institut de recherches Stanford a découvert un homme dont le corps luit dans l'obscurité. Vous voyez le tableau?

– D'après vous, les dinosaures d'InGen sont un mythe? fit Levine.

– Évidemment, il ne peut en aller autrement. Croyez-vous qu'il soit possible de fabriquer un dinosaure?

– Tous les spécialistes affirment que non.

– Ils ont raison.

Malcolm lança un coup d'œil à Sarah, comme pour quêter son approbation. Elle garda le silence, porta la bouteille de bière à ses lèvres.

En réalité, ces rumeurs sur les dinosaures évoquaient quelque chose à Sarah Harding. Après une de ses opérations, Malcolm avait eu un accès de délire, provoqué par l'anesthésie et les analgésiques. Marmonnant des paroles sans queue ni tête, l'air terrifié, se tordant sur son lit, il avait prononcé le nom de plusieurs espèces de dinosaures. Sarah avait interrogé l'infirmière, qui lui avait répondu que c'était la même chose après chaque intervention chirurgicale. Le personnel hospitalier mettait cela sur le compte des médicaments; Sarah avait eu le sentiment que Malcolm revivait une expérience terrifiante mais bien réelle. Un sentiment fortifié par la façon familière dont Malcolm parlait des dinosaures, en employant une manière de jargon ; il les appelait « raptors », « compys » et « trikes ». Et il semblait redouter particulièrement les raptors.

Plus tard, après sa sortie de l'hôpital, elle lui avait parlé de ce délire. Éludant la question, il s'en était sorti par une plaisanterie d'un goût douteux : « Au moins, je n'ai pas prononcé d'autres prénoms de femmes. » Il avait poursuivi en disant que, gamin, il était un fana des dinosaures et qu'un malade régresse. Son attitude montrait une indifférence étudiée, comme si tout cela n'avait aucune importance ; Sarah avait eu le sentiment très net qu'il cherchait à noyer le poisson. Mais elle n'avait pas eu envie d'insister ; elle était amoureuse de lui, à l'époque, et faisait montre d'une grande indulgence.

Malcolm lui lança un regard interrogateur, comme pour savoir si elle avait l'intention de le contredire. Elle lui rendit son regard, en haussant les sourcils. Il devait avoir ses raisons ; elle saurait patienter.

– Alors, fit Levine en se penchant sur la table, cette histoire d'InGen est totalement fausse ?

– Totalement, répondit le mathématicien en hochant gravement la tête. Totalement fausse.

Malcolm s'appliquait depuis trois ans à réfuter les suppositions. Il commençait à y exceller ; sa lassitude n'était plus feinte, mais sincère. L'été 1989, en qualité de consultant pour International Genetic Technologies, il avait bien été envoyé au Costa Rica, pour une étude qui avait tourné au cauchemar. Tous les acteurs s'étaient employés activement à étouffer l'affaire. InGen cherchait à limiter sa responsabilité. Le gouvernement costaricain tenait à préserver sa réputation de paradis touristique. Chacun des scientifiques concernés, ayant signé un accord de non-divulgation, avait été récompensé par de généreuses subventions. Pour ce qui était de Malcolm, les deux années de soins médicaux avaient été prises en charge par la société.

Entre-temps, les installations d'InGen au Costa Rica avaient été détruites ; plus une seule créature vivante ne peuplait l'île. La société avait engagé George Baselton, l'éminent professeur de Stanford, biologiste et essayiste ; ses fréquentes apparitions télévisées avaient fait de lui une autorité très populaire sur les sujets scientifiques. Baselton affirmait avoir visité l'île ; il démentait inlassablement les rumeurs selon lesquelles des animaux d'espèces disparues y auraient été vus. Le ricanement de dérision dont il accompagnait la phrase « Vous voulez parler de smilodons, sans doute ! » était particulièrement efficace.

Le temps passa, l'intérêt pour cette histoire retomba. InGen avait depuis longtemps déposé son bilan. Les principaux investisseurs, en Europe comme en Asie, s'étaient résignés à leurs pertes. Les actifs de la société, les bâtiments et le matériel de laboratoire, seraient vendus petit à petit, mais ils décidèrent de ne jamais céder la technologie qui avait été développée. Bref, le chapitre InGen était clos.

Il n'y avait rien à ajouter.

— Il n'y a donc rien de vrai dans cette histoire, reprit Levine en mordant dans la galette de maïs de son *tamale*. Pour ne rien vous cacher, je préfère ça.

— Pourquoi? demanda Malcolm.

— Parce que cela signifie que les restes que l'on découvre au Costa Rica doivent être authentiques. De vrais dinosaures. J'ai un ami de Yale là-bas, un biologiste de terrain, qui me dit qu'il les a vus. Je le crois.

— Je doute, répliqua Malcolm avec un haussement d'épaules, que l'on découvre d'autres animaux au Costa Rica.

— Il est vrai qu'il n'y en a pas eu depuis près d'un an. Mais, dès qu'on en trouvera d'autres, je ferai un saut là-bas. En attendant, je vais préparer une expédition. J'ai beaucoup réfléchi à la manière dont il faut s'y prendre. Je pense que les véhicules spéciaux peuvent être construits en moins d'un an; j'en ai déjà parlé à Doc Thorne. Puis je constituerai une équipe, dont pourraient faire partie le docteur Harding ou un autre naturaliste aussi expérimenté, et quelques étudiants de troisième cycle...

Malcolm secoua la tête en silence.

— Vous croyez que je perds mon temps? demanda Levine.

— Absolument.

— Mais supposons – simple supposition – que l'on trouve de nouveaux animaux.

— Jamais de la vie!

— Simple supposition, répéta Levine. Cela vous intéresserait-il de m'aider? À mettre sur pied une expédition?

Malcolm termina son assiette, la repoussa, leva les yeux vers Levine.

— Oui, dit-il enfin. Si on trouve de nouveaux animaux, cela m'intéresserait de vous aider.

— Génial! lança Levine. C'est tout ce que je voulais savoir.

Ils sortirent dans Guadalupe Street, sous un soleil de plomb. Malcolm se dirigea avec Sarah vers sa Ford cabossée; Levine monta dans une Ferrari rouge vif, les salua joyeusement de la main et démarra en trombe.

— Crois-tu que cela se reproduira? demanda Sarah. Que l'on trouvera d'autres... animaux?

— Non, répondit Malcolm. J'ai la conviction qu'il n'y en aura pas d'autres.

— On dirait que tu as bon espoir.

Il secoua la tête, se glissa gauchement dans la voiture, en lançant sa mauvaise jambe sous le volant. Sarah prit place à ses côtés. Il lui lança un coup d'œil en coin, en tournant la clé de contact. Ils reprirent la route de l'Institut.

Le lendemain, elle repartit en Afrique. Au long des dix-huit mois qui suivirent, elle s'intéressa de loin aux progrès de Levine qui l'appelait de temps en temps pour poser une question sur ses observations, les pneus de ses véhicules ou le meilleur anesthésique à utiliser sur des animaux sauvages. De loin en loin, elle recevait un coup de fil de Doc Thorne, qui construisait les véhicules. Le plus souvent, il paraissait surmené.

De Malcolm, elle n'eut d'autres nouvelles qu'une carte d'anniversaire, qui arriva avec un mois de retard, au bas de laquelle il avait griffonné quelques mots. « Heureux anniversaire. Félicite-toi de ne pas avoir à le supporter. Il me rend marteau. »

PREMIÈRE CONFIGURATION

Dans la région médiane, loin du bord chaotique, des éléments isolés s'unissent lente-ment, sans montrer une structure définie.

IAN MALCOLM

FORMES ABERRANTES

Dans la lumière déclinante de l'après-midi, l'hélicoptère longea la côte en rase-mottes, suivant la ligne où la végétation touffue mordait sur le sable de la plage. L'appareil avait survolé le dernier village de pêcheurs dix minutes plus tôt. Il n'y avait plus maintenant que la jungle impénétrable du Costa Rica, la mangrove et des kilomètres de plages désertes. Assis à côté du pilote, Marty Guitierrez regardait par la vitre la grève défiler sous l'hélicopère. Il n'y avait même pas de routes dans la région, du moins n'en voyait-il pas.

Guitierrez était un biologiste américain de trente-six ans, barbu et peu loquace. Il vivait au Costa Rica depuis huit ans. Venu étudier les différentes espèces de toucans dans la forêt pluviale, il avait été engagé comme consultant par la Reserva Biologica de Carara, le parc national du nord du pays. Guitierrez prit le micro et s'adressa au pilote.

– Combien de temps ?

– Cinq minutes, *señor* Guitierrez.

– Ce ne sera plus long, fit Guitierrez en se retournant.

L'homme à la longue carcasse pliée en deux sur le siège arrière de l'appareil ne répondit pas. Rien dans son attitude n'indiqua qu'il avait entendu. Le menton dans les mains, la mine revêche, il regardait par la vitre.

Richard Levine portait un ensemble de toile kaki décoloré par le soleil et un chapeau à large bord enfoncé sur le crâne. Des jumelles cabossées pendaient à son cou. Malgré cette apparence de baroudeur, Levine avait l'air absorbé d'un scientifique. Derrière les lunettes cerclées de métal, les traits étaient anguleux, le regard vif et critique.

– Où sommes-nous ?

– Un endroit appelé Rojas.

– C'est très au sud ?

– Oui, à quatre-vingts kilomètres de la frontière du Panama.

– Je ne vois pas de routes, poursuivit Levine en scrutant l'immensité végétale. Comment a-t-on découvert l'animal ?

– Un couple de campeurs, répondit Guitierrez. Ils étaient en bateau, ils ont abordé sur la plage.

– Il y a combien de temps ?

– Hier. Après avoir jeté un coup d'œil au cadavre, ils sont repartis en vitesse.

Levine hocha lentement la tête. Avec ses longues jambes repliées et ses mains calées sous le menton, il ressemblait à une mante religieuse. C'était son surnom en fac de sciences, en partie à cause de son apparence, en partie pour sa propension à sauter à la tête de quiconque ne partageait pas sa manière de voir les choses.

– Es-tu déjà venu au Costa Rica ?

– Non, c'est la première fois.

Levine agita la main avec agacement, pour indiquer qu'il n'avait pas de temps à perdre en futilités.

Guitierrez sourit. Après tant d'années, Levine n'avait absolument pas changé. Il était toujours un des esprits les plus brillants et un des individus les plus irritants de la communauté scientifique. Ils s'étaient connus à Yale, avant que Levine choisisse de passer son doctorat en zoologie comparée. Il affirmait hautement ne prendre aucun intérêt au type de recherches sur le terrain qui attirait tant Guitierrez. Avec le mépris qui le caractérisait, il avait un jour déclaré que le travail de Guitierrez consistait à « ramasser sur les cinq continents des fientes de perroquet ».

La vérité était que Levine – brillant et méticuleux – se sentait attiré par le passé, par le monde qui n'existait plus. Il étudiait ce monde avec une ferveur obsessionnelle. Levine était réputé pour sa mémoire photographique, son arrogance, sa causticité et le plaisir non dissimulé qu'il prenait à souligner les erreurs de ses collègues. Comme l'avait dit l'un d'entre eux : « Levine n'oublie jamais le moindre différend... et il ne permet à personne de l'oublier. »

Les hommes de terrain détestaient Levine, qui le leur rendait bien. C'était, au fond, un passionné du détail, un nomenclateur de la vie animale ; son plus grand plaisir était d'étudier les collections des musées, pour reclasser les espèces, réordonner les squelettes exposés. Il ne supportait pas la poussière ni l'inconfort de la vie sur le terrain. Si cela n'avait tenu qu'à lui, Levine ne serait jamais sorti des musées. Mais le destin avait voulu qu'il vive à l'époque des plus grandes découvertes de l'histoire de la paléontologie. Le nombre d'espèces connues de dinosaures avait doublé en vingt ans, de nouvelles espèces étaient décrites à raison d'une toutes les sept semaines. La renommée mondiale de Levine l'obligeait donc à sillonner sans relâche les cinq continents, pour inspecter les nouvelles découvertes et donner son avis autorisé à des chercheurs frustrés de ne pouvoir s'en passer.

— D'où arrives-tu? demanda Guitierrez.

— De Mongolie, répondit Levine. Les Falaises de feu, vers le désert de Gobi, à trois heures d'Oulan-Bator.

— Qu'y a-t-il là-bas?

— John Roxton fait des fouilles. Il a découvert un squelette incomplet qu'il croyait être d'une nouvelle espèce de *Velociraptor*; il voulait que j'y jette un coup d'œil.

— Et alors?

— Roxton n'a jamais été très fort en anatomie, répondit Levine avec un haussement d'épaules. Il est très bon pour collecter des fonds, mais, quand il met quelque chose au jour, il est incapable d'aller plus loin.

— Tu lui as dit ça?

— Pourquoi pas? C'est la vérité.

— Et le squelette?

— Rien à voir avec un raptor. Les métatarsiens ne correspondaient pas, l'ischion n'avait pas le bon obturateur, le pubis était trop ventral et les os longs beaucoup trop légers. Quant au crâne... Palatin trop épais, partie antérieure de l'orbite trop saillante, carène distale trop petite – je pourrais continuer longtemps. Et l'inguis à peine visible. Voilà. Je ne sais pas où Roxton avait la tête. J'ai dans l'idée qu'il a trouvé une sous-espèce de *Troödon*, mais je n'ai pas encore décidé.

— *Troödon*? répéta Guitierrez.

— Un petit carnivore du crétacé; long d'un peu plus de deux mètres. Un théropode très banal. Celui de Roxton n'était pas un exemplaire particulièrement intéressant. Mais il y avait un détail curieux. Des traces tégumentaires: une empreinte de la peau du dinosaure. Ce n'est pas rare en soi. On dispose déjà d'une douzaine d'empreintes en bon état, d'*Hadrosauridae* pour la plupart. Mais rien de comparable. J'ai aussitôt remarqué que cette peau avait des caractéristiques insolites, jamais soupçonnées chez les dinosaures...

— *Señores*! lança le pilote, en les interrompant. La baie Juan Fernandez est devant nous.

— Pouvez-vous en faire le tour, pour commencer? demanda Levine.

Il se tourna vers la vitre, l'air absorbé, la conversation déjà oubliée. Ils survolaient la jungle, un tapis végétal qui s'étirait à perte de vue vers les collines. L'appareil vira pour suivre la plage.

— Là! fit Guitierrez en indiquant quelque chose du doigt.

La plage, totalement déserte, formait en plein soleil un croissant bien dessiné de sable blanc. Ils virent au sud une masse sombre tranchant sur la blancheur du sable. Vu du ciel, on eût dit un rocher ou un gros tas de varech. La masse, d'un mètre cinquante de diamètre, n'avait pas de forme définie. Tout autour, de nombreuses empreintes de pas étaient visibles.

– Qui est venu ici ? demanda Levine en soupirant.

– Des fonctionnaires des Affaires sanitaires et sociales, dans la matinée.

– Qu'est-ce qu'ils ont fait ? poursuivit Levine. Ils l'ont touché, ils l'ont déplacé ?

– Je ne sais pas, répondit Guitierrez.

– Les Affaires sanitaires et sociales, répéta Levine en secouant la tête. Qu'est-ce qu'ils y connaissent ? Tu n'aurais jamais dû les laisser approcher, Marty.

– Ce n'est pas moi qui dirige ce pays, répliqua Guitierrez. J'ai fait mon possible. Ils voulaient le détruire sans attendre ton arrivée. J'ai au moins réussi à le garder intact. Mais je ne peux dire combien de temps ils vont nous laisser.

– Alors, mettons-nous tout de suite au travail, déclara Levine en enfonçant le bouton de son micro. Pourquoi continuons-nous à tourner au-dessus de cette plage ? La lumière diminue. Vous pouvez vous poser. Je veux voir cette chose de près.

Richard Levine s'élança sur le sable en direction de la forme sombre, les jumelles lui battant la poitrine. Malgré la distance, il percevait l'odeur pestilentielle du cadavre en putréfaction. Il commença à noter ses impressions initiales. La carcasse, à moitié enfouie dans le sable, était entourée d'un épais nuage de mouches. La peau était distendue par les gaz, ce qui rendrait l'identification difficile.

Il s'arrêta à quelques mètres de l'animal, prit son appareil photo. Le pilote de l'hélicoptère courut aussitôt vers lui et l'obligea à baisser le bras.

– *No permitido.*

– Quoi ?

– Je regrette, *señor*. Les photos sont interdites.

– Et pourquoi ? s'écria Levine.

Il se retourna vers Guitierrez qui trottinait vers eux.

– Pourquoi pas de photos, Marty ? Cela peut être important...

– Pas de photos, répéta le pilote en arrachant l'appareil des mains de Levine.

– Marty ! Fais quelque chose !

– Vas-y, commence à l'examiner.

Guitierrez se mit à parler en espagnol au pilote, qui répondit sèchement et agita les mains avec nervosité.

Levine observa la scène, puis se retourna. Ces deux-là pouvaient discutailler des heures. Il fit quelques pas, en respirant par la bouche. Plus il approchait de la carcasse, plus la puanteur était forte. Malgré la taille de la charogne, il remarqua qu'il n'y avait ni oiseaux, ni rats, ni autres animaux nécrophages qui s'en nourrissaient. Il n'y avait que le nuage de mouches, si dense qu'elles recouvraient la peau et brouillaient les contours de la carcasse.

Malgré cela, il était évident que l'animal avait été assez gros, à peu près de la taille d'une vache ou d'un cheval, avant de commencer à gonfler. La peau desséchée par le soleil s'était craquelée par endroits et laissait apparaître la couche jaunâtre du tissu adipeux sous-cutané.

Quelle odeur! Levine grimaça. Il se força à avancer, concentrant toute son attention sur l'animal.

Bien qu'il fût de la taille d'une vache, ce n'était manifestement pas un mammifère. La peau était nue. La couleur d'origine paraissait être verte, striée, semblait-il, de bandes plus sombres. L'épiderme était couvert de tubercules polygonaux de différentes tailles, dont l'aspect rappelait la peau du lézard. La texture présentait des variations selon les parties du corps; les tubercules étaient plus larges et moins distincts sur le ventre. Des replis de la peau apparaissaient sous le cou, sur les épaules et les hanches – là aussi comme chez un lézard.

Mais la carcasse était grosse. Levine estima que l'animal avait dû peser une centaine de kilos. Aucun autre lézard connu n'avait cette taille, sauf le dragon de Komodo, en Indonésie. *Varanus komodoensis* était un lézard géant pouvant mesurer près de trois mètres, un carnivore de la taille d'un crocodile, qui mangeait des chèvres et des cochons, et, à l'occasion, un être humain. Mais il n'y avait pas de lézards de cette espèce dans le Nouveau Monde. Il était évidemment concevable qu'il s'agisse d'un iguane. On trouvait ce reptile saurien dans toute l'Amérique tropicale et l'iguane marin pouvait devenir très gros. La taille de celui-ci aurait pourtant constitué un record.

Levine s'avança lentement vers l'avant de l'animal. Non, ce n'était pas un lézard. La carcasse était sur le côté, le flanc gauche tourné vers le ciel. Près de la moitié du corps était enterrée; la rangée de protubérances marquant les apophyses de la colonne vertébrale ne se trouvait qu'à quelques centimètres au-dessus du sable. Le long cou était courbé, la tête cachée sous la masse du corps, comme celle d'un canard sous ses plumes. Levine vit un membre antérieur, qui lui parut faible et de petite taille. L'appendice caudal était enfoui dans le sable. Il creuserait plus tard pour le dégager, mais il voulait prendre des photos avant de toucher au spécimen in situ.

En fait, plus il regardait la carcasse, plus il avait la conviction qu'il fallait agir avec prudence. Une chose était claire : il avait devant lui un animal très rare, peut-être même inconnu. Il était partagé entre l'exaltation et la circonspection. Si cette découverte était aussi importante qu'il commençait à le penser, il était essentiel de réunir les preuves nécessaires.

Plus loin, sur la plage, Guitierrez continuait à crier après le pilote qui secouait obstinément la tête. Ces bureaucrates de république bananière ! se dit Levine. Pourquoi ne le laissait-on pas prendre des photos ? Il n'y avait pas de mal à cela. Et il était vital d'apporter la preuve de l'état de l'animal.

Il entendit un bruit sourd et continu. Il leva la tête, vit un autre hélicoptère qui survolait la baie, une ombre filant sur le sable de la grève. Le nouvel appareil, tout blanc, portait sur le flanc une inscription en lettres rouges. L'éclat aveuglant du soleil couchant empêcha Levine de la déchiffrer.

Il se retourna vers la charogne, remarqua que le membre postérieur était puissant, très musclé, contrairement à l'antérieur. Cela laissait supposer que l'animal était un bipède, prenant appui sur ses pattes de derrière. Nombre de lézards se tenaient debout, c'était connu, mais aucun de cette taille. En réalité, plus Levine observait la ligne générale du cadavre, plus il avait la conviction que ce n'était pas un lézard.

Il se mit à travailler plus rapidement ; la lumière baissait et il avait encore beaucoup à faire. Devant chaque spécimen se posaient toujours deux grandes questions, aussi importantes l'une que l'autre. D'abord, de quel animal s'agissait-il ? Ensuite, de quoi était-il mort ?

En s'approchant de la cuisse, il vit que l'épiderme avait éclaté, probablement à cause de l'accumulation sous-cutanée de gaz. En regardant de plus près, Levine se rendit compte qu'il s'agissait en réalité d'une entaille plongeant profondément dans les chairs et laissant apparaître le rouge du muscle et le blanc de l'os. Il oublia l'odeur pestilentielle, il oublia les vers blancs qui grouillaient dans les tissus déchirés, car il venait de comprendre que...

– Désolé pour tout ça, fit Guitierrez dans son dos. Rien à faire, le pilote refuse.

Le pilote suivait nerveusement Guitierrez, se tenait près de lui, ne le quittait pas des yeux.

– Marty, fit Levine. J'ai vraiment besoin de prendre des photos.

– Impossible, je le crains, répondit Guitierrez en haussant les épaules.

– C'est important, Marty.

– Désolé. J'ai fait ce que je pouvais.

L'hélicoptère blanc se posa plus loin sur la plage ; le bruit des rotors décrut, des hommes en uniforme descendirent de l'appareil.

– À ton avis, Marty, quel est cet animal ?

– Je ne peux émettre qu'une supposition, répondit Guitierrez. D'après les dimensions générales, je dirais qu'il s'agit d'un iguane d'une espèce non identifiée. La taille est exceptionnelle et, à l'évidence, ce n'est pas un animal indigène. À mon avis, il vient des Galapagos ou d'une des...

– Non, Marty, fit Levine. Ce n'est pas un iguane.

– Avant que tu ne dises autre chose, coupa Guitierrez en lançant un coup d'œil au pilote, tu dois savoir que plusieurs lézards d'espèce inconnue ont été découverts dans la région. Personne ne peut donner d'explication. C'est peut-être le résultat de la destruction de la forêt pluviale ou bien il y a une autre raison. Mais de nouvelles espèces apparaissent. Il y a quelques années, j'avais déjà vu des espèces non identifiées de...

– Marty, ce n'est pas un lézard.

– Qu'est-ce que tu racontes ? lança Guitierrez en clignant des yeux. Bien sûr que c'est un lézard.

– Je ne pense pas.

– Tu te méprends, certainement à cause de sa taille inhabituelle. Le fait est qu'il nous arrive, au Costa Rica, de découvrir des formes aberrantes...

– Marty, répliqua Levine, je ne me méprends jamais.

– Euh ! bien sûr... Ce n'est pas ce que je voulais dire.

– Moi, je te dis que ce n'est pas un lézard.

– Désolé, fit Guitierrez en secouant la tête, je ne suis pas d'accord.

Autour de l'hélicoptère blanc, les hommes s'étaient rassemblés et mettaient des masques de chirurgie.

– Je ne te demande pas d'être d'accord, reprit Levine. Le diagnostic est facile à poser, poursuivit-il en se retournant vers la charogne. Il nous reste à dégager la tête, ou n'importe quel membre, par exemple cette cuisse, qui, je pense...

Il s'interrompit, se pencha vers le cadavre pour examiner l'arrière de la cuisse.

– Qu'y a-t-il ? demanda Guitierrez.

– Passe-moi ton couteau.

– Pour quoi faire ?

– Passe-le-moi.

Guitierrez fouilla dans sa poche, en sortit un canif dont il glissa le manche dans la main tendue de Levine. Levine se rapprocha de la carcasse.

– Je crois que tu vas trouver ça intéressant.

– Quoi ?

– Sur la face postérieure de l'épiderme, il y a...

Leur attention fut attirée par des cris sur la plage. Ils relevèrent la tête, virent les hommes de l'hélicoptère qui couraient vers eux. Ils portaient un récipient sur le dos et braillaient en espagnol.

– Qu'est-ce qu'ils disent ? demanda Levine, l'air perplexe.

– Ils nous disent de reculer, répondit Guitierrez en soupirant.

– Explique-leur que nous sommes occupés, fit Levine en se penchant sur la carcasse.

Mais les hommes continuèrent de crier. Une sorte de grondement se fit entendre; Levine leva la tête et vit des lance-flammes s'allumer, de grands jets de feu qui faisaient rougeoyer le sable. Il fit le tour de la carcasse, s'avança au-devant des hommes en uniforme.

— Non! Non!

Personne ne s'occupa de lui.

— Non, cria-t-il, cet animal a une valeur inestimable!

Le premier homme en uniforme saisit Levine par le bras et le poussa brutalement sur le sable.

— Que voulez-vous faire? s'écria Levine en se relevant péniblement.

Mais il était déjà trop tard, les premières flammes commençaient à lécher la carcasse; la peau noircit, les poches de méthane s'enflammèrent avec un éclair bleu. Un panache de fumée s'éleva vers le ciel.

— Arrêtez! Arrêtez! Marty, empêche-les de continuer!

Mais Guitierrez, le regard fixé sur la charogne, ne bougea pas. Consumé par les flammes, le thorax se craquela, la graisse grésilla. La peau disparut, montrant les côtes noircies, puis le thorax se retourna d'un bloc, entraînant le cou de l'animal, enveloppé dans les flammes, remuant à mesure que la peau se contractait. Au milieu des flammes, Levine distingua un long museau effilé, des rangées de dents acérées de prédateur et la cavité osseuse des orbites. La tête continua de brûler, comme celle d'un antique dragon détruit par le feu.

SAN JOSÉ

Assis au bar de l'aéroport de San José, une bière à la main, Levine attendait l'heure de son vol pour les États-Unis. À côté de lui, Guitierrez ne disait pas grand-chose. Un silence gêné s'était installé entre eux depuis quelques minutes. Guitierrez baissa les yeux vers le sac à dos que Levine avait posé à ses pieds. Il était en Gore-Tex vert foncé, avec des poches extérieures supplémentaires, pour loger le matériel électronique.

— Joli sac, fit Guitierrez. Où l'as-tu eu ? On dirait un sac de Thorne.

— C'en est un, répondit Levine en buvant une gorgée de bière.

— Pas mal, reprit Guitierrez en hochant la tête. Qu'est-ce que tu as dans le compartiment supérieur, un téléphone par satellite ? Et un GPS ? Décidément, on n'arrête pas le progrès ! Drôlement astucieux. Cela a dû te coûter une...

— Marty, coupa Levine d'un ton agacé, arrête ton cinéma. Vas-tu me le dire, oui ou non ?

— Te dire quoi ?

— Je veux savoir ce qui se passe ici.

— Écoute, Richard, je regrette vraiment que tu...

— Non, riposta Levine, sans le laisser achever. Le spécimen de la plage était très important, Marty, et il a été détruit. Je ne comprends pas pourquoi tu les as laissés faire.

Guitierrez soupira. Il lança un coup d'œil vers les touristes des tables voisines.

— Je te le dis sous le sceau du secret, d'accord ?

— D'accord.

— C'est un sérieux problème ici.

— De quoi parles-tu ?

– Il y a des... des formes aberrantes... qui échouent de temps en temps sur la côte. Cela fait déjà plusieurs années.

– Des formes aberrantes ? répéta Levine en secouant la tête d'un air incrédule.

– C'est le terme officiel pour désigner ces spécimens, expliqua Guitierrez. Les autorités refusent de donner des précisions. Tout a commencé il y a cinq ans. Plusieurs animaux ont été découverts dans les montagnes, près d'une station expérimentale isolée de culture du soja.

– Du soja, répéta Levine.

– Apparemment, poursuivit Guitierrez, ces animaux sont attirés par le soja et certaines herbes. On suppose qu'ils ont un grand besoin de lysine, un acide aminé, dans leur alimentation. Mais personne n'est sûr de rien. Peut-être ont-ils seulement une prédilection pour certains végétaux...

– Marty, coupa Levine, je me contrefous de savoir s'ils aiment la bière et les bretzels. La seule question qui importe est de savoir d'où venaient les animaux.

– Personne ne le sait, répondit Guitierrez.

– Que sont-il devenus ? poursuivit Levine.

– Ils ont été détruits. À ma connaissance, on n'en a trouvé aucun autre pendant plusieurs années. Mais cela recommence, dirait-on. En l'espace d'un an, on a trouvé les restes de quatre nouveaux animaux, y compris celui que nous avons vu.

– Qu'en a-t-on fait ?

– Euh !... Les formes aberrantes sont toujours détruites. Tu l'as vu de tes yeux. Depuis le début, les pouvoirs publics ont pris toutes les mesures pour s'assurer que personne ne parle de rien. Il y a quelques années, des journalistes nord-américains ont commencé à faire état d'événements troublants qui se seraient produits sur une île, Isla Nublar. Menéndez a fait venir un groupe de journalistes et leur a offert une visite guidée de l'île. Ce n'était pas la bonne, mais ils n'y ont vu que du feu. Tu vois que les autorités prennent cela très au sérieux.

– Pourquoi ?

– Elles sont inquiètes.

– Inquiètes ? Quelles raisons auraient-elles de s'inquiéter ?

Guitierrez l'interrompit d'un geste de la main, se tortilla nerveusement et rapprocha sa chaise.

– Une maladie, Richard.

– Une maladie ?

– Oui. Les services médicaux du Costa Rica sont parmi les meilleurs du monde, expliqua Guitierrez. Les épidémiologistes ont remarqué une forme bizarre d'encéphalite qui semble en augmentation, en particulier sur le littoral.

– Une encéphalite ? D'origine virale ?

– Aucun agent pathogène n'a été découvert, fit Guitierrez en secouant la tête.

– Marty...

– Crois-moi, Richard, personne n'en sait rien. Ce n'est pas viral, car la production d'anticorps n'augmente pas et le taux de leucocytes reste stable. Ce n'est pas bactérien, car on n'a jamais réussi à faire une culture. Le mystère est total. Les épidémiologistes savent seulement que la maladie semble toucher principalement les habitants des zones rurales, des gens en contact avec les animaux, le bétail. Et c'est une vraie encéphalite : violents maux de tête, confusion mentale, fièvre, délire.

– Mortelle ?

– Jusqu'à présent, la maladie ne semble pas trop méchante et dure à peu près trois semaines. Mais les pouvoirs publics restent inquiets. Ce pays dépend du tourisme, Richard ; personne ne veut entendre des rumeurs sur une maladie inconnue.

– Ils pensent donc qu'il y a un lien entre l'encéphalite et ces formes aberrantes ?

– Les lézards sont porteurs de toutes sortes de virus, fit Guitierrez avec un haussement d'épaules. Ce sont des vecteurs connus. Il n'est donc pas déraisonnable d'établir un lien de cause à effet.

– Tu as dit que ce n'était pas d'origine virale.

– Peu importe, ils pensent que c'est lié.

– Voilà une raison de plus pour découvrir d'où viennent ces lézards. Ils ont dû faire des recherches...

– Des recherches ? fit Guitierrez avec un petit rire. Et comment ! Ils ont ratissé tout le territoire. Ils ont envoyé des missions par dizaines – j'en ai conduit plusieurs. Ils ont multiplié les survols de la jungle et des îles proches du littoral. C'est déjà une vaste entreprise. Il y a quantité d'îles, tu sais, surtout sur la côte Pacifique. Ils ont même fouillé les îles appartenant à des particuliers.

– Il y a des îles privées ?

– Quelques-unes. Trois ou quatre. Isla Nublar, par exemple, qui a été louée plusieurs années à InGen, une société américaine de...

– Tu viens de dire que cette île a été fouillée.

– De fond en comble. Il n'y a rien.

– Et les autres ?

– Voyons, fit Guitierrez en comptant sur ses doigts. Il y a Talamanca, dans la mer des Antilles, qui abrite un Club Med. Il y a Sorna, sur la côte Pacifique, louée à une société allemande d'exploitation minière. Il y a Morazan, plus au nord, qui appartient à une riche famille costaricaine. Peut-être encore une autre que j'ai oubliée.

– Qu'ont donné ces recherches ?

– Rien. Ils n'ont absolument rien trouvé. On imagine donc que les animaux viennent d'un endroit situé au cœur de la jungle, ce qui expliquerait pourquoi nous n'avons pas encore réussi à le repérer.

– Si c'est le cas, grogna Levine, je vous souhaite bien du plaisir.

– Je sais, fit Guitierrez. La forêt pluviale offre un environnement idéal pour se dissimuler. Une expédition de recherches peut passer, sans le voir, à dix mètres d'un gros animal. Les moyens technologiques les plus perfectionnés de détection à distance ne sont pas d'une grande utilité, à cause des multiples couches à traverser : nuages, canopée, végétation au sol. Il n'y a rien à faire, tout ou presque peut se cacher dans la forêt pluviale. Les autorités ont fait chou blanc, mais elles ne sont pas la seule partie intéressée.

– Ah! fit Levine en levant vivement la tête.

– Quelle que soit la raison, ces animaux suscitent un grand intérêt.

– De quelle nature? poursuivit Levine en affectant le détachement.

– L'automne dernier, une équipe de botanistes de Berkeley a obtenu l'autorisation de procéder à une inspection aérienne de la canopée du plateau central. L'étude durait depuis un mois quand un désaccord a éclaté, sur une facture de carburant ou quelque chose de ce genre. Un fonctionnaire de San José a appelé Berkeley pour se plaindre. On n'avait jamais entendu parler de cette mission d'inspection à Berkeley. Entre-temps, les botanistes avaient plié bagage.

– On ne sait donc pas de qui il s'agissait?

– Non. Et cet hiver, un couple de géologues suisses est venu prélever des échantillons de gaz sur les îles proches du littoral, soi-disant dans le cadre d'une étude de l'activité volcanique en Amérique centrale. Il y a encore, sur toutes ces îles, une activité volcanique plus ou moins forte; la requête semblait raisonnable. Mais il s'est révélé que les « géologues » travaillaient en réalité pour la Biosyn Corporation, une société américaine de génie génétique, et qu'ils cherchaient... de gros animaux, sur les îles.

– En quoi cela peut-il intéresser une société de biotechnologie? demanda Levine. Ça n'a pas de sens.

– Pour toi et moi, peut-être, répondit Guitierrez, mais la Biosyn a une réputation particulièrement louche. Leur directeur de la recherche est un certain Lewis Dodgson.

– J'ai entendu parler de lui, fit Levine. C'est Dodgson qui a dirigé l'expérience du vaccin antirabique, au Chili. Ils ont inoculé la rage à des paysans, sans les mettre au courant.

– C'est bien lui. Il avait aussi entrepris de commercialiser en grande surface une pomme de terre créée en laboratoire, sans rien dire à personne. Des enfants ont été atteints de diarrhée bénigne; deux ou trois ont été hospitalisés. La firme a été obligée d'engager George Baselton pour restaurer son image de marque.

– Baselton mange à tous les râteliers, à ce qu'on dirait.

– Aujourd'hui, on offre des postes de consultants aux grands noms de l'Université. Cela fait partie du jeu. Baselton est titulaire d'une chaire de biologie. La Biosyn avait besoin de lui pour remettre un peu d'ordre dans la maison, car Dodgson n'hésite jamais à tourner la loi. Il a des gens à sa solde dans le monde entier, qui dérobent pour lui les secrets de la concurrence. On dit que la Biosyn est la seule entreprise de génie génétique à employer plus d'avocats que de scientifiques.

— Pourquoi s'intéresse-t-elle au Costa Rica? demanda Levine.

— Je ne sais pas, Richard, mais l'attitude envers la recherche a changé du tout au tout. Cela saute aux yeux ici. Le Costa Rica jouit de l'une des plus riches diversités écologiques du monde. Cinq cent mille espèces, douze habitats distincts. 5 p. 100 de toutes les espèces connues de la planète y sont représentées. Ce pays est un centre de recherches biologiques depuis des années et, crois-moi, les choses ont bien changé. Dans le temps, les chercheurs qui venaient ici étaient des scientifiques passionnés, avides d'étudier les choses pour elles-mêmes — le singe hurleur, la poliste, la sombrilla. Ces gens choisissaient leur spécialité parce qu'ils l'aimaient. Ils ne cherchaient absolument pas à faire fortune. Aujourd'hui, tout ce qu'on trouve dans la biosphère a une valeur marchande potentielle. Comme personne ne sait d'où viendra la prochaine drogue, l'industrie pharmaceutique subventionne à tour de bras. Un œuf d'oiseau renferme peut-être une protéine qui le rend imperméable. Une araignée fabrique peut-être un peptide qui empêche la coagulation. La surface cireuse d'une fougère contient peut-être un analgésique. Cela arrive assez souvent pour que l'attitude à l'égard de la recherche ait changé. On n'étudie plus la nature, on l'exploite. C'est une mentalité de pillard. Tout ce qui est nouveau ou inconnu devient automatiquement digne d'intérêt, car cela peut avoir de la valeur. Et même rapporter une fortune. Le monde marche sur la tête, conclut Guitierrez en terminant sa bière. Et il est évident qu'un tas de gens cherchent à savoir ce que représentent ces espèces aberrantes... et d'où elles viennent.

Un haut-parleur appela le vol de Levine. Les deux hommes se levèrent.

— Tu gardes ça pour toi, hein? fit Guitierrez. Je parle de ce que tu as vu aujourd'hui.

— Pour être tout à fait franc, dit Levine, je ne sais pas ce que j'ai vu aujourd'hui. Cela pouvait être n'importe quoi.

— Bon voyage, Richard, fit Guitierrez en souriant.

— Prends soin de toi, Marty.

DÉPART

Le sac sur l'épaule, Levine se dirigea vers la salle d'embarquement. Il se retourna pour faire un signe de la main à Guitierrez, mais son ami franchissait déjà la porte, le bras levé pour appeler un taxi. Levine haussa les épaules, poursuivit sa marche.

Il se dirigea droit vers le comptoir de la douane, devant lequel s'alignaient les passagers pour faire viser leur passeport. Il avait une réservation sur un vol de nuit à destination de San Francisco, avec une longue escale à Mexico ; ils n'étaient pas très nombreux à faire la queue. Il avait le temps d'appeler son bureau, pour prévenir sa secrétaire, Linda, qu'il prendrait le vol prévu ; il faudrait peut-être aussi téléphoner à Malcolm. Il regarda autour de lui, vit sur le mur de droite une rangée de téléphones et un panneau indiquant ICT TELEFONOS INTERNATIONAL, mais les appareils n'étaient pas nombreux et tous occupés. Il se dit, en faisant glisser le sac de son épaule, qu'il valait mieux utiliser le téléphone par satellite et...

Levine s'immobilisa, le front plissé.

Il se retourna vers le mur.

Quatre personnes téléphonaient. La première était une blonde en short et débardeur, qui faisait sauter dans ses bras un petit enfant hâlé. À côté d'elle, un barbu en saharienne, qui regardait sans cesse sa Rolex. Puis une mamie aux cheveux gris, parlant en espagnol, flanquée de deux grands fils qui accompagnaient ses paroles de vigoureux hochements de tête.

La quatrième personne était le pilote de l'hélicoptère. Il avait enlevé sa veste d'uniforme et ne portait plus qu'une chemisette et une cravate. Il était tourné vers le mur, la tête rentrée dans les épaules.

Levine se rapprocha ; le pilote parlait en anglais. Levine posa son sac, se pencha comme pour ajuster les attaches et tendit l'oreille. Le pilote lui tournait toujours le dos.

– Non, non, professeur, l'entendit-il dire, ce n'est pas comme ça! Non.

Puis il y eut un silence.

– Non, reprit le pilote, vous pouvez me croire. Je suis désolé, professeur Baselton, mais on ne le sait pas. C'est une île, mais laquelle?... Il faut attendre pour en savoir plus. Non, il repart ce soir. Je crois qu'il ne sait rien, et il n'a pas de photos... Je comprends. *Adios*.

Levine baissa la tête quand le pilote passa devant lui, marchant d'un pas vif vers le comptoir LACSA, à l'autre bout de l'aéroport.

Qu'est-ce que cela signifie? se dit-il.

C'est une île, mais laquelle?

Comment savaient-ils que c'était une île? Levine lui-même n'en était pas encore certain. Et il travaillait avec acharnement sur ces animaux pour assembler les pièces du puzzle. Découvrir d'où ils venaient. Comprendre pourquoi.

Il se dissimula à l'angle du mur, prit le petit téléphone par satellite. Il enfonça rapidement les touches pour composer un numéro à San Francisco.

La liaison avec le satellite s'effectua rapidement. Il entendit le signal d'appel. Puis un bip aigu. « Veuillez entrer votre code d'accès », dit une voix enregistrée.

Levine composa un numéro à six chiffres. Il entendit un autre bip. « Laissez votre message », reprit la voix enregistrée.

– J'appelle, commença Levine, pour donner les résultats du voyage. Un seul spécimen, en mauvais état. Position : BB-17 sur votre carte. C'est très au sud, ce qui nous conforte dans toutes nos hypothèses. Je n'ai pas réussi à l'identifier, avant qu'il soit brûlé, mais je pense qu'il s'agit d'un spécimen d'Ornitholeste. Comme vous le savez, cet animal ne figure pas sur la liste; une découverte de la plus haute importance.

Il jeta un coup d'œil autour de lui : personne à proximité, personne ne faisait attention à lui.

– De plus, poursuivit Levine, la région fémorale était profondément entaillée. C'est extrêmement troublant.

Il hésita, ne voulant pas trop en dire.

– J'expédie un échantillon qui nécessitera un examen poussé, reprit-il. Je pense que d'autres personnes sont intéressées. Quoi qu'il en soit, Ian, ce qui se passe ici est nouveau. Il n'y avait pas eu de spécimens depuis plus d'un an, et on recommence à en trouver. Il se passe quelque chose. Mais nous ne savons absolument pas de quoi il s'agit.

Est-ce bien vrai? se demanda Levine. Il coupa la communication, rangea l'appareil dans la poche extérieure de son sac à dos. Peut-être en savons-nous plus que nous ne l'imaginons. L'air pensif, il se tourna vers la porte de départ de son vol. Il était temps d'embarquer.

PALO ALTO

Il était 2 heures du matin quand Ed James gara sa voiture sur le parking presque désert du *Marie Callender*, dans Carter Road. La BMW noire était déjà là, près de l'entrée du restaurant. Il vit par la vitre Dodgson assis dans un box, la mine renfrognée. Dodgson n'était jamais de bonne humeur. Il regarda sa montre, s'adressa à l'homme costaud assis à ses côtés. Le costaud était le professeur Baselton, celui qui passait à la télé. James se sentait soulagé quand il voyait Baselton. Dodgson lui faisait froid dans le dos, mais il était difficile d'imaginer Baselton trempant dans des affaires louches.

James coupa le contact et orienta le rétroviseur pour boutonner sa chemise et renouer sa cravate. Il se regarda dans le miroir, vit des cheveux ébouriffés, des traits creusés par la fatigue, des joues mangées par une barbe de deux jours. Et alors, se dit-il, pourquoi n'aurais-je pas l'air fatigué, au beau milieu de la nuit ?

Dodgson fixait toujours ses rendez-vous au beau milieu de la nuit, et toujours dans ce foutu restaurant. James n'avait jamais compris pourquoi ; le café y était dégueulasse. Mais il y avait des tas de choses qu'il ne comprenait pas.

Il prit l'enveloppe en papier kraft, descendit de voiture, claqua la portière. Il se dirigea vers l'entrée en secouant la tête. Dodgson lui versait cinq cents dollars par jour, depuis plusieurs semaines, pour filer une poignée de scientifiques. James avait supposé, au début, que c'était une sorte d'espionnage industriel. Mais aucun des scientifiques ne travaillait dans l'industrie ; ils avaient des postes universitaires et enseignaient des matières plutôt barbantes. Comme la paléobotaniste, Ellen Sattler, dont la spécialité était les grains de pollen préhistoriques. James avait suivi un de ses cours, à Berkeley; il avait eu toutes les peines du monde à ne pas s'endormir. En projetant une succession de diapositives montrant de petites sphères pâles qui ressemblaient à des graines de coton, elle dégoisait des phrases interminables sur les angles de liaison des polysaccharides et la limite campanien-maastrichtien. Assommant!

Cela ne valait certainement pas cinq cents dollars par jour. Il entra, cligna des yeux à la lumière vive, se dirigea vers le box. Il s'assit, salua Dodgson et Baselton de la tête, leva la main pour attirer l'attention de la serveuse.

— Je n'ai pas toute la nuit devant moi, lança Dodgson en le foudroyant du regard. Au travail!

— D'accord, fit James en baissant la main. Bon, allons-y.

Il ouvrit l'enveloppe, commença à en sortir des feuilles de papier et des photos, qu'il tendit à Dodgson par-dessus la table.

— Alan Grant : paléontologue, université du Montana. Il est en congé exceptionnel et se trouve en ce moment à Paris où il donne des conférences sur les dernières découvertes concernant les dinosaures. Il a apparemment des idées personnelles sur les tyrannosaures, qu'il présente comme des nécrophages...

— Peu importe, coupa Dodgson. Suivant!

— Ellen Sattler Reiman, poursuivit James en faisant glisser une photo sur la table. Botaniste, une ancienne amie de Grant. Mariée à un physicien de Berkeley dont elle a eu un garçon et une fille. Elle enseigne à mi-temps à l'université. Passe le reste du temps chez elle...

— Passons, passons!

— Euh!... Les autres sont décédés, pour la plupart. Donald Gennaro, avocat... Mort de la dysenterie, en voyage d'affaires. Dennis Nedry, Integrated Computer Systems... Décédé, lui aussi. John Hammond, fondateur d'InGen... A trouvé la mort au Costa Rica, où il inspectait les installations de la société. Hammond avait ses petits-enfants avec lui pendant ce voyage. Les enfants vivent aujourd'hui avec leur mère, sur la côte Est et...

— Quelqu'un a pris contact avec eux? Quelqu'un d'InGen?

— Non, pas de contact. Le garçon fait des études supérieures, la fille est dans un lycée privé. InGen est en règlement judiciaire depuis la mort de Hammond. L'affaire a traîné devant les tribunaux. L'actif est enfin liquidé. Cela ne remonte en fait qu'à une quinzaine de jours.

Baselton ouvrit la bouche pour la première fois.

— Le Site B est-il inclus dans la vente?

— Le Site B? répéta James, l'air interdit.

— Oui. Quelqu'un vous a-t-il parlé du Site B?

— Non, je n'ai jamais entendu ce nom. Qu'est-ce que c'est?

— Si vous apprenez quoi que ce soit sur le Site B, poursuivit Baselton, tenez-nous au courant.

Dodgson feuilleta les documents, puis les jeta sur la table avec impatience.

– Qu'avez-vous d'autre? lança-t-il en levant les yeux vers James.

– C'est tout, monsieur.

– C'est tout? répéta Dodgson. Et Malcolm? Et Levine? Se voient-ils toujours?

– Je n'en suis pas sûr, répondit James, après avoir consulté ses notes.

– Pas sûr? fit Baselton en haussant les sourcils. Comment ça, pas sûr?

– Malcolm a fait la connaissance de Levine à l'Institut de Santa Fe. Ils se sont beaucoup vus là-bas, il y a à peu près deux ans. Mais Malcolm n'y est pas retourné depuis quelque temps. Il a accepté un poste de professeur associé à Berkeley, département de biologie. Il enseigne les modèles mathématiques de l'évolution. Et il semble avoir perdu le contact avec Levine.

– Ils se sont brouillés?

– Peut-être. J'ai entendu dire qu'il y avait eu une dispute au sujet de l'expédition de Levine.

– Quelle expédition? demanda Dodgson en se penchant vers James.

– Depuis plus d'un an, Levine prépare une expédition. Il a commandé des véhicules spéciaux à une compagnie du nom de Mobile Field Systems. Une petite entreprise de Woodside, dirigée par un certain Jack Thorne. Thorne prépare des voitures et des camions tout terrain pour des scientifiques. De l'Afrique à la Chine et jusqu'au Chili, on ne jure que par lui.

– Malcolm est au courant de cette expédition?

– Il doit l'être. Il passe chez Thorne, de temps en temps. Une fois par mois, à peu près. Levine, lui, y est fourré tous les jours ou presque. C'est comme ça qu'il a été jeté en prison.

– En prison? fit Baselton.

– Oui, dit James en consultant ses notes. Voyons... Le 10 février, Levine a été arrêté pour avoir roulé à cent quatre-vingt-dix kilomètres à l'heure dans une zone où la vitesse était limitée à trente. Juste devant le lycée de Woodside. Le juge a saisi sa Ferrari, lui a retiré son permis et l'a condamné à des travaux d'intérêt général. La peine consiste en gros à donner des cours à une classe du lycée.

– Richard Levine faisant la classe à des lycéens, fit Baselton en souriant. J'aimerais voir ça.

– Il est très consciencieux. Il est vrai qu'il est souvent à Woodside, chez Thorne. Avant qu'il parte à l'étranger, bien sûr.

– Quand est-il parti? demanda Dodgson.

– Il y a deux jours. Il est allé au Costa Rica ; un séjour très bref, il devait rentrer ce matin.

– Et où est-il?

– Je ne sais pas. Je crains que... qu'il ne soit difficile de le découvrir.

– Pourquoi cela?

James hésita, se racla la gorge.

– Son nom figurait sur la liste des passagers du vol en provenance du

Costa Rica, mais il n'était pas à bord. Mon contact au Costa Rica m'a dit qu'il avait réglé sa note d'hôtel à San José, à temps pour prendre son avion, et qu'il n'y était pas retourné. Il n'a pas pris un autre vol. Je crains que, pour le moment... Richard Levine n'ait disparu.

Il y eut un long silence. Dodgson se rejeta en arrière, en sifflant entre ses dents. Il se tourna vers Baselton, qui secoua la tête. Dodgson rassembla soigneusement les documents, les tapota sur la table. Il les glissa dans l'enveloppe, qu'il tendit à James.

— Écoutez-moi bien, sombre crétin, fit-il. Je n'attends plus de vous qu'une seule chose. C'est très simple. Vous écoutez ?

— J'écoute, fit James, la gorge serrée.

Dodgson se pencha sur la table.

— Retrouvez-le !

BERKELEY

Assis à son bureau encombré, Malcolm leva le nez quand son assistante, Beverly, entra dans la pièce. Elle était suivie par un homme, un livreur de DHL, une petite boîte à la main.

— Excusez-moi de vous déranger, docteur Malcolm, mais vous devez signer ces papiers... C'est l'échantillon du Costa Rica.

Malcolm se leva, fit le tour du bureau. Il ne se servit pas de sa canne. Depuis plusieurs semaines, il s'appliquait avec constance à s'en passer. Sa jambe le faisait encore souffrir de temps en temps, mais il était résolu à faire des progrès. Cindy, sa kinésithérapeute, une jeune femme toujours enjouée, lui avait fait des compliments.

— Eh bien, docteur Malcolm, après toutes ces années, vous voilà enfin motivé ! Qu'est-ce qui vous arrive ?

— Vous savez, avait-il répondu, on ne peut pas dépendre d'une canne toute sa vie.

La vérité était sensiblement différente. En butte à l'enthousiasme inépuisable de Levine pour l'hypothèse du Monde perdu, à ses coups de téléphone surexcités à toute heure du jour et de la nuit, Malcolm avait commencé à reconsidérer le problème. Et il en était venu à croire possible, voire probable, que des animaux d'espèces considérées comme disparues existent dans un lieu écarté. Malcolm avait ses propres raisons de le penser, ce qu'il avait seulement laissé entendre à Levine.

L'hypothèse que ce lieu fût une autre île l'avait poussé à marcher sans sa canne. Il voulait se préparer à une visite dans cette île. Voilà pourquoi, jour après jour, il s'était astreint à cet effort.

Ils avaient restreint le champ de leurs recherches à un archipel, près de la côte Pacifique du Costa Rica, et la fièvre de Levine n'était jamais retombée. Pour Malcolm, cela restait de la nature de l'hypothèse.

Il refusait de céder à l'excitation avant d'avoir des preuves tangibles – des photos, des échantillons de tissus – démontrant l'existence d'animaux inconnus. Jusqu'alors, Malcolm n'avait rien vu venir. Il ne savait pas s'il en était déçu ou soulagé.

Quoi qu'il en fût, l'échantillon de Levine venait d'arriver.

Malcolm prit les papiers des mains du livreur et apposa sa signature au bas du premier imprimé. *Livraison de matériel / Échantillons : recherche biologique.*

– Il faut remplir les cases, dit le livreur.

Malcolm parcourut la liste de questions, de haut en bas de la feuille ; en face de chacune se trouvait une case. Le spécimen était-il vivant ? Le spécimen était-il une culture de bactéries, de champignons, de virus, de protozoaires ? Le spécimen était-il enregistré dans le cadre d'un protocole de recherches ? Le spécimen était-il contagieux ? Le spécimen venait-il d'une ferme ou d'un centre d'élevage ? Le spécimen était-il un tissu végétal, des semences ou des bulbes ? Le spécimen était-il un insecte ou avait-il un rapport avec un insecte ?

Il cocha non à toutes les questions.

– La feuille suivante aussi, dit le livreur.

Son regard fit le tour de la pièce, glissa sur les piles de papiers entassées en désordre et les cartes murales parsemées de punaises multicolores.

– Vous faites de la recherche médicale ici ?

Malcolm passa à la feuille suivante, griffonna sa signature.

– Non.

– Il en reste une...

Le dernier imprimé était une décharge pour l'entreprise de transport. Malcolm signa.

– Bonne journée, dit le livreur en se retirant.

Malcolm sentit ses jambes fléchir. Il s'appuya sur le bord du bureau en grimaçant.

– Toujours mal ? demanda Beverly.

Elle prit le spécimen, fit de la place sur une table basse et entreprit de le déballer.

– Ça ira, répondit Malcolm.

Il regarda la canne, contre le fauteuil du bureau, puis il inspira profondément et traversa la pièce lentement.

Beverly avait ouvert l'emballage. Il vit un petit cylindre en inox, de la taille de son poing. Sur le couvercle à pas de vis était collé un adhésif portant une hélice à trois pales, le symbole de risques biologiques. Un second récipient métallique de petite taille, muni d'une valve, était attaché au cylindre ; il contenait le gaz réfrigérant.

— Voyons ce qui l'a mis dans tous ses états, dit Malcolm en faisant pivoter la lampe pour éclairer le cylindre.

Il rompit l'adhésif, dévissa le couvercle. Il y eut un chuintement de gaz et un petit jet de vapeur blanche due à la condensation. L'extérieur du cylindre se couvrit de buée.

Malcolm regarda à l'intérieur, vit un sac en plastique et une feuille de papier. Il retourna le cylindre, vida le contenu sur la table. Le sac renfermait un morceau déchiqueté de chair, à la peau verdâtre, de deux à trois centimètres de côté, auquel était attachée une petite étiquette de plastique vert. Il la leva à la lumière, l'examina à la loupe et la reposa. Il regarda la peau verte, la surface mouchetée.

Peut-être, se dit-il.

Peut-être...

— Beverly, voulez-vous appeler Elizabeth Gelman, au parc zoologique. Dites-lui que j'ai quelque chose que j'aimerais qu'elle regarde. Précisez que c'est confidentiel.

Beverly inclina la tête et sortit pour téléphoner. Malcolm déroula le papier qui était tombé avec l'échantillon. C'était un feuillet jaune, détaché d'un bloc-notes. Il portait une seule phrase, en majuscules :

J'AVAIS RAISON, VOUS AVIEZ TORT

Malcolm fronça les sourcils. Le salopard ! se dit-il.

— Beverly ? cria-t-il. Après Elizabeth, vous appellerez Richard Levine à son bureau. Il faut que je lui parle d'urgence.

LE MONDE PERDU

Richard Levine colla la joue contre la pierre chaude de la falaise et s'arrêta pour reprendre son souffle. Cent cinquante mètres plus bas, l'océan déferlait, les vagues éclataient en gerbes étincelantes sur les rochers noirs. Le bateau qui l'avait amené avait déjà remis le cap à l'est et n'était plus qu'un point blanc à l'horizon. Il reviendrait, car il n'y avait aucun abri sur cette île désolée, inhospitalière.

En attendant, ils étaient seuls.

Levine prit une longue inspiration et baissa les yeux vers Diego, accroché à la paroi rocheuse, cinq ou six mètres plus bas. Diego portait sur le dos le sac contenant tout leur matériel, mais il était jeune et robuste. Diego lui adressa un sourire plein d'entrain, en indiquant de la tête le sommet de la falaise.

– Courage, *señor*. Ce n'est plus très loin.

– J'espère, fit Levine.

Quand il avait examiné la falaise à la jumelle, du pont du bateau, l'endroit lui avait paru bien choisi pour escalader la paroi. En réalité, c'était un à-pic, rendu incroyablement dangereux par l'effritement de la roche volcanique.

Levine leva les bras, les doigts tendus pour chercher une prise. Il se cramponna à la paroi ; de petites pierres se détachèrent, sa main glissa. Il trouva une prise, se hissa à la force du poignet. L'effort et la peur lui faisaient battre le cœur.

– Plus que vingt mètres, *señor*, lança Diego pour l'encourager. Vous allez y arriver.

– Bien sûr que je vais y arriver, murmura Levine entre ses dents. Comme si j'avais le choix !

Plus il approchait du sommet, plus le vent soufflait fort, sifflant dans ses oreilles, tirant sur ses vêtements. Il avait l'impression que le vent essayait de lui faire lâcher prise en l'aspirant. Il leva les yeux, vit la végétation dense qui poussait jusqu'au bord de la paroi rocheuse.

J'y suis presque, se dit-il. Presque.

Dans un dernier effort, il se hissa au sommet, se laissa tomber de tout son long et roula sur un matelas de fougères humides. Encore haletant, il se retourna et vit Diego se hisser en haut de l'abrupt avec légèreté, avec facilité, et s'accroupir en souriant sur le tapis de mousse. Levine leva la tête vers les fougères géantes ; le corps parcouru de frissons, il relâcha la tension accumulée au long de l'ascension en prenant de profondes inspirations. Ses jambes le brûlaient affreusement.

Aucune importance... Il y était ! Enfin !

Il laissa son regard courir sur la jungle qui l'entourait. C'était une forêt primaire, où l'homme n'avait jamais posé le pied. Exactement ce que les images par satellite avaient montré. Levine avait été obligé de se contenter de ces photographies, car il n'existait pas de carte des îles privées telles que celle-ci. C'était une manière de monde perdu, isolé au milieu de l'océan Pacifique.

Levine écouta le souffle du vent, le bruissement des feuilles de palmier qui laissaient tomber des gouttes d'eau sur son visage. Puis il perçut un autre son, lointain, semblable au cri d'un oiseau, mais plus grave, plus sonore. Il tendit l'oreille, l'entendit de nouveau.

Un craquement sec, tout proche, lui fit tourner la tête. Diego venait de gratter une allumette et s'apprêtait à allumer une cigarette. Levine se dressa sur son séant, écarta la main du jeune homme et lui fit non de la tête.

Diego le regarda, l'air perplexe.

Levine mit le doigt sur ses lèvres.

Il indiqua la direction d'où était venu le cri d'oiseau.

Diego haussa les épaules, avec une expression indifférente, pas impressionné le moins du monde. Il ne voyait aucune raison de s'inquiéter.

Il ne sait pas ce qui l'attend, songea Levine en ouvrant le sac à dos vert bouteille ; il commença à assembler le gros fusil Lindstradt. Fabriquée spécialement pour lui, en Suède, l'arme était à la pointe de la technologie. Il vissa le canon, chargea la cartouche Fluger, vérifia la charge de gaz et tendit le fusil à Diego. Le jeune homme le prit avec un haussement d'épaules.

Levine saisit l'étui contenant le pistolet Lindstradt noir anodisé et l'attacha à sa ceinture. Il prit l'arme, vérifia deux fois la sécurité, la remit dans son étui. Puis il se leva et fit signe à Diego de le suivre. Le jeune homme referma le sac, le fit passer sur ses épaules.

Les deux hommes tournèrent le dos à la falaise et commencèrent à descendre le versant en pente douce. Presque aussitôt, leurs vêtements furent trempés par la végétation chargée d'eau. Ils ne voyaient rien ; ils étaient enserrés de partout par la jungle et leur vue ne portait qu'à quelques mètres devant eux. Les frondes des fougères étaient énormes, aussi longues et larges que le corps d'un homme ; les plantes à la tige rugueuse s'élevaient à six mètres. Beaucoup plus haut, à la cime des arbres, un dais de feuillage faisait obstacle à la lumière. Ils avançaient dans la pénombre, en silence, sur un sol humide et spongieux.

Levine s'arrêtait souvent pour consulter la boussole qu'il portait au poignet. Ils se dirigeaient vers l'est, vers l'intérieur de l'île, en descendant une pente raide. Il savait que l'île était un ancien cratère volcanique, érodé et dégradé par des siècles d'intempéries. L'intérieur consistait en une suite de corniches menant au fond du cratère. Sur le versant oriental où ils se trouvaient, le sol était particulièrement accidenté, pentu et traître.

Le sentiment d'isolement, de retour à un monde primitif était palpable. Le cœur battant, Levine poursuivit la descente, traversa un ruisseau marécageux, commença à gravir une nouvelle pente. Au sommet de l'escarpement, il vit une trouée dans le feuillage, sentit la caresse du vent sur ses joues. De ce poste d'observation, il découvrit l'autre extrémité de l'île, une barrière circulaire de roche noire, distante de plusieurs kilomètres. Entre l'endroit où il se tenait et l'à-pic rocheux, il n'y avait rien d'autre à voir que les ondulations de la jungle.

— *Fantástico*, dit Diego en arrivant à sa hauteur.

Levine lui fit aussitôt signe de se taire.

— Mais, *señor*, protesta le jeune homme en montrant le panorama, nous sommes seuls ici.

Levine secoua la tête avec agacement. Il avait longuement parlé de tout cela avec Diego, pendant la traversée. Dès l'arrivée sur l'île, interdiction de parler. Pas de laque, pas d'eau de Cologne, pas de cigarettes. La nourriture bien emballée dans des sacs en plastique. Tout soigneusement empaqueté. Rien ne devait produire une odeur ni un son. Il avait maintes fois rappelé à Diego l'importance de ces précautions.

Il était évident que le jeune homme n'y avait prêté aucune attention. Il n'avait pas compris. Levine lui donna un coup de coude dans les côtes et secoua énergiquement la tête.

— *Señor*, je vous en prie, fit Diego en souriant. Il n'y a que des oiseaux ici.

Au même moment, ils entendirent un son sourd et prolongé, un grondement sinistre, provenant de la forêt en contrebas. Quelques secondes plus tard, une réponse au grondement s'éleva dans une autre partie de la forêt.

Diego écarquilla les yeux.

Levine forma silencieusement avec ses lèvres : *oiseaux ?*

Diego garda le silence. Il se mordit les lèvres, sans détacher les yeux du couvert végétal.

Ils virent au sud un endroit où la cime des arbres se mit à osciller, une portion de la forêt qui sembla brusquement s'animer, comme agitée par le souffle du vent. Mais les arbres alentour ne bougeaient pas. Ce n'était pas le vent.

Diego se signa précipitamment.

Ils perçurent d'autres grondements, pendant près d'une minute, puis le silence retomba.

Levine se laissa glisser du haut de son poste d'observation pour descendre vers l'intérieur de l'île.

Il avançait rapidement, les yeux fixés sur le sol, se méfiant des serpents, quand il entendit siffler doucement derrière lui. Il tourna la tête, vit Diego montrant quelque chose sur la gauche.

Levine revint sur ses pas, en écartant les frondes des fougères, et suivit Diego. Au bout de quelques mètres, ils découvrirent deux sillons parallèles, depuis longtemps recouverts par les herbes et les fougères, mais facilement reconnaissables : des traces de pneus de Jeep, qui s'enfonçaient dans la jungle. Ils allaient suivre cette piste ; ils avanceraient beaucoup plus vite.

Levine fit signe à Diego de se débarrasser du sac à dos. C'était son tour de le porter ; il le fit passer sur ses épaules, régla les sangles.

Ils suivirent la piste en silence.

À certains endroits, les empreintes des pneus devenaient à peine visibles, tellement la végétation y était drue. À l'évidence, cette piste n'avait pas été utilisée depuis plusieurs années et la jungle allait reconquérir le terrain perdu.

Derrière lui, Diego grogna, jura à voix basse. Levine se retourna, le vit lever précautionneusement le pied gauche. Il l'avait enfoncé jusqu'à la cheville dans un tas d'excréments verdâtres. Levine revint sur ses pas.

Diego nettoya sa botte sur la tige d'une fougère. Les excréments semblaient composés de débris d'herbe claire, mêlés de vert. Les matières étaient légères et friables – sèches, vieilles. Elles ne dégageaient pas d'odeur.

Levine fouilla tout autour, jusqu'à ce qu'il trouve le reste des excréments. Bien formés, ils faisaient douze centimètres de diamètre. Indiscutablement laissés par un gros herbivore.

Diego garda le silence, mais il ouvrait de grands yeux.

Levine secoua la tête, se remit en marche. Tant qu'ils verraient des signes de la présence d'herbivores, il n'y aurait pas à s'inquiéter. Enfin, pas trop. Ses doigts effleurèrent la crosse de son pistolet, comme pour se rassurer.

Ils arrivèrent près d'un petit cours d'eau aux bords boueux. Levine s'arrêta. Il vit dans la boue des empreintes tridactyles très nettes, certaines assez grandes. Il posa la main dans l'une d'elles, les doigts écartés. Elle logeait très largement.

Quand il leva la tête, il vit que Diego se signait de nouveau, l'autre main crispée sur le fusil.

Ils attendirent au bord du ruisseau, écoutant le murmure de l'eau. Quelque chose de brillant lança un reflet dans le courant, attirant le regard de Levine. Il se pencha, plongea le bras dans l'eau. C'était un tube de verre, pas plus gros qu'un crayon. Une extrémité était brisée ; il portait une graduation sur un côté. Levine se rendit compte que c'était une pipette, comme celles que l'on utilisait dans les laboratoires du monde entier. Il la leva à la lumière, la fit tourner entre ses doigts. Curieux, se dit-il, ce genre de pipette laisse supposer...

Il tourna la tête, perçut un mouvement du coin de l'œil. Quelque chose de petit et de brun, qui filait sur la boue. Quelque chose de la taille d'un rat.

Diego étouffa un cri de surprise. L'animal disparut dans les herbes hautes.

Levine fit quelques pas, s'accroupit sur le sol boueux pour examiner les empreintes laissées par le petit animal. Elles avaient trois doigts, comme celles des oiseaux. Il en vit d'autres, les plus grosses larges d'une dizaine de centimètres.

Levine avait déjà vu des traces semblables, au Colorado, sur les rives fossilifères du Purgatoire, un affluent de l'Arkansas, où les empreintes de dinosaures étaient conservées dans la roche. Celles qu'il avait devant les yeux étaient dans la boue. Elles avaient été faites par des animaux vivants.

Toujours accroupi, Levine entendit un cri bref et aigu, venant de sa droite. Il leva la tête, vit des fougères trembler. Il attendit, sans faire un geste.

Au bout d'un moment, un petit animal se montra entre les frondes. Il avait la taille d'une souris, une peau lisse, sans poils, de gros yeux haut perchés sur une petite tête. Il était brun-vert et émettait des couinements irrités en direction de Levine, comme s'il avait voulu le chasser. Levine demeura rigoureusement immobile, osant à peine respirer.

Il avait reconnu l'animal, bien entendu. C'était un mussaurus, un tout petit prosauropode de la fin du trias, dont on avait trouvé des squelettes uniquement en Amérique latine. L'un des plus petits dinosaures connus.

Un *dinosaure*, se dit Levine.

Même s'il s'attendait à en voir sur cette île, c'était une impression saisissante de se trouver face à un représentant en chair et en os de l'ordre des dinosauriens. Surtout si petit. Il ne pouvait en détacher les yeux. Il était fasciné. Après tant d'années, après tous les squelettes poussiéreux... un dinosaure vivant !

Le petit mussaurus se risqua plus loin, avança sur une fronde. Levine constata que l'animal était plus long qu'il ne l'avait cru de prime abord. Il mesurait dix centimètres, avec une queue d'une étonnante épaisseur. Tout bien considéré, il ressemblait beaucoup à un lézard. Il se redressa, se mit debout sur ses pattes de derrière. Levine vit sa cage thoracique se soulever au rythme de sa respiration. L'animal battit l'air de ses minuscules membres antérieurs, en poussant une suite de petits cris aigus.

Lentement, très lentement, Levine tendit la main.

L'animal jeta un cri bref, mais il ne prit pas la fuite. Il semblait avant tout curieux ; quand la main de Levine se rapprocha de lui, il pencha la tête sur le côté, comme le font souvent les animaux de très petite taille.

Les doigts touchèrent l'extrémité de la fronde. Le mussaurus se dressa sur ses pattes arrière, la queue tendue lui servant de balancier. Sans montrer le moindre signe de peur, il sauta avec légèreté sur la main de Levine, s'arrêta au milieu de la paume. Il était si léger que l'homme le sentait à peine. Le mussaurus se déplaça, flaira les doigts de Levine. Levine sourit, séduit.

Brusquement, le petit animal émit un sifflement d'inquiétude, bondit et disparut dans les palmes. Levine cligna des yeux, incapable de comprendre pourquoi.

Il perçut soudain une odeur fétide, entendit des froissements dans la végétation de la rive opposée. Il y eut un grognement étouffé. De nouveaux bruissements de feuilles.

En un éclair, il revint à l'esprit de Levine que les carnivores en liberté chassaient près du lit des cours d'eau, attaquant des proies devenues vulnérables quand elles se penchaient pour boire. Mais il était trop tard. Un cri perçant, terrifiant, retentit ; quand il se retourna, il vit le corps de Diego entraîné dans les buissons et l'entendit hurler. Diego se débattit ; les buissons s'agitèrent violemment ; Levine aperçut un pied énorme, le doigt médian terminé par une griffe courte et crochue. Puis le pied se retira. Les buissons continuèrent de trembler.

Soudain, un chœur de rugissements effrayants éclata dans la forêt. Richard Levine vit un gros animal charger dans sa direction. Il prit ses jambes à son cou, atteint d'une terreur panique, ne sachant plus où aller, sachant seulement qu'il n'y avait plus d'espoir. Il sentit quelque chose exercer sur son sac à dos une traction si violente qu'il tomba à genoux dans la boue et comprit, à cet instant, que malgré son esprit d'organisation, malgré ses déductions astucieuses, les choses tournaient très mal et qu'il allait mourir.

LYCÉE

« Si nous considérons que l'extinction de masse résulte de l'impact d'un météorite, dit Richard Levine, nous devons nous poser plusieurs questions. Premièrement, existe-t-il sur notre planète des cratères de plus de trente kilomètres de diamètre, la largeur nécessaire pour provoquer une catastrophe planétaire ? Deuxièmement, ces cratères correspondent-ils à l'époque connue d'une crise généralisée ? On dénombre sur la surface de la planète une douzaine de cratères de cette dimension et cinq impacts coïncident avec la crise biologique qui... »

Kelly Curtis étouffa un bâillement d'ennui dans la pénombre de la salle de classe de cinquième. Assise à sa table, le menton sur les coudes, elle s'efforça de rester éveillée. Elle savait déjà tout ça. L'écran placé devant le tableau montra une vue aérienne d'un vaste champ de maïs, aux contours à peine visibles. Elle reconnut le cratère de Manson.

« Voici le cratère de Manson, Iowa, reprit dans l'obscurité la voix enregistrée du docteur Levine, qui date de soixante-cinq millions d'années, juste à l'époque de l'extinction des dinosaures. Mais est-ce ce météorite qui a causé la mort des dinosaures ? »

Non, se dit Kelly en bâillant. Probablement celui du Yucatán. Manson est trop petit.

« Nous pensons que ce cratère est trop petit, poursuivit la voix du docteur Levine. Le choix se porte aujourd'hui sur celui du Yucatán, près de Mérida. Aussi difficile à imaginer que ce soit, l'impact a vidé tout le golfe du Mexique, provoquant un raz de marée de six cents mètres de haut, qui a submergé les terres. Le spectacle devait être stupéfiant. Mais ce cratère aussi suscite des controverses, en ce qui concerne, en particulier, la signification à donner à la structure annulaire de la dépression et la proportion du phytoplancton détruit dans les sédiments océaniques. Cela peut paraître compliqué, mais ne vous inquiétez pas. Nous y reviendrons en détail la prochaine fois. Voilà, c'est tout pour aujourd'hui. »

La lumière revint dans la classe. Le professeur, Mme Menzies, fit face aux élèves et éteignit l'ordinateur qui avait servi à présenter le cours.

– Je me réjouis que le docteur Levine nous ait laissé cet enregistrement, fit-elle. Il m'a dit qu'il risquait de ne pas revenir à temps pour le cours d'aujourd'hui, mais qu'il sera avec nous la semaine prochaine, au retour des vacances de Pâques. Kelly, toi qui travailles avec Arby pour le docteur Levine, t'a-t-il dit la même chose ?

Kelly tourna la tête vers Arby, affalé sur sa chaise, qui haussa les sourcils.

– Oui, madame, répondit-elle.

– Très bien. Pendant les vacances, vous aurez à étudier tout le chapitre 7, y compris...

Elle haussa la voix pour couvrir les murmures de protestation.

– ... y compris les exercices à la fin de la première et de la deuxième partie. N'oubliez pas d'apporter tout cela à la rentrée. Je vous souhaite de bonnes vacances. Nous nous revoyons la semaine prochaine.

La cloche sonna ; les élèves se levèrent, les chaises raclèrent le sol dans le brouhaha. Arby se dirigea d'un pas nonchalant vers Kelly, leva vers elle un regard morne. Il faisait une tête de moins que Kelly ; c'était le plus petit de la classe. C'était aussi le plus jeune. Kelly avait treize ans, comme ses camarades de cinquième, Arby n'en avait que onze. Il avait déjà sauté deux classes, tellement il était intelligent. Et le bruit courait qu'il en sauterait une troisième. Arby était un génie, surtout avec les ordinateurs.

Arby glissa son stylo dans la poche de sa chemise blanche à col boutonné, remonta ses lunettes à monture d'écaille sur son nez. Arby – R. B. Benton de son vrai nom – était noir, mais ses parents, tous deux médecins à San José, faisaient toujours en sorte qu'il soit tiré à quatre épingles, comme un étudiant de bonne famille. Ce qu'il sera probablement dans peu de temps, se dit Kelly, s'il continue à brûler les étapes.

À côté d'Arby, Kelly se sentait toujours gauche et empruntée. On l'obligeait à porter les vieux vêtements de sa sœur, des fringues qui avaient mille ans, que sa mère avait achetées en solde. Elle portait même les vieilles Reebok d'Emily, si usées et si sales qu'elles n'étaient même pas présentables en sortant de la machine à laver. Kelly lavait et repassait tout son linge ; sa mère n'avait jamais le temps. D'ailleurs, elle n'était jamais à la maison. Kelly regarda avec un œil d'envie le pantalon kaki impeccablement repassé d'Arby, ses mocassins bien cirés ; elle poussa un soupir.

Elle était jalouse, certes, mais Arby était quand même son seul vrai ami, la seule personne qui ne trouvait rien à redire à ce qu'elle soit intelligente. Kelly redoutait qu'il ne passe directement en troisième, car elle ne le verrait plus.

Arby continua de la regarder du même air perplexe.

– Pourquoi le docteur Levine n'est-il pas venu?

– Je ne sais pas, répondit-elle. Il lui est peut-être arrivé quelque chose.

– Arrivé quoi?

– Je ne sais pas. Quelque chose.

– Il avait *promis* qu'il serait là, poursuivit Arby. Pour nous emmener faire les essais sur le terrain. Tout était arrangé. On avait la permission, et tout.

– Et alors? Ça ne nous empêche pas d'y aller.

– Il devrait être là, insista Arby, le visage buté.

Kelly l'avait déjà vu se comporter de la sorte; Arby était habitué à pouvoir compter sur les adultes, comme sur ses parents. Ces considérations ne préoccupaient pas Kelly.

– Ce n'est pas grave, Arby, fit-elle. Allons voir le docteur Thorne tous les deux.

– Tu crois?

– Bien sûr. Pourquoi pas?

– Il faudrait peut-être que j'appelle ma mère avant, fit-il d'un ton hésitant.

– Pourquoi? Tu sais bien qu'elle te demandera de rentrer. Viens, Arby, on y va.

Il restait indécis. Arby était un petit génie, mais tout changement de programme l'ennuyait. Kelly savait d'expérience qu'il allait râler et discuter, si elle insistait. Il valait mieux attendre, le laisser prendre sa décision.

– D'accord, fit-il enfin. Allons voir Thorne.

– Je te retrouve dehors, dit Kelly en souriant. Dans cinq minutes.

En descendant l'escalier du premier étage, elle entendit encore la petite rengaine. « Kelly est une grosse tête, Kelly est une grosse tête... »

Elle se redressa. C'était cette idiote d'Allison Stone et ses idiotes d'amies, plantées au pied de l'escalier, le sarcasme à la bouche.

Elle passa devant les filles, l'air hautain. Tout près, elle vit Mlle Enders, la surveillante de l'entrée, qui n'avait rien remarqué, comme d'habitude. M. Canosa, le sous-directeur, avait pourtant fait une annonce en classe pour interdire les moqueries dans l'établissement.

Derrière elle, les filles recommencèrent à chanter : « Kelly est une grosse tête... Qu'est-ce qu'elle peut être bête... On va lui faire sa fête... » Et elles se tordirent de rire.

Elle vit Arby qui attendait, près de la porte, un faisceau de câbles gris à la main. Elle pressa le pas.

— Ne t'occupe pas d'elles, dit-il, quand Kelly arriva à sa hauteur.

— Elles sont nulles !

— Oui.

— De toute façon, je m'en fous.

— Je sais. Ne t'occupe pas d'elles.

Derrière eux, les filles continuèrent à ricaner comme des bécasses. « Kel-ly et Ar-by... font pipi au lit... Ils sont très amis... »

Ils sortirent sur le trottoir, en plein soleil. La voix des filles fut couverte par les cris des enfants qui s'interpellaient. Des cars jaunes de ramassage scolaire attendaient sur le parking. Les enfants dévalaient les marches et se dirigeaient vers les voitures des parents, garées le long des trottoirs. Il y avait de l'animation.

Arby se baissa pour éviter un Frisbee qui passa en sifflant au-dessus de sa tête ; il jeta un coup d'œil vers le trottoir opposé.

— Il est encore là.

— Eh bien, fit Kelly, ne le regarde pas.

— Je ne le regarde pas.

— Tu te souviens de ce que le docteur Levine a dit ?

— Qu'est-ce que tu crois ? Bien sûr que je m'en souviens !

De l'autre côté de la chaussée était garée la Taurus grise qu'ils voyaient, à intervalles irréguliers, depuis deux mois. Au volant, faisant semblant de lire un journal, se trouvait le même homme, avec une barbe de plusieurs jours. Ce barbu suivait le docteur Levine depuis le début de ses cours à Woodside. Kelly était sûre que c'était à cause de cet homme que le docteur Levine leur avait demandé, à Arby et elle, de lui servir d'assistants.

Levine avait expliqué que leur tâche consisterait à transporter du matériel, à photocopier des exercices scolaires, à ramasser des devoirs, de petits travaux de ce genre. Ils avaient accepté, estimant que ce serait un grand honneur de travailler pour le docteur Levine ou, du moins, qu'il serait intéressant de donner un coup de main à un vrai scientifique.

En réalité, ils n'avaient jamais rien eu à faire pour la classe ; le docteur Levine s'occupait de tout. En revanche, il les envoyait fréquemment faire de petites courses. Il leur recommandait de se méfier du barbu et de tout faire pour l'éviter. Ce n'était pas difficile ; l'homme ne faisait jamais attention à eux. Ce n'étaient que des enfants.

Le docteur Levine avait expliqué que le barbu le suivait pour des raisons ayant un rapport avec son arrestation ; Kelly n'en avait pas cru un mot. Sa mère avait été arrêtée deux fois pour conduite en état d'ivresse et jamais personne ne l'avait suivie. Kelly ne savait donc pas pourquoi cet homme surveillait Levine, mais, à l'évidence, Levine faisait des recherches secrètes et il ne voulait pas que quelqu'un soit au courant. Kelly savait aussi que le docteur Levine ne s'intéressait pas beaucoup à sa classe. Il faisait le plus souvent son cours à la va-vite. Il lui arrivait même de s'arrêter à l'entrée du lycée, de leur remettre des polycopiés et de repartir. Ces jours-là, ils ne savaient pas où il allait.

Les courses dont il les chargeait avaient aussi une part de mystère. Un jour, ils étaient allés à Stanford, où un professeur leur avait remis cinq petits cubes en matière plastique. Le plastique était léger, comme une sorte de mousse. Une autre fois, il les avait envoyés au centre-ville, dans une boutique de matériel électronique, pour prendre un appareil triangulaire que le vendeur leur avait tendu très nerveusement, comme si c'était illégal. Un autre jour, ils étaient allés chercher un tube métallique ressemblant à ceux qui renferment les cigares. Ils n'avaient pu s'empêcher de l'ouvrir, et avaient découvert avec embarras qu'il contenait quatre ampoules en plastique remplies d'un liquide jaune paille. Les ampoules portaient l'inscription : PRODUIT TRÈS TOXIQUE! DANGER DE MORT! au-dessus d'une hélice à trois pales, le symbole international de risques biologiques.

Mais, la plupart du temps, leurs missions étaient très banales. Il les envoyait à Stanford, pour photocopier dans des bibliothèques des articles sur des sujets variés : fabrication des sabres au Japon, cristallographie et rayons X, vampires du Mexique, volcans d'Amérique centrale, El Niño et les courants océaniques, comportement amoureux du mérinos, toxicité de l'holothurie, arcs-boutants des cathédrales gothiques...

Le docteur Levine n'expliquait jamais pourquoi il s'intéressait à ces sujets. Souvent, il les renvoyait plusieurs jours de suite chercher de nouveaux documents. Puis, du jour au lendemain, il abandonnait le sujet, n'en parlait plus jamais. Et ils passaient à autre chose.

Parfois, ils comprenaient ce que Levine cherchait. De nombreux sujets avaient un rapport avec les véhicules que le docteur Thorne construisait pour l'expédition. Mais, la plupart du temps, le mystère était complet.

De temps à autre, Kelly se demandait ce que le barbu comprendrait à tout cela. Peut-être savait-il quelque chose qui leur échappait? En réalité, il semblait assez négligent. L'idée ne lui était sans doute jamais venue qu'Arby et Kelly rendaient des services au docteur Levine.

Ils virent le barbu tourner la tête vers l'entrée du lycée, sans les regarder. Ils marchèrent jusqu'au bout de la rue, s'assirent sur un banc pour attendre le bus.

ÉTIQUETTE

Le bébé léopard des neiges repoussa le biberon et roula sur le dos, les pattes en l'air. Il fit entendre un miaulement ténu.

— Elle veut qu'on la caresse, fit Elizabeth Gelman.

Malcolm tendit la main pour caresser le ventre du petit animal. Le bébé se remit d'un bond sur ses pattes et planta ses dents minuscules dans les doigts. Malcolm poussa un hurlement.

— Elle fait ça, de temps en temps, dit Elizabeth. Dorje! Vilaine! Est-ce une manière de traiter un visiteur si distingué? La peau n'est pas percée, ajouta-t-elle en prenant la main de Malcolm. Nous allons quand même nettoyer.

Ils se trouvaient dans le laboratoire de recherches du zoo de San Francisco. Il était 15 heures. Elizabeth Gelman, la jeune directrice du département recherches, allait rendre compte à Malcolm de ses découvertes, mais ils avaient pris du retard, à cause du repas des petits, dans l'infirmerie. Malcolm l'avait regardée nourrir un bébé gorille, qui bavait comme un nourrisson, puis un koala et l'adorable léopard des neiges.

— Désolée pour ce retard, reprit Elizabeth en le conduisant vers un lavabo pour lui savonner les mains. Mais j'ai pensé qu'il était préférable que tu viennes quand tout le personnel assiste à la réunion hebdomadaire.

— Pourquoi?

— Parce que le matériel que tu nous as envoyé présente un grand intérêt, Ian. Un très grand intérêt.

Elle lui sécha la main avec une serviette, l'inspecta de nouveau.

— Je pense que tu survivras.

— Qu'as-tu découvert? demanda Malcolm.

— Tu avoueras qu'il y a de quoi s'interroger. À propos, ton échantillon vient du Costa Rica?

— Qu'est-ce qui te fait dire ça? demanda Malcolm en s'efforçant de garder un ton neutre.

— C'est à cause des rumeurs sur des animaux inconnus qui s'échouent sur les plages. Et nous sommes en présence d'un animal d'une espèce inconnue.

Elle le précéda jusqu'à la porte, le fit entrer dans une petite salle. Il se laissa tomber dans un fauteuil, appuya sa canne sur la table. Elle baissa les lumières, mit en marche un projecteur de diapositives.

— Allons-y, fit-elle. Voici un gros plan de ton matériel à son arrivée, avant que nous commencions les examens. Comme tu le vois, il consiste en un fragment de tissu animal, dans un état de nécrose très avancée. Il mesure quatre centimètres sur six. Une étiquette en plastique vert, de deux centimètres carrés, y est attachée. Le tissu a été découpé avec un couteau, pas très tranchant.

Malcolm acquiesça lentement de la tête.

— Qu'est-ce que tu as utilisé, Ian, un canif?

— Quelque chose comme ça.

— Très bien. Occupons-nous d'abord de l'échantillon.

Elle passa une autre diapositive; Malcolm reconnut une vue microscopique.

— C'est une coupe histologique grossière des couches superficielles de l'épiderme, expliqua Elizabeth. Ces entailles irrégulières, dentelées indiquent les endroits où l'altération nécrotique a marqué la surface de la peau. Ce qui est intéressant, c'est la disposition des cellules de l'épiderme. Tu remarqueras la densité des chromatophores, les cellules qui produisent des pigments. Sur la section en coupe, tu vois la différence entre les mélanocytes, ici, et les autres cellules, là. La structure générale donne à penser qu'il s'agit d'un des lacertiliens ou d'un amblyrhynchus.

— Tu veux dire un lézard?

— Oui, fit Elizabeth, on dirait un lézard; mais le reste ne colle pas. Tu vois cette cellule, poursuivit-elle en tapotant le côté gauche de l'écran, celle dont la coupe montre le pourtour. Nous pensons que c'est un muscle. Le chromatophore peut s'ouvrir et se refermer. Ce qui signifie que l'animal a la faculté de changer de couleur, comme un caméléon. Et là, cette grande tache de forme ovale, au centre plus clair? C'est le pore d'une glande sudoripare fémorale. Il y a au centre une substance cireuse que nous sommes en train d'analyser. Mais notre hypothèse est qu'il s'agit d'un mâle, puisque seul le lézard mâle a des glandes fémorales.

— Je vois, fit Malcolm.

Elle passa à la diapositive suivante. Malcolm vit une sorte d'éponge en gros plan.

— Plus en profondeur, reprit Elizabeth, nous voyons maintenant la structure des couches sous-cutanées. Très déformées par les bulles gazeuses dues à clostridium; l'infection a fait gonfler les tissus. Mais on distingue les vaisseaux – regarde ici, et là –, qui sont entourés de fibres musculaires lisses. Ce n'est pas une marque caractéristique des lézards. En fait, rien de ce qu'on voit sur cette diapo ne correspond à un lézard, ni à aucune sorte de reptile.

– Ce serait un animal à sang chaud?

– Absolument. Un mammifère, j'en doute; peut-être un oiseau. Disons qu'il pourrait s'agir... je ne sais pas, d'un pélican mort. Quelque chose comme ça.

– Ah! ah!

– Sauf qu'un pélican n'a pas une peau comme celle-là.

– Je vois, fit Malcolm.

– Et il n'y a pas de plumes.

– Ah! ah!

– Nous avons réussi, poursuivit Elizabeth, à prélever une quantité infime de sang intra-artériel. Vraiment pas beaucoup, mais assez pour effectuer un examen microscopique. Le voici.

Elle passa à la diapositive suivante. Malcolm vit un fouillis de globules, rouges pour la plupart, avec quelques blancs, de forme irrégulière. C'était déroutant.

– Ce n'est pas mon domaine, Elizabeth, fit-il.

– Bon, je vais juste te donner les grandes lignes. D'abord, des globules rouges nucléés. C'est caractéristique des oiseaux, pas des mammifères. Ensuite, une hémoglobine plutôt atypique, qui diffère par plusieurs paires de bases de celle des autres lézards. Enfin, une structure leucocytaire aberrante. Le matériel est trop restreint pour le déterminer, mais nous pensons que cet animal a un système immunitaire d'une extrême singularité.

– Je ne sais pas quoi dire, fit Malcolm, avec un haussement d'épaules.

– Nous n'en savons pas plus et l'échantillon ne nous a pas permis de découvrir autre chose. À propos, peux-tu t'en procurer un autre?

– Ce n'est pas impossible.

– Où? Sur le Site B?

– Le Site B? répéta Malcolm, l'air perplexe.

– C'est ce qui est imprimé en relief sur l'étiquette.

Elizabeth changea la diapositive.

– Je dois avouer, Ian, reprit-elle, que cette étiquette est fort intéressante. Ici, au zoo, nous en utilisons un grand nombre pour les animaux et nous connaissons toutes les marques courantes, vendues dans le monde entier. Personne n'a jamais vu celle-là. La voici, grossie dix fois. L'objet est à peu près de la taille de l'ongle du pouce. Surface en plastique, aspect uniforme, se fixe à l'animal avec une attache en acier inoxydable, téflonisé. L'attache est assez petite, du genre de celle que l'on utilise pour les jeunes animaux. Le tien était adulte?

– Probablement.

– Dans ce cas, la marque devait être en place depuis un moment, depuis que l'animal était tout petit. Cela paraît logique, compte tenu de son état. Vois comme la surface est piquée; c'est très inhabituel. Cette matière plastique est du Duralon, celle qu'on utilise pour fabriquer les casques de football. Elle est extrêmement résistante et ces petits trous n'ont pu être produits par l'usure.

– Et alors?

– Il s'agit très certainement d'une réaction chimique, une exposition à un acide, par exemple; peut-être sous forme d'aérosol.

– Comme des émanations volcaniques? fit Malcolm.

– Ce pourrait être une explication, surtout avec ce que nous avons appris par ailleurs. Tu remarqueras que la marque est assez épaisse... neuf millimètres, pour être précise. Et elle est creuse.

– Creuse? fit Malcolm, l'air étonné.

– Oui, il y a une cavité. Comme nous ne voulions pas l'ouvrir, nous avons fait une radiographie. Regarde.

Une nouvelle diapositive fut projetée sur l'écran. Malcolm vit un enchevêtrement de lignes blanches et d'alvéoles.

– Il semble y avoir eu une forte corrosion, due peut-être encore à des émanations acides. Ce qui ne fait aucun doute, Ian, c'est qu'il s'agit d'un émetteur radio. Cela signifie que ce mystérieux animal, ce lézard à sang chaud ou autre chose, a été marqué à sa naissance et élevé par quelqu'un. Cela nous perturbe énormément de savoir que quelqu'un élève ces animaux. Comment cela peut-il se faire?

– Je n'en ai pas la moindre idée.

– Tu es un sale menteur, soupira Elizabeth Gelman.

– Puis-je récupérer mon échantillon? demanda Malcolm, la main tendue.

– Ian! Après tout ce que j'ai fait pour toi!

– L'échantillon, s'il te plaît?

– Je pense que tu me dois une explication.

– Je te promets que tu en auras une. Dans une quinzaine de jours, je t'inviterai au restaurant.

Elle lança sur la table un paquet enveloppé dans du papier d'étain. Il le prit, le glissa dans sa poche.

– Merci, Liz, fit-il en se levant. Désolé de partir si vite, mais il faut que je passe un coup de fil.

– À propos, Ian, fit-elle, tandis qu'il se dirigeait vers la porte, comment est-il mort, ton animal?

Il s'immobilisa.

– Pourquoi demandes-tu ça?

– Parce que, en étudiant les cellules de la peau, nous avons trouvé sous l'épithélium quelques cellules appartenant à un autre animal.

– Ce qui signifie?

– Eh bien, c'est l'image typique de deux lézards qui se battent. Ils se frottent l'un contre l'autre. Des cellules s'enfoncent sous la couche superficielle.

– Oui, fit-il. Il y avait des traces de lutte sur la carcasse. L'animal était blessé.

– Il faut encore que tu saches qu'il y avait des signes de vasoconstriction chronique des vaisseaux sanguins. Cet animal subissait un stress. Pas seulement à cause du combat où il a été blessé; cela aurait disparu peu après la mort. Je parle d'un stress chronique, permanent. J'ignore où vivait cet animal, mais son environnement était extrêmement stressant et dangereux.

– Je vois.

– Comment se fait-il qu'un animal marqué ait des conditions de vie aussi stressantes?

À l'entrée du zoo, il se retourna pour voir s'il était suivi; il entra dans la première cabine téléphonique et appela Levine. Il eut le répondeur; Levine n'était pas chez lui. Chaque fois qu'on a besoin de lui, se dit Malcolm, il n'est pas là. Probablement sorti pour essayer de récupérer sa Ferrari.

Malcolm raccrocha, repartit vers sa voiture.

THORNE

L'inscription « Thorne Mobile Field Systems » était peinte en gros caractères noirs sur la grande porte métallique roulante d'un garage, tout au fond de la zone industrielle. Il y avait une porte normale sur la gauche. Arby appuya sur le bouton du portier électrique.

— Allez-vous-en! fit une voix bourrue.

— C'est nous, docteur Thorne.

— Ah! c'est vous? Bon.

Il y eut un déclic, la porte s'ouvrit. Ils pénétrèrent dans un vaste hangar. Des ouvriers travaillaient sur plusieurs véhicules; dans l'air flottaient des odeurs d'acétylène, d'huile de graissage et de peinture fraîche. Juste devant elle, Kelly vit un Ford Explorer vert foncé au toit découpé; deux mécaniciens, juchés sur une échelle, fixaient un grand panneau portant des cellules solaires noires sur le toit du véhicule. Le capot de l'Explorer était levé; le moteur à six cylindres en V avait été retiré. Des mécanos étaient en train de le remplacer par un autre, plus petit et tout neuf. Il ressemblait à une boîte à chaussures arrondie, avec l'aspect mat de l'alliage d'aluminium. D'autres ouvriers transportaient un grand panneau rectangulaire, le convertisseur Hugues qui allait être monté au-dessus du moteur.

Sur la droite, elle vit les deux gros véhicules, sur lesquels l'équipe de Thorne travaillait depuis plusieurs semaines. Ce n'était pas le genre de voiture que l'on voit Monsieur Tout-le-Monde conduire le week-end. L'un, énorme et profilé, presque aussi gros qu'un car, était aménagé pour le logement et le couchage de quatre personnes, et contenait toute sorte de matériel scientifique. Baptisé « Challenger », il présentait une particularité : lorsqu'il était en stationnement, les parois coulissaient vers l'extérieur, agrandissant les dimensions intérieures.

Le Challenger était conçu pour s'articuler par un soufflet avec le second véhicule, un peu plus petit et tracté par le camion. Cette remorque contenait du matériel de laboratoire et un équipement high-tech très perfectionné, dont Kelly ignorait la nature exacte. Le second véhicule était pour l'instant presque entièrement caché par une énorme gerbe d'étincelles crachées par un chalumeau. Malgré cette activité, il semblait presque terminé. Kelly vit des ouvriers travailler à l'intérieur; tous les sièges — fauteuils et banquettes — étaient par terre.

Thorne se tenait au centre du hangar, la tête levée vers le soudeur, sur le toit de la remorque.

— Dépêche-toi, Eddie, dépêche-toi! Il faut finir aujourd'hui!

Il se retourna, s'adressa à un autre ouvrier:

— Non, Henri! Non! Regarde les plans! Tu ne peux pas placer cette traverse dans ce sens-là. Il faut le mettre en diagonale, pour la solidité. Regarde les plans!

Doc Thorne était un homme de cinquante-cinq ans, aux cheveux grisonnants et au torse puissant. Sans ses lunettes à monture métallique, on aurait pu le prendre pour un boxeur à la retraite. Kelly avait du mal à imaginer en prof de fac cet homme à la force peu commune, toujours en mouvement.

— Bon sang! Henri! Henri! Tu m'écoutes?

Thorne se mit à jurer en brandissant le poing. Il se tourna vers les enfants.

— Pas possible! lança-t-il. Dire qu'ils sont censés m'aider!

Du capot de l'Explorer jaillit un éclair blanc. Les deux hommes penchés sur le moteur firent un bond en arrière, tandis qu'un nuage de fumée âcre s'éleva au-dessus du véhicule.

— Qu'est-ce que j'avais dit? rugit Thorne. Mettez à la terre avant de commencer à travailler! Il y a du voltage, les gars! Vous allez griller, si vous ne faites pas attention!

Il se retourna vers les enfants, secoua la tête.

— Ils n'arrivent pas à se mettre dans le crâne que cette défense anti-ours est redoutable.

— Quelle défense?

— Un système que j'ai mis au point il y a quelques années, pour les gardes forestiers du parc de Yellowstone, où les ours pénètrent dans les caravanes. Il suffit d'actionner une commande électrique et un champ de dix mille volts parcourt la carrosserie. De quoi calmer un gros père ours! Mais ces petits gars, ils décolleraient et feraient un vol plané! Et je serais bien avancé: incapacité de travail, dommages-intérêts pour ma pomme! Tout ça à cause de leur négligence.

Il s'interrompit, secoua la tête.

— Alors, les enfants? Où est Levine?

— On ne sait pas, répondit Arby.

– Comment ça? Il n'a pas fait son cours aujourd'hui?

– Non, il n'est pas venu.

Thorne étouffa un juron.

– J'ai besoin de lui aujourd'hui! Pour les dernières révisions avant les essais sur le terrain! Il devait revenir ce matin.

– Revenir d'où? demanda Kelly.

– Encore un de ses voyages d'études, répondit Thorne. Je l'ai vu avant son départ, il était très excité. Je l'ai équipé moi-même... je lui ai prêté mon dernier sac à dos. Tout ce dont il pouvait avoir besoin pour un poids total de vingt et un kilos. Il lui a plu. Il est parti lundi, il y a quatre jours.

– Parti où?

– Comment veux-tu que je le sache? Il n'a pas voulu le dire et je ne pose plus de questions. Tous les mêmes! Chaque scientifique à qui j'ai affaire fait des cachotteries. Mais on ne peut pas leur en vouloir; ils tremblent tous de se faire piquer leurs idées ou traîner en justice. C'est le monde d'aujourd'hui. L'année dernière, j'ai équipé une expédition à destination de l'Amazonie; nous avons tout rendu étanche – c'est souhaitable dans la forêt pluviale, car l'électronique n'aime pas l'eau et les instruments ne marchent pas. Eh bien, le chef de l'expédition a été accusé de détournement de fonds! Pour les travaux d'étanchéité! Un bureaucrate de l'université a estimé qu'il s'agissait d'une « dépense superflue ». C'est insensé! Henri... as-tu écouté ce que j'ai dit? En *diagonale*!

En agitant les bras, Thorne traversa le hangar à grands pas, les enfants sur ses talons.

– Regardez ça, reprit-il. Nous avons passé des mois sur ces véhicules, mais les travaux sont enfin terminés. Il les veut légers, je les fais légers. Il les veut robustes, je les fais robustes. Légers et robustes à la fois, pourquoi pas, hein? Ce qu'il demande est impossible, mais avec ce qu'il faut de titane et de carbone en nid-d'abeilles nous y arrivons. Il ne veut ni carburant d'origine minérale ni électricité, nous lui donnons satisfaction. Il finit par avoir tout ce qu'il voulait : un laboratoire mobile, extrêmement robuste, qui peut être transporté dans un endroit où il n'y a ni essence ni électricité. Et maintenant que c'est terminé... Je n'arrive pas à y croire! Il n'a pas fait son cours, c'est vrai?

– Oui, répondit Kelly.

– Il a disparu! s'écria Thorne. Merveilleux! Parfait! Et nos essais sur le terrain? Nous devions partir une semaine avec ces véhicules pour voir ce qu'ils ont dans le ventre.

– Je sais, fit Kelly. Nous avons la permission de nos parents pour partir avec vous.

Thorne continua à fulminer.

– Et Levine qui n'est pas là! J'aurais dû m'en douter! Ces fils à papa, ils n'en font qu'à leur tête! Un enfant gâté!

Une grande cage métallique tomba du plafond et s'écrasa près d'eux. Thorne s'écarta d'un bond.

— Eddie! Bordel! Veux-tu faire attention?

— Pardon, Doc, lança Eddie Carr, perché dans les chevrons. D'après les spécifications, elle doit résister sans se déformer à une pression de trente-cinq tonnes au centimètre carré. Il fallait faire un essai.

— Très bien, Eddie, mais tu n'es pas obligé de le faire quand nous sommes dessous!

Thorne se pencha pour examiner la cage circulaire, aux barreaux en alliage de titane, de vingt-cinq millimètres d'épaisseur. Elle avait subi la chute sans dommage. Et elle était légère; Thorne la souleva d'une seule main. Haute d'un peu moins de deux mètres, d'un diamètre d'un mètre vingt, elle ressemblait à une cage à oiseaux géante. Elle avait une porte battante, munie d'un fort verrou.

— À quoi ça sert? demanda Arby.

— En réalité, répondit Thorne, elle fait partie de *ça.*

Il tendit le doigt vers le fond du hangar, où un ouvrier emboîtait les éléments en aluminium d'une charpente télescopique.

— C'est une plate-forme d'observation surélevée, conçue pour être assemblée sur le terrain. Les éléments emboîtés forment une structure rigide, haute de quatre mètres cinquante. Elle est coiffée d'un petit abri, démontable lui aussi.

— Une plate-forme pour observer quoi? demanda Arby.

— Il ne vous a rien dit? fit Thorne.

— Non, répondit Kelly.

— Non, répondit Arby.

— Eh bien, à moi non plus, reprit Thorne en secouant la tête. Je sais seulement qu'il veut que tout soit extraordinairement robuste. Léger et robuste. Impossible. Le ciel me préserve des universitaires, conclut-il en soupirant.

— Je croyais que vous en étiez un, fit Kelly.

— Un ex-universitaire, répliqua vivement Thorne. Aujourd'hui, je construis des choses. Je ne me contente pas de parler.

Les ex-collègues de Jack Thorne, ceux qui le connaissaient bien, s'accordaient pour dire que la retraite avait marqué le début de la période la plus heureuse de sa vie. En sa qualité de professeur d'ingénierie appliquée, spécialiste des matériaux rares, il avait toujours affiché un esprit pratique et une grande affection pour ses étudiants. À Stanford, dans son cours de génie civil, il mettait continuellement ses étudiants au défi de résoudre des problèmes conçus à leur intention. Certains avaient trouvé place dans le folklore de l'université. Le désastre du papier hygiénique, par exemple. Thorne leur demandait de laisser tomber une boîte d'œufs de la tour Hoover, sans la casser. Pour amortir le choc, ils ne pouvaient utiliser que des cylindres de carton des rouleaux de papier hygiénique. L'esplanade de la tour était couverte de taches jaunes.

Une autre année, il leur avait demandé de construire un siège pour un homme de quatre-ving-dix kilos, uniquement avec des Coton-Tige et du fil. Une autre fois, il suspendit au plafond le corrigé de l'examen de fin d'année et demanda aux étudiants de le décrocher en utilisant pour ce faire une boîte à chaussures contenant une livre de réglisse et quelques cure-dents.

Quand il n'enseignait pas, Thorne était fréquemment appelé à témoigner devant les tribunaux en qualité d'expert. Sa spécialité était les explosions, les accidents d'avions, les bâtiments effondrés et autres catastrophes. Ces incursions dans le monde réel le fortifiaient dans sa conviction qu'un scientifique a besoin de connaissances aussi étendues que possible. « Comment voulez-vous concevoir quelque chose pour autrui, si vous ne connaissez ni l'histoire ni la psychologie ? se plaisait-il à dire. C'est impossible. Vos formules mathématiques seront peut-être justes, mais les gens bousilleront tout. Si cela se produit, cela signifiera que *vous* avez saboté le travail. » Il émaillait ses cours de citations de Platon, Chaka Zulu, Emerson et Chang-tzu.

Thorne, qui s'était fait le champion d'une éducation étendue, était certes un professeur populaire, mais il nageait à contre-courant. L'Université s'était engagée dans la voie de la spécialisation, de l'utilisation d'un jargon de plus en plus abscons. Dans un tel climat, l'attachement des étudiants était le signe d'un esprit superficiel ; l'intérêt porté aux problèmes du monde réel était la preuve d'une pauvreté intellectuelle, d'une indifférence coupable pour la théorie. Mais, en fin de compte, c'est le faible de Thorne pour Chang-tzu qui précipita son départ. Lors d'une réunion du département, un de ses collègues prit la parole pour déclarer que « l'ingénierie n'a rien à cirer des conneries d'un Chinois mythique ».

Un mois plus tard, Thorne prenait sa retraite anticipée ; peu après, il montait sa propre société. Il aimait profondément son travail, mais le contact avec les étudiants lui manquait. C'est pourquoi il aimait les deux assistants en herbe de Levine. Les enfants avaient l'esprit vif, ils étaient enthousiastes et encore assez jeunes pour que l'école n'ait pas tari leur intérêt pour l'étude. Ils pouvaient encore faire travailler leurs méninges, ce qui, aux yeux de Thorne, était le signe patent que leur éducation scolaire n'était pas achevée.

– Jerry ! rugit Thorne, à l'adresse de l'un des soudeurs. Équilibre les traverses ! Souviens-toi des tests de collision !

Thorne indiqua un moniteur vidéo posé par terre, qui montrait l'image du Challenger s'écrasant sur une barrière. D'abord un choc frontal, puis un choc latéral et un choc après un tonneau. Chaque fois, le véhicule s'en sortait sans gros dégâts. Le programme informatique avait été mis au point par les constructeurs d'automobiles, puis abandonné. Thorne l'avait acheté et modifié. « Bien sûr que les constructeurs l'ont abandonné; c'est une bonne idée. Il ne faut pas qu'une bonne idée vienne d'une grande société. Cela pourrait donner un bon produit! Grâce à ce programme, nous avons simulé dix mille collisions. Conception, essais, modifications, nouveaux essais. Pas de théorie, juste des essais. Comme il faut faire les choses. »

L'aversion de Thorne pour la théorie était légendaire. Il professait qu'une théorie n'était rien d'autre qu'un substitut de l'expérience, avancé par quelqu'un ne sachant pas de quoi il parlait.

— Regarde ce que tu fais, Jerry! Jerry! À quoi bon effectuer toutes ces simulations, si vous ne suivez pas les plans? Quelle bande de balourds!

— Pardon, Doc...

— Ne t'excuse pas, fais ce qu'il faut!

— C'est que nous avons déjà beaucoup renforcé...

— Ah bon! C'est toi qui décides, maintenant? Qui est le designer? Contente-toi de suivre les plans!

Arby pressa le pas pour rester à la hauteur de Thorne.

— Je suis inquiet pour le docteur Levine.

— Ah bon! Pas moi.

— Il ne nous avait jamais fait faux bond. Et il est très organisé.

— C'est vrai, reconnut Thorne. Mais il est aussi très impulsif et n'en fait qu'à sa guise.

— Peut-être, insista Arby, mais je ne crois pas qu'il supprimerait un cours sans une bonne raison. J'ai peur qu'il n'ait des ennuis. Pas plus tard que la semaine dernière, il nous a demandé de l'accompagner chez le professeur Malcolm, à Berkeley. Il avait dans son bureau une mappemonde, et on voyait...

— Malcolm! s'écria Thorne. Je ne veux pas entendre parler de lui! Ils sont sortis du même moule, ces deux-là! Aussi peu d'esprit pratique l'un que l'autre. Il vaut quand même mieux joindre Levine sans perdre de temps.

Sur ce, il tourna les talons et se dirigea vers son bureau.

— Vous allez utiliser le téléphone par satellite? lança Arby.

Thorne s'immobilisa.

— Le quoi?

— Le téléphone par satellite, répéta Arby. Le docteur Levine n'en a pas pris un avec lui?

— Comment aurait-il fait? demanda Thorne. Tu sais bien que le plus petit modèle a la taille d'une valise.

— Ce n'est pas obligatoire. Vous auriez pu en fabriquer un beaucoup plus petit.

— Moi? fit Thorne. Comment?

Malgré lui, le gamin l'amusait. On ne pouvait pas ne pas l'aimer.

– Avec le relais de communications VLSI que nous sommes passés prendre, expliqua Arby. Celui qui est triangulaire. Il avait deux circuits intégrés Motorola BSN-23, une technologie à usage restreint, mise au point pour la CIA, qui permet de fabriquer un...

– Holà! pas si vite! fit Thorne. Où as-tu appris ça? Je t'avais demandé de ne pas pirater des systèmes...

– Ne craignez rien, dit Arby, je fais attention. Mais c'est vrai pour le relais de communications, hein? Vous avez pu vous en servir pour fabriquer un téléphone de cinq cents grammmes. Vous l'avez fait?

Thorne le regarda longuement.

– Peut-être, dit-il enfin. Et alors?

– Super, fit Arby avec un grand sourire.

Le petit bureau de Thorne était situé dans un angle du hangar. Les murs étaient tapissés de plans, de bons de commande et de dessins en coupe en 3D. Des composants électroniques, des catalogues de fournitures et des piles de fax étaient éparpillés sur le bureau. Thorne fouilla dans le bric-à-brac, finit par trouver ce qu'il cherchait, un petit téléphone portable gris.

– Voilà l'objet, fit-il en le montrant à Arby. Pas mal, hein? Je l'ai conçu moi-même.

– On dirait un téléphone cellulaire, glissa Kelly.

– Oui, mais ce n'en est pas un. Un téléphone cellulaire utilise un réseau existant. Un téléphone par satellite est relié directement aux satellites de communication en orbite. Avec ça, je peux appeler n'importe quel point du globe. Avant, poursuivit-il en composant un numéro, il fallait une antenne parabolique de quatre-vingt-dix centimètres. Puis de trente centimètres. Maintenant, plus besoin d'antenne... le combiné suffit. Pas mal, si je puis me permettre une opinion. Voyons s'il répond.

Il enfonça la touche du haut-parleur. Ils entendirent une tonalité, accompagnée de grésillements.

– Connaissant Richard comme je le connais, reprit Thorne, il a dû rater son avion ou oublier qu'il devait être là aujourd'hui pour donner son accord aux travaux. Et nous avons presque terminé. Quand on voit que nous en sommes aux sièges et aux renforts, on peut dire que c'est terminé. Il va nous retarder; c'est un manque d'égards très fâcheux.

Ils entendirent une suite de bips, la sonnerie d'appel.

– Si je ne parviens pas à le joindre, j'essaierai Sarah Harding.

– Sarah Harding? fit Kelly en levant brusquement la tête.

– Qui est Sarah Harding? demanda Arby.

– Une jeune spécialiste du comportement animal, la plus célèbre au monde.

Sarah Harding était l'une des héroïnes de Kelly. Elle avait dévoré tous les articles sur Sarah Harding. Boursière à l'université de Chicago, Sarah était devenue, à trente-trois ans, maître de conférences à Princeton. Belle et indépendante, c'était une rebelle, qui n'en faisait qu'à sa tête. Elle avait choisi l'existence d'une scientifique de terrain et vivait seule en Afrique, où elle étudiait les lions et les hyènes. Sarah était réputée pour sa force de caractère. Un jour, son Land Rover étant tombé en panne, elle avait parcouru seule plus de trente kilomètres dans la savane, chassant les lions qui tournaient autour d'elle en leur lançant des pierres.

Sur les photos, elle posait en général en short et chemise kaki, des jumelles autour du cou, près d'un Land Rover. Avec ses cheveux bruns coupés court et son corps musclé, il émanait d'elle une rusticité fascinante. Du moins aux yeux de Kelly, qui étudiait les photos avec ferveur et à qui aucun détail n'échappait.

– Jamais entendu ce nom, fit Arby.

– Tu passes trop de temps sur tes ordinateurs, lança Thorne.

– Non, répliqua Arby.

Kelly vit ses épaules s'affaisser et il se referma sur lui-même, comme il le faisait quand il avait le sentiment d'être critiqué.

– L'étude du comportement animal, fit-il, l'air maussade.

– C'est ça, dit Thorne. Je sais que Levine l'a appelée plusieurs fois, ces dernières semaines. Elle l'aide pour son matériel, quand il est prêt à être utilisé sur le terrain. Ou elle le conseille. Ou elle fait autre chose. Mais peut-être est-ce du côté de Malcolm qu'il faut chercher. N'oublions pas qu'elle a été amoureuse de lui.

– Je ne peux pas croire ça, protesta Kelly. C'est lui qui devait être amoureux d'elle...

– Tu la connais? demanda Thorne.

– Non, mais je sais des tas de choses sur elle.

– Je vois, fit sobrement Thorne.

Il percevait les signes d'un culte du héros et trouva cela bien. Une jeune fille pouvait faire pire qu'admirer Sarah Harding. Au moins, ce n'était ni une sportive ni une star du rock. En fait, il trouvait réconfortant qu'une fille de l'âge de Kelly admire quelqu'un qui essayait de faire progresser les connaissances.

La sonnerie se poursuivait. Pas de réponse.

– Nous savons au moins que le matériel de Levine est en état de marche, reprit Thorne. Son appareil sonne, c'est déjà ça.

– Pouvez-vous le localiser? demanda Arby.

– Malheureusement non. Et si nous continuons à laisser sonner, nous allons décharger la batterie, ce qui signifie...

Il y eut un déclic, suivi d'une voix étonnamment claire et distincte.

– Ici, Levine.

– Très bien, il est là, fit Thorne en hochant vigoureusement la tête. Richard, ici Doc Thorne, poursuivit-il en appuyant sur la touche Émission.

Le haut-parleur transmit un bruit continu de parasites. Puis une petite toux et une voix râpeuse.

– Allô! Allô! Ici, Levine.

– Richard! Ici, Thorne, vous m'entendez?

– Allô! répéta Levine.

– Richard, fit Thorne en soupirant, il faut appuyer sur la touche Émission. Terminé.

– Allô! Ici, Levine. Allô!

La voix était sourde, râpeuse. Thorne secoua la tête, l'air dégoûté.

– Il ne sait toujours pas le faire marcher! Et merde! Je lui ai pourtant expliqué très soigneusement, mais il n'a pas prêté attention. Les génies n'écoutent jamais; ils croient tout savoir. Ce n'est pas un jouet!

– Richard, écoutez-moi. Il faut appuyer sur la touche...

– Ici, Levine. Allô! Levine à l'appareil. J'ai besoin d'aide.

Ils perçurent une sorte de gémissement.

– Si vous m'entendez, poursuivit Levine, envoyez de l'aide... J'ai réussi à aborder dans l'île, mais...

Il y eut des craquements, suivis d'un long sifflement.

– Aïe! fit Thorne.

– Que se passe-t-il? demanda Arby en se penchant.

– Nous allons le perdre.

– Pourquoi?

– La batterie. Elle se décharge vite. Richard, *où êtes-vous*?

Ils entendirent la voix affaiblie de Levine.

– ... est mort... la situation... très grave... ne sais pas si... m'entendez... chercher de l'aide...

– Richard, dites-nous où vous êtes!

Les sifflements s'accentuèrent, la transmission se fit de plus en plus mauvaise. Ils entendirent encore Levine.

– ... suis encerclé par... et cruels... les sens, surtout... nuit...

– Qu'est-ce qu'il raconte? fit Arby.

– ... blessure... peux pas... longtemps... m'aider...

Il y eut un dernier sifflement, dont l'intensité alla en diminuant. La communication s'interrompit brusquement.

Thorne enfonça la touche de fin d'émission, coupa le haut-parleur. Il se tourna vers les enfants, devenus très pâles.

– Il faut le retrouver, dit-il. Sans perdre de temps.

DEUXIÈME CONFIGURATION

L'organisation interne croît en complexité à mesure que le système avance vers le bord chaotique.

IAN MALCOLM

INDICES

Thorne ouvrit la porte de l'appartement de Levine, alluma les lumières. Les enfants ouvrirent de grands yeux.

– On dirait un musée! fit Arby.

Le quatre-pièces de Levine était décoré dans un style vaguement asiatique, avec de ravissantes vitrines et de coûteuses antiquités. L'appartement était impeccable, la plupart des meubles recouverts d'une housse et soigneusement étiquetés. Ils avancèrent lentement dans le séjour.

– Il vit ici? demanda Kelly.

Elle avait de la peine à le croire; l'endroit lui semblait si impersonnel, presque déshumanisé. Elle pensa à son appartement, au désordre permanent...

– Oui, répondit Thorne en fourrant la clé dans sa poche, il vit ici. L'appartement a toujours cet air-là. Voilà pourquoi il ne peut pas vivre avec une femme; il ne supporte pas qu'on touche à quoi que ce soit.

Les canapés du séjour étaient disposés autour d'une table basse en verre. Quatre piles de livres étaient soigneusement placées aux quatre angles de la table. Arby parcourut les titres. *Théorie de la catastrophe et structures émergentes. Méthodes inductives dans l'évolution moléculaire. Automates cellulaires. Méthodologie de l'adaptation non linéaire. Les transitions dans les systèmes évolutionnistes.* Il y avait d'autres ouvrages, plus anciens, dont le titre était en allemand.

– Il y a quelque chose qui chauffe? fit Kelly en humant l'air.

– Je ne sais pas, répondit Thorne.

Il se dirigea vers la salle à manger. Le long d'un mur, il vit une assiette et une rangée de plats couverts. Sur une table de bois ciré, à côté d'un bol de soupe fumante, le couvert était mis pour une personne. Argenterie et verre de cristal taillé.

Thorne s'avança, prit une feuille de papier posée sur la table et lut : « Bisque de homard, jeunes légumes verts biologiques, thon grillé. » Un Post-it jaune était collé sur la feuille. « J'espère que vous avez fait bon voyage ! Romelia. »

— Ça alors ! soufla Kelly. Quelqu'un prépare son dîner tous les soirs !

— On dirait, fit Thorne.

Il ne parut pas impressionné ; il commença à fourrager dans une pile de courrier placée près de l'assiette. Kelly vit plusieurs fax sur une petite table. Le premier venait du musée Peabody de Yale, à New Haven.

— C'est de l'allemand ? demanda-t-elle en tendant la feuille à Thorne.

Cher docteur Levine,
Le document que vous avez demandé : Geschichtliche Forschungsarbeiten über die Geologie Zentralamerikas, 1922-1929, *vous a été envoyé ce jour par Federal Express.*
Avec nos remerciements.

(signé)
Dina Skrumbis, archiviste.

— Je ne lis pas l'allemand, fit Thorne. Mais je pense que cela signifie : « Recherches de quelque chose sur la géologie d'Amérique centrale ». Et cela remonte aux années 20. Pas vraiment les dernières nouvelles.

— Je me demande pourquoi il voulait ce livre, fit Kelly.

Thorne ne répondit pas. Il entra dans la chambre.

La pièce avait un aspect austère, spartiate. Le lit, un futon noir, était impeccablement fait. Thorne ouvrit les portes de la penderie, vit des rangées de vêtements suspendus, bien repassés, bien espacés, une partie sous des housses. Il ouvrit le tiroir du haut de la commode, vit des chaussettes pliées, disposées par couleurs.

— Je ne sais pas comment il peut vivre comme ça, fit Kelly.

— Pas difficile, répondit Thorne. Il suffit d'avoir des domestiques.

Il ouvrit les autres tiroirs, l'un après l'autre, rapidement.

Kelly s'avança vers la table de chevet. Il y avait plusieurs livres. Celui du dessus était tout petit, jauni par le temps. Encore un livre en allemand, intitulé *Die Fünf Todesarten*. Elle le feuilleta, vit des photos montrant des hommes en costume aux couleurs vives, sans doute des Aztèques. C'était presque comme un livre d'enfants illustré.

Au-dessous, il y avait d'autres livres et des articles dans un classeur à la couverture rouge foncé du Santa Fe Institute : *Algorithmes génétiques et réseaux heuristiques. Géologie de l'Amérique centrale, mosaïque de dimension arbitraire.* Le rapport annuel d'InGen Corporation pour l'année 1989. À côté du téléphone, elle remarqua une feuille portant des notes prises à la hâte. Elle reconnut l'écriture déliée du docteur Levine.

« SITE B »
Vulkanische
Tacaño?
Nublar?
1 des 5 Morts?
Dans les montagnes? Non!!!
voir Guitierrez
Prudence

— Qu'est-ce que c'est, le Site B? demanda Kelly. Il a pris des notes là-dessus.

Thorne la rejoignit, parcourut la feuille.

— *Vulkanische* doit vouloir dire « volcanique ». Tacaño et Nublar... On dirait des noms de lieux. Si c'est vrai, nous pourrons vérifier sur un atlas...

— Et cette histoire d'une des cinq Morts?

— Je n'en sais rigoureusement rien.

Ils avaient encore les yeux fixés sur la feuille quand Arby entra dans la chambre.

— Qu'est-ce que c'est, le Site B? demanda-t-il.

— Pourquoi? fit Thorne en tournant vivement la tête.

— Vous devriez venir voir son bureau.

Levine avait transformé la seconde chambre en bureau. La pièce, comme le reste de l'appartement, était nickel. Il y avait un bureau, avec des papiers en petites piles bien propres, à côté d'un ordinateur recouvert de plastique. Derrière l'ordinateur, un panneau de liège occupait presque tout le pan de mur. Sur ce panneau, Levine avait punaisé des cartes, des plans, des coupures de journaux, des images par satellite de Landsat et des photos aériennes. Tout en haut, une grande feuille portait l'inscription : *SITE B?*

À côté, un instantané flou et corné montrait un Asiatique à lunettes, en blouse blanche, devant une végétation touffue et près d'un panneau indiquant SITE B. Sous la blouse ouverte, il portait un tee-shirt avec une inscription.

Contre l'instantané, une épreuve agrandie montrait le tee-shirt de la photo. Il était difficile de déchiffrer l'inscription, en partie cachée par les deux pans de la blouse, mais on pouvait lire :

**nGen Site B
tation de recherc**

De son écriture précise, Levine avait noté : « InGen Site B Station de recherche ??? Où ??? » Juste au-dessous était punaisée une page détachée du Rapport annuel d'InGen. Un paragraphe était entouré d'un cercle.

En plus des installations de Palo Alto, où la société dispose d'un laboratoire de recherche ultramoderne de 18 500 m², InGen a établi trois laboratoires dans le monde. Un laboratoire de géologie en Afrique du Sud, où sont acquis l'ambre et d'autres spécimens biologiques ; une ferme de recherche dans les montagnes du Costa Rica, où sont cultivées des variétés exotiques de plantes ; des installations sur l'île d'Isla Nublar, à 190 kilomètres à l'ouest du Costa Rica.

À côté, Levine avait écrit : « Pas de B. Menteurs ! »

– Il est vraiment obsédé par ce Site B, fit Arby.

– C'est sûr, approuva Thorne. Et il pense qu'il se trouve sur une île, quelque part.

Il se rapprocha du panneau de liège pour examiner les images par satellite. Les couleurs n'étaient pas naturelles, elles avaient divers degrés de grossissement, mais il remarqua qu'elles semblaient toutes montrer la même zone géographique : une côte rocheuse et des îles, à quelque distance. Une plage, sur laquelle mordait la jungle, courait le long du rivage ; il pouvait s'agir du Costa Rica, mais impossible d'en être sûr. En fait, les images pouvaient avoir été prises dans une bonne douzaine de pays.

– Il a dit qu'il était sur une île, observa Kelly.

– Oui, fit Thorne, mais cela ne nous avance pas beaucoup. Il y en a au moins une vingtaine, ajouta-t-il, les yeux fixés sur les images, peut-être plus.

Son regard se posa sur une note de service fixée au bas du panneau.

SITE Bà#$# À TOUS LES SERVICES DE ᵒ§****
RAPPEL DE NON-DIVULGATION À LA PRESSE
~~M. Hammond tient à rappeler à tous~~**** après^*&^marketing*%**programme de marketing à long terme*&^&^%Marketing du projet de parc de loisirs exige que la technologie JP ne soit pas ~~révélée~~ annoncée ~~rendue publique~~ dans toute sa complexité. M. Hammond souhaite rappeler à tous les services que l'unité de production ne doit à aucun moment ~~être~~ faire l'objet d'un communiqué de presse ~~ni de discussions~~.

L'unité de production/fabrication ne peut pas#à#$#référence à l'emplacement de l'île. Référence interne Isla S. S'en tenir rigoureusement avec la presse***^%$**grandes lignes

– Bizarre, fit Thorne. Qu'en pensez-vous ?

Arby s'approcha, étudia le texte.

– Toutes ces lettres manquantes et ces symboles, poursuivit Thorne. Y comprends-tu quelque chose ?

– Oui, répondit Arby.

Il claqua des doigts, se dirigea droit vers le bureau de Levine. Il retira la housse en plastique de l'ordinateur.

– C'est bien ce qu'il me semblait.

L'ordinateur du bureau n'était pas la bécane dernier cri que Thorne s'attendait à trouver. Il avait plusieurs années ; il était volumineux et couvert d'éraflures. Une bande noire, collée sous l'écran, indiquait : « Design Associates, Inc ». Plus bas, juste à côté du bouton de mise sous tension, un petit rectangle de métal luisant portait : « Propriété d'International Genetics Technology, Palo Alto, Californie ».

– Qu'est-ce que ça signifie ? demanda Thorne. Levine a un ordinateur d'InGen ?

– Oui, répondit Arby. Il nous a envoyés l'acheter la semaine dernière. Il y avait une vente de matériel informatique.

– Il vous a envoyés l'acheter ?

– Oui, Kelly et moi. Il ne voulait pas y aller en personne. Il craignait d'être suivi.

– Mais c'est un CFAO, et il a au moins cinq ans.

Les ordinateurs CFAO étaient utilisés par les architectes, les graphistes et les ingénieurs mécaniciens.

– Que peut-il bien vouloir en faire ? poursuivit Thorne.

– Il ne nous a rien dit, fit Arby en mettant l'appareil en marche. Mais maintenant je le sais.

– Ah bon !

– La note de service, expliqua Arby en indiquant de la tête le panneau de liège. Vous savez pourquoi elle a cet aspect ? Parce que c'est un fichier récupéré. Levine récupérait des fichiers d'InGen sur cette bécane.

Arby expliqua que le disque dur de tous les ordinateurs vendus ce jour-là avait été reformaté, afin de détruire les informations sensibles. Les CFAO étaient l'exception. Ce matériel était équipé d'un logiciel spécial, installé par le constructeur. Le logiciel propre à chaque machine avait son propre code d'accès. Cela rendait ces ordinateurs difficiles à reformater, car il aurait fallu plusieurs heures pour réinstaller chaque logiciel.

– Alors, dit Thorne, ils ne l'ont pas fait.

– C'est ça, fit Arby. Ils se sont contentés d'effacer les répertoires avant de les vendre.

– Ce qui signifie que les fichiers originaux sont encore sur le disque dur.

– Tout juste.

L'écran s'alluma. Une inscription s'afficha.

TOTAL FICHIERS RECUPERES : 2387

– Ça alors! souffla Arby.

Il se pencha sur le clavier, le regard rivé sur l'écran, les doigts au-dessus des touches. Il appela le répertoire, des noms de fichiers commencèrent à défiler. Des milliers de fichiers.

– Comment vas-tu...? commença Thorne.

– Laissez-moi un peu de temps, coupa Arby, en se mettant à frapper rapidement les touches.

– Je te laisse faire, dit Thorne.

L'attitude autoritaire d'Arby devant un ordinateur l'amusait toujours. Le gamin semblait oublier son âge, son manque d'assurance, sa timidité habituelle. Il était dans son élément. Il aimait l'informatique et il savait qu'il y excellait.

– Tout ce que tu pourras nous apprendre sera...

– Doc, s'il vous plaît! Allez donc... euh! je ne sais pas, allez aider Kelly!

Il baissa la tête, se remit à taper sur le clavier.

RAPTOR

Le velociraptor était haut de près de deux mètres et vert foncé. Prêt à attaquer, il sifflait furieusement, le cou puissant tendu vers l'avant, les mâchoires grandes ouvertes. Tim, un des modeleurs, se tourna vers Malcolm, qui passait dans le couloir, traversant l'aile arrière du département de biologie pour se rendre dans son bureau.

– Qu'en pensez-vous?

– Pas assez menaçant, lâcha Malcolm.

– Pas assez menaçant?

– Jamais ils ne se tiennent comme ça, les deux pieds à plat. Mets-lui un livre dans les mains, et on dirait qu'il va chanter des chants de Noël.

Il saisit un bloc-notes sur un bureau, le plaça entre les bras de l'animal.

– Merde! fit Tim. Je ne croyais pas que c'était si mauvais.

– Mauvais? lança Malcolm. C'est une insulte à un grand prédateur! Il faut faire sentir sa vitesse, sa puissance, sa férocité. Écarte encore les mâchoires, abaisse le cou. Contracte les muscles et tends la peau... Et soulève cette patte. N'oublie pas que les raptors n'attaquent pas avec les dents; ils utilisent les griffes des jambes. Je veux voir la griffe levée, prête à s'abattre sur la proie et à lui lacérer le ventre.

– Vous croyez vraiment? fit Tim, l'air dubitatif. Cela pourrait faire peur aux petits enfants...

– Tu veux dire que cela pourrait te faire peur, à toi, répliqua Malcolm en poursuivant son chemin. Autre chose : ne garde pas ce sifflement. On dirait quelqu'un en train de pisser. Fais-le *gronder*. Il faut rendre justice à ce grand prédateur.

– Ça alors! lança Tim. Je ne pensais pas que vous prendriez cela à cœur.

– Il faut être fidèle, poursuivit Malcolm. Tu sais ce que signifie la fidélité, j'espère. Ce n'est en rien une affaire personnelle.

Il s'éloigna, l'air grognon, sans se soucier de la douleur qui irradiait dans sa jambe. Le modeleur l'agaçait, mais il devait reconnaître que Tim était simplement représentatif de ce courant de pensée brouillon, qu'il qualifiait de « guimauve scientifique ».

L'arrogance de ses collègues scientifiques horripilait Malcolm depuis longtemps. Pour entretenir cette arrogance, ils refusaient résolument de prendre en considération l'histoire de la science en tant que manière de penser. Les scientifiques faisaient comme si l'histoire importait peu, les erreurs du passé étant corrigées par les découvertes modernes. Il allait sans dire que leurs prédécesseurs, en leur temps, avaient cru la même chose. Ils s'étaient fourvoyés, à l'époque, comme les scientifiques contemporains se fourvoyaient. Aucun épisode de l'histoire des sciences ne le prouvait plus clairement que la manière dont les dinosaures avaient été présentés au fil des décennies.

Constater que la perception la plus exacte des dinosaures était la plus ancienne donnait à réfléchir. En 1841, Richard Owen fut le premier à décrire des ossements géants découverts en Angleterre ; il inventa le nom de *Dinosauriens*, terribles lézards. La description qu'il fit de ces animaux demeure la plus précise. Ils ressemblaient véritablement à des lézards et ils étaient terribles.

Depuis Owen, la vision « scientifique » des dinosaures a connu de nombreux changements. Convaincus que le progrès était inéluctable, les victoriens tenaient les dinosaures pour des créatures nécessairement inférieures. Sinon, pourquoi auraient-ils disparu ? Ils en firent donc des animaux lourds, apathiques et bêtes – de grosses loches du passé. Cette vision fut développée, à ce point qu'au début du XXᵉ siècle les dinosaures étaient devenus si faibles qu'ils ne pouvaient supporter leur propre poids. On représentait les apatosaures avec de l'eau jusqu'au ventre, afin de ne pas écraser leurs propres pattes. Toute la conception de cette époque reculée était imprégnée des idées de faiblesse, de lenteur et de stupidité.

Cette vision ne changea qu'au début des années 60, quand une poignée de renégats de la communauté scientifique, sous la houlette de John Ostrom, imaginèrent des dinosaures vifs, agiles et fougueux. Ceux qui avaient eu la témérité de mettre le dogme en question furent, pendant de longues années, en butte à de violentes critiques, même s'ils semblaient avoir vu juste.

Dans le courant de la dernière décennie, un intérêt croissant pour la sociologie animale avait donné naissance à une nouvelle vision. Les dinosaures étaient maintenant considérés comme des animaux doués d'affection, vivant en groupe, élevant leurs bébés. Ils étaient bons, on les trouvait même mignons. Les bonnes grosses bébêtes ne méritaient pas le sort terrible que leur avait fait subir la comète d'Alvarez. Cette vision lénifiante avait produit des gens comme Tim, peu disposés à regarder le revers de la médaille, la face cachée de la vie. Certes, certains dinosaures étaient des animaux sociables; mais d'autres étaient des chasseurs, des tueurs d'une cruauté sans pareille. Pour Malcolm, le tableau le plus véridique de cette époque englobait l'interaction de tous les aspects de la vie, le bien comme le mal, la force comme la faiblesse. Il ne servait à rien de prétendre autre chose.

Faire peur aux petits enfants! Je vous jure!

Malcolm poussa un grognement irrité et poursuivit son chemin.

En vérité, Malcolm était préoccupé par ce qu'Elizabeth Gelman lui avait appris sur le fragment de tissus, particulièrement sur la marque. Cela ne présageait rien de bon, il en avait la conviction.

Mais que faire?

Il tourna l'angle du couloir, passa devant une collection de fers de flèche fabriqués par les premiers habitants de l'Amérique. Son bureau se trouvait un peu plus loin. Beverly, son assistante, rangeait des papiers et s'apprêtait à rentrer chez elle. Elle lui tendit des fax.

— J'ai laissé un message au docteur Levine, à son bureau, dit-elle. Mais il n'a pas rappelé. Personne ne semble savoir où il est.

— Comme d'habitude, soupira Malcolm.

Il était si difficile de travailler avec Levine; à cause de son caractère fantasque, on ne savait jamais à quoi s'attendre. C'est Malcolm qui avait réglé la caution quand Levine s'était fait arrêter dans sa Ferrari. Il parcourut les fax : dates de conférences, demandes de réimpression... rien d'intéressant.

— Très bien, fit-il. Merci, Beverly.

— J'oubliais! Les photographes sont venus. Ils ont terminé il y a une heure.

— Quels photographes?

— Ceux de *Chaos Quarterly*. Pour les photos de votre bureau.

— Qu'est-ce que c'est que cette histoire?

— Ils sont venus prendre des photos de votre bureau, expliqua Beverly. Une enquête sur les mathématiciens célèbres dans leur lieu de travail. Ils ont reçu une lettre de vous, disant que...

— Je n'ai jamais envoyé de lettre, coupa Malcolm. Et je n'ai jamais entendu parler de *Chaos Quarterly*.

Il entra, fit des yeux le tour du bureau. Beverly lui emboîta le pas, l'air soucieux.

— Ça va? Tout est là?

— Oui, fit-il en balayant la pièce du regard. Tout semble en ordre.

Il ouvrit les tiroirs du bureau, l'un après l'autre. Rien ne paraissait manquer.

— Je suis soulagée, reprit Beverly, parce que...

Il se redressa, se tourna vers le fond de la pièce.

La carte.

Sur une grande mappemonde, des punaises de couleur indiquaient les endroits où on avait vu ce que Levine s'obstinait à appeler des « formes aberrantes ». En comptant large – à la manière de Levine – il y en avait douze en tout, d'ouest en est, de Rangiroa à la Basse-Californie et l'Équateur. Les confirmations étaient peu nombreuses, mais un échantillon de tissus authentifiait maintenant un spécimen, ce qui rendait l'existence des autres plus vraisemblable.

– Ont-ils photographié cette carte?

– Ils ont tout photographié. C'est important?

Malcolm étudia la mappemonde en s'efforçant de porter sur elle un autre regard. D'imaginer ce qu'un étranger y verrait. Il avait passé avec Levine de longues heures devant cette carte, à s'interroger sur l'existence d'un « monde perdu », à essayer de déterminer où il pourrait se trouver. Le choix s'était réduit à un chapelet de cinq îles, au large du Costa Rica. Levine était convaincu que c'était l'une d'elles, et Malcolm commençait à se dire qu'il était dans le vrai. Mais rien ne mettait l'archipel en évidence sur la mappemonde...

– Ils étaient très gentils, vous savez, reprit Beverly. Très polis. Étrangers, suisses, je pense.

Malcolm hocha la tête en soupirant. Tant pis, se dit-il; tôt ou tard, le secret se serait ébruité.

– Ne vous inquiétez pas, Beverly.

– Vous êtes sûr?

– Oui, tout va bien. Bonne soirée.

– Bonsoir, monsieur.

Dès qu'il fut seul, il appela Levine. Il entendit la sonnerie d'appel et le répondeur se mit en marche. Levine n'était pas rentré.

– Êtes-vous là, Richard? Si vous m'entendez, décrochez; c'est important.

Il attendit, rien ne se passa.

– Ian à l'appareil, reprit-il. Nous avons un problème, Richard. La carte n'est plus sûre; d'autre part, j'ai fait analyser l'échantillon et je pense qu'il nous indiquera l'emplacement du Site B, si mes...

Il y eut un déclic; on décrocha. Il entendit une respiration.

– Richard?

– Non, fit une voix, Thorne à l'appareil. Je pense que vous devriez venir, sans perdre de temps.

LES CINQ MORTS

— Je le savais! lança Malcolm en entrant dans l'appartement de Levine. Je savais qu'il ferait quelque chose de ce genre. Il est trop impétueux. Je lui ai demandé de ne pas y aller avant que nous sachions à quoi nous en tenir. Il est parti quand même, j'aurais dû m'en douter.

— Hé oui! il est parti!

— L'ego, fit Malcolm en secouant la tête. Richard doit toujours être le premier. Le premier à y penser, le premier sur place. Je suis très inquiet, il pourrait tout flanquer par terre. Vous comprenez que ce comportement impulsif est comme une tempête dans le cerveau, des neurones au bord du chaos. L'obsession n'est qu'une variété de la dépendance. Mais quel scientifique a jamais eu une bonne maîtrise de soi? On leur enseigne qu'il n'est pas de bon ton d'être équilibré. On oublie que Niels Bohr n'était pas seulement un grand physicien, mais qu'il a participé aux Jeux olympiques. Aujourd'hui, tout le monde fait en sorte de se conduire comme un malotru; c'est le style de la profession.

Thorne regarda pensivement Malcolm. Il crut discerner le germe d'une rivalité.

— Savez-vous dans quelle île il est allé?

— Non, répondit Malcolm, qui faisait le tour de l'appartement pour s'imprégner des lieux. La dernière fois que nous nous sommes vus, nous avons restreint le champ des hypothèses à cinq îles, au sud du Costa Rica. Mais nous ignorons laquelle est la bonne.

Thorne montra les images satellite, sur le panneau de liège.

— Les îles qu'on voit là? demanda-t-il.

— Oui, répondit Malcolm en lançant un coup d'œil vers le panneau.

Elles s'étirent en arc de cercle, à une quinzaine de kilomètres au large de la baie de Puerto Cortés. Elles sont censées être inhabitées. Les autochtones les appellent les Cinq Morts.

– Pourquoi ? demanda Kelly.

– Une vieille légende indienne, répondit Malcolm. L'histoire d'un brave guerrier capturé par un roi ennemi, qui lui offrit de choisir sa mort. De périr brûlé, noyé, écrasé, pendu ou décapité. Le guerrier répondit qu'il acceptait toutes les morts et il passa d'île en île, pour subir les différentes épreuves. Une sorte de version du Nouveau Monde des travaux d'Hercule...

– C'est donc ça ! s'écria Kelly en s'élançant hors de la pièce.

L'air ébahi, Malcolm se tourna vers Thorne, qui haussa les épaules. Kelly revint, le livre d'enfants en allemand à la main. Elle le tendit à Malcolm.

– Oui, fit-il. *Die Fünf Todesarten.* Les cinq sortes de mort. Intéressant que ce soit en allemand...

– Il a des tas de livres en allemand, fit Kelly.

– Vraiment ? Le petit cachottier, il ne m'avait rien dit.

– C'est important ? poursuivit Kelly.

– Très important. Passe-moi cette loupe, veux-tu ?

Kelly lui tendit la loupe posée sur le bureau.

– Qu'est-ce qui est important ?

– Les Cinq Morts sont d'anciennes îles volcaniques, répondit Malcolm. Ce qui signifie qu'elles sont très riches du point de vue géologique. Dans les années 20, les Allemands ont voulu en exploiter le sous-sol.

Il se pencha sur les images, la loupe collée à l'œil.

– Oui... Ce sont ces îles, pas de doute. Matanceros, Muerte, Tacaño, Sorna, Pena... Des noms de mort et de destruction... Parfait, je crois que nous touchons au but. Avons-nous des photos satellite avec une analyse spectrographique de la couverture nuageuse ?

– Cela vous aidera à trouver le Site B ? demanda Arby.

– Quoi ? lança Malcolm en se retournant d'un bloc. Que sais-tu sur le Site B ?

– Rien, répondit Arby, sans détacher les yeux de son écran. Seulement que le docteur Levine cherchait un Site B. Et j'ai trouvé ce nom dans les fichiers.

– Quels fichiers ?

– J'ai récupéré des fichiers InGen dans cet ordinateur. En fouillant un peu, j'ai trouvé des références au Site B... Mais ce n'est pas très clair. Comme dans celui-ci.

Il se pencha en arrière pour permettre à Malcolm de regarder l'écran.

Sommaire : révisions plan #35

PRODUCTION	SITE B
AERATION	Niveau 5 à 7
STRUCTURE LABO	400 à 510 cmm
SECURITE BIO	Niveau PK/3 à PK/5
VITESSE CONVOYEUR	3 à 2,5 mètres/mn
ENCLOS	13 à 26 ha
LOGEMENT PERSONNEL	17(4 adm) à 19(4 adm)
PROTOCOLE COMM	ET(VX) à RDT(VX)

— Curieux, fit Malcolm, l'air perplexe. Cela ne nous avance pas beaucoup. On ne sait toujours pas de quelle île il s'agit, ni même si c'est bien une île. As-tu autre chose ?

— Euh !...

Arby pianota sur le clavier.

— Voyons... Il y a ça.

SITE B RESEAU ILE	POINTS NODAUX
ZONE 1 (RIVIERE)	1-8
ZONE 2 (CÔTE)	9-16
ZONE 3 (CORNICHE)	17-24
ZONE 4 (VALLEE)	25-32

— Bon, fit Malcolm, c'est bien une île. Et le Site B a un réseau... mais un réseau de quoi ? D'ordinateurs ?

— Je ne sais pas, fit Arby. Peut-être un réseau radiophonique.

— Dans quel but ? demanda Malcolm. À quoi pourrait servir un réseau radio ? Cela ne nous avance guère.

Arby haussa les épaules ; il allait relever le défi. Il se remit à taper furieusement sur le clavier.

— Regardez !... Il y en a un autre ! Si je pouvais le formater... Et voilà ! Je l'ai !

Il s'écarta de l'écran, pour permettre aux autres de regarder.

— Très bien, fit lentement Malcolm. Très bien.

SITE B LEGENDES

AILE EST	AILE OUEST	AIRE CHARGEMENT
LABORATOIRE	AIRE ASSEMBLAGE	ENTREE
BATIM ISOLES	CABLE PRINCIPAL	TURBINE GEO
MAGASIN	VILLAGE OUVRIER	CABLE GEO
STAT ESSENCE	PISCINE/TENNIS	PUTTING GREEN
LOGEM DIRECT	SENTIER JOGGING	TUYAU ESSENCE
SECURITE UN	SECURITE DEUX	LIGNES THERM
QUAI RIVIERE	ABRI BATEAUX	SOLAIRE UN
ROUTE MARAIS	ROUTE RIVIERE	ROUTE CORNICHE
ROUTE MONTAGN	ROUTE FALAISE	ENCLOS

– Nous sommes dans la bonne voie, fit Malcolm en parcourant la liste. Peux-tu imprimer ça ?

– Bien sûr, répondit Arby, le visage radieux. C'est vraiment utile ?

– Et comment ! répondit Malcolm.

– Arby, glissa Kelly, c'est une légende qui accompagne un plan.

– Oui, je crois. Tu es une petite futée, hein ?

Il enfonça une touche pour imprimer l'écran.

Malcolm continua d'étudier la liste, puis il reporta son attention sur les images satellite. Il les examina l'une après l'autre à la loupe, le nez à quelques centimètres de la photographie.

– Arby, ne reste pas à rien faire ! lança Kelly. Remue-toi ! Trouve-nous ce plan ! On en a besoin !

– Je ne sais pas si je pourrai, répondit Arby. C'est un format trente-deux bits exclusif. Toute une affaire.

– Cesse de gémir. Fais-le !

– Pas la peine, fit Malcolm en s'écartant du mur. Ce n'est pas important.

– Pas important, répéta Arby, l'air vexé.

– Non, Arby. Tu peux arrêter. Avec ce que tu as déjà découvert, je suis presque certain que nous pouvons identifier l'île.

JAMES

Ed James bâilla, puis renfonça l'oreillette. Il voulait être sûr de ne rien rater. Il changea de position sur le siège de la Taurus grise, pour s'installer plus confortablement, pour ne pas s'endormir. Le petit magnétophone tournait sur ses genoux, à côté de son bloc et des emballages froissés de deux Big Mac. James tourna la tête vers l'immeuble de Levine, de l'autre côté de la rue. Les lumières étaient allumées dans l'appartement du troisième étage.

Et le micro qu'il y avait posé la semaine précédente fonctionnait parfaitement. Il entendit des enfants demander comment trouver l'île.

Le boiteux, Malcolm, répondit.

— L'essence de la vérification consiste en une multiplicité de raisonnements qui convergent vers un seul point.

— Ce qui veut dire ? fit le garçon.

— Regarde les photos de Landsat.

Sur son bloc, James inscrivit LANDSAT.

— On les a déjà regardées, protesta la fille.

James se sentait vraiment bête de ne pas avoir compris plus tôt que les deux gamins travaillaient pour Levine. Il se souvenait parfaitement d'eux ; ils étaient dans la classe où Levine enseignait. Un petit Noir et une fille un peu godiche. Des gamins de onze ou douze ans ; il aurait dû s'en rendre compte.

Mais cela n'avait plus d'importance. Il recevait maintenant tous les renseignements dont il avait besoin. James se pencha devant le tableau de bord, prit les deux dernières frites et les fourra dans sa bouche. Elles étaient froides.

— Voilà, entendit-il Malcolm dire. C'est cette île, là. C'est dans cette île que Levine est allé.

93

– Vous croyez ? demanda la fille d'un ton dubitatif. C'est... Isla Sorna.

James écrivit ISLA SORNA.

– C'est notre île, répéta Malcolm. Pourquoi ? Pour trois raisons distinctes. D'abord, c'est une propriété privée, et elle n'a donc jamais été passée au peigne fin par les autorités du Costa Rica. Ensuite, à qui appartient-elle ? À des Allemands qui, dans les années 20, ont acquis les droits d'exploitation minière.

– Tous les livres en allemand !

– Exactement. Enfin, d'après la liste d'Arby – et une autre source, indépendante –, il est évident que l'on trouve des gaz volcaniques sur le Site B. Lesquelles de ces îles produisent des gaz volcaniques ? Prenez la loupe, regardez vous-mêmes. Il se trouve qu'il n'y en a qu'une.

– Vous voulez dire, celle-là ? demanda la fille.

– Exactement. Ce sont des fumerolles.

– Comment le savez-vous ?

– L'analyse spectrographique. Tu vois ce pic ? C'est du soufre natif dans la couverture nuageuse. Il n'existe pas vraiment d'autres sources que volcaniques.

– Et l'autre pic ? demanda la fille.

– Du méthane, répondit Malcolm. Il semble y avoir une source assez importante de ce gaz.

– Il est aussi d'origine volcanique ? demanda Thorne.

– Possible. Le méthane est libéré par une activité volcanique, mais le plus souvent par un volcan en éruption. L'autre possibilité est que ce méthane soit d'origine organique.

– Organique ? Ce qui signifierait ?

– De grands herbivores et...

James perçut quelques mots qu'il ne comprit pas, puis le petit Noir posa une question, d'un ton agacé.

– Voulez-vous que je termine cette récupération, oui ou non ?

– Non, répondit Thorne. Cela n'a plus d'importance, Arby. Nous savons ce que nous avons à faire. En route, les enfants !

James leva la tête et vit les lumières de l'appartement s'éteindre l'une après l'autre. Quelques minutes plus tard, Thorne et les deux gamins poussèrent la porte d'entrée de l'immeuble. Ils montèrent dans une Jeep, qui démarra aussitôt. Malcolm se dirigea vers sa voiture, se glissa péniblement derrière le volant et partit dans la direction opposée.

James se demanda s'il allait suivre Malcolm ; dans l'immédiat, il avait mieux à faire. Il mit le contact, se pencha pour prendre le téléphone, composa un numéro.

SYSTÈMES OPÉRATIONNELS

Une demi-heure plus tard, quand ils revinrent chez Thorne, Kelly n'en crut pas ses yeux. La plupart des ouvriers étaient partis, le hangar avait été nettoyé. Les deux gros véhicules et l'Explorer étaient rangés côte à côte, fraîchement peints en vert foncé, prêts à prendre la route.

— Ils sont terminés !

— Je vous l'avais dit, fit Thorne. Où en sommes-nous, Eddie ? poursuivit-il en se tournant vers son contremaître, un jeune homme râblé, qui n'avait pas plus de vingt-cinq ans.

— C'est bientôt prêt, Doc. La peinture est encore humide à quelques endroits, mais tout devrait être sec demain matin.

— Nous ne pouvons pas attendre. Nous partons tout de suite.

— Tout de suite ?

Arby et Kelly échangèrent un regard. Ils ne s'attendaient pas à cela non plus.

— J'aurai besoin de toi pour conduire un des véhicules, Eddie. Nous devons être à l'aéroport à minuit.

— Je croyais que nous avions des essais sur le terrain...

— Pas le temps. Nous nous rendons directement sur place.

Le bourdonnement du parlophone se fit entendre.

— Ce doit être Malcolm, reprit Thorne en appuyant sur le bouton d'ouverture de la porte.

— Vous ne faites pas d'essais sur le terrain ? insista Eddie, la mine soucieuse. Je crois qu'il faudrait les pousser un peu, Doc. Nous avons apporté des modifications assez complexes et...

— Pas le temps ! lança Malcolm en entrant. Il faut y aller immédiatement. Je suis très inquiet, ajouta-t-il en se tournant vers Thorne.

– Eddie! cria Thorne. Les autorisations de sortie sont arrivées?

– Bien sûr, on les a depuis quinze jours.

– Bon, va les chercher. Appelle Jenkins, demande-lui de nous retrouver à l'aéroport et de s'occuper des formalités. Je veux avoir décollé dans quatre heures.

– Bon sang, Doc!...

– Fais ce que je dis!

– Vous partez au Costa Rica? demanda Kelly.

– Exactement. Il faut aller chercher Levine, s'il n'est pas trop tard.

– On vous accompagne, fit Kelly.

– D'accord, ajouta Arby. On vous accompagne.

– Absolument pas! déclara Thorne en martelant ses mots. Il n'en est pas question.

– On l'a bien mérité!

– Le docteur Levine en a parlé à nos parents!

– On a la permission!

– Vous avez la permission, rectifia Thorne, l'air sévère, de nous accompagner pour faire des essais sur le terrain, dans les bois, à cent cinquante kilomètres d'ici. Mais il ne s'agit pas de ça. Nous allons dans un endroit qui pourrait être très dangereux; vous ne venez pas avec nous, un point c'est tout!

– Mais...

– Les enfants, vous me cassez les pieds, reprit Thorne. J'ai un coup de fil à donner. Préparez vos affaires, vous rentrez chez vous.

Il pivota sur lui-même, s'éloigna d'un pas vif.

– Bouh! fit Kelly

Arby tira la langue à Thorne qui lui tournait le dos.

– Quel connard! murmura-t-il.

– On fait comme on a dit, Arby, lança Thorne, sans se retourner. Vous rentrez chez vous sans discuter.

Il entra dans son bureau, claqua la porte.

Dépité, Arby enfonça les mains dans ses poches.

– Jamais ils n'auraient trouvé sans nous, fit-il.

– Je sais, approuva Kelly. Mais on ne peut l'obliger à nous emmener. Ils se tournèrent vers Malcolm du même mouvement.

– Docteur Malcolm, s'il vous plaît...

– Désolé, je ne peux rien faire.

– Mais...

– La réponse est non, les enfants. C'est trop dangereux, voilà tout.

Abattus, ils s'éloignèrent en traînant les pieds vers les véhicules rutilants sous les projecteurs du plafond. Sur le toit et le capot de l'Explorer luisaient les panneaux noirs des cellules photovoltaïques. L'intérieur était bourré de matériel électronique. Le seul fait de contempler l'Explorer leur donnait le sentiment de l'aventure... une aventure dont ils ne seraient pas.

Pour regarder par la vitre à l'intérieur du Challenger, le plus gros des deux véhicules, Arby mit les mains en coupe au-dessus de ses yeux.

– Génial! s'écria-t-il. Regarde ça!

– J'entre, fit Kelly en ouvrant la porte.

Elle eut un moment de surprise en constatant à quel point la porte était lourde et massive, puis elle monta les marches et entra dans le véhicule. L'intérieur, tapissé de gris, contenait des quantités de matériel électronique. Il était divisé en compartiments, délimitant différents laboratoires. L'espace central était un laboratoire de biologie, avec des portoirs d'échantillons, des boîtes de dissection et des microscopes connectés à des moniteurs vidéo. Le laboratoire renfermait aussi du matériel de biochimie, des spectrophotomètres et une rangée de bioanalyseurs. À côté se trouvaient un vaste espace informatique, une batterie de processeurs et un espace communications. Tout le matériel de laboratoire, miniaturisé, était encastré dans de petites tables qui glissaient dans les murs et se rabattaient.

– Cool! souffla Arby.

Kelly garda le silence. Elle étudiait attentivement le labo. Le docteur Levine avait conçu tout cela, apparemment dans un but bien précis. Rien n'avait été prévu pour la géologie, la botanique, la chimie, aucune des nombreuses matières qu'une expédition scientifique devait être amenée à étudier. Ce n'était pas un laboratoire complet. Il semblait en fait n'y avoir qu'un bloc de biologie et une installation informatique perfectionnée.

Biologie et informatique.

Rien d'autre.

Pour étudier quoi ce véhicule avait-il été aménagé?

Une petite étagère était encastrée dans un mur; une bande Velcro retenait des livres. Elle parcourut les titres : *Modéliser les systèmes biologiques adaptables. Dynamique comportementale des vertébrés. L'adaptation dans les systèmes naturels et artificiels. Dinosaures d'Amérique du Nord. Préadaptation et évolution...*

Un curieux choix d'ouvrages, pour une expédition dans une région sauvage; s'il y avait une logique, elle lui échappait.

Elle poursuivit son inspection. À intervalles réguliers, elle voyait les endroits où le Challenger avait été renforcé; des bandes sombres de carbone en nid-d'abeilles couraient de haut en bas des parois. Elle avait entendu Thorne dire que c'était le matériau utilisé pour les chasseurs supersoniques. Très léger et très robuste. Elle remarqua que toutes les vitres avaient été remplacées par le verre spécial où était incorporé un réseau de fils métalliques.

Pourquoi ce véhicule était-il si bien renforcé?

Elle sentit l'inquiétude monter en elle, en y réfléchissant. Les paroles du docteur Levine, au téléphone, lui revinrent en mémoire. Il avait dit qu'il était encerclé.

Encerclé par quoi ?

Il avait dit : *Je les sens, surtout la nuit.*

À quoi faisait-il allusion ?

Ou à qui ?

Sans pouvoir chasser cette vague inquiétude, Kelly se dirigea vers l'arrière du véhicule, où était aménagé un petit espace de vie confortable, avec des rideaux de vichy aux vitres. Cuisinette, toilettes et quatre lits. Rangements au-dessus et au-dessous des lits. Il y avait même une petite douche. Sympa.

De là, elle franchit le passage articulé reliant les deux véhicules. C'était un peu comme le soufflet entre deux voitures d'un train. Elle déboucha dans la remorque, qui semblait surtout servir à entreposer du matériel : pneus de secours, pièces détachées, encore du matériel de laboratoire, des étagères, des classeurs. Toutes les réserves nécessaires à une expédition dans une contrée lointaine. Il y avait même une moto suspendue au fond. Elle essaya d'ouvrir des classeurs ; ils étaient fermés à clé.

Là aussi, les parois étaient renforcées ; là aussi on avait cherché la solidité.

Pourquoi ? se demanda Kelly. Pourquoi si solide ?

— Regarde ça ! lança Arby, en arrêt devant un bloc mural.

C'était une batterie de consoles de visualisation à diode luminescente, avec des tas de boutons. Cela évoqua à Kelly une sorte de thermostat, en plus compliqué.

— À quoi ça sert ? demanda-t-elle.

— À contrôler les deux véhicules, répondit Arby. On peut tout faire d'ici. Tous les systèmes, toutes les installations. Regarde, il y a la télé...

Il appuya sur un bouton, un écran s'alluma. Il montra Eddie qui s'avançait dans leur direction.

— Hé ! qu'est-ce que c'est que ça ? lança Arby.

Sous le moniteur se trouvait un bouton muni d'un dispositif de sécurité. Sur le bouton argenté était inscrit DEF.

— Tiens, je parie que c'est ce dispositif de défense contre les ours dont ils parlaient.

Quelques secondes plus tard, Eddie ouvrit la porte de la remorque.

— Cesse de jouer avec ça, dit-il, tu vas décharger la batterie. Sortez, maintenant. Vous avez entendu ce que Doc a dit ? Les enfants rentrent à la maison.

Ils échangèrent un regard furtif.

— Bon, fit Kelly, on y va.

À contrecœur, ils descendirent de la remorque.

Ils traversèrent le hangar vers le bureau de Doc, pour lui faire leurs adieux.

– J'aimerais qu'il nous permette d'y aller, fit Arby.

– Moi aussi.

– Je ne veux pas passer les vacances à la maison. Ils vont encore travailler tout le temps.

– Je sais.

Kelly non plus ne voulait pas rester chez elle. La perspective des essais sur le terrain pendant les vacances scolaires l'avait enchantée ; elle lui aurait permis de fuir la maison et d'échapper à une situation pleine de désagréments. Sa mère faisait dans la journée de la saisie de données dans un cabinet d'assurances ; la nuit, elle travaillait comme serveuse chez Denny. Elle était toujours absente et Phil, son amant des derniers mois, passait souvent la soirée à traîner à la maison. Tant qu'Emily était là, tout s'était bien passé ; maintenant qu'elle avait commencé ses études d'infirmière, Kelly restait seule à la maison. Et Phil la mettait mal à l'aise. Mais sa mère était mordue et ne voulait pas qu'on dise du mal de son Phil. Elle répétait à Kelly de ne plus se conduire comme une enfant.

Kelly entra dans le bureau de Thorne, en se disant, sans grand espoir, qu'il allait céder au dernier moment. Il était au téléphone et leur tournait le dos. Sur l'écran de son ordinateur, ils virent une des images satellite rapportées de l'appartement de Levine. Thorne était en train de faire des agrandissements successifs d'une partie de l'image. Les enfants frappèrent, entrouvrirent la porte.

– Au revoir, docteur Thorne.

– À bientôt, docteur Thorne.

Thorne se retourna, le téléphone collé à l'oreille.

– Salut, les enfants, fit-il, avec un petit signe de la main.

– S'il vous plaît, reprit Kelly après un temps d'hésitation, pourrions-nous vous parler juste une minute de...

– Non, fit Thorne en secouant la tête.

– Mais...

– Kelly, c'est non ! Il faut que je passe ce coup de fil maintenant. Il est 4 heures du matin en Afrique, et elle ne va pas tarder à aller se coucher.

– Qui ?

– Sarah Harding.

– Sarah Harding vous accompagne ? demanda Kelly, avec curiosité.

– Je ne sais pas, répondit Thorne. Bonnes vacances, les enfants. À la semaine prochaine et merci pour votre aide. Maintenant, du balai !

Il regarda dans le hangar.

– Eddie, cria-t-il, les enfants s'en vont ! Raccompagne-les et ferme la porte. Apporte-moi les papiers que j'ai demandés ! Et fais tes bagages, tu viens avec moi !... Oui, mademoiselle, poursuivit-il d'une voix beaucoup plus douce, je suis toujours en ligne.

Il se retourna vers son écran.

HARDING

Avec les lunettes de vision nocturne, le monde apparaissait dans des nuances de vert fluorescent. Sarah Harding observait la savane d'Afrique. Juste devant, dominant les hautes herbes, elle vit l'affleurement rocheux d'un *kopje*. Des points d'un vert vif brillaient au milieu des rochers. Sans doute des damans, se dit-elle, ou d'autres petits rongeurs.

Debout dans la Jeep, vêtue d'un sweat-shirt pour se protéger de la fraîcheur nocturne, elle continua de tourner lentement la tête, sentant le poids des lunettes. Elle entendait les cris dans la nuit et essayait d'en localiser la source.

Même de son poste d'observation, juchée sur le véhicule, elle savait que les animaux resteraient cachés aux regards. Elle se tourna lentement vers le nord, à l'affût du moindre mouvement dans les herbes. Elle ne vit rien. Quand elle revint rapidement en arrière, le monde vert dansa fugitivement devant ses yeux. Elle s'immobilisa, la tête au sud.

C'est alors qu'elle les vit.

Des ondulations parcoururent les herbes quand la bande s'élança, en glapissant et en hurlant, prête à attaquer. Sarah reconnut la femelle qu'elle avait baptisée Face Un ou F1. Elle se distinguait des autres par une bande blanche entre les yeux. F1 se mit à courir, obliquement, de l'allure particulière aux hyènes ; les babines retroussées, elle se tourna pour observer le reste de la bande, notant la position de ses congénères.

Sarah Harding fit pivoter les lunettes pour regarder devant les animaux. Elle vit les proies : un troupeau de buffles, dans les herbes jusqu'au ventre, agités, mugissant et raclant le sol.

Le hurlement des hyènes s'intensifia, pour former un assemblage confus de sons destiné à jeter le désarroi chez leurs proies. Elles s'élancèrent au milieu du troupeau, essayant de le diviser, de séparer les jeunes de leur mère. Le buffle d'Afrique paraît lourd et stupide ; c'est en réalité l'un des grands mammifères les plus dangereux, un animal puissant, armé de cornes pointues, et d'un naturel notoirement agressif. Les hyènes ne pouvaient espérer venir à bout d'un adulte, à moins qu'il ne fût malade ou blessé.

Elles allaient essayer de prendre un petit.

– Voulez-vous vous rapprocher ? demanda Makena, son assistant, assis au volant de la Jeep.

– Non, c'est bien comme ça.

En fait, c'était mieux que bien. La Jeep se trouvait sur une petite élévation de terrain, d'où la vue était parfaitement dégagée. Avec un peu de chance, elle allait enregistrer toute la stratégie d'attaque. Elle mit en marche la caméra vidéo, montée sur un trépied, un mètre cinquante au-dessus de sa tête, et commença à dicter rapidement au magnétophone.

« F1 au sud, F2 et F5 sur ses flancs, à vingt mètres. F3 au centre. F6 enveloppement par l'est. Je ne vois pas F7. F8 au nord. F1 tout droit. Fait irruption dans le troupeau. Buffles s'agitent, grattent le sol. Voilà F7. Tout droit. F8 se rapproche par le nord. S'écarte de nouveau, décrit un cercle. »

Comportement classique chez les hyènes. Les animaux en pointe se mêlent au troupeau, les autres tournent autour et attaquent de côté. Les buffles ne pouvaient suivre tous les assaillants. Elle écouta les meuglements de panique du troupeau rompant sa formation serrée. Les gros ruminants s'écartèrent les uns des autres, tournèrent sur eux-mêmes. Sarah ne voyait pas les buffletins, cachés dans les herbes, mais elle entendait leurs cris plaintifs.

Les hyènes repassèrent à l'attaque. Les buffles grattèrent le sol, baissèrent leur tête aux cornes menaçantes. Les herbes ondulaient tandis que les hyènes continuaient de tourner autour du troupeau avec des hurlements plus saccadés. Sarah entrevit F8, une femelle, les babines déjà rouges de sang, mais elle n'avait pas vu l'attaque.

Le troupeau de buffles se déplaça vers l'est, sur une courte distance, pour se regrouper. Une femelle resta à l'écart. Elle poussait des meuglements continus en direction des hyènes. Elles avaient dû prendre son petit.

Sarah se sentit frustrée. Tout s'était passé si vite, trop vite. Cela ne pouvait signifier que deux choses : les hyènes avaient eu de la chance ou le buffletin était blessé. Ou bien très jeune, peut-être un nouveau-né ; quelques femelles n'avaient pas encore mis bas. Il faudrait revoir la bande vidéo, pour essayer de reconstituer ce qui s'était passé. Les inconvénients de l'étude d'animaux nocturnes et véloces.

Il ne faisait aucun doute que les hyènes avaient pris un petit. Elles étaient regroupées dans un carré d'herbe ; elles hurlaient en bondissant.

Sarah vit F3, puis F5 se redresser, le museau couvert de sang. Les bébés s'approchèrent en couinant, pour avoir leur part du festin. Les adultes leur firent aussitôt de la place, les aidèrent à se servir. L'un d'eux arrachait de temps en temps une bouchée de chair à la carcasse et la tendait aux petits.

Ce comportement était familier à Sarah Harding, qui, ces dernières années, était devenue la plus grande spécialiste des hyènes au monde. Quand elle avait fait part de ses premières observations, elle avait eu à affronter le scepticisme et les critiques acerbes de collègues qui mettaient ses résultats en doute, en portant des attaques personnelles. On lui reprocha d'être une femme, de ne pas manquer de charme, d'avoir « une perspective délibérément féministe ». L'université lui rappela qu'elle n'était pas encore titulaire. Mais Sarah avait tenu bon et, lentement, à la longue, à mesure que le matériel s'accumulait, sa vision des hyènes avait été acceptée.

Certes, songea-t-elle, en les regardant dépecer leur victime, les hyènes ne seront jamais des animaux attachants. Disgracieuses, elles avaient la tête trop grosse, le corps de guingois, un pelage inculte et tacheté, et un cri qui rappelait par trop un rire grinçant. Dans un monde de plus en plus urbanisé, on attribuait aux animaux sauvages un caractère romantique, on les cataloguait comme nobles ou ignobles, héros ou méchants. Et dans ce monde gouverné par les médias, la hyène n'était tout simplement pas assez photogénique pour susciter l'admiration. Longtemps cantonnée dans le rôle du méchant ricaneur de la savane africaine, elle n'était pas jugée digne de faire l'objet d'une étude approfondie. Jusqu'à ce que Sarah entreprenne ses recherches.

Ce qu'elle avait découvert montrait ces animaux sous un jour nouveau. Chasseurs courageux, parents attentifs, leur structure sociale – matriarcale, en l'occurrence –, était étonnamment complexe. Leurs cris notoirement déplaisants constituaient une forme de communication hautement perfectionnée.

Sarah entendit un rugissement et vit le premier lion s'approcher. Une grande femelle qui décrivit des cercles concentriques. Les hyènes se mirent à gronder et à montrer les dents, tout en éloignant leurs petits dans les herbes. En peu de temps, d'autres lions apparurent ; ils s'installèrent pour dévorer la proie des hyènes.

Le lion, se dit Sarah, voilà un animal vraiment déplaisant ! On le surnomme le roi des animaux, mais en réalité le lion est détestable et...

Le téléphone de la voiture sonna.

– Makena !

Une seconde sonnerie. Qui pouvait bien l'appeler à cette heure ?

Perplexe, elle vit les lionnes lever les yeux, tourner la tête dans l'obscurité.

Makena tâtonna sous le tableau de bord, cherchant le téléphone. Il y eut trois autres sonneries avant qu'il le trouve. Elle l'entendit dire : « *Jambo, mzee*. Oui, le docteur Harding est là. »

Il lui tendit l'appareil.

– C'est le docteur Thorne.

À contrecœur, elle retira les lunettes et prit le combiné. Elle connaissait bien Thorne ; il avait conçu la majeure partie de l'équipement de la Jeep.

– Il vaudrait mieux que ce soit important, Doc.

– Ça l'est. J'appelle au sujet de Richard.

– Qu'est-ce qu'il a fait ?

Elle perçut l'inquiétude de Doc, sans en comprendre la cause. Ces derniers temps, Levine lui avait sérieusement cassé les pieds, téléphonant de Californie tous les jours ou presque, la harcelant de questions sur son travail. Il avait des tas de questions à poser sur les abris, les affûts, les protocoles de données, la description des observations. Cela n'en finissait pas...

– Vous a-t-il parlé de ce qu'il avait l'intention d'étudier ? poursuivit Thorne.

– Non, pourquoi ?

– Il ne vous a rien dit du tout ?

– Rien, répondit Sarah. Il était très mystérieux. Mais j'ai cru comprendre qu'il avait découvert une population animale dont il pouvait se servir pour prouver quelque chose au sujet des systèmes biologiques. Vous savez comment il est, avec ses idées fixes. Pourquoi cette question ?

– Il a disparu, Sarah. Nous pensons, Malcolm et moi, qu'il a des ennuis. Nous savons qu'il se trouve sur une île du Costa Rica et nous partons à sa recherche. Tout de suite.

– Tout de suite ?

– Cette nuit. Nous embarquons pour San José dans quelques heures. Ian m'accompagne. Nous aimerions que vous soyez des nôtres.

– Doc, fit Sarah, même si je prenais l'avion demain matin à Seronera, il me faudrait près d'une journée pour atteindre Nairobi. À condition d'avoir de la chance. N'oubliez pas...

– À vous de voir, déclara Thorne, sans la laisser achever. Je vous donne les détails et vous décidez de ce que vous voulez faire.

Il lui communiqua les renseignements utiles, qu'elle nota sur le carnet attaché à son poignet. Thorne raccrocha.

Debout sur le siège, Sarah laissa son regard errer dans la nuit d'Afrique, un souffle d'air frais lui caressant de loin en loin le visage. Elle perçut dans l'obscurité les grondements des lions en train de se partager la proie. Son travail était là. Sa vie était là.

– Docteur Harding ? demanda Makena. Que faisons-nous ?

– Nous rentrons. J'ai mes bagages à faire.

– Vous partez ?

– Oui, fit-elle. Je pars.

MESSAGE

Thorne prit la route de l'aéroport; les lumières de San Francisco s'estompèrent derrière eux. Assis à ses côtés, Malcolm se retourna pour regarder l'Explorer qui les suivait.

— Eddie sait-il ce que nous allons trouver? demanda le mathématicien.

— Oui, mais je pense qu'il n'y croit pas.

— Les enfants ne se doutent de rien?

— Non, répondit Thorne.

Un bip sonore se fit entendre. Thorne saisit son récepteur de poche, un petit *Envoy* noir. Une lumière clignotait. Il découvrit l'écran d'une chiquenaude, tendit l'appareil à Malcolm.

— Pouvez-vous lire le texte?

— C'est un message d'Arby, fit Malcolm. « Bon voyage. Si vous avez besoin de nous, appelez. Nous nous tenons prêts. » Et il donne son numéro de téléphone.

Thorne éclata de rire.

— Sacrés mômes, comment ne pas les aimer? Ils ne s'avouent jamais vaincus!

Son visage se rembrunit, comme s'il venait de penser à quelque chose.

— À quelle heure a été envoyé ce message?

— Il y a quatre minutes, répondit Malcolm. Transmis par le réseau normal.

— Bon. Je voulais juste vérifier.

Ils tournèrent à droite, en direction de l'aéroport. Ils virent au loin les premières lumières. Malcolm regardait la route, la mine sombre.

— Il est très imprudent de partir précipitamment comme nous le faisons. Ce n'est pas le meilleur moyen de nous y prendre.

– Tout devrait bien se passer, fit Thorne. À condition d'avoir trouvé la bonne île.

– Nous l'avons trouvée.

– Comment pouvez-vous en être sûr?

– L'indice le plus probant, j'ai préféré le cacher aux enfants. Il y a quelques jours, Levine a vu le cadavre d'un des animaux.

– Ah bon!

– Oui. Il a eu le temps de l'examiner avant que les autorités ne le brûlent. Il a découvert que l'animal portait une marque. Il l'a détachée et me l'a envoyée.

– Une marque? Vous voulez dire comme...

– Oui, comme un spécimen biologique. Une étiquette assez ancienne, attaquée par l'acide sulfurique.

– D'origine volcanique, sans doute, fit Thorne.

– Précisément.

– Et elle était ancienne?

– Plusieurs années. Mais la découverte la plus intéressante est la cause de la mort de l'animal. Levine a déterminé qu'il avait été blessé... Une longue entaille qui lui a ouvert la cuisse jusqu'à l'os.

– Vous voulez dire qu'il a été blessé par un autre dinosaure?

– Exactement.

Ils parcoururent un kilomètre en silence.

– Qui d'autre que nous connaît l'existence de cette île? reprit Thorne.

– Je ne sais pas, répondit Malcolm. Mais quelqu'un essaie de la découvrir. On a pénétré dans mon bureau, aujourd'hui, et on a pris des photos.

– Génial! fit Thorne. Mais vous ne saviez pas encore où était l'île?

– Non. Je n'avais pas assemblé tous les éléments.

– Croyez-vous que quelqu'un d'autre ait pu le faire?

– Non, répondit Malcolm. Nous sommes les seuls.

EXPLOITATION

Lewis Dodgson poussa la porte marquée ANIMALERIE ; tous les chiens se mirent aussitôt à aboyer. Dodgson suivit l'allée, entre les rangées superposées de cages s'élevant à trois mètres, de chaque côté. Le bâtiment était vaste ; la Biosyn Corporation de Cupertino, Californie, avait besoin d'un laboratoire d'expériences très spacieux.

À ses côtés, l'air renfrogné, Rossiter, le patron de la société, épousseta les revers de son veston acheté chez un tailleur italien.

– Je déteste cet endroit, grommela-t-il. Pourquoi m'avez-vous fait venir ici ?

– Nous devons parler de l'avenir, répondit Dodgson.

– Ça pue ! reprit Rossiter en regardant sa montre. Dites-moi ce que vous avez à dire, Lew.

– Nous allons pouvoir discuter ici, fit Dodgson en le conduisant vers une cabine vitrée de surveillance, au centre du bâtiment.

Le vitrage atténuait le vacarme des aboiements, mais ils voyaient les animaux à travers les panneaux de verre.

– C'est simple, fit Dodgson en commençant à marcher de long en large, mais je pense que cela peut être important.

À quarante-cinq ans, Lewis Dodgson avait le teint blafard et les cheveux clairsemés. Ses traits avaient conservé un air de jeunesse et ses manières étaient douces. Mais les apparences étaient trompeuses : ce visage poupin était celui d'un des généticiens les plus agressifs et dangereux de sa génération, à la carrière jalonnée de controverses. Étudiant de troisième cycle, Dodgson s'était fait virer de l'université Johns-Hopkins pour avoir utilisé une thérapie génique sans les autorisations de la Food and Drug Administration. Plus tard, après avoir été engagé par la Biosyn, il avait mis sur pied au Chili une expérience très contestée de vaccination antirabique, dont les sujets, des paysans illettrés, n'avaient jamais été informés qu'ils servaient de cobayes.

En ces deux occasions, Dodgson avait expliqué qu'il était un scientifique pressé, qui ne pouvait se laisser retarder par une réglementation conçue pour le commun des mortels. « La fin justifie les moyens », aimait-il à dire, ce qui signifiait qu'il était prêt à tout pour atteindre ses objectifs. Il cherchait inlassablement à se faire mousser. Dans le cadre de la Biosyn, Dodgson se présentait comme un chercheur, même s'il lui manquait les capacités pour faire de la recherche pure et n'en avait jamais fait. Foncièrement dépourvu d'originalité, il était incapable de concevoir quoi que ce fût, avant qu'un autre en ait eu l'idée. Il excellait en revanche à *développer* les recherches, ce qui signifiait s'approprier les travaux d'autrui dans la période initiale. Dans cet exercice, il était sans scrupule et sans égal. Dodgson dirigeait depuis de nombreuses années un service de la Biosyn, qui, en théorie, examinait les produits de la concurrence afin de déterminer la manière dont ils étaient fabriqués, avant d'en réaliser sa propre version. En pratique, il s'agissait souvent d'effectuer des opérations d'espionnage industriel.

Rossiter ne se faisait bien entendu aucune illusion sur Dodgson. Il ne l'aimait pas, l'évitait autant que possible. Dodgson prenait trop de risques, trop de raccourcis ; il le mettait mal à l'aise. Mais Rossiter savait que la concurrence était âpre dans la biotechnologie moderne. Pour demeurer compétitive, chaque société avait besoin d'un homme comme Dodgson. Et Dodgson faisait très bien son boulot.

— J'irai droit au but, fit Dodgson en se retournant vers son patron. Si nous agissons rapidement, je pense que nous avons la possibilité de nous approprier la technologie InGen.

— Vous n'allez pas remettre ça, soupira Rossiter.

— Je comprends, Jeff. Je sais ce que vous en pensez et je reconnais que le passé ne joue pas en ma faveur.

— C'est le moins qu'on puisse dire ! Une suite d'échecs, que ce soit ouvertement ou par la bande ! Nous avons même essayé, sur vos conseils, de racheter la société après le dépôt de bilan. Mais elle n'était pas à vendre ; les Japonais ont refusé.

— Je comprends, Jeff, mais n'oublions pas...

— Ce que je ne peux oublier, coupa Rossiter, c'est que nous avons versé sept cent cinquante mille dollars à votre ami Nedry, sans rien recevoir en échange.

— Mais, Jeff...

— Puis nous avons versé cinq cent mille dollars au groupe Dai-Ichi, en tant qu'intermédiaire. Toujours pour rien. Toutes nos tentatives pour acquérir la technologie InGen se sont soldées par des échecs. Voilà ce que je ne peux pas oublier.

– Nous les avons faites pour une excellente raison. Cette technologie est vitale pour notre avenir.

– C'est vous qui le dites.

– Le monde change, Jeff. Ce dont il est question est d'apporter une solution à l'un des problèmes majeurs pour la société du XXIᵉ siècle.

– À savoir?

Dodgson montra à travers la vitre les chiens qui continuaient d'aboyer furieusement.

– Les expériences sur les animaux. Regardons les choses en face : d'année en année, les pressions exercées pour nous empêcher d'utiliser les animaux comme sujets d'expérience sont plus fortes. D'année en année, les manifestations et les effractions sont plus nombreuses, la presse est plus hostile. Au début, il ne s'agissait que d'une poignée d'exaltés portés par leur enthousiasme et de célébrités de Hollywood. Maintenant, tout le monde prend le train en marche; il y a même des philosophes qui déclarent qu'il est immoral et indigne de soumettre des singes, des chiens et pourquoi pas des rats à des expériences en laboratoire. Il y en a même qui s'insurgent contre notre « exploitation » des calmars, que l'on trouve pourtant sur les tables des cinq continents. Croyez-moi, Jeff, cette tendance n'est pas près de s'inverser. Quelqu'un finira par dire que nous n'avons pas le droit d'exploiter les bactéries pour nos produits génétiques.

– Je vous en prie!

– Ce jour viendra, croyez-moi. Et nous cesserons nos activités. À moins de disposer d'un animal entièrement créé par nos soins. Réfléchissez : un animal appartenant à une espèce disparue et que l'on fait revivre n'est pas un vrai animal. Il ne peut avoir de droits; il a déjà été frappé d'extinction. S'il a une existence, c'est uniquement parce que nous l'avons *fabriqué*. Nous le fabriquons, nous le brevetons, il nous appartient. C'est le sujet d'expérience idéal. Nous sommes convaincus que les systèmes enzymatique et hormonal de certains dinosaures sont identiques à ceux des mammifères; nous pourrons, dans un proche avenir, tester avec succès des médicaments sur de petits dinosaures, comme on le fait aujourd'hui sur des chiens et des rats... avec beaucoup moins de risques de poursuites judiciaires.

– Vous croyez? fit Rossiter, l'air dubitatif.

– Je le sais, Jeff. Ce sont, au fond, de gros lézards et personne n'aime les lézards. Rien à voir avec un bon toutou qui vous fait fondre quand il vous lèche la main. Les lézards ne sont que des serpents à pattes.

Rossiter soupira.

– Nous parlons de liberté, Jeff, de vraie liberté. De nos jours, tout ce qui touche aux animaux est soumis à des contraintes juridiques et morales. Un chasseur de gros gibier ne peut plus tuer un lion ou un éléphant, les animaux que ses ancêtres abattaient, et poser fièrement devant sa victime. Il y a maintenant des paperasses, des autorisations, des frais... et un sentiment de culpabilité généralisé. Aujourd'hui, celui qui abat un tigre n'ose plus le reconnaître. C'est un crime beaucoup plus grave, dans le monde moderne, de tuer un tigre que ses parents. Le tigre a ses avocats. Imaginez maintenant une chasse gardée, au peuplement sélectionné, disons quelque part en Asie, où des personnalités et des amateurs fortunés viendraient chasser le tyrannosaure et le tricératops dans un environnement naturel. Cela exercerait un attrait irrésistible. Combien de chasseurs accrochent des trophées à leurs murs ? Le monde en est rempli. Mais qui peut se vanter d'avoir une tête de féroce tyrannosaure au-dessus de son bar ?

– Vous ne parlez pas sérieusement ?

– J'essaie de vous faire comprendre, Jeff, que ces animaux sont totalement exploitables. Nous pouvons faire d'eux ce que bon nous semble.

Rossiter se leva, enfonça les mains dans ses poches. Il soupira, se tourna vers Dodgson.

– Ces animaux existent encore ?

Dodgson inclina lentement la tête.

– Vous savez où il y en a ?

Dodgson hocha derechef la tête.

– D'accord, fit Rossiter. Allez-y.

Il commença à se diriger vers la porte, s'arrêta et tourna la tête.

– Que les choses soient claires, Lew, reprit-il. C'est la dernière fois. J'ai bien dit la dernière. Si vous ne mettez pas la main sur les animaux cette fois, nous n'en parlons plus. La dernière chance... Compris ?

– Ne vous en faites pas, répondit Dodgson. Cette fois, je les aurai.

TROISIÈME CONFIGURATION

Dans la phase intermédiaire, un développement complexe et rapide à l'intérieur du système occulte le risque d'un chaos imminent. Mais le risque est là.

IAN MALCOLM

COSTA RICA

Des trombes d'eau s'abattaient sur Puerto Cortés. La pluie tambouri-nait sur le toit en tôle du petit hangar, en bordure du terrain d'aviation. Trempé jusqu'aux os, Thorne attendait devant le fonctionnaire costari-cain qui relisait les documents pour la troisième fois. Il s'appelait Rodri-guez, paraissait n'avoir guère plus de vingt ans, flottait dans son uni-forme et tremblait à l'évidence de commettre une erreur.

Thorne tourna la tête vers la piste où, dans la clarté laiteuse de l'aube, les conteneurs étaient attachés sous le ventre de deux gros hélicoptères Huey.

Sous la pluie, Eddie Carr, accompagné de Malcolm, hurlait des recommandations aux ouvriers qui fixaient les élingues.

— *Señor* Thorne, fit Rodriguez en brassant les documents étalés devant lui, d'après ces papiers, votre destination est Isla Sorna...

— Exact.

— Et vos conteneurs ne renferment que des véhicules.

— C'est ça; des véhicules pour la recherche.

— Isla Sorna est un endroit primitif. Il n'y a pas d'essence, pas d'approvisionnements, même pas de routes dignes de ce nom...

— Y êtes-vous allé?

— Pas personnellement. Les gens d'ici ne s'intéressent pas à cette île. L'endroit est sauvage, il n'y a que des rochers et la jungle. Aucun bateau ne peut y aborder, sauf si le temps est très favorable. Aujourd'hui, par exemple, c'est impossible.

— Je comprends, fit Thorne.

— Je veux seulement, poursuivit Rodriguez, que vous soyez préparé aux difficultés qui vous attendent.

– Je crois que nous y sommes préparés.

– Vous emportez l'essence nécessaire pour vos véhicules ?

Thorne retint un soupir ; à quoi bon se donner la peine d'expliquer ?

– Oui, nous avons ce qu'il faut.

– Et vous n'êtes que trois ? Le docteur Malcolm, votre assistant, le *señor* Carr, et vous-même ?

– Exact.

– Et la durée prévue de votre séjour est de moins d'une semaine ?

– Absolument. Plutôt de l'ordre de deux jours ; avec un peu de chance, nous espérons quitter l'île dans la journée de demain.

– Eh bien..., murmura Rodriguez en tripotant de nouveau les papiers, comme s'il espérait y trouver la clé du mystère.

– Y a-t-il un problème ? demanda Thorne en regardant sa montre.

– Pas de problème, *señor*. Les autorisations sont signées par le directeur général des réserves biologiques. Tout est en ordre... Mais il est très inhabituel, poursuivit-il après une hésitation, que des autorisations de ce genre soient accordées.

– Pourquoi donc ?

– Je ne connais pas les détails, mais il s'est passé quelque chose sur une des îles, il y a quelques années. Depuis, le ministère des Réserves biologiques a interdit aux touristes l'accès de toutes les îles du Pacifique.

– Nous ne sommes pas des touristes, fit Thorne.

– Je comprends, *señor* Thorne...

Rodriguez passa la main sur les papiers.

Thorne attendit.

Sur la piste, les conteneurs bien arrimés furent soulevés.

– Très bien, *señor* Thorne, dit Rodriguez en se décidant enfin à tamponner les documents. Je vous souhaite bonne chance.

– Merci, fit Thorne.

Il fourra les papiers dans sa poche, baissa la tête pour se protéger de la pluie et s'élança vers la piste d'envol.

À cinq kilomètres de la côte, les hélicoptères sortirent de la couche de nuage dans le ciel lumineux du petit matin. Du cockpit du premier appareil, Thorne pouvait suivre la ligne de la côte des deux côtés. Il vit cinq îles à des distances variables du littoral, des pointes de relief rocheux brisant la surface de l'océan. Distantes les unes des autres de plusieurs kilomètres, elles faisaient évidemment partie d'une ancienne chaîne volcanique.

Il appuya sur la touche du micro.

– Laquelle est Sorna ?

Le pilote tendit le doigt droit devant lui.

– Nous les appelons les Cinq Morts, expliqua-t-il. Isla Muerte, Isla Matanceros, Isla Pena, Isla Tacaño et Isla Sorna. C'est la grande, la plus au nord.

– Y êtes-vous déjà allé?

– Jamais, *señor*. Mais je crois que nous trouverons une aire d'atterrissage.

– Comment le savez-vous?

– Il y a quelques années, il y avait des vols pour l'île. J'ai entendu dire que des Américains se posaient là-bas.

– Pas des Allemands?

– Non, non. Il n'y a pas eu d'Allemands depuis... je ne sais quand. Depuis la Seconde Guerre mondiale. Ce sont des Américains qui venaient.

– Cela remonte à quelle époque?

– Je ne sais pas très bien. Une dizaine d'années.

Cap au nord, l'hélicoptère survola la première île. Thorne distingua le relief accidenté, volcanique, envahi par une végétation luxuriante. Il n'y avait aucun signe de vie ni d'établissement humain.

– Ces îles ne sont pas des endroits où les gens du pays aiment aller, reprit le pilote. Ils disent que rien de bon ne peut en venir. Mais ils ne savent pas, poursuivit-il en souriant. Ce sont des Indiens superstitieux.

L'hélicoptère survola le pertuis; Isla Sorna se trouvait juste devant. C'était à l'évidence un ancien cratère volcanique; des parois rocheuses dénudées, d'un gris rougeâtre, un cône d'érosion.

– Où abordent les bateaux?

Le pilote indiqua un endroit où les houles battaient la falaise.

– Sur la côte Est de cette île, expliqua-t-il, il y a de nombreuses grottes, creusées par la mer. Dans la région, on l'appelle parfois Isla Gemido. D'après le son plaintif produit par les vagues à l'intérieur des grottes. Certaines s'étendent jusqu'à l'intérieur de l'île et laissent le passage à un bateau, selon l'état de la mer. Pas quand elle est agitée comme aujourd'hui.

Thorne pensa à Sarah Harding. Si elle venait les rejoindre, elle n'arriverait que dans le courant de la journée.

– J'attends une collègue dans l'après-midi, dit-il. Pourrez-vous l'amener?

– Désolé, répondit le pilote, nous avons une mission à Golfo Juan. Nous ne serons pas de retour avant le début de soirée.

– Que peut-elle faire d'autre?

Les yeux plissés, le pilote regarda la mer.

– Elle pourra peut-être prendre un bateau; la mer change d'heure en heure. Avec un peu de chance...

– Vous revenez nous chercher demain?

– Oui, *señor* Thorne. Demain matin, de bonne heure. C'est le meilleur moment, pour les vents.

L'hélicoptère s'approcha par l'ouest, à une altitude de plusieurs centaines de pieds, pour survoler la paroi rocheuse. Ils découvrirent l'inté-

rieur de l'île. Elle ne semblait pas différente des autres : arêtes volcaniques et ravins, envahis par une végétation luxuriante. Du ciel, le
paysage était magnifique, mais Thorne savait qu'il serait extrêmement
difficile de progresser sur ce terrain accidenté. Il scruta la forêt, cherchant le tracé d'une route.

L'hélicoptère amorça sa descente et décrivit un large cercle au-dessus
de la partie centrale de l'île. Thorne ne vit ni routes ni constructions.
L'appareil continua de descendre.

— Les vents sont très mauvais, à cause des falaises, dit le pilote. Il y a
des rafales et des courants ascendants. Pour se poser, il n'y a qu'un seul
endroit sûr. Voilà ! ajouta-t-il. C'est là !

Thorne vit une trouée entre les arbres, envahie par de hautes herbes.

— Nous allons nous poser, annonça le pilote.

ISLA SORNA

Debout dans les hautes herbes, Eddie Carr se retourna pour se protéger de la poussière soulevée par les deux hélicopères qui décollaient et prenaient rapidement de la hauteur. Le bruit des rotors alla en diminuant; en peu de temps, ils ne furent plus que deux petits points dans le ciel. La main en visière, Eddie les suivit des yeux.

— Quand reviennent-ils? demanda-t-il, la gorge serrée.

— Demain matin, répondit Thorne. Cela nous laisse largement le temps de retrouver Levine.

— Il vaudrait mieux, fit Malcolm.

Les hélicoptères disparurent derrière le bord élevé du cratère. Carr se tenait au milieu de la clairière, aux côtés de Thorne et de Malcolm, dans la chaleur du matin, sur l'île plongée dans un profond silence.

— Cet endroit donne la chair de poule, reprit Eddie en baissant sa casquette de base-ball sur ses yeux.

Âgé de vingt-quatre ans, Eddie Carr était originaire de Daly City. C'était un petit brun costaud. Râblé, musculeux, il avait pourtant des mains fines, aux doigts effilés. Eddie avait un don – Thorne aurait dit du génie – pour la mécanique. Il était capable de tout construire, de tout réparer. D'un seul regard, il comprenait comment les choses fonctionnaient. Thorne l'avait pris avec lui trois ans auparavant, dès le premier cycle de l'université. Au départ, ce devait être un boulot temporaire, de quoi gagner un peu d'argent pour reprendre ses études et décrocher un vrai diplôme. Mais Thorne était depuis longtemps tributaire d'Eddie, qui, de son côté, n'avait plus très envie de se replonger dans les livres.

En faisant des yeux le tour de la clairière, il se dit qu'il ne s'attendait certainement pas à quelque chose comme ça. Eddie était un pur citadin, habitué à l'agitation de la ville, au vacarme des klaxons et à la circulation frénétique. Ce silence oppressant le mettait mal à l'aise.

– Allons, fit Thorne en posant la main sur son épaule, mettons-nous au boulot.

Ils s'avancèrent vers les conteneurs déposés par les hélicoptères dans les hautes herbes, à quelques mètres l'un de l'autre.

– Je peux vous aider ? demanda Malcolm.

– Sans vouloir vous vexer, non, répondit Eddie. Il vaut mieux nous laisser faire ça seuls.

Ils passèrent une demi-heure à déboulonner les panneaux arrière, qu'ils abaissèrent pour entrer dans les conteneurs. Après quoi, il ne leur fallut que quelques minutes pour faire sortir les véhicules. Eddie s'installa au volant de l'Explorer et mit le contact. Il n'y eut presque pas de bruit, juste le ronronnement de la pompe à vide qui se mettait en marche.

– Comment est la charge ? demanda Thorne.

– Au maximum, répondit Eddie.

– Les accus, ça va ?

– Tout a l'air au poil.

Eddie était soulagé. Il avait supervisé la conversion des véhicules à l'énergie électrique, mais dans la précipitation, et ils n'avaient pas eu le temps de faire des essais. Même s'il était vrai que les voitures électriques utilisaient une technique moins complexe que celle du moteur à combustion interne – ce vestige des teufs-teufs du XIXe siècle –, Eddie savait qu'il était toujours risqué de mettre en service sur le terrain du matériel qui n'avait pas été essayé.

Surtout quand le matériel en question faisait appel aux techniques les plus récentes. Cela perturbait beaucoup plus Eddie qu'il ne voulait le reconnaître. Comme la plupart des mécaniciens de talent, il était profondément conservateur. Il aimait que les choses fonctionnent, en toutes circonstances, ce qui, pour lui, signifiait utiliser des techniques sûres, qui avaient fait leurs preuves. Par malheur, cette fois, il n'avait pas eu gain de cause.

Eddie avait deux sujets d'inquiétude particuliers. Le premier concernait les panneaux photovoltaïques noirs, portant des rangées de plaquettes octogonales de silicium, montés sur le toit et le capot des véhicules. Les panneaux modernes étaient efficaces et beaucoup moins fragiles que les anciens. Eddie les avait équipés d'amortisseurs de vibrations de son invention. Il n'en était pas moins vrai que, s'ils étaient endommagés d'une manière ou d'une autre, ils ne fourniraient plus l'énergie nécessaire aux véhicules ni au matériel électronique. Tous les systèmes seraient paralysés.

Sa seconde inquiétude concernait les batteries. Thorne avait choisi les nouveaux accumulateurs au lithium de Nissan, ayant une énergie massique très élevée. Mais la technique était encore au stade expérimental, ce qui, pour Eddie, n'était qu'une manière polie de dire « peu fiable ».

Eddie avait réclamé une énergie d'appoint; il avait réclamé un petit générateur à essence, à tout hasard; il avait réclamé des tas de choses. Thorne avait refusé en bloc. Dans ces conditions, Eddie avait fait la seule chose sensée : il avait fabriqué quelques extras, sans en parler à quiconque.

Il était certain que Thorne le savait. Mais Thorne n'en avait jamais parlé et Eddie n'avait pas abordé le sujet. Et maintenant, sur cette île perdue, il ne regrettait pas de l'avoir fait. On ne sait jamais ce qui peut arriver.

Thorne regarda Eddie faire sortir l'Explorer du conteneur, en marche arrière. Il arrêta la voiture au milieu de la clairière, où le soleil donnant sur les panneaux chargerait les batteries.

Thorne se mit au volant du Challenger. Le véhicule était étonnamment silencieux; le bruit le plus fort était celui des pneus sur le métal du conteneur. Quand il atteignit l'herbe, le bruit devint presque imperceptible. Thorne descendit pour relier les deux gros véhicules avec le soufflet en acier flexible, en accordéon.

Il ne restait plus que la moto. Elle aussi était électrique. Thorne la poussa jusqu'à l'arrière de l'Explorer, la plaça sur ses béquilles, brancha le fil électrique sur le système qui fournissait l'énergie de la voiture et rechargea la batterie.

— Ça marche, fit-il en reculant de quelques pas.

Dans le silence de la clairière inondée de soleil, Eddie leva les yeux vers le bord circulaire du cratère, qui surplombait au loin la forêt impénétrable. Les parois rocheuses abruptes, miroitant dans la lumière du matin, étaient d'une âpreté rebutante. Eddie se sentit isolé, pris au piège.

— Qui aurait l'idée de venir ici et pour quoi faire?

— Pour tout quitter, Eddie, répondit en souriant Malcolm, appuyé sur sa canne. Vous n'avez jamais eu envie de tout quitter?

— Sûrement pas! Moi, vous savez, je ne peux pas rester longtemps loin d'une pizzeria.

— Eh bien, aujourd'hui, vous pouvez en faire votre deuil!

Thorne se dirigea vers l'arrière de la roulotte, y prit deux lourds fusils. Sous le canon des armes, deux cartouches d'aluminium étaient fixées côte à côte. Il tendit un fusil à Eddie, montra l'autre à Malcolm.

— En avez-vous déjà vu un?

— J'ai lu quelque chose là-dessus, répondit le mathématicien. C'est le fusil suédois?

— Exact. Lindstradt à air comprimé, le plus cher du monde. Robuste, simple, précis, fiable. Tire à une vitesse subsonique un projectile contenant la substance que l'on veut.

Thorne ouvrit la boîte à cartouches, découvrant une rangée de cylindres en plastique, remplis d'un liquide jaune paille. Chaque cartouche se terminait par une aiguille de huit centimètres.

– Nous avons choisi le venin renforcé de *Conus purpurascens,* un mollusque gastéropode des mers du Sud, reprit Thorne. La plus puissante neurotoxine au monde. Agit en moins de deux millièmes de seconde. Plus rapidement que la transmission de l'influx nerveux. L'animal est à terre avant d'avoir senti la piqûre de la fléchette.

– Mortel?

Thorne inclina la tête.

– On ne plaisante pas avec ça. Ne vous tirez surtout pas une fléchette dans le pied, par mégarde, vous seriez mort avant d'avoir eu conscience d'appuyer sur la détente.

– Existe-t-il un antidote?

– Non, à quoi bon? S'il y en avait un, on n'aurait pas le temps de l'administrer.

– Au moins, les choses sont simples, fit Malcolm en prenant le fusil.

– Maintenant, vous savez à quoi vous en tenir, reprit Thorne. En route, Eddie!

LE RUISSEAU

Eddie prit le volant de l'Explorer. Thorne et Malcolm montèrent dans la cabine du Challenger. Quelques secondes plus tard, la radio émit un signal.

– Vous lancez la base de données, Doc ?

– Tout de suite, fit Thorne.

Il glissa le disque optique dans la fente du tableau de bord. Sur le petit moniteur placé devant lui, Malcolm vit l'île apparaître, mais elle était en grande partie cachée par des amas de nuages.

– Ça ne sert pas à grand-chose, fit-il.

– Attendez, répondit Thorne. Le système va rassembler les données.

– Quelles données ?

– Radar.

Au bout de quelques secondes, une image radar transmise par satellite recouvrit la photographie. Le radar traversait les nuages. Thorne appuya sur une touche, l'ordinateur commença à tracer les contours, puis il précisa les détails, mit en évidence les lignes ténues du réseau routier.

– Astucieux, fit Malcolm.

Sa nervosité n'échappa pas à Thorne.

– Je l'ai ! lança Eddie, à la radio.

– Il voit la même chose ? demanda Malcolm.

– Oui, sur son tableau de bord.

– Mais je n'ai pas le GPS, reprit Eddie d'une voix inquiète. Il ne marche pas ?

– Ils sont incroyables ! marmonna Thorne. Laisse-lui le temps ! Il lit le disque optique ; les relais vont transmettre.

Un capteur GPS, en forme de cône, était fixé sur le toit du véhicule. Grâce aux signaux radio des satellites de navigation, en orbite à des milliers de kilomètres dans l'espace, le GPS pouvait calculer la position des véhicules à quelques mètres près. Au bout d'un petit moment, une croix rouge se mit à clignoter sur la carte de l'île.

– C'est bon, fit Eddie, je le reçois. On dirait une route, au nord, qui permet de sortir de la clairière. C'est la direction ?

– Je crois.

D'après la carte, la route serpentait sur plusieurs kilomètres à l'intérieur de l'île, avant d'arriver à un endroit où toutes les routes paraissaient se rejoindre. Il semblait y avoir des constructions à proximité, mais il ne pouvait en être sûr.

– Allez, Doc, en route.

Eddie ouvrit la voie. Thorne appuya sur l'accélérateur, le camion se mit en marche en ronronnant, à la suite de l'Explorer. À côté de lui, Malcolm tripotait en silence un petit agenda électronique. Pas une seule fois il ne leva la tête pour regarder par la vitre.

En très peu de temps, ils sortirent de la clairière et s'engagèrent dans la végétation dense. Des lumières se mirent à clignoter sur le tableau de bord ; le véhicule passa sur les batteries. La lumière traversant le couvert végétal n'était pas assez forte pour fournir l'énergie nécessaire à son fonctionnement. Ils poursuivirent leur route.

– Comment ça va, Doc ? demanda Eddie. La charge est suffisante ?

– Tout va bien, Eddie.

– Il a l'air nerveux, fit Malcolm.

– Il s'inquiète pour le matériel, c'est tout.

– Mon œil ! lança Eddie. C'est pour *moi* que je m'inquiète, oui !

La route était partiellement envahie par la végétation et en mauvais état, mais ils progressaient à bonne allure. Au bout d'une dizaine de minutes, ils arrivèrent devant un petit ruisseau aux bords boueux. L'Explorer commença à le traverser, s'arrêta à mi-distance. Eddie descendit, revint en marchant sur des pierres recouvertes par l'eau.

– Qu'y a-t-il ?

J'ai vu quelque chose, Doc.

Thorne et Malcolm descendirent de la cabine, s'avancèrent jusqu'au bord du ruisseau. Ils perçurent des cris lointains, qui ressemblaient à des cris d'oiseaux. Malcolm leva la tête, l'air inquiet.

– Des oiseaux ? demanda Thorne.

Malcolm fit non de la tête.

Eddie se pencha, ramassa un bout de tissu pris dans la boue. C'était un fragment de Gore-Tex vert foncé, avec une bande de cuir cousue sur un côté.

– Ça vient d'un de nos sacs, fit-il.

– Celui que nous avons fait pour Levine ?

– Oui, Doc.

– Vous aviez mis un émetteur dans le sac ? demanda Malcolm,
sachant qu'ils cousaient en général un émetteur dans une doublure.

– Oui.

– Vous permettez que je jette un coup d'œil ?

Malcolm prit le bout de tissu, le leva à la lumière. Il palpa pensivement le bord déchiré.

Thorne détacha de sa ceinture un petit récepteur qui ressemblait à un
« pager », en plus grand. Il regarda l'écran à cristaux liquides.

– Je ne reçois aucun signal...

Eddie se pencha de nouveau, s'accroupit au-dessus de la boue.

– Il y a un autre bout de tissu. Et encore un... On dirait que le sac a
été lacéré, Doc.

Un nouveau cri d'oiseau leur parvint, lointain, irréel. Malcolm tourna
la tête dans cette direction, essayant d'en localiser la source. Puis il
entendit Eddie dire quelque chose qui le fit pivoter d'un bloc.

– Tiens, tiens ! Nous avons de la compagnie !

Une demi-douzaine d'animaux ressemblant à des lézards, d'un vert
vif, s'étaient groupés près du Challenger. À peu près de la taille d'un
poulet, ils gazouillaient avec animation. Sur leurs pattes de derrière, utilisant leur queue comme un balancier, ils marchaient avec de petites
secousses de la tête, exactement comme des poulets. Ils poussaient de
petits cris aigus, particuliers, mais rappelant beaucoup ceux d'un oiseau.
Ils ressemblaient pourtant à des lézards à longue queue. Ils avaient des
yeux vifs et curieux, et regardaient les hommes en penchant la tête.

– Qu'est-ce que c'est ? demanda Eddie. Un congrès de salamandres ?

Dressés sur leurs pattes de derrière, les lézards verts les regardaient.
Plusieurs autres apparurent, venant de derrière le camion, sortant du
couvert végétal. Ils furent bientôt une douzaine, curieux et gazouillants.

– Des compys, fit Malcolm. *Procompsognathus triassicus*, de leur vrai
nom.

– Vous voulez dire que...

– Oui. Ce sont des dinosaures.

Eddie écarquilla les yeux, l'air incrédule.

– Je ne savais pas qu'il y en avait de si petits, dit-il enfin.

– La plupart des dinosaures étaient de petite taille, expliqua Malcolm.
Les gens pensent toujours qu'ils étaient énormes, mais la taille moyenne
des dinosaures était à peu près celle d'un mouton, ou d'un petit poney.

– On dirait des poulets, poursuivit Eddie.

– Oui, ils ressemblent à des oiseaux.

– Ils sont dangereux ? demanda Thorne.

– Pas vraiment, répondit Malcolm. Ce sont des animaux nécrophages, comme les chacals ; ils se nourrissent de cadavres. Mais il vaut
mieux ne pas s'approcher, leur morsure est légèrement venimeuse.

— Je n'ai pas l'intention de m'approcher, fit Eddie. Ils me font froid dans le dos. On dirait qu'ils n'ont pas peur.

Malcolm l'avait remarqué aussi.

— J'imagine que c'est parce qu'ils n'ont jamais vu d'êtres humains sur cette île. Ces animaux n'ont aucune raison de craindre l'homme.

— Eh bien, fit Eddie en ramassant une pierre, nous n'avons qu'à leur en donner une.

— Hé ! s'écria Malcolm. Ne faites pas ça ! Ce que nous voulons...

Mais Eddie avait déjà lancé la pierre. Elle toucha le sol près d'un groupe de compys, qui s'écartèrent d'un bond. Les autres réagirent à peine. Quelques-uns se mirent à sautiller, la plupart restèrent immobiles. Ils continuèrent de gazouiller, la tête penchée.

— Bizarre, fit Eddie. Vous avez remarqué cette odeur ? poursuivit-il en humant l'air.

— Oui, répondit Malcolm. Ils ont une odeur caractéristique.

— De pourriture, vous voulez dire. Ils sentent le pourri, comme des matières en décomposition. Et, si vous voulez mon avis, il n'est pas naturel que des animaux ne montrent aucune peur. S'ils avaient la rage, ou autre chose ?

— Non, fit Malcolm.

— Comment le savez-vous ?

— Seuls les mammifères sont porteurs de la rage.

Au moment où il prononçait ces mots, Malcolm se demanda si c'était vrai. Les animaux à sang chaud transmettaient la rage. Les compys étaient-ils des animaux à sang chaud ? Il n'en savait rien.

Un froissement leur parvint, venant d'en haut. Malcolm leva la tête vers la cime des arbres. Il distingua des mouvements dans le feuillage, entraperçut de petits animaux qui sautaient de branche en branche. Il entendit des pépiements, un gazouillis.

— Ce ne sont pas des oiseaux, fit Thorne. Des singes ?

— Peut-être, répondit Malcolm. Mais j'en doute.

— Je suis d'avis de ne pas rester ici, fit Eddie en réprimant un frisson.

Il retraversa le ruisseau, monta dans l'Explorer. Malcolm s'avança prudemment vers la portière du camion, Thorne à ses côtés. Les compys s'écartèrent pour les laisser passer, sans faire mine de s'enfuir. Ils restèrent autour de leurs jambes, gazouillant avec animation. Malcolm et Thorne grimpèrent dans le véhicule et refermèrent les portières en prenant soin de ne pas heurter les petits animaux.

Thorne s'installa au volant, mit le moteur en marche. Ils virent l'Explorer traverser le ruisseau et suivre la route qui s'élevait vers une corniche.

Ils entendirent la voix d'Eddie à la radio.

— Ces... euh ! ces procompso..., ils sont réels, hein ?

— Oui, fit doucement Malcolm. On ne peut plus réels.

LA ROUTE

Thorne était nerveux. Il commençait à comprendre ce qu'Eddie ressentait. Il avait construit ces véhicules, mais il avait maintenant le sentiment angoissant d'être loin de tout, sur cette île perdue, avec du matériel jamais essayé. La route escarpée continua de s'élever dans la jungle obscure, pendant une quinzaine de minutes. À l'intérieur du Challenger, la chaleur se fit oppressante.

– Vous ne mettez pas la climatisation? demanda Malcolm.

– Pour ne pas tirer sur la batterie.

– Vous permettez que je baisse la vitre?

– Si vous pensez qu'il n'y a pas de danger.

– Pourquoi y en aurait-il? fit Malcolm avec un petit haussement d'épaules.

Il appuya sur la commande; la vitre électrique s'abaissa. De l'air chaud s'engouffra dans la cabine.

– Nerveux, Doc? fit-il en se tournant vers Thorne.

– Bien sûr, on le serait à moins.

Malgré la vitre ouverte, Thorne sentait la sueur couler sur sa poitrine.

– Je le répète, Doc, reprit la voix d'Eddie à la radio, on aurait dû effectuer les essais. Faire les choses dans les règles. On ne vient pas dans un endroit peuplé de poulets venimeux sans être sûr que les véhicules tiendront le coup.

Les véhicules vont très bien, répliqua Thorne. Parle-moi plutôt de tes niveaux.

– Près du maxi, répondit Eddie. Tout baigne. Nous n'avons parcouru que huit kilomètres; il est 9 heures du matin, Doc.

La route tourna à droite, puis à gauche, formant une succession d'angles aigus, tandis que la pente se faisait plus raide. Pour suivre les lacets avec les deux gros véhicules, Thorne fut obligé de se concentrer sur la conduite ; un dérivatif qu'il accueillit avec soulagement.

Devant, l'Explorer prit un virage à droite et poursuivit l'ascension.

– Je ne vois plus d'animaux, fit Eddie, plus détendu.

Le terrain devint plus plat, mais la route continua de sinuer le long de la corniche. D'après les indications du GPS, ils se dirigeaient maintenant vers le nord-ouest et l'intérieur de l'île. Mais la jungle les enserrait encore de tous côtés ; ils ne voyaient pas grand-chose derrière la dense muraille végétale.

Ils arrivèrent à une intersection en forme de Y ; Eddie s'arrêta sur le côté. Thorne vit dans la fourche du Y un panneau de bois, portant des flèches à demi effacées, pointées dans les deux directions. Vers la gauche, le panneau indiquait « Marécage ». Vers la droite « Site B ».

– Alors, les gars ? demanda Eddie. De quel côté ?

– Prenez la direction du Site B, répondit Malcolm.

– C'est parti.

L'Explorer prit la route de droite ; Thorne le suivit. Des vapeurs jaunes sulfureuses s'échappant du sol blanchissaient le feuillage dans l'espace environnant. L'odeur était forte.

– Émanations volcaniques, dit Thorne à Malcolm. Comme vous l'aviez prédit.

Ils distinguèrent au passage une mare bouillonnante, aux bords formés d'une épaisse croûte jaune.

– Oui, fit Eddie, un volcan en activité. Mais je pense que... Bordel de merde !

Les feux arrière s'allumèrent, la voiture s'immobilisa brutalement.

Thorne donna un coup de volant pour l'éviter, frôlant un rideau de fougères. Il s'arrêta à côté de l'Explorer, fusilla Eddie du regard.

– Eddie, je te prie de...

Mais Eddie n'écoutait pas.

Il regardait droit devant, béant de surprise.

Thorne tourna la tête.

Juste devant eux, les arbres bordant la route avaient été jetés à bas, ouvrant une brèche dans la végétation. De la route de la corniche, le regard embrassait toute l'île, vers l'ouest. Mais Thorne ne contempla pas le panorama ; son regard resta fixé sur un gros animal, de la taille d'un hippopotame, qui traversait tranquillement la route. Ce n'était pas un hippopotame. La peau d'un brun clair était recouverte de grosses plaques écailleuses. La crête osseuse recourbée protégeant l'arrière de sa tête se prolongeait à l'avant par deux longues cornes ; il y avait une troisième corne, plus petite, sur le mufle.

– Vous savez ce que c'est ? demanda Eddie d'une voix entrecoupée.

– Un tricératops, répondit Malcolm. Un jeune, selon toute apparence.

126

— Sans doute, souffla Eddie.

Un animal beaucoup plus gros s'engagea à son tour sur la route. Il faisait largement le double de la taille du premier ; ses cornes étaient longues, incurvées et pointues.

— Voilà sa mère, ajouta Eddie.

Un troisième tricératops apparut, suivi d'un quatrième. Tout un troupeau traversa lentement la route. Sans prêter la moindre attention aux véhicules à l'arrêt, ils s'engagèrent dans la trouée, disparurent dans la pente.

Quand la route fut libre, les hommes regardèrent à travers la brèche. Thorne embrassa d'un coup d'œil une vaste plaine marécageuse, traversée en son centre par un large cours d'eau. Sur les deux rives, des animaux paissaient. Au sud, il y avait un troupeau d'une vingtaine de dinosaures de taille moyenne, à la peau d'un vert sombre, dont les grosses têtes se soulevaient par intervalles au-dessus des herbes bordant la rivière. Près d'eux, Thorne vit huit dinosaures à bec de canard, à la tête surmontée d'une crête tubulaire ; ils buvaient et se redressaient en poussant des meuglements lugubres. Plus près se trouvait un stégosaure solitaire, au dos arrondi, protégé par des rangées de plaques verticales. Le troupeau de tricératops passa lentement devant le stégosaure, qui ne leur accorda pas un regard. À l'ouest, derrière un bouquet d'arbres, Thorne distingua une douzaine d'apatosaures, au long cou gracieux, le corps caché par le feuillage qu'ils broutaient avec indolence. C'était une scène éminemment paisible... mais une scène d'un autre monde.

— Doc ? fit Eddie d'une voix altérée. Où sommes-nous ?

SITE B

De l'intérieur des véhicules, ils contemplèrent la plaine. Ils regardèrent les dinosaures se mouvoir lentement dans les hautes herbes. Ils perçurent le cri sourd des becs de canard. Les différents troupeaux se déplaçaient tranquillement au bord de la rivière.

— Alors, fit Eddie, vous croyez que cette île est restée à l'écart de l'évolution ? Que c'est un de ces endroits où le temps s'est arrêté ?

— Pas du tout, répondit Malcolm. Il y a une explication parfaitement rationnelle à ce que vous voyez, et nous allons...

Venant du tableau de bord, un signal sonore perçant retentit. Un quadrillage bleu apparut sur la carte GPS, un triangle marqué LEVN se mit à clignoter.

— C'est lui ! s'écria Eddie. Ça y est, nous l'avons !

— Tu captes ça ? fit Thorne. C'est très faible...

— Je le reçois bien... Le signal est assez fort pour transmettre son identité. C'est bien Levine. On dirait que le signal vient de la vallée.

L'Explorer démarra avec une secousse.

— En route ! lança Eddie. Je ne tiens pas à moisir ici.

Thorne appuya sur le contact ; le moteur électrique se mit en marche. Il entendit le souffle de la pompe à vide, la plainte sourde de la transmission automatique. Il passa la première et suivit l'Explorer.

Derechef, la jungle impénétrable se referma sur eux, chaude, étouffante. Le feuillage des arbres ne laissait filtrer qu'une faible lumière. Le signal sonore du GPS se fit de plus en plus irrégulier. Thorne regarda l'écran, vit que le triangle clignotant disparaissait, puis revenait.

— Nous le perdons, Eddie !

— Ça ne fait rien, Doc. Nous avons sa position, nous pouvons nous y rendre directement. Il doit être juste au bout de cette route. Après ce poste de garde, ou je ne sais quoi, toujours tout droit.

Thorne regarda devant l'Explorer ; il vit un abri en béton et une barrière métallique levée. Délabrée, recouverte de plantes grimpantes, la petite construction ressemblait vraiment à un poste de garde. Les véhicules passèrent sans s'arrêter et atteignirent une route pavée. Il sautait aux yeux que les deux côtés de la voie avaient été largement dégagés, d'une quinzaine de mètres. Ils arrivèrent rapidement à la hauteur d'un second poste de garde, franchirent la barrière.

Ils parcoururent encore une centaine de mètres sur la route qui épousait la courbe de la corniche. La végétation devint plus clairsemée ; entre les hautes fougères, Thorne distingua des constructions en bois, toutes peintes du même vert. Des bâtiments utilitaires, semblait-il, peut-être des remises pour le matériel. Il eut l'impression de pénétrer dans un vaste complexe.

Soudain, à la sortie d'un virage, le complexe tout entier leur apparut. À quelques centaines de mètres.

– Qu'est-ce que c'est que ça ? souffla Eddie.

Thorne ouvrit de grands yeux. Au centre de l'espace dégagé, il vit le toit d'un énorme bâtiment, qui se perdait au loin. De la taille de deux terrains de football, il devait faire huit ou neuf mille mètres carrés. Derrière, une construction massive, au toit en tôle, avait l'aspect fonctionnel d'une centrale électrique. Si c'en était une, elle avait les dimensions nécessaires pour l'alimentation d'une petite ville. Au bout du bâtiment principal, Thorne vit des aires de chargement et un terrain aménagé pour manœuvrer des camions. Sur la droite, partiellement masquée par la végétation, s'étirait une rangée de petites constructions ressemblant à des pavillons. À cette distance, il était difficile d'en être sûr.

Pris dans son ensemble, le complexe avait un caractère utilitaire qui évoquait un site industriel ou une usine. Le front plissé par la perplexité, Thorne essaya de trouver une explication.

– Savez-vous ce que c'est ? demanda-t-il à Malcolm.

– Oui, répondit le mathématicien en hochant lentement la tête. Ce que je soupçonne depuis un petit moment.

– À savoir ?

– C'est un établissement industriel. Une usine, si vous préférez.

– Mais elle est énorme, poursuivit Thorne.

– Oui, fit Malcolm. Nécessairement.

La conversation fut interrompue par la voix d'Eddie.

– Je reçois encore un signal de Levine. Vous n'êtes pas obligés de me croire, mais il semble venir de ce bâtiment !

Les véhicules longèrent la porte d'entrée du bâtiment principal, sous un portique affaissé. Il était de conception moderne, verre et béton, mais la jungle s'était depuis longtemps refermée sur lui. Des lianes pendaient du toit en festons. Des vitres étaient brisées ; des fougères poussaient dans les fissures du béton.

— Eddie, demanda Thorne, nous avons toujours le signal ?

— Oui, à l'intérieur. Que voulez-vous faire ?

— Installer notre camp de base dans ce pré, répondit Thorne en montrant un terrain à quelques centaines de mètres sur la gauche qui, semblait-il, avait été autrefois une vaste pelouse.

L'endroit était encore dégarni d'arbres ; ils recevraient assez de lumière pour les batteries solaires.

— Après, nous irons faire un tour.

Eddie gara l'Explorer, tournant l'avant du véhicule dans la direction d'où ils venaient. Thorne manœuvra pour se ranger le long de la voiture et coupa le moteur. Il descendit dans le calme du matin chaud. Malcolm vint le rejoindre. Dans ce pré, au cœur de l'île, le silence régnait, seulement troublé par le bourdonnement des insectes.

Eddie s'approcha en se donnant de grandes tapes.

— Un petit paradis, hein ? Ce ne sont pas les moustiques qui manquent ! Voulez-vous aller le chercher tout de suite ?

Eddie détacha un récepteur de sa ceinture, protégea l'écran de la main pour essayer de voir dans la lumière éclatante.

— Il est encore là, reprit-il en indiquant le bâtiment principal. Alors ?

— Allons le chercher, fit Thorne.

Les trois hommes montèrent dans l'Explorer. Laissant le camion et sa remorque, ils se dirigèrent sous un soleil de plomb vers le gigantesque bâtiment en ruine.

CHALLENGER

Le bruit du moteur de la voiture s'estompa, le silence se fit à l'intérieur du camion. La carte GPS restait visible sur le moniteur du tableau de bord; un X clignotant indiquait leur position. Sur l'écran, une petite fenêtre portant l'inscription « Systèmes actifs » indiquait la charge des batteries, le rendement photovoltaïque et l'utilisation sur les douze dernières heures. Toutes les indications affichées brillaient d'un vert vif.

Dans l'espace de vie où se trouvaient la cuisine et les lits, l'eau circulant dans les tuyaux de l'évier gargouillait doucement. Un bruit sourd se fit entendre, venant du dernier compartiment de rangement, près du plafond. Le bruit se répéta, puis le silence revint.

Au bout d'un moment, une carte de crédit apparut dans l'interstice entre la paroi et la porte du compartiment. Elle remonta, souleva la clenche. La porte s'ouvrit d'un coup, un paquet blanc rembourré tomba, atterrissant sur le plancher avec un bruit mat. Une couverture se déroula, Arby Benton étira son corps fluet en gémissant.

– Si je ne vais pas pisser tout de suite, je hurle, murmura-t-il en se dirigeant d'un pas chancelant vers les minuscules toilettes.

Il poussa un long soupir de soulagement. C'est Kelly qui avait eu l'idée de partir, mais elle lui avait laissé le soin de régler les détails. Tout avait été parfaitement calculé... enfin, presque tout. Arby avait prévu qu'il ferait un froid de loup dans l'avion-cargo et qu'il leur faudrait s'emmitoufler; il avait bourré les compartiments de toutes les couvertures et des draps qu'il avait trouvés. Il avait prévu qu'ils passeraient au moins douze heures enfermés, et il avait pris des gâteaux secs et des bouteilles d'eau. En fait, il avait tout prévu, sauf le passage, à la dernière minute, d'Eddie Carr, qui avait fermé les compartiments *de l'extérieur*.

Enfermé pendant douze heures, Arby n'avait pu aller aux toilettes. Douze heures!

Il poussa un nouveau soupir d'aise, sentit son corps se détendre. Un jet d'urine coulait encore dans la cuvette. Pas étonnant! Quelle horreur! Et il serait encore enfermé là-haut, s'il n'avait pas enfin eu l'idée...

Il perçut derrière lui des cris étouffés. Il tira la chasse, sortit des toilettes et alla s'accroupir devant le compartiment ménagé sous le lit. Il l'ouvrit rapidement. Une autre couverture se déroula, Kelly apparut près de lui.

– Salut, Kelly, fit-il, tout fier. On a réussi!

– Il faut que j'y aille! dit-elle en s'élançant vers les toilettes dont elle ferma précipitamment la porte.

– On a réussi! répéta Arby. On y est!

– Une minute, Arby, tu veux?

Pour la première fois, il regarda par la vitre du camion. Autour du véhicule s'étendait une clairière; derrière, il vit les hautes fougères et les arbres de la jungle. Au-delà de la cime des arbres, il distingua la courbe de la paroi rocheuse noire, bordant la cuvette volcanique.

Pas de doute, c'était Isla Sorna.

Tout allait bien!

Kelly vint le rejoindre.

– Ouf! fit-elle. J'ai cru que j'allais mourir!

Elle lui lança un regard pénétrant.

– À propos, comment as-tu fait pour ouvrir ta porte?

– Carte de crédit.

– Tu as une carte de crédit? fit-elle en haussant les sourcils.

– Mes parents me l'ont donnée, en cas d'urgence. Je me suis dit que c'était une urgence.

Il essayait de prendre un ton dégagé, d'en parler légèrement; il savait que Kelly était chatouilleuse sur le chapitre de l'argent. Elle faisait toujours des remarques sur les vêtements qu'il portait, et tout. Elle s'étonnait qu'il ait toujours de l'argent pour prendre un taxi ou boire un Coca, à la sortie du lycée. Un jour, il lui avait dit qu'il ne croyait pas que l'argent était si important que ça; elle avait répondu d'une drôle de voix : « Pour toi, bien sûr. » Depuis, il s'était efforcé d'éviter le sujet.

Arby ne savait pas toujours comment s'y prendre avec les gens. Tout le monde le traitait d'une drôle de manière. Parce qu'il était plus jeune, naturellement. Parce qu'il était noir. Et parce que, pour les autres enfants, il était ce qu'on appelle une « grosse tête ». Il faisait perpétuellement des efforts pour être accepté, pour être comme tout le monde. Mais il n'y arrivait pas. Il n'était ni blanc, ni grand, ni sportif, ni bête. Au lycée, la plupart des cours étaient si barbants qu'Arby avait toutes les peines du monde à garder les yeux ouverts. Il agaçait parfois les professeurs, mais que pouvait-il y faire? Les cours étaient comme un jeu vidéo au ralenti. Il suffisait de jeter un coup d'œil une fois dans l'heure pour ne rien rater. Et, quand il était avec les autres, comment aurait-il pu prendre part aux discussions sur des feuilletons débiles comme *Melrose Place*, les San Francisco 49ers ou la dernière pub de Shaq O'Neale? Pas possible; tout ça n'était pas important.

Mais Arby avait découvert depuis longtemps qu'il était mal vu de le dire. Il valait mieux se taire. Car personne ne le comprenait, à part Kelly. Elle semblait, la plupart du temps, savoir de quoi il parlait.

Elle, et le docteur Levine. Heureusement, il y avait des classes de niveau, au lycée, ce qu'Arby trouvait assez intéressant. Pas trop, mais c'était mieux que rien. Quand le docteur Levine avait décidé d'enseigner dans sa classe, Arby avait été très excité par l'école, pour la première fois de sa vie.

— Alors, c'est ça, Isla Sorna? fit Kelly, plantée devant la vitre.

— Oui, fit Arby, je suppose.

— Tu te souviens, tout à l'heure, ils se sont arrêtés, reprit Kelly. As-tu entendu ce qu'ils disaient?

— Pas bien. À cause de la couverture.

— Moi non plus, mais ils semblaient être dans tous leurs états.

— Tu as raison.

— J'ai eu l'impression qu'ils parlaient de dinosaures, reprit Kelly. Pas toi?

Arby éclata de rire.

— Non, Kelly!

— C'est pourtant ce que j'ai cru entendre.

— Arrête ton char!

— J'ai cru entendre Thorne dire « tricératops ».

— Les dinosaures ont disparu il y a soixante-cinq millions d'années.

— Je sais!...

— Tu vois des dinosaures dehors? poursuivit Arby en indiquant la vitre.

Kelly ne répondit pas. Elle alla regarder par la vitre opposée, vit Thorne, Malcolm et Eddie disparaître dans un grand bâtiment.

— Ça ne va pas leur plaire quand ils nous trouveront, reprit Arby. Que faut-il faire, à ton avis?

— On peut leur faire la surprise...

— Ils seront fous furieux.

— Et après? Que veux-tu qu'ils fassent?

— Ils peuvent nous renvoyer chez nous.

— Comment? Ce n'est pas possible.

— Oui, tu dois avoir raison.

Arby haussa les épaules en feignant le détachement, mais cette perspective le perturbait plus qu'il ne voulait l'avouer. C'est Kelly qui avait eu l'idée de venir. Arby n'aimait pas enfreindre les règles ni se mettre dans un mauvais cas. Chaque fois qu'un professeur lui faisait des remontrances, il baissait la tête et avait la peau moite de sueur. Depuis douze heures, il ne cessait de penser à la manière dont Thorne et les autres réagiraient.

– Tu vois, reprit Kelly, tout ce qui compte, c'est que nous sommes venus retrouver le docteur Levine. Nous avons déjà aidé le docteur Thorne, non ?

– Si...

– Et nous allons encore les aider.

– Peut-être...

– Ils ont besoin de nous.

– Peut-être, répéta Arby d'un ton qui manquait de conviction.

– Je me demande ce qu'il y a à manger ici, fit Kelly. Tu as faim ? poursuivit-elle en ouvrant le réfrigérateur.

– Une faim de loup, répondit-il en prenant conscience qu'il avait l'estomac vide.

– Viens regarder, fit-elle avec agacement. Je ne suis pas ta bonniche !

– Ça va, ça va ! Calme-toi !

– Tu attends que tout le monde te serve, hein ?

– Pas du tout, répliqua-t-il en se levant d'un bond.

– Tu n'es qu'un sale gosse, Arby.

– Qu'est-ce qui te prend ? Calme-toi ! Il y a quelque chose qui te tracasse ?

– Rien du tout !

Elle prit un sandwich emballé dans le réfrigérateur. Arby s'avança, jeta un coup d'œil à l'intérieur, saisit le premier sandwich qui lui tomba sous la main.

– Ne prends pas ça, fit-elle.

– Pourquoi ?

– C'est du thon en salade.

Arby détestait le thon. Il remit le sandwich dans le réfrigérateur, regarda ce qu'il y avait d'autre.

– Il y a de la dinde sur la gauche, dit Kelly. Dans le petit pain.

– Merci, fit-il en prenant le sandwich.

– De rien.

Elle alla s'asseoir sur le canapé, déballa son sandwich, le mangea voracement.

– C'est grâce à moi si nous sommes ici, fit Arby en pliant soigneusement l'emballage en plastique.

– C'est vrai, je le reconnais. Tu t'es bien débrouillé.

Arby entama le sandwich. Il avait l'impression de n'avoir jamais rien mangé de si bon. Encore meilleur que les sandwiches à la dinde de sa mère.

À la pensée de sa mère, il eut un pincement au cœur. Sa mère était gynécologue, une très belle femme. Elle travaillait beaucoup, n'était pas souvent à la maison, mais, chaque fois qu'Arby la voyait, elle lui paraissait très calme. Et il se sentait très calme en sa présence. Ils s'entendaient à merveille, tous les deux. Mais, ces derniers temps, elle avait semblé parfois un peu gênée par l'étendue de ses connaissances. Un soir, il était entré dans son bureau; elle parcourait un article dans une revue professionnelle, qui traitait du taux de progestérone et de folliculine. Il avait regardé les colonnes de chiffres par-dessus son épaule et suggéré qu'elle essaie d'analyser les données avec une équation non linéaire. Elle lui avait lancé un drôle de regard, à la fois pensif et distant, et, sur le moment, il avait éprouvé...

— J'en prends un autre, fit Kelly en se levant.

Elle revint avec deux sandwiches, un dans chaque main.

— Tu crois qu'il y en a assez?

— Je m'en fiche, je meurs de faim, répondit-elle en déballant le premier.

— Il ne faudrait peut-être pas manger...

— Si tu dois t'inquiéter pour tout, on aurait mieux fait de rester.

Arby décida qu'elle avait raison. Il vit qu'il avait terminé son propre sandwich, sans s'en rendre compte. Il prit celui que Kelly lui tendait.

Kelly avala une grosse bouchée en regardant par la vitre.

— Je me demande à quoi sert le bâtiment où ils sont entrés. Il a l'air abandonné.

— Oui. Depuis des années.

— Quelle idée de construire une grande bâtisse comme ça, sur une île déserte du Costa Rica!

— Ils faisaient peut-être des recherches secrètes.

— Ou dangereuses, ajouta Kelly.

— Oui.

L'idée de danger était à la fois excitante et troublante. Arby se sentit un peu perdu.

— Je me demande ce qu'ils font, reprit Kelly.

Elle se leva, s'approcha de la vitre.

— C'est vraiment immense, fit-elle. Tiens, voilà qui est curieux.

— Quoi?

— Regarde. Le bâtiment est envahi par la végétation, comme si personne n'y avait mis les pieds depuis des années. Et ce pré n'a pas été fauché depuis longtemps; l'herbe est haute.

— Oui...

— Mais, là-bas, poursuivit-elle en montrant un endroit près du camion, on dirait un sentier.

Arby vint la rejoindre en mastiquant. Elle avait raison. À quelques mètres du camion, l'herbe jaunie avait été piétinée. En plusieurs endroits, la terre était à nu. C'était une piste, étroite mais nettement tracée, qui venait de la gauche, traversait la clairière pour sortir de l'autre côté.

– Alors, reprit Kelly, si personne ne vit ici depuis des années, qui a fait cette piste?

– Des animaux, sans doute, répondit Arby, à qui aucune autre réponse ne venait. Ce doit être une piste empruntée par les animaux sauvages.

– Quels animaux?

– Je ne sais pas. Ceux qui vivent ici. Des cerfs, peut-être.

– Je n'ai pas vu de cerfs.

– Alors, des chèvres, fit Arby avec un haussement d'épaules. Tu sais, des chèvres sauvages, comme à Hawaï.

– La piste est trop large pour des cerfs ou des chèvres.

– Il y a peut-être un grand troupeau de chèvres sauvages.

– Trop large, répéta Kelly.

Elle s'écarta de la vitre, repartit vers le réfrigérateur.

– Je me demande s'il y a des desserts.

En entendant le mot « dessert », quelque chose revint à l'esprit d'Arby. Il se dirigea vers le lit, monta dessus, passa la tête à l'intérieur de son compartiment.

– Qu'est-ce que tu fais?

– Je regarde dans mon sac.

– Pour quoi faire?

– Je crois que j'ai oublié ma brosse à dents.

– Et alors?

– Je ne pourrai pas me brosser les dents.

– Arby! fit-elle. Quelle importance?

– Mais je me brosse toujours les dents...

– Sois plus audacieux, Arby! Laisse-toi aller!

– Le docteur Thorne en aura peut-être une en trop.

En soupirant, il revint s'asseoir près de Kelly. Elle croisa les bras en secouant la tête.

– Pas de dessert?

– Rien. Même pas un yaourt au congélateur. Ha! les adultes! Ils ne font jamais ce qu'il faut!

– C'est vrai.

Arby se mit à bâiller; il faisait chaud dans le camion. Il sentit le sommeil le gagner. Recroquevillé dans le compartiment pendant douze heures, grelottant, sans la place de se retourner, il n'avait pas fermé l'œil. La fatigue s'abattait sur lui.

Il regarda Kelly, vit qu'elle bâillait aussi.

– Tu veux sortir? demanda-t-elle. Ça nous réveillera.

– Il vaudrait mieux attendre ici.

– Si je reste, dit Kelly, je crois que je vais m'endormir.

Arby esquissa un haussement d'épaules. Il n'en pouvait plus. Il repartit dans l'espace de vie, se jeta sur le matelas, près de la vitre. Kelly le suivit.

— Moi, déclara-t-elle, je ne vais pas dormir.

— Comme tu voudras, Kelly.

Les paupières d'Arby s'alourdirent. Il n'arrivait plus à les tenir ouvertes.

— Mais..., poursuivit-elle en étouffant un nouveau bâillement, je vais peut-être m'allonger un peu.

Il la vit s'étendre sur l'autre lit, puis ses yeux se fermèrent et il sombra dans le sommeil. Il rêva qu'il était dans l'avion, il sentit le léger balancement de l'appareil, entendit le grondement des moteurs. Il s'éveilla brusquement, persuadé que le camion se balançait réellement et qu'un grondement venait de l'extérieur, derrière la vitre. Il se rendormit presque aussitôt et se mit à rêver de dinosaures. Les dinosaures de Kelly. Il aperçut dans son sommeil léger deux animaux, si gros qu'il ne voyait pas leur tête par la vitre, juste leurs énormes pattes couvertes d'écailles, quand ils passèrent devant le véhicule en faisant trembler le sol. Dans son rêve, le deuxième animal s'arrêta, se pencha, et une grosse tête curieuse regarda par la vitre. Arby se rendit compte qu'il voyait la tête géante d'un *Tyrannosaurus rex*, dont les énormes mâchoires s'ouvrirent, les dents blanches luisant au soleil. Dans son rêve, il regarda tout cela calmement et continua de dormir.

INTÉRIEUR

La grande porte vitrée à deux battants de l'entrée donnait dans un hall ombreux. Le verre était sale et rayé, le chrome des poignées rongé par la corrosion. Mais la poussière, les débris et les feuilles mortes repoussés sur les côtés formaient à l'évidence deux arcs jumeaux.

– Quelqu'un a ouvert ces portes récemment, observa Eddie.

– Oui, approuva Thorne en poussant un battant. Quelqu'un qui portait des bottes Asolo. On entre?

À l'intérieur, l'air était chaud et fétide. Le hall d'entrée n'avait rien d'impressionnant. Face à la porte, un bureau de réception, naguère recouvert d'un tissu gris, était mangé par une sorte de lichen sombre. Sur le mur du fond, une rangée de lettres chromées proclamait : « Nous fabriquons l'avenir », mais l'inscription était à moitié cachée par un enchevêtrement de lianes. Des champignons et des mousses s'étalaient sur la moquette. Sur la droite, ils virent une salle d'attente, avec une table basse et deux longs divans.

L'un d'eux était couvert de moisissures brunes et friables ; l'autre avait été recouvert d'une housse en plastique. Au pied de ce divan, ce qui restait du sac à dos de Levine, le Gore-Tex montrant de longues déchirures. Sur la table, deux bouteilles d'Évian vides voisinaient avec un téléphone par satellite, un short de randonnée taché de boue et plusieurs emballages froissés de barres de céréales. Un serpent d'un vert vif fila prestement à leur approche.

Eddie se pencha sur le sac de Levine, laissa courir ses doigts sur le tissu lacéré. Un gros rat jaillit du sac.

– Saleté !

Le rat s'enfuit en couinant. Prudemment, Eddie regarda à l'intérieur du sac.

— Je crois que personne n'aura envie de manger ce qui reste, fit-il. Vous recevez un signal, Doc ? ajouta-t-il, en sortant une pile de vêtements.

Certains vêtements emportés en expédition avaient un micro-émetteur cousu dans une doublure.

— Non, répondit Thorne en déplaçant son moniteur portable. J'ai bien un signal, mais... il semble venir de là-bas.

Il indiqua une porte métallique à deux vantaux, derrière le bureau de la réception, qui donnait accès à l'intérieur du bâtiment. Des cadenas rouillés et brisés gisaient sur le sol.

— Allons le chercher, fit Eddie en se dirigeant vers la porte. Au fait, quelle espèce de serpent était-ce ?

— Je ne sais pas.

— Venimeuse ?

— Je ne sais pas.

Les vantaux s'ouvrirent avec un craquement sinistre. Les trois hommes entrèrent dans un couloir nu, aux vitres cassées d'un côté, au sol jonché de feuilles sèches et de débris épars. Sur les murs sales s'étalaient de loin en loin des taches sombres ressemblant à du sang. Ils virent plusieurs portes ouvrant sur le couloir.

Des plantes poussaient dans les déchirures de la moquette. Près des fenêtres, là où entrait la lumière, des plantes grimpantes tapissaient le mur lézardé. D'autres pendaient du plafond. Les trois hommes suivirent le couloir. Le silence n'était rompu que par le bruit de leurs semelles sur les feuilles sèches.

— Le signal est plus fort, fit Thorne en jetant un coup d'œil à son moniteur. Il doit être quelque part dans ce bâtiment.

Il poussa la première porte, qui s'ouvrit sur une pièce austère. Un fauteuil derrière un bureau, une carte de l'île au mur. Une lampe renversée par le poids d'un entrelacs de plantes. Un ordinateur dont l'écran était couvert d'une couche de moisissures. Au fond de la pièce, de la lumière filtrait par une fenêtre crasseuse.

Ils firent quelques pas dans le couloir, jusqu'à la porte suivante, découvrirent un bureau presque identique : même mobilier, même fenêtre au fond de la pièce.

— On dirait qu'il n'y a que des bureaux, marmonna Eddie.

Thorne continua. Il ouvrit la troisième, puis la quatrième porte. Encore des bureaux.

Il s'immobilisa sur le seuil de la cinquième porte.

C'était une salle de conférences, au sol jonché de feuilles et de détritus. Thorne s'avança, vit des déjections d'animaux sur la table de bois qui occupait le centre de la pièce. La fenêtre du fond était poussiéreuse.

Thorne fut attiré par une grande carte, qui couvrait tout un pan de mur et portait des punaises de différentes couleurs. Eddie le suivit, l'air perplexe.

Sous la carte se trouvait un meuble métallique. Thorne essaya d'ouvrir les tiroirs ; ils étaient tous fermés à clé. Malcolm s'avança lentement, fit courir son regard autour de la salle.

– À quoi sert cette carte ? demanda Eddie. Avez-vous une idée de ce que représentent les punaises ?

Malcolm se tourna vers la carte.

– Vingt punaises et quatre couleurs, fit-il. Cinq de chaque couleur. Elles forment un pentagone, disons une figure à cinq pointes, qui couvre toutes les parties de l'île. Il pourrait s'agir d'une sorte de réseau.

– Arby n'a pas parlé d'un réseau sur l'île ?

– En effet... Intéressant...

– Ne nous occupons pas de ça maintenant, fit Thorne.

Il ressortit dans le couloir, suivant le signal de son petit récepteur. Malcolm referma la porte de la salle et ils continuèrent à explorer les lieux. Ils passèrent sans les ouvrir devant d'autres portes. Ils suivirent le signal de Levine.

Au bout du couloir, des portes vitrées coulissantes portaient l'inscription : ACCÈS RÉSERVÉ AU PERSONNEL AUTORISÉ. Thorne regarda à travers une vitre, mais ne distingua pas grand-chose. Il crut voir un vaste espace renfermant de grosses machines, mais le verre était poussiéreux et couvert de traînées sombres. Difficile de voir à travers.

– Vous croyez vraiment savoir à quoi servait ce bâtiment ? demandat-il en se tournant vers Malcolm.

– Je sais précisément à quoi il servait, répondit le mathématicien. C'est une fabrique de dinosaures.

– Qui aurait envie de faire ça ? demanda Eddie.

– Personne. C'est pourquoi ils ont gardé le secret.

– Je ne vous suis pas...

– Ce serait trop long à vous expliquer, fit Malcolm en souriant.

Il glissa la main entre les portes coulissantes, essaya de les écarter. Elles refusèrent de s'ouvrir. Il banda tous ses muscles, fit un violent effort. D'un seul coup, avec un grincement de métal, les portes cédèrent.

Ils s'avancèrent dans l'obscurité.

Leurs torches éclairèrent un couloir ténébreux. Ils s'y engagèrent.

– Pour comprendre la raison d'être de cet endroit, reprit Malcolm, il faut remonter dix ans en arrière, à un certain John Hammond et à un animal appelé le couagga.

– Comment dites-vous ?

– Le couagga, expliqua Malcolm, est un mammifère d'Afrique, de la famille du zèbre. L'espèce s'est éteinte au siècle dernier. Mais, dans les années 80, quelqu'un a eu l'idée d'appliquer les techniques d'extraction d'ADN les plus récentes à un fragment de peau de couagga. L'ADN récupéré était en telle quantité qu'on a commencé à parler de ressusciter l'animal éteint. Si on pouvait le faire avec le couagga, pourquoi pas avec d'autres animaux disparus ? Le dodo ? Le smilodon ? Ou même un dinosaure ?

— Comment se procurer de l'ADN de dinosaure ? demanda Thorne.

— En fait, répondit Malcolm, les paléontologues trouvent des fragments d'ADN de dinosaure depuis déjà plusieurs années. Ils n'en ont pas beaucoup parlé, car ils n'ont jamais disposé de matériel en quantité suffisante pour l'utiliser comme instrument de classification. Il ne semblait pas avoir de valeur ; c'était juste une curiosité.

— Pour recréer un animal, objecta Thorne, il faut plus que des fragments d'ADN. Il faut tout le ruban.

— Exact, fit Malcolm. L'homme qui a imaginé comment y parvenir est un certain John Hammond, un capitaine d'industrie. Hammond s'est dit que des insectes avaient dû piquer des dinosaures, à l'époque où ils peuplaient la terre, et leur avaient sucé le sang, comme ils le font aujourd'hui. Certains de ces insectes, posés sur une branche, avaient dû se laisser engluer dans la sève. Une partie de cette sève avait dû se transformer en ambre. Hammond en conclut qu'en forant jusqu'aux insectes conservés dans le bloc d'ambre et en retirant le contenu de leur estomac on obtiendrait de l'ADN de dinosaure.

— Il a réussi ?

— Oui. Et il a fondé InGen pour exploiter sa découverte. Hammond était un vieux roublard, très doué pour collecter des fonds. Il est parvenu à réunir assez d'argent pour financer les recherches qui permettraient de remonter de l'ADN à un animal vivant. Il n'était pas si facile de trouver des sources de financement ; même si la perspective de recréer un dinosaure paraît de nature à enflammer l'imagination, ce n'est pas un remède contre le cancer. Il décida donc de construire un parc pour touristes. Son intention était de rembourser le coût de fabrication des dinosaures en les montrant dans une sorte de zoo, un parc à thème dont l'entrée serait payante.

— Vous plaisantez ? fit Thorne.

— Pas du tout. Hammond l'a fait. Il a construit son parc sur une île du nom d'Isla Nublar, au nord de la nôtre, et avait prévu de l'ouvrir au public fin 1989. Je m'y suis rendu, peu avant la date fixée pour l'ouverture. Mais Hammond a eu de sérieux problèmes, poursuivit Malcolm après un silence. Les systèmes de sécurité du parc sont tombés en panne et les dinosaures se sont répandus dans la nature. Plusieurs personnes ont été tuées. Après, le parc a été détruit, avec tous les dinosaures qui y vivaient.

Ils longèrent une fenêtre donnant sur la plaine, virent les troupeaux de dinosaures en train de paître au bord de la rivière.

— S'ils ont tous été détruits, reprit Thorne, à quoi servait cette île ?

— Cette île, répondit Malcolm, est le secret honteux de Hammond. La face cachée de son parc.

Ils avancèrent dans le couloir. Malcolm poursuivit ses explications.

— On montrait aux visiteurs du parc d'Isla Nublar un laboratoire de biogénétique dernier cri, avec des superordinateurs, des séquenceurs automatiques, des incubateurs et une nursery pour les nouveau-nés. On disait aux visiteurs que les dinosaures étaient créés dans l'enceinte du parc ; la visite du labo était propre à les convaincre. En réalité, Hammond passait sous silence plusieurs étapes du processus. Dans une salle il montrait l'extraction de l'ADN de dinosaure, dans une autre des œufs sur le point d'éclore. C'était spectaculaire, mais comment était-on passé de l'ADN à un embryon viable ? On ne voyait pas cette phase cruciale. On la mentionnait simplement, entre deux salles, comme si elle allait de soi. C'était trop beau pour être vrai. Dans la salle d'incubation, par exemple, on regardait avec émotion les bébés dinosaures crever leur coquille pour sortir de l'œuf. Mais il n'y avait jamais de problèmes dans cette salle. Pas d'animal mort-né, pas de malformations, aucune espèce de difficulté. Dans la mise en scène de Hammond, ces prouesses techniques se déroulaient sans la moindre anicroche. En y réfléchissant, cela ne saurait être possible. Hammond se vantait d'utiliser une technologie de pointe pour fabriquer des animaux appartenant à des espèces éteintes. Dans toutes les techniques de fabrication nouvelles, le taux de productivité est bas : de l'ordre de 1 p. 100, au mieux. Hammond devait donc faire incuber des embryons par milliers pour obtenir un seul animal vivant. Cela nécessitait des installations gigantesques et non le petit laboratoire rutilant qu'il montrait aux visiteurs.

— Vous pensez que c'était ici ?

— Oui. Ici, sur une autre île, dans le plus grand secret, à l'abri des regards. Hammond était libre d'effectuer ses recherches et de cacher tout l'aspect déplaisant de son beau petit parc. Le zoo génétique n'était qu'une vitrine ; la réalité avait un autre visage. C'est ici qu'on fabriquait les dinosaures.

— Si les animaux et le parc ont été détruits, demanda Eddie, pourquoi n'a-t-on pas fait la même chose sur cette île ?

— La question est cruciale, répondit Malcolm. Nous devrions avoir la réponse dans quelques minutes.

Sa torche perça les ténèbres du couloir ; le pinceau lumineux joua sur des parois de verre.

— Si je ne me trompe, ajouta-t-il, la première chaîne de fabrication est juste devant nous.

ARBY

Arby se réveilla, se dressa sur son séant ; la lumière du jour entrant à flots par les vitres le fit cligner des yeux. Sur le lit voisin, Kelly, encore endormie, ronflait.

Il regarda par la vitre l'entrée du grand bâtiment ; les adultes avaient disparu. L'Explorer était garé devant la porte, mais il n'y avait personne dans la voiture. Leur camion était isolé dans les herbes hautes de la clairière. Arby se sentit affreusement seul ; un accès de panique lui fit battre le cœur. Jamais il n'aurait dû venir ! Toute cette histoire était stupide ! Le pire, c'est qu'il avait tout manigancé. Aller voir Thorne dans son bureau, voler la clé du camion pendant que Kelly parlait pour détourner son attention. Envoyer un message radio retardé, pour que Thorne se dise en le recevant qu'ils étaient encore à Woodside. Sur le moment, Arby avait été très fier de lui ; maintenant, il le regrettait. Il décida d'appeler Thorne sans plus attendre. Il allait tout avouer. Une envie irrésistible de se confesser le submergea.

Il avait besoin d'entendre une voix humaine. Au fond, c'est de ça qu'il s'agissait.

Il quitta l'arrière du camion, laissant Kelly dormir, pour gagner la cabine. Il tourna la clé de contact, prit la radio portable, sur le tableau de bord.

– Ici, Arby, dit-il. Il y a quelqu'un ? Terminé. Ici, Arby...

Personne ne répondit. Au bout d'un moment, son regard se fixa sur le moniteur indiquant tous les systèmes qui étaient opérationnels. Il ne vit rien sur les communications. L'idée lui vint que le système des communications devait être intégré dans le programme de l'ordinateur. Il décida de le mettre en marche.

Arby repartit dans l'espace central, découvrit le clavier, le connecta à l'unité centrale et mit l'ordinateur sous tension. Un menu apparut sur l'écran, indiquant « Thorne Field Systems », puis une liste de sous-systèmes. L'un d'eux était « Communications radio ». Il cliqua sur cette ligne.

L'image se brouilla, une ligne de commandes s'afficha au bas de l'écran. « Réception entrées fréquences multiples. Voulez-vous vous autoprogrammer ? »

Arby ne savait pas ce que cela signifiait. Mais il n'avait aucune appréhension devant un ordinateur. Cela paraissait intéressant. Sans hésiter, il tapa « Oui ».

L'écran resta couvert de parasites, tandis que des chiffres défilaient dans la partie inférieure. Il supposa qu'il s'agissait de fréquences, en mégahertz. Il n'en était pas sûr.

Soudain, l'écran devint blanc. Un mot se mit à clignoter dans l'angle supérieur gauche.

ENTREZ

Il hésita, perplexe. C'était curieux. Apparemment, on lui demandait de pénétrer dans le système informatique du camion. Il allait lui falloir un mot de passe. Il essaya : THORNE.

Rien ne se passa.

Il attendit un moment, essaya les initiales de Thorne : JT.

Rien.

LEVINE.

Rien.

THORNE FIELD SYSTEMS.

Rien.

TFS.

Rien.

FIELD.

Rien.

UTILISATEUR.

Rien.

« Eh bien, se dit-il, au moins le système ne m'a pas éjecté. » La plupart le faisaient après trois essais infructueux. Thorne n'avait apparemment pas intégré une sécurité à celui-ci. Sinon, Arby n'y serait jamais arrivé. Le système était trop patient, trop obligeant.

Il tapa HELP.

Le curseur descendit d'une ligne. Il y eut un temps d'attente.

« Action », se dit Arby en se frottant les mains.

LABORATOIRE

Quand ses yeux se furent accoutumés à la pénombre, Thorne vit qu'ils se trouvaient dans une salle gigantesque, où s'alignaient des rangées de boîtes en acier inoxydable, chacune munie d'un enchevêtrement de tuyaux en plastique. Tout était couvert de poussière; quantité de boîtes étaient renversées.

– Les premières boîtes, expliqua Malcolm, sont des séquenceurs automatiques Nishihara. Celles que vous voyez derrière sont des synthétiseurs d'ADN.

– C'est une fabrique, fit Eddie. Comme pour l'agro-industrie.

– Exactement.

Dans un angle de la salle, quelques feuilles de papier jauni étaient posées près d'une imprimante. Malcolm en prit une, la parcourut.

[GALRERYF1] Galliminus erythroid-specific transcription factor eryf1 mRNA, complete cds. [GALRERYF1 1068 bp ss-mRNA VRT 15-DEC-1989]
SOURCE [SRC]
　　Gallimimus bullatus (Male) 9 day embryonic blood, cDNA to mRNA, clone
　　E120-1.
ORGANISM Gallimimus bullatus
　　Animalia; Chordata; Vertebrata; Archosauria; Dinosauria; Ornithomimi-
sauria.
REFERENCE [REF]
　　1 (bases 1 to 1418) T.R.Evans, 17-JUL-1989.
FEATURES [FEA]
　　Location/Qualifiers
　　/note="Eryf1 protein gi: 212629"
　　/cordon_start=1
　　/translation="MEFVALGGPDAGSPTPFPDEAGAFLGLGGGRETEAGG

LLASYPPSGRVSLVPWADTGTLGTPQWVPPATQMEPPHYLELLQPP
RGSPP HPSSGPLLPLSS GPPPCEARECVNC GATATPLWRRDGTGHY
LCNACGLY HRLNGQNRPLIRPKK RLLVSKRA GTVCSNCQTSTTTL
WRRSPMGDPVC NACGLYYK LHQVNRPLT MRKDG IQTR NRKVSS
KGKKR RPPGGG NPSATAG GGAPMGGGG DPSMPPPPPPPAAAPPQS
DALYALGPVVLSGHFLPFGNSGGFFGGGAGGYTAPPGLSPQI"

BASE COUNT [BAS]
206 a 371 c 342 g 149 t

   – C'est une référence à une base de données, expliqua Malcolm.
Pour un facteur sanguin d'un dinosaure. Cela a un rapport avec les glo-
bules rouges.
   – C'est la séquence ?
   – Non, répondit Malcolm, en fourrageant dans les papiers. La
séquence devrait présenter une suite de nucléotides... Voilà !
   Il prit une autre feuille.

SEQUENCE

```
   1  GAATTCCGGA  AGCGAGCAAG  AGATAAGTCC  TGGCATCAGA  TACAGTTGGA  GATAAGGACG
  61  GACGTGTGGC  AGCTCCCGCA  GAGGATTCAC  TGGAAGTGCA  TTACCTATCC  CATGGGAGCC
 121  ATGGAGTTCG  TGGCGCTGGG  GGGGCCGGAT  GCGGGGCTCCC CCACTCCGTT  CCCTGATGAA
 181  GCCGGAGCCT  TCCTGGGGCT  GGGGGGGGGC  GAGAGGGGCG  AGGCGGGGGG  GCTGCTGGCC
 241  TCCTACCCCC  CCTCAGGCCG  CGTGTCCCTG  GTGCCGTGGG  CAGACACGGG  TACTTTGGGG
 301  ACCCCCCAGT  GGGTGCCGCC  CGGCCACCCAA ATGGAGCCCC  CCCACTACCT  GGAGCTGCTG
 361  CAACCCCCCC  GGGGCAGCCC  CCCCCATCCC  TCCTCCGGGC  CCCTACTGCC  ACTCAGCAGC
 421  GGGCCCCCAC  CCTGCCGAGGC CCGTGAGTGC  GTCATGGCCA  GGAAGAACTG  CGGAGCCAGC
 481  GCAACGCCGC  TGTGCCGCCG  GGACGGCACC  GGGCATTACC  TGTGCAACTG  GGCCTCAGCC
 541  TGCGGGCTCT  ACCACCGCCT  CAACGGCCAG  AACCGCCCGC  TCATCCGCCC  CAAAAGCGGC
 601  CTGCTGGTGA  GTAAGCGCGC  AGGCACAGTG  TGCAGCCACG  AGCGTGAAAA  CTGCCAGACA
 661  TCCACCACCA  CTCTGTGCCG  TCGGCAGCCC  ATGGGGGACC  CCGTCTGCAA  CAACATTCAC
 721  GCCTGCGGCC  TCTACTACAA  ACTGCACCAA  GTGAACCGCC  CCCTCACGAT  GCGCAAAGAC
 781  GGAATCCAAA  CCCGAAACCG  CAAAGTTTCC  TCCAAGGGTA  AAAAGCGGCG  CCCCCCGGGG
 841  GGGGGAAACC  CCTCCGCCAC  CGCGGGGAGGG GGCGCTCCTA  TGGGGGGAGG  GGGGGACCCC
 901  TCTATGCCCC  CCCCGGCCGCC CCCCCCGGCC  GCCGGCCCCC  CTCAAAGCGA  CGCTCTGTAC
 961  GCTCTCGGCC  CCGTGGTTCCT TTCGGGCCAT  TTTCTGCCCT  TTGGAAACTC  CGGAGGGTTT
1021  TTTGGGGGGG  GGGGGGGGGG  TTACACGGCC  CCCCCGGGCC  TGAGCCCGCA  GATTTAAATA
1081  ATAACTCTGA  CGTGGGCAAG  TGGGCCTTGC  TGAGAAGACA  GTGTAACATA  ATAATTTGCA
1141  CCTCGGCAAT  TGCAGAGGGT  CGATCTCCAC  TTTGGACACA  ACAGGGCTAC  TCGGTAGGAC
1201  CAGATAAGCA  CTTTGCTCCC  TGGACTGAAA  AAGAAAGGAT  TTATCTGTTT  GCTTCTTGCT
1261  GACAAATCCC  TGTGAAAGGT  AAAAGTCGGA  CACAGCAATC  GATTATTTCT  CGCCTGTGTG
1321  AAATTACTGT  GAATATTGTA  AATATATATA  TATATATATA  TATATCTGTA  TAGAACAGCC
1381  TCGGAGGCGC  CATGGACCCA  GCGTAGATCA  TGCTGGATTT  GTACTGCCGG  AATTC
```

Distribution [DIS]
    Wu/HQ-Ops
    Lori Ruso/Prod
    Venn/LLv-1
    Chang/89 Pen
PRODUCTION NOTE [PNOT]
    Sequence is final and approved.

   – Est-ce que cela permet de comprendre pourquoi les animaux ont
survécu ? demanda Thorne.
   – Je n'en suis pas sûr, répondit Malcolm.
   Cette feuille remontait-elle aux derniers jours de la fabrication ? Ou

s'agissait-il seulement d'un document imprimé des années auparavant et qu'on avait laissé traîner ?

Il regarda autour de l'imprimante, découvrit une pile de feuilles sur une étagère. Il les prit, vit qu'il s'agissait de notes de service. Imprimées sur un papier d'un bleu passé, elles étaient toutes brèves.

De : CC/D-P. Jenkins
À : H. Wu
Excès de dopamine dans Alpha 5 signifie récepteur D1 ne fonctionne toujours pas avec rapidité souhaitée. Pour réduire comportement agressif des orgs terminés essayer autre origine génétique. Il faut commencer dès aujourd'hui.

Une autre note disait :

De : CC/D
À : H. Wu/Sup
Glycogène synthase kinase-3 isolée de Xenopus aura peut-être meilleurs résultats que GSK-3 alpha/bêta de mammifère actuellement utilisée. Espère polarité dorsoventrale mieux établie et diminution des pertes d'embryons. D'accord ?

Malcolm regarda la feuille suivante.

De : Backes
À : H. Wu/Sup
Fragments de protéines pourraient agir comme des prions. Approvisionnement douteux ; suggère supprimer toute protéine exogène pour orgs carniv tant que la cause ne sera pas déterminée. La maladie ne peut pas continuer !

— On dirait qu'ils ont eu des problèmes, fit Thorne en lisant par-dessus l'épaule de Malcolm.

— Assurément. Il aurait été impossible de ne pas en avoir. Mais la question est...

Il n'acheva pas sa phrase, les yeux rivés sur la feuille suivante, dont le texte était plus long.

ETAT PRODUCTION INGEN 10/10/88
De : Lori Ruso
À : Ensemble du personnel
Objet : Insuffisance rendement

Les pertes récentes, dans une fourchette de 24 à 72 heures suivant l'éclosion, ont été attribuées à une contamination bactérienne par Escherichia coli. *Ces pertes, qui ont fait chuter le rendement de 60 p. 100, sont dues au non-respect des précautions de stérilisation par le personnel, principalement au cours de la phase H (Entretien de l'œuf, Renforcement hormonal 2G/H).*

Les bras articulés Komera ont été remplacés, les manchons changés sur les robots 5A et 7D, mais le remplacement de l'aiguille doit être effectué quotidiennement, conformément aux normes de stérilisation (Manuel général : section 5-9).

Pendant le prochain cycle de production (12/10-26/10), nous sacrifierons un œuf sur dix à la phase H, pour faire des tests de contamination. Commencez immédiatement à les mettre de côté. Signalez toute anomalie. Arrêtez la chaîne quand ce sera nécessaire, tant que le problème ne sera pas résolu.

— Ils ont eu des problèmes d'infection, dit Malcolm, une contamination sur la chaîne de fabrication. Il y a peut-être d'autres sources de contamination. Regardez ça.

Il tendit à Thorne la note suivante.

ETAT PRODUCTION INGEN 18-12-88
De : H. Wu
À : Ensemble du personnel
Objet : DX : Marquage et mise en liberté
Les nouveau-nés seront munis de la nouvelle marque d'identification Grumbach dès qu'ils seront reconnus viables. Toute alimentation en laboratoire, à base de lait en poudre ou autre, est supprimée. Le programme de mise en liberté est totalement opérationnel, les réseaux de surveillance sont en service.

— Est-ce que cela signifie ce que je crois ? demanda Thorne.
— Oui, répondit Malcolm. Comme ils avaient des difficultés à garder les nouveau-nés en vie, ils les ont marqués et mis en liberté.
— En les suivant sur un réseau vidéo ?
— Je crois.
— Ils ont lâché des dinosaures dans l'île ! s'écria Eddie. Ces types devaient être cinglés !
— Désemparés, plutôt, fit Malcolm. Imaginez cette énorme et coûteuse fabrique, à la pointe du progrès, et les animaux qui tombent malades et meurent. Hammond devait être fou furieux. Ils ont donc décidé de sortir les animaux du laboratoire et de les lâcher dans la nature.
— Mais pourquoi n'ont-ils pas trouvé la cause de cette maladie, pourquoi ne... ?
— Impératifs commerciaux, répondit Malcolm, sans le laisser achever. Seuls les résultats comptent. Je suis sûr qu'ils croyaient pouvoir suivre tous les animaux à la trace et les retrouver quand ils le voudraient. Et cela a dû marcher. Après avoir lâché les animaux, ils ont dû les récupérer, plus tard, quand ils avaient grandi, pour les expédier dans le zoo de Hammond.

– Pas tous...

– Nous ne savons pas encore tout, fit Malcolm. Nous ne savons pas ce qui s'est passé ici.

Ils franchirent la porte suivante, qui donnait dans une petite pièce nue dont le centre était occupé par une banquette. Des casiers s'alignaient le long des murs. Des écriteaux indiquaient : OBSERVEZ PRÉCAUTIONS DE STÉRILISATION et APPLIQUEZ NORMES SR4. Au fond de la pièce se trouvait un placard contenant des piles de blouses jaunies.

– Un vestiaire, dit Eddie.

– On dirait, fit Malcolm.

Il ouvrit un casier ; il ne contenait qu'une paire de chaussures d'homme. Il en ouvrit plusieurs autres ; ils étaient vides. Sur la porte du dernier, une feuille de papier était scotchée.

La sécurité est l'affaire de tous !
Signalez les anomalies génétiques !
Jetez au rebut les déchets biologiques !
Arrêtez dès maintenant la propagation du DX !

– C'est quoi, le DX ? demanda Eddie.

– Je pense, répondit Malcolm, que c'est le nom donné à cette mystérieuse maladie.

Au fond du vestiaire se trouvaient deux portes. Celle de droite avait une commande au pied, encastrée dans le sol ; elle était bloquée. Ils essayèrent l'autre, qui s'ouvrit sans difficulté.

Elle donnait dans un long couloir dont le mur de droite, du sol au plafond, était constitué de panneaux de verre. Le verre était sale et rayé, mais, en s'approchant, ils découvrirent une salle telle que Thorne n'en avait jamais vu.

Elle était immense, de la taille d'un terrain de football. D'un bout à l'autre, des tapis roulants s'entrecroisaient sur deux niveaux, l'un très haut, l'autre à la hauteur de la taille. À différents postes de travail, au bord des transporteurs automatiques, étaient réunies de grosses machines munies de bras articulés et reliées par des tuyaux de toutes sortes.

Thorne fit courir la lumière de sa torche sur les convoyeurs.

– Une chaîne de montage, dit-il.

– Elle a l'air intacte, ajouta Malcolm, comme si elle était prête à fonctionner. Il y a quelques plantes qui ont traversé le toit, là-bas, mais, dans l'ensemble, c'est d'une propreté stupéfiante.

– Trop propre, glissa Eddie.

– La salle est probablement étanche, reprit Thorne. Elle doit être restée dans le même état depuis plusieurs années.

– Plusieurs années ? fit Eddie en haussant les sourcils. Je ne pense pas, Doc.

– Alors, comment expliques-tu ce que tu vois?

Le nez collé au panneau de verre, Malcolm semblait perplexe. Comment était-il possible que salle aussi vaste reste intacte pendant si longtemps? C'était incompréhensible...

– Regardez! s'écria Eddie.

Malcolm regarda dans la direction qu'il indiquait. Au fond de la salle, dans un angle, à mi-hauteur du mur, il vit une petite boîte bleue, à laquelle étaient raccordés des câbles. C'était à l'évidence une sorte de boîte de dérivation. En haut de la boîte se trouvait une petite lumière rouge.

Une lumière allumée.

– Il y a l'électricité!

Thorne se rapprocha, regarda avec eux.

– Impossible, fit-il. Ce doit être une batterie...

– Au bout de cinq ans? lança Eddie. Il n'y a pas de batterie qui dure aussi longtemps. Non, Doc, croyez-moi, il y a l'électricité ici!

Arby ne quittait pas des yeux l'écran sur lequel une ligne de caractères blancs s'inscrivait lentement.

Utilisez-vous le réseau pour la première fois?

Il tapa :

Oui.

Il y eut un temps de latence.

Il attendit.

D'autres caractères s'affichèrent lentement.

Votre nom?

Il tapa son nom.

Voulez-vous recevoir un mot de passe?

C'est une blague, se dit Arby. Tellement facile que c'en était presque décevant. Il aurait vraiment cru que le docteur Thorne serait plus malin. Il tapa :

Oui.

Il attendit la suite.

Votre nouveau mot de passe est VIG/&*849/. Veuillez le prendre en note.

« Bien sûr que je le prends en note », se dit Arby. Il n'y avait pas de papier sur le bureau; il tapota sa poche, trouva un bout de papier plié, recopia le mot de passe.

Veuillez entrer votre mot de passe.

Il tapa la suite de caractères.

Après une autre attente, une nouvelle inscription s'afficha. La vitesse d'impression était étonnamment lente, parfois même hésitante. Après tout ce temps, le système ne marchait peut-être pas très...

Merci. Mot de passe confirmé.

L'écran vira brusquement au bleu nuit. Un signal électronique se fit entendre.

Bouche bée, Arby ne pouvait détacher les yeux de l'écran.

INTERNATIONAL GENETIC TECHNOLOGIES
SITE B
SERVICES RESEAU LOCAL

Qu'est-ce que cela signifiait? Comment pouvait-il exister un réseau sur le Site B? InGen avait fermé le Site B depuis des années; Arby avait lu les documents. Et InGen avait déposé son bilan depuis longtemps. Quel réseau? Et comment avait-il réussi à y entrer? Le Challenger n'était pas connecté à quoi que ce fût. Il n'y avait pas de câbles, rien. Alors, ce devait être un réseau radio, déjà installé sur l'île. Mais comment pouvait-il fonctionner? Un réseau radio avait besoin d'électricité, et il n'y en avait pas.

Arby attendit.

Rien ne se passa. L'écran montrait toujours le même texte. Arby attendit qu'un menu s'affiche, mais rien ne vint. Il se dit que le système était peut-être hors d'usage. Ou déconnecté. Peut-être pouvait-on seulement y accéder, sans que rien ne se passe?

À moins qu'il ne soit censé faire quelque chose. Il fit ce qu'il y avait de plus simple; il appuya sur ENTREE.

Un menu apparut:

RESEAU RADIO SERVICES A DISTANCE DISPONIBLES

FICHIERS DE TRAVAIL EN COURS	DATE MODIFICATION
R/Recherche	02/10/89
P/Production	05/10/89
T/Terrain	09/10/89
M/Maintenance	12/11/89
A/Administration	11/11/89

FICHIERS DE DONNEES EN MEMOIRE	
R1/Recherche (AV-AD)	01/11/89
R2/Recherche (GD-99)	12/11/89
P/Production (FD-FN)	09/11/89

RESEAU VIDEO	
A, 1-20 CCD	NDC.1.1

C'était donc bien un vieux système ; les fichiers n'avaient pas été modifiés depuis plusieurs années. Arby se demanda s'il marchait encore. Il cliqua sur RESEAU VIDEO. À sa grande surprise, il vit l'écran se remplir de petites images vidéo. Il y en avait quinze en tout, qui occupaient tout l'écran, des vues de diverses parties de l'île. La plupart des caméras semblaient installées en hauteur, dans des arbres, sans doute. Elles montraient...

Arby écarquilla des yeux incrédules.

Elles montraient des dinosaures.

Il se frotta les yeux. Ce n'était pas possible ; ce devait être des films qu'il voyait. Dans un angle, il y avait un troupeau de tricératops. Dans un carré adjacent apparaissaient des animaux verts, ressemblant à des lézards, dont seule la tête dépassait des hautes herbes. À côté, un stégo-saure solitaire allait tranquillement son chemin.

« Sans doute des films, se répéta Arby. La chaîne des dinosaures. »

Sur une autre image, il découvrit soudain, dans une clairière, les deux gros véhicules reliés par le soufflet. Il vit les panneaux photovoltaïques noirs brillant sur le toit. Il s'imagina presque distinguer sa propre sil-houette à travers la vitre du camion.

Arby n'en revenait pas.

Sur une autre image d'angle, il vit Thorne, Malcolm et Eddie monter précipitamment dans l'Explorer et faire le tour du laboratoire. Estoma-qué, il dut se rendre à l'évidence.

Les images vidéo étaient bien réelles.

ÉLECTRICITÉ

L'Explorer fit le tour du vaste bâtiment, en direction de la centrale électrique. Ils longèrent en chemin un petit lotissement, sur leur droite. Thorne vit six villas de style colonial et une construction plus importante, portant sur la façade « Résidence du directeur ». Les villas étaient envahies par la végétation, en partie reconquises par la jungle. Au centre du lotissement, ils virent un court de tennis, une piscine vidée et une pompe à essence devant une petite boutique, sans doute une épicerie.

– Je me demande combien de personnes vivaient ici, fit Thorne.

– Comment savez-vous qu'ils sont tous partis ? demanda Eddie.

– Comment ça ?

– Ils ont l'électricité, Doc. Après tout ce temps. Il doit y avoir une explication.

L'Explorer contourna les aires de chargement, sur l'arrière du bâtiment, et fila droit sur la centrale électrique.

C'était un austère bloc de béton dépourvu de fenêtres, d'où dépassait seulement, en haut des murs, le rebord en tôle ondulée de la ventilation. Le métal rouillé des bouches d'aération était d'un brun piqueté de jaune.

Eddie commença à faire le tour du bloc de béton, à la recherche d'une porte. Il en trouva une sur l'arrière. C'était une lourde porte métallique ; un écriteau à la peinture écaillée indiquait : DANGER HAUTE TENSION ENTRÉE INTERDITE.

Eddie bondit de la voiture, les autres le suivirent. Thorne huma l'air.

– Ça sent le soufre.

– Très fort, approuva Malcolm.

Eddie commença à tirer sur la poignée de la porte.

– J'ai un pressentiment...

La porte s'ouvrit d'un seul coup en grinçant, heurta le mur avec fracas. Eddie alluma sa torche pour regarder dans l'obscurité. Thorne distingua un enchevêtrement de tuyaux et une vapeur ténue qui montait du sol. Il faisait extrêmement chaud dans la salle d'où provenait un ronflement sourd et continu.

– Ça alors! fit Eddie en s'avançant.

Il examina des jauges, illisibles pour la plupart, le cadran couvert d'une épaisse couche jaune. Une croûte jaune recouvrait aussi les joints des tuyaux. Eddie en détacha un fragment, le fit rouler entre ses doigts.

– Je n'en reviens pas! souffla-t-il.

– Du soufre?

– Oui... C'est dingue!

Il se tourna vers la source du bruit, vit un gros orifice circulaire, à l'intérieur duquel se trouvait une turbine. Les aubes de la turbine, qui tournaient rapidement, étaient d'un jaune mat.

– Encore du soufre? demanda Thorne.

– Non, répondit Eddie, ce doit être de l'or. Les aubes de cette turbine sont des alliages d'or.

– De l'or?

– Oui, répondit Eddie. Vous vous rendez compte? poursuivit-il en se tournant vers Thorne. C'est incroyable!... Si compact, si efficace. Personne n'avait imaginé comment réaliser ça. La technologie est...

– Vous voulez dire que c'est une source géothermique? demanda Malcolm.

– Absolument. Ils ont trouvé une source de chaleur, probablement du gaz ou de la vapeur, transportée par des canalisations. Cette chaleur est utilisée pour faire bouillir de l'eau en circuit fermé – le réseau de tuyaux que vous voyez là-haut – et pour faire tourner la turbine, qui produit l'électricité. Quelle que soit la source de chaleur, l'énergie géothermique est presque toujours affreusement corrosive. La plupart du temps, l'entretien est très pénible. Mais cette fabrique fonctionne encore... Je n'en reviens pas!

Sur un mur se trouvait le tableau de contrôle, qui distribuait l'énergie à l'ensemble du laboratoire. Le tableau était piqué de moisissures et bosselé à plusieurs endroits.

-- On dirait que personne n'a mis les pieds ici depuis des années. Une partie du réseau électrique est mort, mais la fabrique est toujours alimentée!

Thorne se mit à tousser dans l'atmosphère sulfureuse; il ressortit à l'air libre. Il se tourna vers l'arrière du laboratoire. Une des aires de chargement semblait en bon état, mais l'autre était endommagée. Le panneau de verre était fracassé.

Malcolm vint le rejoindre.

– Je me demande si c'est un animal qui a heurté le bâtiment.

– Vous croyez qu'un animal pourrait faire tant de dégâts ?

– Certains dinosaures pèsent jusqu'à quarante ou cinquante tonnes, répondit Malcolm. La masse d'un seul animal équivaut à celle d'un troupeau d'éléphants. Ces dégâts peuvent être dus à un animal, c'est évident. Vous voyez ces traces, là-bas ? C'est une piste qui longe les aires de chargement et descend la colline. Oui, cela peut avoir été fait par des animaux.

– Ils n'y avaient pas pensé, quand ils les ont mis en liberté ?

– Je suis sûr qu'ils avaient l'intention de les lâcher quelques semaines, quelques mois au plus, et de les rassembler avant qu'ils aient atteint leur taille adulte. Ils n'ont jamais imaginé que...

Ils furent interrompus par des grésillements électriques, comme un bruit de friture. Cela venait de l'intérieur de l'Explorer. Eddie s'élança vers la voiture, un masque d'inquiétude sur le visage.

– Je le savais, lança-t-il. Notre module de communications est en train de griller. Je savais que nous aurions dû prendre l'autre !

Il ouvrit la portière, se glissa sur le siège avant, décrocha le récepteur et enfonça la touche du tuner automatique. Il vit par le pare-brise Thorne et Malcolm revenir vers lui.

La transmission se régla sur la bonne fréquence.

– ... dans la voiture ! fit une voix éraillée.

– Qui est en ligne ?

– Docteur Thorne ! Docteur Malcolm ! Montez dans la voiture !

– C'est encore ce sale gamin, fit Eddie en se tournant vers Thorne.

– Quoi ?

– C'est Arby !

– Montez dans la voiture ! reprit la voix d'Arby. Je le vois arriver !

– De quoi parle-t-il ? demanda Thorne, l'air perplexe. Il n'est pas là... Est-ce qu'il serait sur l'île ?

La radio grésilla.

– Oui, je suis là ! Docteur Thorne !

– Mais comment diable a-t-il... ?

– Docteur Thorne ! Montez dans la voiture !

Le visage de Thorne devint cramoisi de fureur. Il serra les poings.

– Comment cette espèce de petit saligaud s'y est-il pris ?

Il arracha la radio des mains d'Eddie.

– Arby ! Bon Dieu de...

– Il arrive !

– De quoi parle-t-il ? fit Eddie. Il a l'air complètement hystérique.

– Je le vois sur l'écran de télévision ! Docteur Thorne !

Malcolm parcourut du regard la lisière des arbres.

– Nous ferions peut-être mieux de monter dans la voiture, fit-il doucement.

– Qu'est-ce que c'est que cette histoire de télévision ? lança Thorne, toujours furieux.

– Je ne sais pas, Doc, répondit Eddie. Mais, s'il a une image dans le camion, nous devrions la recevoir aussi.

Il alluma le moniteur du tableau de bord, fixa les yeux sur l'écran.

– Sale gosse! fit Thorne. Je vais lui flanquer une de ces fessées!

– Je croyais que vous l'aimiez bien, glissa Malcolm.

– Oui, mais...

– Le chaos est en marche, coupa Malcolm en secouant la tête.

– Merde! souffla Eddie, les yeux rivés sur le moniteur.

Sur le petit écran du tableau de bord, ils avaient une vue plongeante d'un *Tyrannosaurus rex* suivant la piste, venant dans leur direction. La peau de l'animal était d'un brun roux tacheté, de la couleur du sang séché. Ils distinguaient dans la lumière filtrée par le feuillage les muscles puissants des cuisses. L'animal avançait rapidement, sans montrer ni peur ni hésitation.

– Tout le monde dans la voiture, fit Thorne, les yeux écarquillés.

Ils montèrent précipitamment. Sur le moniteur, le tyrannosaure disparut. Mais ils l'entendirent approcher. Le sol se mit à trembler, faisant légèrement osciller la voiture.

– Ian, fit Thorne, que nous conseillez-vous de faire?

Malcolm ne répondit pas. Il regardait droit devant lui, tétanisé, le regard vide.

– Ian? répéta Thorne.

– Docteur Thorne? fit la voix d'Arby. Je l'ai perdu sur l'écran, le voyez-vous?

– Seigneur! souffla Eddie.

Sortant de la jungle à une vitesse incroyable, le tyrannosaure apparut, sur la droite de l'Explorer. L'animal gigantesque avait la taille d'un bâtiment de deux étages; la tête était si haut qu'ils ne la voyaient pas. Pour un animal aussi gros, il se déplaçait avec une vitesse et une agilité stupéfiantes. Bouche bée, abasourdi, Thorne attendit de voir ce qui allait se passer. Il sentait la voiture vibrer à chacun des pas du géant. Eddie étouffa un gémissement.

Mais le tyrannosaure ne leur prêta aucune attention. Poursuivant son chemin à la même allure, il passa rapidement devant le capot de l'Explorer. Ils eurent à peine le temps de le voir, avant que la grosse tête et l'avant du corps disparaissent dans les arbres, sur leur gauche. Seule l'énorme queue dépassait encore, à plus de deux mètres du sol, se balançant à chaque pas de l'animal.

« Tout s'est passé si vite, songea Thorne. Si vite! » Le prédateur géant avait surgi du couvert végétal, bouché leur vue l'espace d'un instant et hop! il avait déjà disparu. Thorne n'avait pas l'habitude de voir quelque chose d'aussi gros se déplacer aussi vite. Il ne restait plus que le bout de la queue qui se balançait devant eux.

Dans ce mouvement, la queue heurta l'Explorer avec un grand bruit métallique.

Le tyrannosaure s'arrêta.

Ils perçurent un grondement sourd, incertain, venant des arbres. La queue continua d'aller et venir, d'une manière plus hésitante. Elle effleura de nouveau le radiateur.

Sur leur gauche, ils entendirent des bruits de feuilles, virent des arbres se courber. La queue disparut.

Thorne comprit que le tyrannosaure revenait.

Il surgit de la jungle, s'avança vers la voiture, s'arrêta juste devant eux. Il poussa un nouveau grondement, sourd et prolongé, et tourna légèrement la tête des deux côtés pour regarder ce nouvel objet qui l'intriguait. Quand le tyrannosaure se pencha, Thorne vit qu'il avait quelque chose dans la gueule; les pattes d'un animal pendaient de chaque côté des mâchoires. Un nuage de mouches bourdonnaient autour de la tête du prédateur.

— Merde! gémit Eddie.

— Silence, murmura Thorne.

Le tyrannosaure grogna en regardant la voiture. Il pencha un peu plus la tête, renifla à plusieurs reprises, en remuant doucement la tête de droite et de gauche, à chaque inspiration. Thorne comprit qu'il sentait le radiateur. Il se déplaça sur le côté, sentit les pneus. Puis il releva lentement son énorme tête, jusqu'à ce que les yeux dépassent légèrement le capot. Il regarda à travers le pare-brise. Il battit des paupières. Le regard était froid, reptilien.

Thorne eut l'impression très nette que le tyrannosaure les regardait; ses yeux passaient de l'un à l'autre des trois hommes. Du bout du museau, il poussa l'aile de la voiture, la faisant osciller, pour apprécier son poids, comme on jauge un adversaire. Thorne s'agrippa au volant et retint son souffle.

Brusquement, le tyrannosaure s'écarta. Il leur tourna le dos, souleva son énorme queue. Il recula. Ils entendirent la queue racler le toit du véhicule. Les cuisses se rapprochèrent...

Le tyrannosaure s'assit sur le capot; la voiture s'inclina, le pare-chocs s'enfonça dans le sol sous le poids colossal. Pour commencer, l'animal ne bougea pas. Au bout d'un moment, il commença à remuer les hanches, dans un va-et-vient de plus en plus rapide, faisant crisser le métal.

— Qu'est-ce qu'il fait? demanda Eddie.

Le tyrannosaure se releva, la voiture reprit sa position. Thorne vit d'épaisses traînées blanches étalées sur le capot. Le tyrannosaure s'éloigna aussitôt; il reprit la piste, disparut dans la jungle.

En se retournant, ils le virent ressortir, traverser la place à grands pas. Il passa derrière l'épicerie, puis entre deux pavillons et disparut de nouveau.

Thorne se tourna vers Eddie, qui fit un signe de tête en direction de Malcolm. Le mathématicien ne s'était pas retourné pour suivre des yeux le tyrannosaure. Raide sur son siège, il regardait toujours droit devant lui.

– Ian? fit Thorne en posant la main sur son épaule.

– Il est parti?

– Oui, il est parti.

Le corps de Ian Malcolm se détendit, ses épaules s'affaissèrent. Il expira lentement. Sa tête tomba sur sa poitrine. Puis il prit une longue inspiration et redressa la tête.

– Il faut avouer, dit-il, qu'on ne voit pas ça tous les jours.

– Ça ira? demanda Thorne.

– Oui, bien sûr que ça ira.

Malcolm posa la main sur sa poitrine, sentit les battements de son cœur.

– Ça va aller, reprit-il. Après tout, ce n'était qu'un petit.

– Un petit? lança Eddie. Vous appelez ce monstre un petit...

– Oui, petit pour un tyrannosaure. Les femelles sont bien plus grosses. Il y a un dimorphisme sexuel chez les tyrannosaures : les femelles sont plus grosses que les mâles. Et on considère généralement que ce sont elles qui chassaient le plus souvent. Nous le découvrirons peut-être par nous-mêmes.

– Attendez un peu, fit Eddie. Qu'est-ce qui vous rend si sûr que c'était un mâle?

Malcolm montra le capot, où les taches blanches dégageaient maintenant une odeur âcre.

– Il a marqué son territoire.

– Et alors? Les femelles aussi peuvent...

– Très probablement, coupa Malcolm. Mais les glandes anales n'existent que chez les mâles. Vous avez vu ce qu'il a fait.

– J'espère que nous pourrons nous débarrasser de ça, fit Eddie en regardant le capot d'un air malheureux. J'ai apporté des solvants, mais je ne m'attendais pas à trouver... des sécrétions de dinosaure.

La radio grésilla.

– Docteur Thorne, fit Arby. Tout va bien pour vous?

– Oui, Arby. Grâce à toi.

– Alors, qu'attendez-vous? Vous n'avez pas vu le docteur Levine?

– Pas encore.

Thorne chercha son récepteur GPS, mais il était tombé. Il se pencha pour le ramasser. Les coordonnées de Levine avaient changé.

– Il se déplace...

– Je sais qu'il se déplace. Docteur Thorne...

– Oui, Arby... Attends un peu! Comment sais-tu qu'il se déplace?

– Parce que je le vois, répondit Arby. Il est à bicyclette.

Kelly arriva de l'arrière du camion ; elle bâilla en rejetant ses cheveux en arrière.

— À qui tu parles, Arby ? C'est chouette, ajouta-t-elle en regardant le moniteur.

— Je me suis connecté sur le réseau du Site B.

— Quel réseau ?

— Un réseau radio. Je ne sais pas pourquoi, mais il est encore en service.

— C'est vrai ? Mais comment as-tu... ?

Ils furent interrompus par la voix de Thorne.

— Les enfants, s'il vous plaît. Nous cherchons toujours Levine.

— Il pédale sur un sentier, dans la jungle. Un sentier étroit, avec une forte pente. Je crois qu'il suit le même chemin que le tyrannosaure.

— Le *quoi* ? s'écria Kelly.

Thorne mit le moteur en marche ; l'Explorer s'éloigna de la centrale électrique, en direction du lotissement. Ils passèrent devant la pompe à essence et entre les pavillons. Le trajet du tyrannosaure. La piste était assez large, facile à suivre.

— Les gosses ne devraient pas être là, fit Malcolm d'un ton lugubre. C'est trop dangereux.

— On ne peut plus y faire grand-chose, répliqua Thorne. Arby, poursuivit-il en enfonçant la touche Émission, tu vois toujours Levine ?

La voiture traversa en cahotant un ancien parterre de fleurs, contourna la résidence du directeur. C'était une grande bâtisse de style colonial, sur deux niveaux, avec des balcons en bois à toutes les fenêtres de l'étage. Comme les autres maisons, elle était mangée par la végétation.

La radio grésilla.

— Oui, docteur Thorne. Je le vois.

— Où est-il ?

— Il suit le tyrannosaure. À bicyclette.

— Il suit le tyrannosaure, répéta Malcolm en soupirant. Jamais je n'aurais dû me laisser entraîner par ce dingue.

— Là-dessus, fit Thorne, tout le monde est d'accord.

Il accéléra, passa devant les vestiges d'un mur de pierre qui semblait marquer la limite du lotissement. La voiture suivit la piste qui s'enfonçait dans la jungle.

— Vous le voyez ? demanda Arby.

— Pas encore.

La piste, qui allait en s'étrécissant, fit des détours dans la descente. À la sortie d'un virage, ils virent un arbre qui bloquait le passage. Le milieu du tronc était dénudé – les branches brisées, dépouillées de leurs feuilles –, probablement à cause des gros animaux qui le franchissaient.

Thorne freina pour arrêter la voiture devant l'arbre. Il descendit, fit le tour de l'Explorer.

– Laissez-moi y aller, Doc, dit Eddie.

– Non, répliqua Thorne. S'il arrivait quelque chose, tu es le seul à pouvoir réparer le matériel. Il est plus important que tu sois là, surtout avec les gamins.

À l'arrière de la voiture, Thorne souleva la moto retenue par des crochets. Il la posa à terre, vérifia la charge de la batterie, la fit rouler jusqu'à l'avant de l'Explorer.

– Donnez-moi le fusil, dit-il à Malcolm.

Il saisit l'arme, la fit passer sur son épaule.

Thorne prit un casque à écouteurs sur le tableau de bord, s'en coiffa. Il fixa la batterie à sa ceinture, plaça le micro contre sa joue.

– Repartez vers le camion, dit-il. Prenez soin des enfants.

– Mais, Doc..., protesta Eddie.

– Fais ce que je dis, ordonna Thorne.

Il souleva la moto, lui fit franchir le tronc. Il la reposa de l'autre côté, enjamba l'arbre. Il vit sur le tronc les sécrétions pâles, à l'odeur âcre ; il en avait les mains maculées. Il lança un regard interrogateur à Malcolm.

– Il a marqué son territoire, fit Malcolm.

– Parfait, dit Thorne en essuyant les mains sur son pantalon. Absolument parfait.

Il enfourcha la moto et démarra.

Les feuilles fouettaient les épaules et les jambes de Thorne, tandis qu'il dévalait la piste, à la poursuite du tyrannosaure. L'animal était devant lui, mais il ne le voyait pas. Il roulait vite.

Il entendit les grésillements de la radio dans son casque.

– Docteur Thorne ? fit Arby. Je vous vois.

– Bien reçu, dit Thorne.

– Mais je ne vois plus le docteur Levine, poursuivit Arby d'une voix où perçait l'inquiétude.

La moto électrique ne faisait presque pas de bruit, surtout en descente. Devant Thorne, la piste se divisa en deux. Il s'arrêta, se pencha sur le guidon pour étudier le sol boueux. Il vit les empreintes du tyrannosaure, qui partaient sur la gauche. Il vit aussi la trace étroite des pneus de la bicyclette. Qui partait aussi sur la gauche.

Il suivit les traces, mais plus lentement.

Au bout d'une dizaine de mètres, Thorne vit au bord de la piste une patte à moitié dévorée. C'était une vieille charogne ; elle grouillait d'asticots et de mouches. Dans la chaleur du matin, la puanteur soulevait le cœur. Il poursuivit sa route. Un peu plus loin, il vit le crâne d'un gros animal ; des fragments de chair et de peau verdâtre adhéraient encore aux os. Le crâne aussi était couvert de mouches.

– Je passe devant des carcasses partiellement dévorées, dit-il en approchant la bouche de son micro.

La radio grésilla. Il entendit la voix de Malcolm.

– C'est ce que je redoutais.

– Qu'est-ce que vous redoutiez ?

– Qu'il y ait un nid, répondit Malcolm. Avez-vous remarqué la carcasse que le tyrannosaure avait dans la gueule ? Un animal mort, mais il ne l'avait pas mangé. Il y a des chances qu'il l'ait rapportée dans son nid.

– Un nid de tyrannosaure..., fit Thorne.

– Soyez prudent, dit Malcolm.

Thorne passa au point mort et poursuivit la descente en roue libre. Quand le sol devint plus plat, il descendit de sa machine. Il sentit la terre vibrer sous ses pieds ; venant de la jungle, il perçut un ronflement sourd, semblable au ronronnement de quelque gros félin. Thorne regarda autour de lui. Il ne vit pas trace de la bicyclette de Levine.

Il fit glisser le fusil de son épaule, le serra entre ses mains moites. Le ronronnement grave s'éleva derechef, prit de l'ampleur et s'atténua. Le bruit avait quelque chose de curieux. Il fallut un moment à Thorne pour comprendre.

Il provenait de diverses sources ; il y avait plusieurs animaux derrière le bouquet de végétaux.

Thorne se pencha, arracha une touffe d'herbe, la lâcha en l'air. Les brins d'herbe revinrent vers ses jambes ; il était sous le vent. Il se glissa entre les feuilles.

Les fougères étaient énormes et denses, mais il apercevait entre les frondes le soleil donnant dans une sorte de clairière. Les ronronnements devenaient plus forts. Un autre son s'y mêla, un étrange petit cri aigu. Une sorte de glapissement, qui paraissait presque mécanique, comme une roue qui grince.

Thorne hésita. Puis, très lentement, il abaissa une fronde. Et il écarquilla les yeux.

NID

Dans la lumière éclatante du matin, deux énormes tyrannosaures — hauts de plus de six mètres — le dominaient de toute leur masse. Leur peau rougeâtre avait un aspect parcheminé. Leur tête aux lourdes mâchoires armées de grosses dents pointues était effrayante. Thorne n'avait pourtant pas le sentiment d'une menace. Les animaux se déplaçaient lentement, presque délicatement, se penchaient fréquemment sur un large rempart circulaire de boue séchée, haut de plus d'un mètre. Tenant dans leur gueule des morceaux de chair sanguinolente, les deux adultes baissaient la tête derrière le mur de boue. Chaque mouvement de tête était salué par des piaillements, qui cessaient presque aussitôt. Quand ils se redressaient, la viande avait disparu.

Pas de doute, c'était le nid. Et Malcolm avait dit vrai : un des tyrannosaures était sensiblement plus gros que l'autre. Les piaillements reprirent ; Thorne eut l'impression d'entendre des oisillons. Les adultes continuèrent de nourrir les bébés invisibles. Un fragment de chair tomba sur le bord du monticule de boue. Thorne vit un bébé tyrannosaure apparaître et essayer de se hisser en haut du rempart. De la taille d'une dinde, le petit animal avait une grosse tête et de très grands yeux. Son corps était couvert d'un duvet roussâtre et pelucheux, qui lui donnait un aspect ébouriffé. Un collier de duvet blanc lui entourait le cou. Sans cesser de piailler, le petit animal se traîna malhabilement vers la viande, en s'aidant de ses membres antérieurs peu développés. Quand il atteignit enfin le bout de viande, il se jeta dessus sans hésiter et déchira la nourriture de ses petites dents acérées.

Le bébé poussa soudain un cri perçant et commença à glisser sur le bord extérieur du mur de boue. La mère baissa immédiatement la tête pour arrêter la chute du petit animal et le repoussa doucement à l'intérieur du nid. Thorne fut impressionné par la délicatesse de ses mouvements et la manière attentive dont elle s'occupait de son petit. Pendant ce temps, le père continua de déchirer de petits bouts de viande. Les deux adultes émettaient une sorte de ronronnement continu, comme pour rassurer leur progéniture.

Sans perdre une miette du spectacle, Thorne changea de position. Son pied se posa sur une branche ; il entendit un craquement.

Les deux adultes relevèrent vivement la tête.

La peur figea Thorne sur place ; il retint son souffle.

Les tyrannosaures inspectèrent les abords du nid, regardant attentivement dans toutes les directions. Ils étaient sur le qui-vive, les muscles tendus. Leurs yeux allaient et venaient en tous sens, avec des mouvements saccadés de la tête. Au bout d'un moment, ils semblèrent se détendre. Thorne vit les têtes monter et descendre, les museaux se frotter l'un contre l'autre. Cela semblait être une sorte de rituel, un peu comme une danse. Quand ils eurent terminé, ils recommencèrent à nourrir les bébés.

Dès que les animaux furent calmés, Thorne se retira silencieusement, revint à la moto.

– Docteur Thorne, murmura Arby dans le casque, je ne vous vois pas.

Thorne ne répondit pas. Il tapota le micro du doigt, pour indiquer qu'il avait entendu.

– Je crois savoir où est le docteur Levine, poursuivit Arby dans un murmure. Regardez sur votre gauche.

Thorne tapota de nouveau le micro, se retourna.

Sur la gauche, au milieu des fougères, il vit une bicyclette rouillée. Elle portait une inscription : « Prop. InGen Corp ». Elle était appuyée contre un arbre.

« Pas mal », se dit Arby, devant l'écran vidéo du camion, en cliquant sur les vues des différentes caméras. Le moniteur était maintenant divisé en quatre, un bon compromis entre des vues en trop grand nombre et des images assez grosses pour être bien visibles.

Une des caméras, fixée en hauteur, transmettait des images des deux tyrannosaures dans leur clairière. Un grand soleil donnait sur le sol boueux et l'herbe piétinée. Au centre de l'espace dégarni d'arbres, Arby distinguait un monticule de boue arrondi, aux bords abrupts. À l'intérieur du nid se trouvaient quatre œufs d'un blanc tacheté, de la taille d'un ballon de football. Il y avait aussi des fragments de coquille et deux bébés tyrannosaures, ressemblant exactement à des oiseaux sans plumes. Ils avaient la tête levée comme des oisillons, la bouche grande ouverte, attendant qu'on leur donne la becquée.

– Comme ils sont mignons, fit Kelly par-dessus l'épaule d'Arby. On devrait aller voir, ajouta-t-elle.

Arby ne répondit pas. Il n'était pas du tout sûr d'avoir envie de voir tout cela de plus près. Les adultes ne semblaient pas s'en faire, mais, pour Arby, cette idée de dinosaures était profondément troublante, d'une manière qu'il ne parvenait pas à analyser. Il avait toujours trouvé rassurant d'organiser les choses, d'instaurer de l'ordre dans sa vie ; le fait d'avoir soigneusement disposé les images sur le moniteur l'avait sécurisé. Mais cette île était le domaine de l'inconnu, de l'imprévu. On ne savait pas ce qui pouvait arriver. Arby trouvait cela troublant.

De son côté, Kelly était très excitée. Elle ne cessait de faire des commentaires sur les tyrannosaures, de parler de leur taille, de la grosseur de leurs dents. Elle était tout enthousiasme, elle semblait ne pas avoir peur du tout.

Elle commençait à agacer Arby.

— Qu'est-ce qui te fait croire que tu sais où est le docteur Levine ? lança-t-elle.

— Regarde, fit Arby en montrant l'image du nid.

— Oui, je vois.

— Non, Kelly, *regarde.*

Ils virent l'image bouger légèrement. Elle se déplaça vers la gauche, revint au centre.

— Tu as vu ? demanda Arby.

— Oui, et alors ? Peut-être que le vent fait bouger la caméra.

— Non, Kelly, fit Arby en secouant la tête. Levine est dans l'arbre. C'est lui qui fait tourner la caméra.

— Tu as peut-être raison, reconnut Kelly après un silence.

Arby esquissa un sourire. C'est à peu près tout ce qu'il pouvait attendre de Kelly.

— Oui, je crois.

— Mais que fait-il dans l'arbre ?

— Peut-être est-il en train de régler la caméra.

Ils écoutèrent en silence la respiration de Thorne.

Kelly gardait les yeux fixés sur les quatre images vidéo, montrant chacune une vue différente de l'île.

— Il me tarde de sortir, fit-elle.

— Oui, moi aussi.

Mais Arby ne pensait pas ce qu'il disait. Il jeta un coup d'œil par la vitre, vit l'Explorer qui revenait, avec Eddie et Malcolm. Il en fut secrètement ravi.

Thorne s'arrêta au pied de l'arbre et leva les yeux. Il ne pouvait voir Levine à travers le feuillage, mais il savait qu'il devait être quelque part dans les branches. Levine faisait trop de bruit au goût de Thorne. Il se tourna nerveusement vers la clairière, dont il était séparé par un écran végétal. Le ronronnement continu était encore audible.

Thorne attendit. Qu'est-ce que Levine pouvait bien fabriquer en haut de cet arbre ? Il entendit des froissements de feuilles dans les branches, puis ce fut le silence. Il perçut un grognement, d'autres bruits dans le feuillage.

– Oh ! merde ! lâcha soudain Levine à voix haute.

Il y eut un bruit de chute, des craquements de branches et un hurlement de douleur. Levine dégringola de l'arbre, atterrit lourdement sur le dos, aux pieds de Thorne. Il roula sur lui-même en se tenant l'épaule.

– Merde ! répéta-t-il.

Il portait un ensemble kaki tout crotté et déchiré. Sous la barbe de trois jours, le visage hagard était taché de boue. Il leva les yeux vers Thorne qui s'avançait, lui sourit.

– Je ne m'attendais certainement pas à vous voir, Doc, mais vous arrivez au bon moment.

Thorne tendit la main. Levine s'apprêtait à la saisir quand, de la clairière, s'éleva un double rugissement assourdissant.

– Non ! fit Kelly, les yeux rivés sur l'écran.

Très agités, les tyrannosaures tournaient en rond et levaient la tête pour émettre de longs rugissements.

– Docteur Thorne ! s'écria Arby. Que se passe-t-il ?

Ils perçurent la voix de Levine, grêle, hachée ; impossible de comprendre ce qu'il disait. Eddie et Malcolm vinrent les rejoindre. Malcolm regarda les images du moniteur.

– Dis-leur de filer sans perdre de temps !

Les deux tyrannosaures se tournaient maintenant le dos, en position de défense. Les bébés, au centre de la clairière, étaient protégés. Les adultes balançaient leur énorme queue au-dessus du nid, au-dessus de la tête de leurs petits. La tension était palpable.

L'un des adultes poussa un rugissement et chargea dans une brèche de la clairière.

– Docteur Thorne ! Docteur Levine ! Allez-vous-en !

Thorne enfourcha la moto et serra les mains sur les poignées de caoutchouc. Levine sauta derrière lui, passa les bras autour de sa taille. Thorne entendit un rugissement à glacer le sang ; il se retourna pour voir un tyrannosaure charger à travers les arbres, en écrasant tout sur son passage. L'animal courait à toute allure, la tête baissée, la gueule ouverte. Il n'y avait pas à se méprendre sur ses intentions.

Thorne tourna la poignée. Le moteur électrique se mit en marche, la roue arrière patina dans la boue, sans avancer.

– Allez ! hurla Levine. Allez !

Le tyrannosaure fonça sur eux en rugissant. Thorne sentit le sol trembler. Le cri de l'animal était si fort qu'il en fut assourdi. Le tyrannosaure était presque sur eux, la grosse tête se pencha en avant, les mâchoires s'ouvrirent.

À coups de talon, Thorne fit avancer la moto. La roue arrière tourna enfin, projetant une gerbe de boue ; la machine fila sur la gadoue de la piste. Thorne tourna la poignée à fond. La moto se mit à tanguer dangereusement sur la terre détrempée.

Levine hurlait dans son dos, mais Thorne n'écoutait pas. Son cœur battait à tout rompre. La moto bondit par-dessus une ornière de la piste ; elle faillit basculer, se redressa. Accélérant à fond, Thorne n'osait pas se retourner. Il sentait une odeur de chair putréfiée, il entendait le souffle rauque du prédateur géant lancé à leur poursuite...

— Doucement, Doc! cria Levine.

Thorne ne lui prêta aucune attention. La moto filait sur la piste. Les feuilles leur fouettaient les épaules, la boue leur éclaboussait le visage et la poitrine. La machine se mit en travers dans une autre ornière, Thorne la redressa. Il entendit encore un rugissement, eut l'impression qu'il était un peu plus faible, mais...

— Doc! hurla Levine dans son oreille. Vous voulez nous tuer, Doc? Nous sommes seuls!

Sur une portion plate de la piste, Thorne risqua un coup d'œil par-dessus son épaule. Levine n'avait pas menti ; ils étaient seuls. Il ne voyait plus le tyrannosaure, mais l'entendait encore rugir au loin.

Il ralentit.

— Allez-y doucement, fit Levine.

La peur se lisait sur son visage décomposé.

— Vous êtes un conducteur exécrable, vous savez! Vous devriez prendre des leçons de conduite. Vous avez failli nous tuer.

— Il nous attaquait, répliqua vivement Thorne.

Il connaissait l'esprit critique de Levine, mais, dans les circonstances présentes...

— Absurde! Il n'attaquait pas du tout!

— C'était bien imité! lança Thorne.

— Non, non et non! reprit Levine. Il ne nous attaquait pas. Le *rex* défendait son nid ; il y a une grande différence.

— Je n'ai pas vu de différence, riposta Thorne.

Il arrêta la moto, tourna un regard noir vers Levine.

— En réalité, poursuivit Levine, si le *rex* avait décidé de nous donner la chasse, nous serions morts. Il s'est arrêté presque aussitôt.

— Vraiment?

— C'est incontestable, répondit Levine d'un ton pédant. Le *rex* ne cherchait qu'à nous faire peur, pour défendre son territoire. Jamais il n'aurait laissé le nid sans protection, sauf si nous l'avions dérangé ou lui avions pris quelque chose. Je suis sûr qu'il a déjà rejoint son compagnon. Ils surveillent les œufs et n'ont pas l'intention de bouger.

— Estimons-nous heureux d'être tombés sur un si bon père, dit Thorne en faisant rugir le moteur.

— Bien sûr que c'est un bon père, poursuivit Levine. N'importe quel imbécile pouvait le constater. Vous n'avez pas remarqué comme il était maigre? Il néglige sa propre alimentation pour nourrir sa progéniture. Depuis plusieurs semaines, sans doute. *Tyrannosaurus rex* est un animal complexe, qui a un comportement complexe. Pour chasser, mais aussi pour élever ses petits. Je ne serais pas étonné si le rôle parental du tyrannosaure adulte s'étendait sur plusieurs mois. Peut-être apprend-il à ses petits à chasser, par exemple. Il commence par apporter de petits animaux blessés et laisse les bébés les achever. Quelque chose de ce genre. Il serait intéressant de découvrir ce qu'il fait précisément. Qu'attendons-nous ici?

La radio grésilla dans le casque de Thorne.

— Il ne lui viendrait pas à l'esprit de vous remercier de lui avoir sauvé la vie, fit la voix de Malcolm.

— Évidemment, grogna Thorne.

— À qui parlez-vous? reprit Levine. C'est Malcolm? Il est là?

— Oui, répondit Thorne.

— Il est de mon avis, n'est-ce pas?

— Pas exactement, fit Thorne.

— Écoutez, Doc, poursuivit Levine, je suis désolé que vous ayez paniqué, mais il n'y avait pas de quoi se mettre dans un tel état. À dire vrai, nous n'avons jamais été en danger, si ce n'est à cause de votre conduite.

— Ça va, n'en parlons plus.

Thorne avait encore le cœur battant. Il prit une longue inspiration, tourna à gauche et suivit un chemin plus large, en direction de leur camp de base.

— Je suis très content de vous voir, Doc, dit Levine dans son dos. Vraiment très content.

Thorne ne répondit pas. Il continua de descendre le chemin, bordé d'une dense végétation. En se rapprochant de la vallée, la moto prit de la vitesse. Ils aperçurent bientôt, en contrebas, les deux gros véhicules posés au milieu de la clairière.

— Bien, fit Levine. Vous avez pensé à tout. Le matériel fonctionne? Tout est en état de marche?

— Jusqu'à présent, ça va.

— Parfait, dit Levine. C'est parfait.

— Peut-être pas, répliqua Thorne.

Par la vitre arrière du camion, ils virent Kelly et Arby leur faire de grands signes de la main.

— C'est une blague! souffla Levine.

QUATRIÈME CONFIGURATION

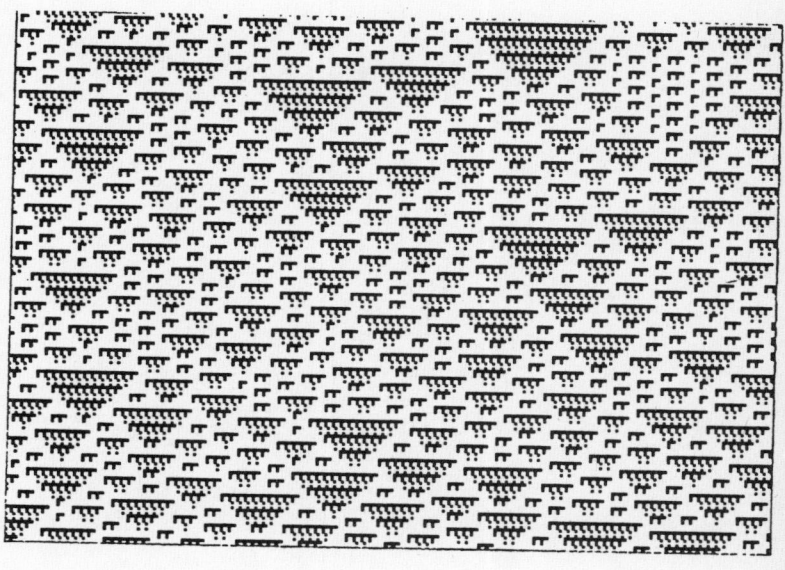

En se rapprochant du bord chaotique, les éléments montrent un conflit interne. Une région instable, potentiellement fatale.

IAN MALCOLM

LEVINE

Ils s'élancèrent dans la clairière en criant :
— Docteur Levine! Docteur Levine! Vous êtes vivant!
Ils se jetèrent dans les bras de Levine, qui ne put s'empêcher de sourire et se tourna vers Thorne.
— C'est très imprudent, Doc.
— Pourquoi ne leur expliquez-vous pas? Vous êtes leur professeur.
— Vous n'allez pas nous gronder, docteur Levine? fit Kelly.
— C'est nous qui avons pris la décision, expliqua Arby. Nous sommes venus tout seuls.
— Tout seuls?
— Nous avons pensé que vous auriez besoin d'aide, poursuivit Arby. Et c'était vrai.
Il quêta du regard l'approbation de Thorne, qui inclina la tête.
— Exact, fit-il. Ils nous ont aidés.
— Et nous promettons, ajouta Kelly, de ne pas vous déranger. Faites ce que vous avez à faire, nous...
— Les enfants s'inquiétaient à votre sujet, coupa Malcolm en s'avançant vers Levine. Ils vous croyaient en danger.
— Pourquoi étiez-vous si pressé? demanda Eddie. Vous faites construire tous ces véhicules et vous ne partez même pas avec eux...
— Je n'avais pas le choix, répondit Levine. Les autorités du Costa Rica ont des cas d'encéphalite inconnue sur les bras. Elles ont décidé que la maladie était liée aux cadavres de dinosaures rejetés sur les plages. Cette réaction est parfaitement idiote, mais cela ne les empêchera pas de détruire tous les animaux vivant sur cette île, dès qu'ils apprendront leur existence. Il fallait que j'arrive le premier. Le temps nous est compté.

– Vous avez donc décidé de venir seul, glissa Malcolm.

– Vous dites des bêtises, Ian. Cessez de faire la tête ! Je vous aurais appelé, après m'être assuré que c'était la bonne île. Et je ne suis pas venu seul. J'avais un guide, Diego, un gars du pays qui m'avait juré être déjà venu, quand il était gamin. Il semblait bien connaître les lieux. Nous avons escaladé la falaise sans problème. Tout se passait bien, mais nous avons été attaqués au bord du ruisseau, et Diego...

– Attaqués ? lança Malcolm. Par quoi ?

– Je n'ai pas eu le temps de voir, répondit Levine. Tout s'est passé extrêmement vite. Un animal m'a renversé, a arraché le sac de mon dos et... je ne sais pas très bien ce qui s'est passé après. La forme du sac a dû le tromper. Je me suis relevé et j'ai pris mes jambes à mon cou ; il ne m'a pas poursuivi.

– Vous avez eu beaucoup de chance, Richard, fit Malcolm.

– Oui. J'ai couru longtemps. Quand je me suis retourné, j'étais seul. Perdu dans la jungle. Comme je ne savais pas quoi faire, j'ai grimpé à un arbre. Cela me semblait un bonne idée ; à la tombée de la nuit, les velociraptors sont arrivés.

– Les velociraptors ? fit Arby.

– Des petits carnivores, expliqua Levine. Morphologie de théropode, museau allongé, vision binoculaire. À peu près deux mètres de haut, poids de l'ordre de quatre-vingt-dix kilos. Très rapides, intelligents, de sales petits dinosaures qui se déplacent en groupe. Hier soir, il y en avait huit, qui bondissaient autour de mon arbre et essayaient de m'atteindre. Toute la nuit à sauter et gronder, sauter et gronder... Je n'ai pas fermé l'œil.

– Vraiment dommage, fit Eddie.

– Écoutez, riposta sèchement Levine, ce n'est pas ma faute si...

– Vous avez passé la nuit dans l'arbre ? coupa Thorne.

– Oui. Les raptors sont partis au petit matin. Je suis descendu et j'ai commencé à chercher. J'ai trouvé le labo, s'il s'agit bien d'un labo. À l'évidence, ils ont abandonné précipitamment les lieux en laissant des animaux en liberté. J'ai parcouru le bâtiment de long en large et découvert qu'il y avait encore l'électricité ; certains systèmes fonctionnent toujours, après tout ce temps. Plus important, il y a un réseau de caméras de surveillance. Un vrai coup de chance. J'ai donc décidé de m'occuper des caméras et j'étais en plein travail quand vous avez débarqué...

– Minute, papillon ! lança Eddie. Vous oubliez que nous sommes venus à votre secours !

– Je ne comprends pas pourquoi. Je n'ai jamais rien demandé.

– Ce n'est pas ce qu'il nous a semblé, au téléphone, objecta Thorne.

– Il s'agit d'un malentendu, reprit Levine. J'étais contrarié, car je n'arrivais pas à faire marcher ce téléphone. Vous avez fabriqué un appareil trop compliqué, Doc, voilà tout. Alors, qu'attendons-nous pour nous y mettre ?

Levine se tut. Il considéra les visages furibonds qui l'entouraient.

– Un grand savant, fit Malcolm en s'adressant à Thorne. Et un être humain de qualité.

– Je ne vois pas où est le problème, reprit Levine. L'expédition devait tôt ou tard venir sur cette île. En l'occurrence, le plus tôt était le mieux. Tout s'est bien passé et, franchement, je ne vois aucune raison de nous appesantir sur le sujet. Ce n'est pas le moment de nous chamailler. Nous avons des choses importantes à faire ; je pense que nous devrions nous mettre au travail. L'occasion est extraordinaire et cela ne durera pas éternellement.

Une bière à la main, Lewis Dodgson était affalé dans un coin sombre de la Chesperito Cantina, à Puerto Cortés. À ses côtés, le professeur George Baselton, titulaire de la chaire de biologie à Stanford, avalait goulûment une assiette de *huevos rancheros*. Les œufs formaient des traînées jaunâtres sur le fond vert de la salsa. La vue de son assiette souleva le cœur de Dodgson. Il tourna la tête, mais entendit Baselton se pourlécher, bruyamment.

Il n'y avait personne d'autre dans le bar, juste quelques poulets qui gloussaient au milieu des tables. De temps en temps, un petit garçon s'avançait dans l'embrasure de la porte, lançait une poignée de cailloux en direction des poulets et repartait en riant aux éclats. Sur un magnétophone enroué passaient de vieux tubes d'Elvis Presley, crachés par des enceintes rouillées, au-dessus du bar. Dodgson se mit à fredonner « Falling in Love with You », en s'efforçant de garder son calme. Il poireautait dans ce rade depuis près d'une heure.

Baselton termina ses œufs, repoussa son assiette. Il prit le petit carnet qui ne le quittait jamais.

– Alors, Lew, fit-il, j'ai réfléchi à la manière dont nous allons mener notre affaire.

– Quelle affaire ? demanda Dodgson avec humeur. Nous ne pourrons rien faire avant d'avoir atteint cette île.

Il tapota sur le bord de la table la petite photo de Richard Levine qu'il tenait à la main. Il la retourna. Regarda le cliché à l'envers. Le remit à l'endroit.

Il soupira, regarda sa montre.

– Lew, reprit patiemment Baselton, atteindre l'île n'est pas le plus important. Le plus important est de savoir comment présenter notre découverte au monde.

– Notre *découverte*, répéta Dodgson, après un silence. J'aime ce mot, George. C'est excellent. Notre découverte...

– C'est la vérité, non ? reprit Baselton avec un sourire narquois. InGen est en faillite, sa technologie perdue pour l'humanité. Une perte tragique, comme je n'ai cessé de le dire à la télévision. Par suite des circonstances, celui qui la retrouve fait une découverte. Je ne sais pas quel autre mot employer. Comme disait Henri Poincaré...

— Bon, bon, fit Dodgson. Admettons que ce soit une découverte. Et après ? Nous donnons une conférence de presse ?

— Absolument pas ! s'écria Baselton, l'air horrifié. Une conférence de presse ferait très mauvais effet et donnerait prise à toutes sortes de critiques. Pas question ! Une découverte de cette ampleur nécessite un certain décorum. Elle doit être publiée, Lew.

— Comment ?

— Dans une publication spécialisée. *Nature*, j'imagine. Oui.

— Vous voulez faire cette annonce dans une revue universitaire ? fit Dodgson en lui lançant un regard en coin.

— Quel meilleur moyen de la légitimer ? poursuivit Baselton. Il est on ne peut plus convenable de présenter d'abord notre découverte à la communauté scientifique. Elle suscitera naturellement une controverse ; mais en quoi consistera cette controverse ? Des chamailleries d'universitaires, des prises de bec entre professeurs, dont nos quotidiens feront leurs choux gras dans leurs pages scientifiques, avant de passer aux dernières découvertes dans le domaine des implants mammaires. Trois jours pendant lesquels nous aurons établi nos droits.

— Vous vous chargerez de la rédaction ?

— Oui, répondit Baselton. Plus tard, je pense, je publierai un article dans *American Scholar*, ou *Natural History*. L'intérêt de cette découverte pour l'humanité, ce qu'elle représente pour l'avenir, ce qu'elle nous apprend sur le passé...

Dodgson approuva de la tête. Il voyait que Baselton était dans le vrai ; il se dit encore une fois qu'il avait vraiment besoin de lui et qu'il avait été judicieux de l'intégrer à l'équipe. Dodgson ne pensait jamais aux réactions du public ; Baselton ne pensait à rien d'autre.

— C'est très bien, fit Dodgson en regardant de nouveau sa montre, mais rien ne se fera si nous n'arrivons pas dans cette île.

Il entendit une porte s'ouvrir derrière lui ; Howard King, son assistant, entra, accompagné d'un Costaricain moustachu et costaud. L'homme au visage buriné avait l'air renfrogné.

Dodgson se retourna sur son tabouret.

— C'est lui ? demanda-t-il.

— Oui, Lew.

— Comment s'appelle-t-il ?

— Gandoca.

— *Señor* Gandoca, poursuivit Dodgson en montrant la photo de Levine, connaissez-vous cet homme ?

Un coup d'œil fugace suffit à Gandoca, qui hocha la tête.

— *Si. Señor* Levine.

— C'est ça. Ce con de *señor* Levine. Quand l'avez-vous vu ?

174

— Il y a quelques jours. Il est parti avec Dieguito, mon cousin. Ils ne sont pas revenus.

— Où sont-ils allés? poursuivit Dodgson.

— Isla Sorna.

— Parfait.

Il vida sa bière, écarta la bouteille.

— Vous avez un bateau?

Il se tourna vers King.

— Il a un bateau?

— C'est un pêcheur; il a un bateau.

— Un bateau de pêche, *si*, fit Gandoca en hochant vigoureusement la tête.

— Bien. Je veux aussi aller à Isla Sorna.

— *Si, señor*, mais, aujourd'hui, le temps n'est pas...

— Je me fous du temps, coupa Dodgson. Le temps s'améliorera. Je veux partir tout de suite.

— Peut-être que plus tard...

— Tout de suite!

— Je suis vraiment désolé, *señor*, fit Gandoca en écartant les mains.

— Montrez-lui l'argent, Howard, ordonna Dodgson.

King ouvrit une mallette. Elle était bourrée de billets de cinq mille colons. Gandoca baissa les yeux, prit un billet et l'examina. Il le remit soigneusement à sa place, se tortilla un peu.

— Je veux partir tout de suite, répéta Dodgson.

— *Si, señor*, fit Gandoca. Nous partons quand vous êtes prêts.

— Je préfère ça, dit Dodgson. Combien de temps jusqu'à l'île?

— À peu près deux heures, *señor*.

— Très bien, fit Dodgson. Ça ira.

LE MIRADOR

— C'est parti !

Il y eut un bruit sec quand Levine connecta le câble au treuil électrique de l'Explorer et mit le contact. Le câble commença à tourner lentement.

Ils étaient tous descendus dans la vaste plaine herbue qui s'étendait au pied de la corniche. Le soleil au zénith se réverbérait sur la paroi rocheuse ceignant la cuvette. La vallée miroitait dans la chaleur écrasante. Il y avait un troupeau d'hypsilophodons à une faible distance. Les animaux à la peau verte, ressemblant à des gazelles, levaient la tête au-dessus des herbes pour regarder dans leur direction chaque fois qu'ils entendaient un tintement de métal ; Eddie et les enfants posaient par terre les pièces d'aluminium de l'assemblage qui avait fait l'objet de tant d'interrogations en Californie. L'enchevêtrement de barres d'aluminium couchées dans l'herbe évoquait des jonchets géants.

— Maintenant, nous allons voir, fit Levine en se frottant les mains.

Entraînés par le câble du treuil, les montants d'aluminium commencèrent à glisser sur l'herbe, puis se soulevèrent lentement. La charpente qui prenait forme paraissait frêle et instable, mais Thorne savait que les entretoises lui donneraient une étonnante résistance. Les montants se déplièrent, le sommet de l'assemblage s'éleva à trois mètres, puis quatre, s'arrêta à quatre mètres cinquante. Le petit abri qui le surmontait se trouvait juste au-dessous des branches basses des arbres voisins, qui le dissimulaient presque entièrement à la vue. Mais les montants d'aluminium brillaient au soleil.

— C'est tout ? demanda Arby.

— Oui, c'est tout.

176

Thorne fit le tour de la charpente, goupilla les quatre côtés.

— Les montants réfléchissent beaucoup trop la lumière, dit Levine. Nous aurions dû les peindre en noir mat.

— Eddie, lança Thorne, il faut cacher ça.

— Vous voulez que j'aille chercher une bombe, Doc ? Je crois avoir apporté de la peinture noire.

— Non, fit Levine, il y aura des odeurs de peinture. On ne peut pas utiliser ces feuilles ?

— Oui, on peut faire ça.

Eddie s'avança vers un bouquet de palmiers et entreprit de couper de grandes feuilles palmées à l'aide de sa machette.

— C'est génial, fit Kelly, devant l'assemblage de pièces d'aluminium. Mais ça sert à quoi ?

— C'est un mirador, répondit Levine. Suis-moi.

Il commença à escalader la charpente.

Au sommet se trouvait un petit abri dont le toit était soutenu par des barreaux espacés d'un mètre vingt. Le plancher aussi était constitué de barreaux d'aluminium, mais plus serrés, un tous les quinze centimètres. Comme leurs pieds menaçaient de passer entre les barreaux, Levine prit la première brassée de palmes qu'Eddie Carr hissait à l'aide d'une corde et s'en servit pour en faire un vrai plancher. Il attacha les feuilles restantes autour de l'abri, pour dissimuler le métal.

Arby et Kelly regardèrent les animaux. De leur poste d'observation, ils voyaient d'un bout à l'autre de la vallée. Au loin, de l'autre côté de la rivière, il y avait un troupeau d'apatosaures. Un petit groupe de tricératops broutait au nord. Plus près de l'eau, quelques dinosaures à bec de canard, à la tête surmontée d'une longue crête tubulaire, s'avançaient pour boire. Un long mugissement produit par un bec de canard roula dans leur direction à travers la vallée ; le son caverneux avait quelque chose de surnaturel. Quelques secondes plus tard, venant de la forêt, un cri lointain retentit en réponse.

— Qu'est-ce que c'est ? demanda Kelly.

— Un parasaurolophus, répondit Levine. Il meugle en respirant par sa crête nucale. Les sons à basse fréquence portent loin.

Au sud, il y avait un troupeau d'animaux d'un vert sombre, au front épais, orné d'une rangée de renflements osseux. Ils ressemblaient un peu à des bisons.

— Et ceux-là, demanda Kelly, comment les appelez-vous ?

— Bonne question, fit Levine. Très probablement *Pachycephalosaurus wyomingensis*. Difficile d'en être sûr, car on n'a jamais découvert de squelette complet de cette espèce. Les os du front sont très épais ; nous possédons de nombreux fragments de voûte crânienne, mais c'est la première fois que je vois un animal entier.

– Et leur grosse tête ? demanda Arby. À quoi leur sert-elle ?

– On ne sait pas très bien, répondit Levine. Tout le monde suppose qu'ils s'en servaient pour se battre, entre mâles de leur espèce, pour conquérir les femelles. Quelque chose comme ça.

– Oui, ironisa Malcolm en grimpant dans l'abri. Pour se battre à coups de tête, comme vous les voyez le faire.

– Bon, fit Levine, ils ne se battent pas en ce moment. La saison des amours est peut-être passée.

– Peut-être ne se battent-ils pas du tout, reprit Malcolm en observant les animaux. Ils me paraissent très paisibles.

– Bien sûr, approuva Levine, mais cela ne veut absolument rien dire. Le buffle d'Afrique, lui aussi, paraît paisible la plupart du temps ; il reste même le plus souvent immobile. Mais c'est un animal dangereux, aux réactions imprévisibles. Nous ne pouvons que suposer que ce dôme osseux a une raison d'être... même si elle nous échappe pour l'instant. C'est pour cela que nous avons construit ce mirador, ajouta-t-il en se tournant vers les enfants. Pour pouvoir observer les animaux jour et nuit. Dans la mesure du possible, nous voulons enregistrer toutes leurs activités.

– Pourquoi ? demanda Arby.

– Parce que, répondit Malcolm, cette île offre une occasion unique d'étudier le plus grand mystère de l'histoire de notre planète : l'extinction. Vous voyez, poursuivit Malcolm, InGen a fermé ses installations en toute hâte et laissé des animaux en liberté. Cela remonte à cinq ou six ans. Les dinosaures ont une croissance rapide ; la plupart des espèces atteignent l'âge adulte en moins de cinq ans. Aujourd'hui, la première génération des dinosaures d'InGen – nés en laboratoire – est arrivée à maturité et a commencé à donner naissance à une nouvelle génération, entièrement sauvage. Il existe maintenant sur cette île un écosystème complet, où une douzaine d'espèces de dinosaures vivent en société, pour la première fois depuis soixante-cinq millions d'années.

– En quoi est-ce une occasion unique ? insista Arby.

– Réfléchis, répondit Malcolm en montrant la plaine. L'extinction est un sujet de recherche extrêmement délicat. Il existe des dizaines de théories contradictoires. Ce que nous apprennent les fossiles est incomplet. On ne peut se livrer à des expériences. Du haut de la tour de Pise, Galilée pouvait lâcher des balles pour expérimenter les lois de la pesanteur. Il ne l'a pas fait, mais il aurait pu. Newton utilisa des prismes pour expérimenter sa théorie de la lumière. Les astronomes observaient les éclipses pour vérifier la théorie de la relativité d'Einstein. L'expérimentation fait partie intégrante de la science. Mais comment peut-on expérimenter une théorie de l'extinction ? C'est impossible.

– Mais l'île..., commença Arby.

– Oui, coupa Malcolm, nous avons sur cette île une population d'animaux éteints, artificiellement introduits dans un milieu fermé, à qui il est donné de refaire toutes les étapes de l'évolution. Jamais cela ne s'est produit. Nous savons que ces espèces se sont éteintes une fois. Mais personne ne sait pourquoi.

— Et vous espérez le découvrir ? En quelques jours ?

— Oui, fit Malcolm, c'est ce que nous espérons.

— Comment ? Vous n'imaginez quand même pas qu'ils vont disparaître en si peu de temps ?

— Tu veux dire sous nos yeux ? fit Malcolm en riant. Non, il ne s'agit pas de cela. L'important est que, pour la première fois, nous n'étudions pas des ossements. Nous voyons des animaux vivants, nous observons leur comportement. J'ai une théorie et je pense que, même en un laps de temps si court, nous trouverons des preuves à l'appui de cette théorie.

— Quelles preuves ? demanda Kelly.

— Quelle théorie ? lança Arby.

— Un peu de patience, répondit Malcolm en souriant.

LA REINE ROUGE

Les apatosaures étaient descendus au bord de la rivière en pleine chaleur ; leur long cou gracieux se mirait dans l'eau quand ils se penchaient pour boire. Leur queue interminable, en forme de fouet, battait mollement l'air. Plusieurs jeunes, beaucoup plus petits que les adultes, galopaient au milieu du troupeau.

— C'est beau, non ? fit Levine. Cette impression d'harmonie. Magnifique.

Il pencha la tête hors de l'abri, héla Thorne.

— Où sont mes caméras ?

— Elles arrivent, répondit Thorne.

À l'aide de la corde, il hissa un pesant trépied aux pieds très écartés, sur lequel était monté un support circulaire. Cinq caméras vidéo y étaient fixées, reliées à des fils pendant jusqu'aux panneaux solaires. Levine et Malcolm commencèrent à tout installer.

— Que faites-vous des bandes vidéo ? demanda Arby.

— Les enregistrements seront envoyés en multiplex, en Californie. Par satellite. Nous nous connecterons aussi au réseau de surveillance. Nous disposerons ainsi de nombreux points d'observation.

— Nous n'aurons donc pas à rester ici ?

— Exact.

— Et vous appelez ça un mirador ?

— C'est le nom utilisé par des scientifiques comme Sarah Harding.

Thorne vint les rejoindre. Le petit abri était maintenant plein comme un œuf, mais Levine ne sembla pas s'en émouvoir. Toute son attention était concentrée sur les dinosaures ; il balayait avec ses jumelles le troupeau dispersé dans la plaine.

– C'est ce que nous pensions, dit-il à Malcolm. Organisation dans l'espace. Bébés et jeunes au centre du troupeau, adultes à la périphérie, pour les protéger. Les apatosaures se servent de leur queue comme moyen de défense.

– C'est ce qu'on dirait.

– Cela ne fait aucun doute. Il est si agréable, reprit-il avec un soupir, d'avoir la preuve que l'on a raison.

Au sol, Eddie déballa la cage circulaire, celle qu'ils avaient vue en Californie. Haute d'un mètre quatre-vingts, d'un diamètre d'un mètre vingt, elle était constituée de barreaux de titane de deux centimètres et demi.

– Que voulez-vous que j'en fasse ? demanda Eddie.

– Laissez-la en bas, répondit Levine. C'est sa place.

Eddie posa la cage debout, dans un angle de la charpente d'aluminium. Levine commença à descendre.

– À quoi ça sert ? demanda Arby. À attraper un dinosaure ?

– C'est tout le contraire, répondit Levine en fixant la cage sur un montant.

Il ouvrit la porte, la referma pour s'assurer que tout allait bien. Il y avait une serrure sur la porte. Il fit jouer la clé dans la serrure, la sortit et la laissa pendre au bout de l'élastique qui la retenait.

– C'est une cage pour prédateurs, expliqua-t-il, comme une cage à requins. Si tu te promènes, en bas, et qu'il arrive quelque chose, tu peux y entrer, tu seras en sécurité.

– S'il arrive quoi ? demanda Arby avec une pointe d'inquiétude dans la voix.

– En réalité, répondit Levine en commençant à remonter, je ne pense pas qu'il arrivera quoi que ce soit. Je doute que les animaux fassent attention à nous ou à notre petit abri, quand le camouflage sera terminé.

– Vous voulez dire qu'ils ne le verront pas ?

– Si, ils le verront, mais ils ne s'en occuperont pas.

– Mais, s'ils nous sentent... ?

– Nous avons choisi l'emplacement du mirador de telle sorte que les vents dominants soufflent dans notre direction. Et tu as peut-être remarqué que ces fougères ont une odeur caractéristique.

Elles émettaient une senteur suave, légèrement piquante, qui s'apparentait à celle de l'eucalyptus.

– Imaginons qu'ils aient envie de manger des fougères, poursuivit nerveusement Arby.

– Ils n'en mangeront pas, expliqua Levine. *Dicranopterus cyatheoides* est légèrement toxique et provoque des démangeaisons dans la bouche. Une théorie prétend que cette toxicité remonte au jurassique, comme moyen de défense contre les dinosaures herbivores.

– Ce n'est pas une théorie, glissa Malcolm. Mais une simple supposition.

– Elle n'est pas dépourvue de logique, riposta Levine. La végétation du mésozoïque a dû être soumise à rude épreuve par l'apparition de dinosaures de très grande taille. Les troupeaux d'herbivores géants, où chaque animal consommait quotidiennement des centaines de kilos de plantes, auraient fait disparaître de la surface de la terre les végétaux dépourvus de défense : un mauvais goût, des substances irritantes, des épines, des toxines. Il se peut que la toxicité de *cyatheoides* remonte à cette époque reculée. Et elle est extrêmement efficace ; nulle part sur notre planète, les animaux contemporains ne mangent cette fougère. C'est pour cette raison qu'elle est si abondante, comme tu l'as peut-être remarqué.

– Les plantes ont des défenses ? s'étonna Kelly.

– Naturellement. Les plantes évoluent comme tous les autres êtres vivants ; elles ont élaboré leurs propres moyens offensifs et défensifs. Au siècle dernier, la plupart des théories se limitaient aux animaux – la nature n'était que crocs et griffes rouges de sang. Les scientifiques d'aujourd'hui s'intéressent au vert des tissus végétaux. Nous découvrons que les plantes, dans leur lutte incessante pour la vie, ont développé tout un arsenal allant d'une symbiose complexe avec des animaux à des mécanismes destinés à envoyer des signaux à d'autres plantes, quand ce n'est pas une véritable guerre chimique.

– Des signaux ? fit Kelly, l'air perplexe. Quel genre ?

– Ce ne sont pas les exemples qui manquent, répondit Levine. En Afrique, les acacias se sont armés d'épines très pointues, longues de sept centimètres, ce qui a obligé des animaux comme les girafes et les antilopes à allonger leur langue, afin de franchir ce barrage. Les épines seules n'ont pas suffi. Dans l'étape suivante de la course aux armements qui accompagne l'évolution, les acacias sont passés à la production de toxines. Ils ont commencé à produire dans leurs feuilles de grandes quantités de tanin, qui déclenche chez l'animal qui les mange une réaction métabolique mortelle. Le tanin les tue littéralement. Parallèlement, les acacias ont mis au point entre eux une sorte de système d'alerte chimique. Quand une antilope s'attaque à un acacia, cet arbre répand dans l'air de l'éthylène qui provoque chez les arbres voisins une accélération de la production de tanin. En cinq ou dix minutes, tous les arbres produisent plus de tanin et se rendent toxiques.

– Que devient l'antilope ? Elle meurt ?

– Non, répondit Levine, plus maintenant ; la course aux armements a continué. Les antilopes ont fini par comprendre qu'elles ne pouvaient brouter les feuilles d'acacia que pendant un temps limité. Dès que la production de tanin augmentait, il fallait arrêter. Les herbivores ont donc élaboré de nouvelles stratégies. Par exemple, après avoir mangé les feuilles d'un acacia, une girafe évitera tous ceux qui sont sous le vent. Elle s'attaquera à un arbre qui se trouve à une certaine distance du premier. Ces animaux ont su s'adapter aussi à cette défense.

– Dans la doctrine évolutionniste, glissa Malcolm, on appelle ce phénomène « la Reine rouge ». Dans *Alice au pays des merveilles*, la Reine ordonne à Alice de courir aussi vite qu'elle le peut, juste pour rester où elle est. Il en va de même des spirales évolutionnistes. Tous les organismes évoluent à une allure folle afin de maintenir l'équilibre. Juste pour rester où ils sont.

– Et c'est courant? demanda Arby. Même pour les plantes?

– Bien sûr, répondit Levine. À leur manière, les plantes sont extrêmement actives. Prenons l'exemple du chêne, qui sécrète du tanin et un phénol pour se défendre quand des chenilles l'attaquent. Tout le bosquet est alerté dès qu'un individu est infesté. C'est un moyen de protéger les autres, une sorte de coopération entre les arbres, si tu veux.

Arby hocha la tête en silence et se tourna vers les apatosaures, toujours au bord de la rivière.

– Voilà pourquoi les dinosaures n'ont pas détruit tous les arbres de l'île, reprit-il. Les apatosaures doivent engloutir des quantités de nourriture. Leur cou est assez long pour atteindre les plus hautes feuilles, mais les arbres n'ont pas l'air d'avoir souffert.

– Bien vu, fit Levine. Cela m'avait frappé aussi.

– Est-ce à cause de ces défenses dont ils se dotent?

– Possible, répondit Levine. Mais je crois qu'il y a une explication très simple au fait que les arbres sont préservés.

– Laquelle?

– Regarde, fit Levine. Tu l'as devant les yeux.

Arby prit les jumelles et observa le troupeau.

– C'est quoi, cette explication très simple?

– Une interminable controverse a divisé les paléontologues, expliqua Levine, sur la raison pour laquelle les sauropodes ont un si long cou. Celui des animaux que tu vois est long de six mètres. On croit en général que les sauropodes ont développé leur cou pour manger les feuilles que des animaux plus petits ne peuvent atteindre.

– Et alors? fit Arby. Pourquoi ces discussions?

– La plupart des animaux de notre planète, poursuivit Levine, ont le cou assez court, parce qu'un long cou, c'est très embêtant. Cela provoque des problèmes de toute sorte. Des problèmes structuraux : comment disposer les muscles et les ligaments pour soutenir un long cou? Des problèmes de comportement : l'influx nerveux a beaucoup de chemin à parcourir, entre le cerveau et le reste du corps. Des problèmes de déglutition : la nourriture aussi a du chemin à faire entre la bouche et l'estomac. Des problèmes respiratoires : l'air doit traverser une longue trachée. Des problèmes cardiaques : le sang doit circuler jusqu'à la tête. En termes d'évolution, tout cela est très difficile à réaliser.

– Et les girafes?

– C'est vrai, les girafes ont réussi. Même si leur cou est loin d'être aussi long. Elles ont développé leur muscle cardiaque et ont un fascia très épais autour du cou. En fait, le cou d'une girafe ressemble au manchon gonflable qu'on enroule autour du bras, quand on mesure la tension artérielle. Mais sur toute la longueur.

– Les dinosaures ont le même genre de manchon?

– Nous l'ignorons. Nous supposons que les apatosaures ont un cœur énorme, peut-être près de cent cinquante kilos. Mais il y a une autre solution pour résoudre le problème de la circulation sanguine dans un long cou.

– Laquelle?

– Ce que tu as devant les yeux, fit Levine.

– Ils ne lèvent pas la tête! s'écria Arby en battant des mains.

– Exact. Du moins pas très souvent, ni très longtemps. En ce moment, ils sont en train de boire; ils ont donc le cou baissé. Mais j'ai dans l'idée qu'en les observant sur une durée assez longue nous découvrirons qu'ils ne passent pas beaucoup de temps le cou levé.

– C'est pour cela qu'ils ne mangent pas les feuilles des arbres!

– Absolument.

– Mais, s'ils ne se servent pas de leur long cou pour manger, demanda Kelly, l'air perplexe, pourquoi l'ont-ils tellement développé?

– Il doit y avoir une bonne raison, répondit Levine en souriant. Je pense que cela a un rapport avec la défense.

– La défense? fit Arby en haussant les sourcils. Un long cou? Je ne vois pas.

– Regarde bien, fit Levine. C'est assez évident.

Arby reprit les jumelles.

– Je ne supporte pas quand il dit que c'est évident, glissa-t-il à Kelly.

– Je sais, fit-elle en soupirant.

Arby tourna la tête vers Thorne, croisa son regard. Thorne fit un V de ses doigts. Il en poussa un, le forçant à s'incliner. Le mouvement obligea l'autre doigt à changer de position. Les deux doigts étaient donc liés...

Si c'était une indication, il n'avait pas pigé. Il réfléchit, le front plissé. Non, il ne pigeait pas.

Thorne forma un mot avec les lèvres.

Pont.

Arby se retourna vers les animaux, vit les queues en forme de fouet se balancer au-dessus des jeunes.

– J'ai trouvé! s'écria-t-il. Ils se servent de leur queue pour se défendre. Et il leur faut un long cou pour équilibrer la longue queue. Comme un pont suspendu!

– Il ne t'a pas fallu longtemps, fit Levine en lançant un regard pénétrant à Arby.

Thorne détourna la tête pour dissimuler un sourire.

– Mais j'ai raison..., fit Arby.

– Oui, répondit Levine, en gros, c'est ça. S'il y a un long cou, c'est parce qu'il y a une longue queue. Il n'en va pas de même chez les théropodes, qui se tiennent sur les pattes de derrière. Mais chez les quadrupèdes, si le cou ne contrebalançait pas la queue, l'animal basculerait en arrière.

– En fait, coupa Malcolm, il y a quelque chose de bien plus troublant dans ce troupeau d'apatosaures.

– Vraiment? fit Levine. À quoi pensez-vous?

– Il n'y a pas de vrais adultes, répondit Malcolm. Les animaux que nous voyons paraissent gigantesques, mais pas un seul n'a atteint sa taille d'adulte. Je trouve cela étonnant.

– Vraiment? répéta Levine. Cela ne m'étonne pas le moins du monde. C'est indiscutablement pour la simple raison qu'ils n'ont pas eu le temps d'atteindre leur plein développement. Je suis sûr que ces animaux grandissent plus lentement que les autres dinosaures. N'oubliez pas que la croissance des grands mammifères, comme l'éléphant, est plus lente que celle des petits.

– Ce n'est pas l'explication, fit Malcolm en secouant la tête.

– Ah bon! Je vous écoute.

– Regardez bien, reprit Malcolm, le bras tendu vers la plaine. C'est assez évident.

Les enfants pouffèrent. Levine réprima un petit frisson d'agacement.

– Ce qui me paraît évident, reprit-il, c'est qu'aucune de ces espèces ne semble être arrivée à l'âge adulte. Les tricératops, les apatosaures, même les parasaures sont un peu plus petits qu'on ne l'imaginerait. Cela tendrait à montrer l'existence d'un facteur commun à toutes les espèces : un composant de l'alimentation, les effets de l'isolement sur une petite île, peut-être même la manière dont ils ont été fabriqués. Mais je ne vois là rien de remarquable ni d'inquiétant.

– Vous avez peut-être raison, fit Malcolm. Pourtant rien n'est moins sûr.

PUERTO CORTÉS

— Pas de vol? fit Sarah Harding. Comment ça, pas de vol?

Il était 11 heures du matin. Elle venait de passer quinze heures en avion, la majeure partie à bord d'un appareil militaire, de Nairobi à Dallas. Elle était épuisée, elle se sentait sale; elle avait besoin de se doucher et de se changer. Au lieu de cela, il lui avait fallu discutailler avec un fonctionnaire costaricain bouché à l'émeri, dans un trou perdu de la côte Pacifique. Dehors, la pluie avait cessé, mais, dans le ciel plombé, de gros nuages bas défilaient au-dessus du terrain d'aviation désert.

— Je suis désolé, avait dit Rodríguez. Il n'y a pas d'appareil.

— Et cet hélicoptère qui a emmené les autres?

— Il y a un hélicoptère, oui.

— Où est-il?

— L'hélicoptère n'est pas là.

— Je le vois bien. Où est-il?

— Il est parti à San Cristóbal, répondit Rodríguez avec un geste d'impuissance.

— Quand doit-il revenir?

— Je ne sais pas. Demain, je pense; peut-être après-demain.

— *Señor* Rodríguez, reprit Sarah d'un ton ferme, je dois me rendre aujourd'hui même sur cette île.

— Je comprends vos désirs, fit Rodríguez, mais je ne peux les satisfaire.

— Que proposez-vous?

— Je n'ai rien à proposer, répondit le fonctionnaire avec un haussement d'épaules.

– Y a-t-il un bateau qui pourrait m'emmener ?

– Je ne connais pas de bateau.

– C'est un port, insista Sarah en montrant la baie vitrée. Je vois toutes sortes de bateaux à l'ancre.

– Je sais. Mais je ne crois pas qu'un bateau partira vers les îles. Les conditions ne sont pas favorables.

– Mais si j'allais demander...

– Bien sûr, vous pouvez toujours demander.

Voilà pourquoi, en cette fin de matinée pluvieuse, Sarah Harding arpentait, sac au dos, le quai de bois branlant. Quatre bateaux étaient amarrés au quai, d'où montaient des effluves de poisson. Mais les embarcations semblaient vides. Toute l'activité du petit port était concentrée à l'autre bout du quai, autour d'un bateau beaucoup plus gros. Sur le quai, une Jeep Wrangler rouge attendait d'être chargée à bord ; il y avait aussi plusieurs bidons et de grosses caisses de bois. Sarah admira la voiture en passant ; elle avait été modifiée, agrandie aux dimensions du Land Rover Defender, le véhicule de terrain le plus convoité. La transformation avait dû être extrêmement coûteuse ; seule une expédition à gros budget pouvait la financer.

Sur le quai, deux Américains coiffés d'un chapeau de soleil à large bord hurlaient et gesticulaient en regardant la Jeep soulevée par une antique grue décoller de guingois. Elle entendit un des hommes crier « Attention ! Attention ! », quand le véhicule heurta brutalement les bordages du pont. « Faites attention, bon Dieu ! »

Plusieurs ouvriers entreprirent de transporter les caisses à bord. La grue pivota pour revenir prendre les bidons.

Sarah s'avança vers le premier des deux hommes, s'adressa à lui courtoisement.

– Excusez-moi, monsieur, je me demande si vous pourriez m'aider.

L'homme se tourna pour la dévisager. De taille moyenne, il avait la peau rougie par le soleil et un visage mou ; il paraissait emprunté dans sa tenue de safari trop neuve. Il avait l'air préoccupé et tendu.

– Je suis occupé, fit-il en lui tournant aussitôt le dos. Manuel ! Attention, c'est du matériel fragile !

– Je sais que je vous dérange, poursuivit-elle. Je m'appelle Sarah Harding et j'essaie de...

– Même si vous vous appeliez Sarah Bernhardt, je... Manuel ! Bordel !... Et toi, là-bas ! Oui, toi ! Tiens cette caisse *droite* !

– J'essaie de me rendre à Isla Sorna, acheva Sarah.

À ces mots, le comportement de l'homme changea du tout au tout. Il se retourna lentement.

– Vous avez dit Isla Sorna ? Vous ne feriez pas partie de l'équipe du docteur Levine, par hasard ?

– En effet.

– Ça alors ! lança-t-il avec un sourire chaleureux. C'est trop fort ! Lew Dodgson, ajouta-t-il en lui tendant la main. De la Biosyn Corporation, à Cupertino. Je vous présente mon assistant, Howard King.

– Salut, fit l'autre homme avec un petit signe de tête.

Plus jeune et plus grand que Dodgson, Howard King était séduisant, dans le style californien bien propre. Sarah connaissait son type, un mâle subalterne, servile dans l'âme. Et le comportement de King avait quelque chose de curieux ; il s'était légèrement écarté et semblait aussi mal à l'aise avec elle que Dodgson paraissait amical.

– Le troisième homme est là-bas, reprit Dodgson en indiquant le pont. George Baselton.

Sarah vit de dos un costaud, courbé sur le pont pour inspecter les caisses à mesure qu'elles arrivaient. Ses manches de chemise étaient trempées de sueur aux aisselles.

– Vous êtes des amis de Richard ? demanda-t-elle.

– Nous allons le rejoindre, répondit Dodgson, pour lui donner un coup de main. Mais, ajouta-t-il en hésitant, il ne nous a pas parlé de vous...

Elle prit conscience de l'impression qu'elle devait lui faire : une petite boulotte d'une trentaine d'années, portant une chemise froissée, un short kaki et de grosses chaussures montantes. Ses vêtements étaient sales, ses cheveux ébouriffés, après toutes les heures en avion.

– J'ai connu Richard par l'intermédiaire de Ian Malcolm. Ian et moi sommes de vieux amis.

– Je vois...

Il continua de l'inspecter des pieds à la tête, comme s'il subsistait un doute dans son esprit.

Elle se sentit obligée de donner quelques explications.

– J'étais en Afrique. J'ai décidé de venir au dernier moment. C'est Doc Thorne qui m'a appelée.

– Ah ! bien sûr ! Doc.

Dodgson hocha longuement la tête et sembla se détendre, comme si tout lui paraissait clair.

– Richard va bien ?

– Je l'espère. Nous emportons tout ce matériel pour lui.

– Vous partez tout de suite pour Isla Sorna ?

– Si le temps ne change pas, répondit Dodgson en regardant le ciel. Nous devrions être prêts dans cinq ou dix minutes. Vous êtes la bienvenue à bord, si vous voulez profiter du bateau, ajouta-t-il d'un ton enjoué. Je me réjouis de votre compagnie. Où sont vos affaires ?

– Je n'ai que ça, répondit-elle en montrant son petit sac à dos.

– Vous n'êtes pas trop chargée... Très bien, madame Harding. Bienvenue parmi nous.

Il semblait maintenant totalement ouvert ; quel changement depuis le premier contact! Mais il n'échappait pas à Sarah que le séduisant Howard restait visiblement gêné. Il lui tournait le dos et faisait l'affairé, criant aux ouvriers de faire attention aux dernières caisses qui portaient l'inscription « Biosyn Corporation » en grosses lettres rouges. Elle avait l'impression qu'il fuyait son regard. Elle n'avait pas encore eu l'occasion de regarder de près l'homme du pont. Cela la fit hésiter.

— Vous êtes sûr que c'est possible... ?

— Non seulement c'est possible, répondit Dodgson, mais nous en serons ravis! Et puis comment voulez-vous y aller? Il n'y a pas d'avions, l'hélico est parti.

— Je sais, je me suis renseignée...

— Vous voyez. Si vous voulez aller sur cette île, il vaut mieux partir avec nous.

Le regard de Sarah se posa sur la Jeep.

— Doc doit déjà être sur place, avec son matériel.

En entendant cela, Howard King tourna vivement son visage, avec une expression inquiète. Mais Dodgson se contenta de hocher lentement la tête.

— Sans doute, fit-il. Je crois qu'il est parti hier soir.

— C'est ce qu'il m'a dit.

— Dans ce cas, il est déjà arrivé. Du moins, je l'espère.

Venant du pont, ils entendirent des cris en espagnol; le patron de pêche, en combinaison tachée de graisse, se pencha sur le plat-bord.

— *Señor* Dodgson, nous sommes prêts.

— Parfait, fit Dodgson. Excellent. Montez, madame Harding, nous levons l'ancre!

KING

Le bateau de pêche sortit du port en crachant une fumée noire et gagna le large. Howard King sentait le grondement des moteurs sous ses pieds, entendait les craquements du bois. Il écouta les cris de l'équipage. Il se retourna vers la petite ville de Puerto Cortés, un fouillis de maisonnettes serrées les unes contre les autres, au bord de l'eau. Il espérait que ce rafiot tenait bien la mer, car ils étaient maintenant loin de tout.

Et Dodgson jouait à un jeu dangereux. Il prenait encore des risques.

King redoutait par-dessus tout cette situation.

Howard King connaissait Lewis Dodgson depuis près de dix ans, depuis son entrée à la Biosyn. Frais émoulu de Berkeley, le jeune chercheur plein de promesses débordait d'énergie et voulait conquérir le monde. King avait fait sa thèse de doctorat sur les facteurs de coagulation du sang. Il était entré à la Biosyn à une époque où l'intérêt était vif pour ces facteurs, qui semblaient devoir apporter la réponse à la dissolution des caillots chez les patients atteints d'une maladie de cœur. La concurrence était âpre entre les sociétés de biotechnologie pour mettre au point un médicament permettant à la fois de sauver des vies et d'empocher une fortune.

Au début, King avait travaillé sur une substance prometteuse appelée hemagglutinine V-5, ou HGV-5. Lors des premières expériences, elle avait dissous les agrégats de plaquettes dans des proportions stupéfiantes. King était devenu le fer de lance du service recherche. Sa photo était en évidence dans le rapport annuel de l'entreprise. Il disposait de son propre labo et avait un budget d'exploitation de près d'un demi-million de dollars.

Du jour au lendemain, tout s'écroula. Lors des tests préliminaires sur des sujets humains, HGV-5 ne parvint pas à dissoudre les caillots dans des cas d'infarctus du myocarde et d'embolie pulmonaire. Plus grave encore, elle provoqua des effets secondaires : hémorragies gastro-intestinales, lésions cutanées, problèmes neurologiques. Quand un patient mourut de convulsions, la Biosyn décida de mettre un terme aux essais en cours. En quelques semaines, King perdit son labo. Un chercheur danois fraîchement arrivé le reprit ; ses travaux sur un extrait de bave de la sangsue jaune de Sumatra paraissaient plus prometteurs.

Installé dans un laboratoire plus modeste, King décida qu'il en avait assez des facteurs sanguins et concentra son attention sur les analgésiques. Il travailla sur un composé intéressant, l'isomère L d'une protéine du crapaud cornu d'Afrique, qui semblait avoir des propriétés narcotiques. Mais son assurance s'était effritée ; en passant ses travaux en revue, on avait estimé qu'ils étaient insuffisamment documentés pour être soumis à l'approbation de la FDA. Le programme crapaud cornu fut annulé sans autre forme de procès.

À trente-cinq ans, King avait connu deux fois l'échec. Sa photo n'ornait plus le rapport annuel de la Biosyn. Le bruit courut que la société allait prochainement se débarrasser de lui. Quand il proposa un nouveau programme de recherche, il essuya un refus immédiat. Ce fut une période noire.

Un jour, Lewis Dodgson l'invita à déjeuner.

Dodgson avait une réputation exécrable chez les chercheurs ; on le surnommait « le Croque-mort », à cause de son habitude de détourner les travaux des autres et de les présenter comme siens sous un nouvel habillage. Au début de sa carrière, jamais King ne se serait montré avec lui. Mais il avait laissé Dodgson l'inviter dans un restaurant de fruits de mer très chic, à San Francisco.

– C'est dur, la recherche, soupira Dodgson en manière de préambule.

– On peut le dire, fit King.

– Dur et risqué, poursuivit Dodgson. En matière de recherche, les innovations se goupillent rarement comme on l'espérait. Les patrons comprennent-ils ça ? Non. En cas d'échec, on impute la responsabilité au chercheur. C'est injuste.

– À qui le dites-vous ! fit King.

– Ce sont les règles du jeu, ajouta Dodgson en piquant une patte de son crabe à carapace molle.

King garda le silence.

– Personnellement, reprit Dodgson, je n'aime pas les risques. Et les recherches ouvrant des voies nouvelles sont risquées. La plupart des idées nouvelles sont mauvaises, la plupart des travaux originaux échouent. Voilà la réalité des choses. Celui qui se sent poussé vers la recherche originale doit s'attendre à échouer. C'est très bien s'il travaille dans une université, où l'échec est porté aux nues et où la réussite provoque l'ostracisme. Mais, dans le privé, pas question ! Dans le privé, ce n'est pas un choix de carrière judicieux ; cela ne peut que vous mettre dans le pétrin. Dans la situation où vous vous trouvez aujourd'hui, cher ami.

– Que puis-je faire ? demanda King.

– Eh bien, fit lentement Dodgson, j'ai ma propre version de la méthode scientifique. J'appelle cela « développement sélectif de la recherche ». Si seulement quelques idées doivent être bonnes, pourquoi se fatiguer à les trouver soi-même ? C'est trop difficile. Laissons les autres faire le boulot, laissons-les prendre les risques, laissons-les s'engager sur les sentiers de la gloire. Je préfère attendre et développer des idées déjà plus que prometteuses. Prendre ce qui est bien et l'améliorer encore. Du moins, le rendre assez différent pour le protéger par un brevet. Après, cela m'appartient ; après, c'est à moi.

King fut stupéfié par la franchise avec laquelle Dodgson reconnaissait être un voleur. Il ne semblait pas éprouver la moindre gêne.

– Pourquoi me racontez-vous ça ? demanda King après avoir joué un moment avec sa fourchette.

– Parce que je lis quelque chose en vous, répondit Dodgson. Je lis l'ambition. L'ambition déçue. Croyez-moi, Howard, vous n'avez pas à vous sentir frustré. Rien ne dit non plus que vous serez viré lors de la prochaine évaluation interne. Vous verrez. Quel âge a votre fils ?

– Quatre ans.

– Terrible, de se retrouver sans emploi, avec une famille à nourrir. Et il ne sera pas facile de trouver autre chose. Qui acceptera de vous donner une nouvelle chance ? À trente-cinq ans, un chercheur qui ne s'est pas encore imposé à son poste ne le fera probablement jamais. Je ne dis pas que c'est juste, mais c'est ce que pensent les gens.

King savait que c'était vrai. Pour toutes les sociétés de biotechnologie de Californie.

– Mais, Howard, poursuivit Dodgson à voix basse en se penchant sur la table, un avenir merveilleux vous tend les bras, si vous acceptez de voir les choses différemment. Une vie nouvelle s'offre à vous. Je vous demande de bien réfléchir à ce que je dis.

Quinze jours plus tard, King devenait le bras droit de Dodgson, dans le service des innovations biogéniques, la nouvelle appellation donnée par la Biosyn à tout ce qui touchait à l'espionnage industriel. Pendant les années qui suivirent, la cote de King remonta rapidement. Grâce à Dodgson, qui l'avait pris sous son aile.

King avait maintenant tous les attributs de la réussite : une Porsche, un emprunt-logement, un divorce, un enfant qu'il voyait le week-end. Tout cela parce qu'il s'était révélé le second idéal, travaillant sans compter son temps, s'occupant des détails, volant au secours de son patron quand il parlait sans réfléchir. Ce faisant, King en était venu à connaître toutes les facettes de la personnalité de Dodgson : son côté charismatique, son côté visionnaire et son côté cruel, impitoyable. King se sentait de taille à affronter ce mauvais côté, il se disait qu'il savait comment s'y prendre, qu'il avait appris au fil des ans.

Mais, parfois, il avait des doutes.

C'était le cas maintenant.

À bord de ce rafiot empestant le poisson, en pleine mer, au large d'un village perdu du Costa Rica. Et, dans ce moment de tension, Dodgson s'amusait encore à prendre des risques, en acceptant à leur bord cette femme qu'il venait de rencontrer.

King ignorait quelle idée Dodgson avait derrière la tête, mais il voyait dans ses yeux briller la lueur qu'il n'avait perçue qu'en de rares occasions et qui, chaque fois, l'emplissait d'inquiétude.

La femme s'était avancée sur le pont et se tenait près de la proue. Elle regardait l'océan. King vit Dodgson faire le tour de la Jeep ; nerveusement, il lui fit signe de s'approcher.

— Écoutez, fit-il, je pense que nous devons parler.

— Bien sûr, répondit Dodgson. Qu'est-ce qui vous tracasse ?

Et il sourit. De son air charmeur.

HARDING

Sarah Harding regarda le ciel gris et lourd. La houle du large faisait rouler le bateau. Les marins s'efforçaient tant bien que mal d'arrimer la Jeep qui menaçait de rompre ses attaches. Debout à la proue, Sarah luttait contre le mal de mer. À l'horizon, juste devant le bateau, elle distinguait le trait noir indiquant l'emplacement d'Isla Sorna.

Elle se retourna ; au milieu du bateau, près de la rambarde, Dodgson et son assistant étaient en grande conversation. King semblait très énervé et gesticulait. Dodgson écoutait en secouant la tête. Au bout d'un moment, il posa la main sur l'épaule de King. Il semblait essayer de le calmer. Les deux hommes ne prêtaient aucune attention aux marins qui s'affairaient autour de la Jeep. « Curieux », se dit-elle en se remémorant leur nervosité lorsque le matériel avait été chargé à bord. Ils ne semblaient plus se faire de souci.

Sarah avait naturellement reconnu le troisième homme et s'étonnait de trouver le professeur Baselton sur ce petit bateau de pêche. Baselton lui avait négligemment serré la main avant de disparaître dans l'entrepont dès que le bateau avait appareillé. Il n'était toujours pas remonté. Peut-être souffrait-il du mal de mer, lui aussi.

Elle vit Dodgson s'écarter de King et se précipiter vers la Jeep pour superviser les manœuvres des marins. Dès qu'il fut seul, King se dirigea vers l'arrière, pour vérifier l'arrimage des bidons et des caisses sur le pont. Les caisses au nom de « Biosyn ».

Sarah n'avait jamais entendu parler de la Biosyn Corporation. Elle se demanda quel rapport Ian et Richard avaient avec cette société. Du temps où ils se fréquentaient, Ian avait toujours été critique, voire méprisant, envers les sociétés de biotechnologie. Et elle ne l'imaginait pas se liant d'amitié avec ces hommes ; il y avait en eux quelque chose de rigide, de... patibulaire.

Mais il fallait reconnaître que Ian avait des amis bizarres, qui arrivaient chez lui à l'improviste : le calligraphe japonais, la troupe de danseurs indonésiens, la jongleuse de Las Vegas en boléro pailleté, l'astrologue français au regard inquiétant, qui croyait que la terre était creuse... Et puis il y avait ses amis mathématiciens. Ils étaient complètement fous ; c'est du moins l'impression qu'ils avaient donnée à Sarah. L'air égaré, obsédés par leurs démonstrations. Des pages et des pages de démonstrations, parfois plusieurs centaines. C'était trop abstrait pour elle. Sarah aimait toucher la terre, voir les animaux, percevoir les sons et les odeurs. Ce qui avait une réalité. Tout le reste n'était qu'un ramassis de théories, peut-être justes, peut-être fausses.

Des vagues commencèrent à passer par-dessus la rambarde. Elle s'éloigna un peu de la proue, pour ne pas être trempée. Elle bâilla ; elle n'avait pas beaucoup dormi depuis vingt-quatre heures. Dodgson s'écarta de la Jeep et vint la rejoindre.

— Tout va bien ? fit-elle.

— Oui, oui, répondit Dodgson avec un grand sourire.

— Votre ami King semble perturbé.

— Il n'aime pas les bateaux, fit Dodgson en montrant la mer houleuse. Mais nous avançons bien ; nous devrions toucher terre dans une heure.

— Dites-moi, poursuivit Sarah, qu'est-ce que la Biosyn Corporation ? Je n'ai jamais entendu ce nom.

— Une petite société, répondit Dodgson, qui fabrique des produits biologiques dits de consommation. Nous nous spécialisons dans les organismes destinés aux loisirs et aux sports. Nous avons fabriqué, par exemple, une nouvelle variété de truite et d'autres poissons d'eau douce. Nous proposons aussi de nouvelles races de chiens – des animaux de petite taille pour les gens qui vivent en appartement. Ce genre de chose.

Exactement le genre de chose que Ian détestait.

— Comment avez-vous connu Ian Malcolm ?

— Oh ! cela fait un bout de temps, répondit Dodgson.

Une réponse aussi vague ne pouvait satisfaire Sarah.

— Combien de temps ?

— Cela remonte à l'époque du parc.

— Quel parc ?

— Il ne vous a jamais dit comment il s'était abîmé la jambe ?

— Non, répondit-elle. Il refusait d'en parler. Il m'a seulement dit que c'était arrivé quand il avait été appelé comme consultant pour... Je ne sais pas. Il y a eu des problèmes... Était-ce un parc ?

— Oui, d'une certaine manière, fit Dodgson, le regard rivé sur l'océan.

Et vous? reprit-il après un moment de silence. Comment l'avez-vous connu?

– Ian était un de mes patrons de thèse. Je suis éthologue; j'étudie les grands mammifères dans les écosystèmes des associations herbeuses d'Afrique. L'Afrique de l'Est. Les carnivores, en particulier.

– Les carnivores?

– En ce moment, j'étudie les hyènes. Avant, les lions.

– Cela fait longtemps?

– Près de dix ans, déjà. Six années sans interruption, depuis mon doctorat.

– Intéressant, fit Dodgson. Et vous êtes venue directement d'Afrique?

– Oui. De Seronera, en Tanzanie.

Dodgson fit un vague signe de tête. Son regard se tourna vers l'île, par-dessus l'épaule de Sarah.

– Vous voyez, fit-il, on dirait que le temps va s'éclaircir.

Elle leva les yeux, vit des traînées bleues déchirer la masse grise des nuages. Le soleil essayait de percer. La mer s'était un peu calmée. Elle s'étonna de voir l'île si proche; on distinguait nettement l'abrupt rocheux battu par les flots. La roche volcanique d'un rouge teinté de gris formait un à-pic.

– Vous dirigez une importante équipe de recherche, en Tanzanie? reprit Dodgson

– Non, je travaille seule.

– Pas d'étudiants?

– Malheureusement, non. Mon travail n'a rien de prestigieux. Les grands carnivores de la savane africaine sont pour la plupart des animaux nocturnes. L'essentiel des recherches a lieu pendant la nuit.

– Cela doit être difficile pour votre mari.

– Je ne suis pas mariée, fit-elle avec un petit haussement d'épaules.

– Permettez-moi de m'en étonner. Une belle femme comme vous...

– Je n'ai jamais eu le temps, coupa Sarah. Où allons-nous aborder cette île poursuivit-elle avec vivacité, désireuse de changer de sujet.

Dodgson se tourna vers Isla Sorna. Ils étaient assez près – pas plus de deux kilomètres – pour voir les vagues écumeuses se fracasser au pied des falaises.

– C'est une île assez singulière, reprit Dodgson. Cette région de l'Amérique centrale est volcanique. Il reste une trentaine de volcans en activité, entre le Mexique et la Colombie. Toutes ces îles proches du littoral étaient autrefois des volcans et formaient une chaîne. Contrairement aux volcans continentaux, ceux des îles sont éteints. Il n'y a pas eu d'éruption depuis au moins mille ans.

— Ces falaises sont donc l'extérieur d'un cratère?

— Exactement. Les à-pics sont le résultat de l'érosion pluviale, mais l'océan sape aussi les falaises. Voyez ces endroits où l'océan a dégradé la roche par la base; l'affouillement était si important que des pans entiers de la falaise se sont détachés et sont tombés dans l'eau. Cette roche volcanique est tendre.

— Et pour aborder l'île...

— Il y a plusieurs endroits sur la côte au vent où l'océan a creusé des grottes dans la falaise. Deux d'entre elles recueillent les eaux de rivières qui coulent de l'intérieur. On peut donc traverser.

Il tendit la main droit devant lui.

— Regardez là-bas, on voit une des grottes.

Sarah distingua une ouverture de forme irrégulière à la base de la falaise; tout autour, les vagues s'écrasaient sur la roche, projetant à quinze mètres de hauteur des gerbes écumeuses.

— Vous voulez faire passer le bateau à travers cette grotte?

— Si les conditions météo ne changent pas, oui. Ne vous inquiétez pas, ce n'est pas aussi difficile que cela en a l'air. Mais vous me parliez de l'Afrique, reprit Dodgson en se retournant vers Sarah. Quand êtes-vous partie?

— Juste après l'appel de Doc Thorne. Il a dit qu'il partait avec Ian au secours de Richard et m'a demandé si je voulais les rejoindre.

— Qu'avez-vous répondu?

— Que j'allais réfléchir.

— Vous ne lui avez pas dit que vous veniez? poursuivit Dodgson.

— Non. Je n'étais pas sûre d'en avoir envie. Je suis très occupée, vous savez. J'ai mon travail là-bas, et c'est un long voyage.

— Pour venir retrouver un vieil amant, glissa Dodgson en hochant lentement la tête.

— Bof! fit Sarah avec un soupir. Vous connaissez Ian.

— Oui, je connais Ian. Un personnage.

— On peut dire ça.

Il y eut un silence gêné. Dodgson se racla la gorge.

— Pardonnez-moi d'insister, reprit-il. À qui exactement avez-vous dit que vous veniez?

— À personne. J'ai sauté dans le premier avion en partance; j'arrive juste.

— Et vos collègues de l'université...?

— Je n'ai pas eu le temps, fit-elle, avec un petit haussement d'épaules. Et je travaille seule, comme je l'ai dit.

Sarah se tourna de nouveau vers l'île. La falaise se dressait au-dessus du bateau; elle n'était plus qu'à quelques centaines de mètres. L'entrée de la grotte paraissait beaucoup plus large à cette distance, mais des gerbes d'écume s'élevaient de chaque côté.

– La mer est assez agitée, fit-elle.

– N'ayez aucune inquiétude, répondit Dodgson. Regardez, nous avons mis le cap sur l'ouverture. Dès que nous serons dans la grotte, il n'y aura plus aucun risque. Et après... cela devrait être très excitant.

Le bateau tanguait et piquait du nez. Sarah s'agrippa au garde-corps. Un sourire éclaira le visage de Dodgson.

– Vous voyez? C'est excitant, non?

Il semblait rempli d'une énergie nouvelle, en proie à une étrange agitation. Son corps se raidit; il se frotta fébrilement les mains.

– Il n'y a aucune raison de s'inquiéter. Vous comprenez, je ne peux pas me permettre de courir le risque...

Elle ne savait pas de quoi il parlait. Avant qu'elle ait pu dire quoi que ce fût, le bateau piqua de l'avant, soulevant un nuage d'embruns, et elle perdit légèrement l'équilibre. Dodgson se pencha vivement... en apparence pour la retenir... mais il se passa quelque chose d'anormal... elle le sentit pousser sa jambe, puis la soulever... Une autre vague se brisa sur le bateau, Sarah sentit son corps se tordre et elle se mit à hurler en serrant le garde-corps. Mais cela allait trop vite. Tout commença à tourner autour d'elle, sa tête heurta violemment la rambarde, elle sentit qu'elle basculait, qu'elle plongeait dans le vide. Elle vit la peinture écaillée de la coque défiler devant ses yeux, elle vit les eaux glauques de l'océan se précipiter vers elle, elle eut une sensation de froid saisissant au contact de la mer houleuse et elle s'enfonça sous les vagues, dans les ténèbres liquides.

LA VALLÉE

— Tout se passe pour le mieux, déclara Levine en se frottant les mains d'un air satisfait. Beaucoup mieux que je ne l'imaginais. Je dois dire que je suis ravi.

En compagnie de Thorne, d'Eddie, de Malcolm et des enfants, il contemplait du haut du mirador la vallée qui s'étendait à leurs pieds. Tout le monde transpirait dans l'abri ; il n'y avait pas un souffle d'air dans la chaleur torride de midi. La plaine était presque vide ; la plupart des dinosaures s'étaient réfugiés sous les arbres, cherchant la fraîcheur de l'ombre.

Sauf le troupeau d'apatosaures qui avait quitté le couvert des arbres pour retourner boire à la rivière. Les herbivores géants étaient groupés au bord de l'eau. À proximité, mais plus dispersés, se trouvaient les parasaurolophasaures à la longue crête tubulaire. Deux fois plus petits que les apatosaures, ils ne s'éloignaient pas d'eux.

— De quoi, précisément, êtes-vous ravi ? demanda Thorne en essuyant la sueur qui lui coulait dans les yeux.

— De ce que nous voyons, répondit Malcolm.

Il regarda sa montre, griffonna quelques notes sur son carnet.

— Nous rassemblons les informations que j'espérais obtenir, reprit-il. C'est très excitant.

— Qu'est-ce qui est excitant ? poursuivit Thorne, assommé par la chaleur, en étouffant un bâillement. Les dinosaures boivent, la belle affaire !

— Ils boivent *encore*, rectifia Levine. C'est la deuxième fois en une heure. Il n'est que midi. Ces ingestions de liquide sont hautement significatives de la stratégie thermorégulatrice employée par des animaux de cette taille.

– Vous voulez dire qu'ils boivent beaucoup, afin que leur température interne ne s'élève pas, lança Thorne, que le jargon scientifique horripilait.

– Oui, c'est évident. Ils boivent beaucoup. Mais, à mon avis, leur retour à la rivière a peut-être une signification entièrement différente.

– À savoir ?

– Regardez bien, fit Levine, le bras tendu. Regardez les troupeaux. Regardez leur disposition dans l'espace. Nous sommes témoins de quelque chose que personne n'a jamais vu ni même soupçonné chez les dinosaures. Ce que nous voyons n'est rien d'autre qu'une symbiose entre les espèces.

– Vraiment ?

– Oui, reprit Levine. Les apatosaures et les parasaures sont ensemble. Hier aussi, je les ai vus ensemble. Je suis prêt à parier qu'ils sont toujours ensemble, quand ils se trouvent à découvert dans la plaine. Vous vous demandez pourquoi, naturellement.

– Naturellement, fit Thorne.

– La raison, expliqua Levine, est que les apatosaures sont très puissants, mais qu'ils voient mal, alors que les parasaures, plus petits, ont une excellente vue. Les deux espèces restent donc ensemble pour se défendre mutuellement. Comme les zèbres et les babouins restent ensemble dans la savane d'Afrique. Les zèbres ont un odorat très développé, les babouins une vue perçante. Ils sont plus efficaces ensemble, contre les prédateurs.

– Et vous croyez qu'il en va de même de ces dinosaures...

– Cela crève les yeux, coupa Levine. Observez leur comportement. Quand chaque troupeau est seul, les animaux restent très près les uns des autres. Quand les deux troupeaux sont réunis, les parasaures abandonnent leur formation groupée et se dispersent pour former un cercle autour des apatosaures. La disposition que vous voyez maintenant. La seule explication est que chaque parasaure se place sous la protection du troupeau d'apatosaures. Et réciproquement. À l'évidence, une défense mutuelle contre les prédateurs.

Ils virent un des parasaures lever la tête et regarder de l'autre côté de la rivière. L'animal émit un cri prolongé, un mugissement lugubre. Tous les autres parasaures levèrent la tête du même mouvement. Les apatosaures continuèrent à boire ; seuls un ou deux adultes soulevèrent leur long cou.

– Alors, fit Thorne en chassant d'un revers de main les insectes qui bourdonnaient autour de sa tête, où sont les prédateurs ?

– Les voilà, fit Malcolm en indiquant un bouquet d'arbres sur la rive opposée, pas très loin du cours d'eau.

Thorne plissa les yeux, mais en vain.

– Vous ne les voyez pas ?

– Non.

– Regardez bien. De petits animaux d'un brun sombre, qui ressemblent à des lézards. Des raptors.

Thorne haussa les épaules ; il ne voyait toujours rien. À côté de lui, Levine se mit à grignoter une barre énergétique. L'autre main prise par les jumelles, il laissa tomber l'emballage sur le plancher de l'abri ; des bouts de papier emportés par le vent voletèrent jusqu'au sol.

– C'est bon ? demanda Arby.

– Pas mauvais. Un peu trop sucré.

– Vous en avez d'autres ?

Levine fouilla dans ses poches, lui tendit une autre barre. Arby la coupa en deux, en donna la moitié à Kelly. Il déballa sa moitié, mit soigneusement le papier dans sa poche.

– Vous comprenez l'importance de ce que nous voyons, reprit Malcolm. Pour le problème de l'extinction. Il est manifeste que la disparition des dinosaures est un problème infiniment plus complexe qu'on ne l'a imaginé.

– C'est vrai ? fit Arby.

– Réfléchis, poursuivit Malcolm. Toutes les thèses sur l'extinction reposent sur ce que nous apprennent les fossiles. Mais la documentation paléontologique ne dit rien sur le comportement, tel que nous le voyons. Elle ne montre pas la complexité de l'interaction entre les groupes.

– Parce que les fossiles ne sont que des ossements, fit Arby.

– Exact. Des ossements n'apprennent rien sur le comportement. Quand on y réfléchit, les fossiles sont un peu comme des photographies : des clichés instantanés d'une réalité changeante, mouvante. Étudier les fossiles, c'est comme feuilleter un album de photos de famille. On sait que l'album n'est pas complet ; on sait que la vie se glisse entre les pages. Mais on n'a pas de traces de ce qui s'est passé entre les photos ; on n'a que les photos. Alors, on les étudie, on les décortique. Rapidement, on en vient à considérer l'album non comme une suite d'instants fixés sur la pellicule, mais comme la réalité même. On commence à tout expliquer à partir de ce que montre l'album, en oubliant la réalité sous-jacente. La tendance des dernières années, poursuivit Malcolm, a été d'attribuer à la crise biologique une cause externe. Une comète s'écrase sur la planète et provoque des bouleversements atmosphériques. Des éruptions volcaniques provoquent les mêmes bouleversements. Une comète provoque des éruptions, avec les mêmes conséquences. La végétation se transforme, certaines espèces s'éteignent, faute de nourriture. Une nouvelle maladie fait son apparition, des espèces sont anéanties. Une nouvelle plante apparaît et empoisonne tous les dinosaures. Dans chacune de ces thèses, on envisage un événement externe. Personne n'imagine que les animaux eux-mêmes aient pu changer non dans la morphologie, mais dans le comportement. Et pourtant, quand on observe ces animaux, quand on constate leur interdépendance, force est de reconnaître qu'un changement dans le comportement de groupe pourrait aisément provoquer leur disparition.

– Mais pourquoi le comportement de groupe changerait-il ? demanda Thorne. Si une catastrophe ne le provoque pas, pourquoi changerait-il ?

– En fait, répondit Malcolm, le comportement est en perpétuel changement. Notre planète constitue un environnement actif, dynamique. Les conditions atmosphériques changent ; la terre change ; les continents dérivent ; le niveau des océans monte et descend ; les montagnes surgissent et s'érodent. Tous les organismes de la planète s'adaptent constamment à ces changements ; les plus forts sont ceux qui s'adaptent le plus rapidement. C'est pourquoi, sachant que le changement est permanent, il est difficile de comprendre comment une catastrophe entraînant de profonds changements pourrait provoquer l'extinction.

– Dans ce cas, fit Thorne, à quoi attribuer l'extinction ?

– Un changement brutal ne suffit assurément pas, répondit Malcolm. Les faits le démontrent.

– Quels faits ?

– Une crise biologique majeure a suivi chaque bouleversement climatique ou presque, mais pas tout de suite. Prenez la dernière glaciation, en Amérique du Nord. Les glaciers sont descendus, le climat est devenu très rigoureux, mais les animaux n'ont pas péri. Ce n'est qu'après le retrait des glaces, quand les choses sont revenues à la normale, que de nombreuses espèces se sont éteintes. À cette période, les girafes, les tigres et les mammouths ont disparu de notre continent. C'est le schéma habituel. On dirait presque que les espèces sont affaiblies par les grands changements climatiques, mais qu'il faut un peu de temps avant qu'elles s'éteignent. Le phénomène est bien connu.

– Quelle est l'explication ?

Levine garda le silence.

– Il n'y en a pas, répondit Malcolm. C'est un mystère paléontologique. Mais je suis persuadé que la théorie de la complexité aurait beaucoup à nous apprendre à ce sujet. Si la notion de vie au bord du chaos est vraie, les changements climatiques majeurs poussent les animaux plus près de ce bord. Leur comportement est déréglé. Quand les conditions climatiques reviennent à la normale, ce n'est pas un vrai retour à la normale. En termes d'évolution, c'est un nouveau changement majeur et les animaux ne parviennent pas à suivre ce rythme. Je pense qu'un changement de comportement dans une population animale peut prendre des formes inattendues et je crois savoir pourquoi les dinosaures...

– Qu'est-ce que c'est que ça ? lança Thorne.

Il venait de voir un dinosaure bondir hors du couvert du bouquet d'arbres. L'animal, au corps assez mince, se tenait sur ses pattes de derrière et s'aidait d'une queue raide pour garder l'équilibre. Haut d'un mètre quatre-vingts, il avait la peau d'un vert mêlé de brun, avec des bandes plus sombres, tirant sur le rouge, qui rappelaient la robe du tigre.

– Ça, répondit Malcolm, c'est un velociraptor.

– Ce sont les animaux qui vous ont obligé à vous réfugier dans un arbre ? poursuivit Thorne en se tournant vers Levine. Ils sont vraiment très laids.

– Et très efficaces, fit Levine. Ces animaux sont des machines à tuer d'une redoutable efficacité. On pourrait soutenir que ce sont les prédateurs les plus efficaces de l'histoire de notre planète. Celui qui vient d'apparaître doit être l'animal dominant. C'est lui qui mène la bande.

Thorne vit des mouvements sous les branches.

– Il y en a d'autres.

– Bien sûr, fit Levine. La bande que nous voyons est particulièrement nombreuse.

Il porta les jumelles à ses yeux, les régla à la bonne distance.

– J'aimerais pouvoir repérer l'emplacement de leur nid, reprit-il. Je n'ai pas réussi à le trouver. Certes, ils aiment la discrétion, mais...

Les parasaures mugissaient avec force, tout en se rapprochant du troupeau d'apatosaures. Mais les herbivores géants semblaient relativement indifférents ; les adultes les plus proches de l'eau tournaient même le dos au raptor qui s'avançait.

– On dirait qu'ils s'en moquent, fit Arby. Ils ne le regardent même pas.

– Détrompe-toi, répondit Levine, les apatosaures ne s'en moquent pas du tout. Ils ressemblent à des vaches géantes, mais il ne faut pas s'y laisser prendre. Leur queue en forme de fouet mesure de dix à douze mètres et pèse plusieurs tonnes. Regarde à quelle vitesse ils la balancent. Un seul coup de cette queue suffirait à briser l'échine d'un agresseur.

– Leur tourner le dos est un moyen de défense ?

– Indiscutablement. Tu vois maintenant comment leur long cou contrebalance la queue.

La queue des adultes était si longue qu'elle traversait la rivière et atteignait la rive opposée. Face aux queues qui se balançaient et aux mugissements incessants des parasaures, le raptor rebroussa chemin. Peu après, toute la bande s'éloigna furtivement, suivant la lisière des arbres, en direction de la corniche.

– Vous avez vu juste, à ce qu'on dirait, fit Thorne. Les queues les ont mis en fuite.

– Combien en avez-vous compté ? demanda Levine.

– Je ne sais pas. Une dizaine, une douzaine. Il se peut que j'en ai oublié quelques-uns.

– Quatorze, fit Malcolm en inscrivant le chiffre sur son carnet.

– Vous voulez les suivre ? demanda Levine.

– Pas maintenant.

— Nous pouvons prendre l'Explorer.

— Nous verrons plus tard, dit Malcolm.

— Je pense qu'il faut découvrir où se trouve leur nid, insista Levine. C'est essentiel, Ian, si nous voulons déterminer les rapports prédateur-proie. C'est de la plus haute importance ; l'occasion est idéale pour...

— Nous verrons plus tard, répéta Malcolm en consultant de nouveau sa montre.

— C'est la centième fois que vous regardez votre montre depuis le début de la journée, dit Thorne.

— L'heure du déjeuner approche, fit Malcolm avec un haussement d'épaules. À propos, que fait Sarah ? Elle ne devrait pas bientôt être là ?

— Si, répondit Thorne. J'imagine qu'elle ne va pas tarder.

— Il fait chaud ici, poursuivit Malcolm en s'épongeant le front.

— Oui, très chaud.

Ils écoutèrent les insectes bourdonner au soleil, en suivant des yeux la retraite des raptors.

— Je me demande, reprit Malcolm après un silence, si nous ne ferions pas mieux de redescendre.

— Redescendre ? lança Levine. Maintenant ? Et nos observations ? Et ces caméras que nous voulons installer...

— Je ne sais pas... Il serait peut-être bien de nous changer les idées.

Levine le considéra d'un air incrédule. Il ne répondit pas.

Thorne et les enfants regardèrent Malcolm en silence.

— Je veux dire, poursuivit Malcolm, que Sarah a fait un long voyage depuis l'Afrique et qu'il serait bien d'être là pour l'accueillir... Simple question de politesse.

— Je n'imaginais pas que..., commença Thorne.

— Non, non, répliqua vivement Malcolm. Il ne s'agit pas de ça. Je me disais juste que, euh !... Mais il n'est même pas sûr qu'elle vienne... A-t-elle dit qu'elle venait ? reprit-il, d'un ton hésitant, à l'adresse de Thorne.

— Elle a dit qu'elle allait y réfléchir.

— Alors, elle vient, fit Malcolm. Si Sarah a dit ça, elle va venir. Je la connais. Alors, qu'en pensez-vous ? On redescend ?

— Certainement pas, répondit Levine, les yeux collés à ses jumelles. Il ne me viendrait pas à l'esprit de partir maintenant.

— Doc, fit Malcolm, vous voulez rentrer ?

— D'accord, répondit Thorne en s'essuyant le front. Il fait chaud.

— Comme je connais Sarah, reprit Malcolm en commençant à descendre, elle va débarquer sur cette île en pleine forme.

LA GROTTE

Elle se débattit pour remonter à la surface, mais il y avait de l'eau partout, de grosses vagues, hautes de cinq mètres, de tous côtés. La force de l'océan était immense. Ballottée par le flux et le reflux, incapable de résister aux flots tumultueux, elle ne distinguait plus le bateau, rien que la mer écumeuse. Elle ne voyait pas l'île, rien que de l'eau. De l'eau, de toutes parts. Elle s'efforça de contenir la panique qui la gagnait.

Elle essaya de lutter contre le courant, mais ses chaussures étaient trop lourdes. Elle s'enfonça sous l'eau, remonta, la bouche ouverte, cherchant de l'air. Elle devait à tout prix libérer ses pieds. Elle prit une goulée d'air, plongea la tête sous l'eau pour tenter de délacer ses chaussures. Les poumons près d'éclater, elle commença fébrilement à défaire les nœuds. L'océan la secouait sans relâche.

Elle parvint à retirer une chaussure, remonta pour remplir ses poumons d'air, replongea la tête sous l'eau. Elle passa à la seconde chaussure, les doigts gourds, raidis par la terreur. Cela lui sembla durer des heures. Enfin, les jambes dégagées, allégées, elle put garder la tête hors de l'eau et reprendre son souffle. La houle la souleva, la fit retomber lourdement. Elle ne voyait rien ; la panique la saisit de nouveau. D'un coup, l'île lui apparut.

L'à-pic rocheux était tout proche, terriblement proche. Les vagues s'écrasaient en grondant sur la falaise. Elle n'était plus qu'à une quarantaine de mètres et le flux la poussait inexorablement vers la barrière rocheuse. Sur la crête d'une vague, elle aperçut l'ouverture de la grotte, sur sa droite, à une centaine de mètres. Elle essaya de nager dans cette direction, mais tout effort était vain. Elle n'avait pas la force de se diriger dans cette masse d'eau en mouvement. La puissance du courant la dressait vers la falaise.

Elle sentit son cœur s'emballer. Elle savait qu'elle ne survivrait pas au choc. Une vague se brisa sur elle ; elle avala de l'eau de mer, la recracha en toussant. Elle fut prise d'une nausée, frappée d'une épouvante sans nom.

Elle baissa la tête et commença à nager, brasse après brasse, en s'accompagnant de grands battements de jambes. Elle n'avait pas l'impression d'avancer, la traction latérale du courant était trop forte. Elle n'osait pas regarder autour d'elle. Elle accentua l'amplitude de ses battements de jambes. Quand elle leva la tête pour respirer, elle vit qu'elle avait réduit la distance – pas beaucoup, mais un peu –, qu'elle s'était légèrement rapprochée de la grotte.

Cela lui insuffla du courage, mais la terreur était toujours là. Il lui restait si peu de forces ! Ses membres étaient endoloris par l'effort ; ses poumons la brûlaient ; sa respiration était courte et haletante. Elle cracha de l'eau, respira un grand coup et se remit à nager.

La tête sous l'eau, elle entendit le fracas des flots battant la falaise. Elle poussa sur ses jambes, de toutes ses forces. Les remous et la houle la ballottaient de droite et de gauche, d'avant en arrière. C'était sans espoir. Mais elle ne baissa pas les bras.

Petit à petit, une douleur sourde et continue s'installa dans ses muscles. Elle avait l'impression d'avoir toujours vécu avec cette douleur. Elle cessa d'y prêter attention. Elle continua de pousser sur ses jambes, avec obstination.

Quand elle sentit une vague la soulever, elle sortit la tête de l'eau pour respirer et eut la surprise de voir l'entrée de la grotte, très proche. Encore quelques brasses et elle serait aspirée à l'intérieur. Elle avait espéré que le courant serait moins violent autour de la grotte. Il n'en était rien ; de chaque côté de l'ouverture, les vagues s'écrasaient sur la falaise, se lançaient à l'assaut de la paroi rocheuse et retombaient en nuages d'écume. Il n'y avait pas trace du bateau.

Elle baissa de nouveau la tête, jeta ses dernières forces dans de longs battements de jambes. Son corps allait la trahir ; elle ne tiendrait pas beaucoup plus longtemps. Elle était poussée vers la barrière rocheuse, elle entendait le grondement assourdissant des flots. Soudain, une vague énorme la souleva, l'entraîna comme un fétu vers la paroi rocheuse. Elle n'avait pas la force de résister. Elle leva la tête ; tout était noir comme dans un four.

Épuisée, souffrant le martyre, elle comprit qu'elle était à l'intérieur de la grotte. Elle avait été entraînée dans la grotte ! Le roulement de la mer se répercutait sur les parois. Il faisait trop sombre pour distinguer quoi que ce fût. Le courant, violent, l'emportait de plus en plus vite. Elle sortit la tête de l'eau pour respirer, fit quelques battements de jambes dérisoires. Son corps racla la roche ; elle ressentit une douleur fulgurante avant d'être entraînée dans les profondeurs de la grotte. Mais il y avait quelque chose de nouveau. Elle perçut une clarté indécise sur le plafond ; autour d'elle, l'eau semblait luire. Le courant perdit de sa force. Il lui devint plus facile de garder la tête hors de l'eau. Il y avait une vive lumière juste devant elle, une lumière éclatante, la sortie de la grotte.

Soudain, à son indicible joie, elle déboucha en plein soleil, elle déboucha à l'air libre ! Elle était au milieu d'une rivière assez large, aux eaux boueuses, enserrée par deux murailles végétales. Il n'y avait pas un souffle d'air sous le soleil brûlant ; elle percevait des cris lointains d'oiseaux.

En amont, derrière un coude de la rivière, elle distingua la poupe du bateau de pêche, déjà amarré. Elle ne vit aucun des passagers ; elle n'avait pas envie de les voir.

Rassemblant ses dernières forces, elle gagna la rive, s'agrippa à des branches de palétuviers qui poussaient en forêt dense le long du cours d'eau. Trop faible pour s'accrocher longtemps, elle passa le bras autour d'une racine aérienne et se laissa flotter sur le dos, les yeux levés vers le ciel, reprenant difficilement son souffle. Elle resta ainsi un long moment, puis elle se sentit assez forte pour longer la mangrove impénétrable, s'agrippant aux racines noueuses, jusqu'à ce qu'elle voie une trouée entre les arbres, donnant accès à la rive boueuse. Elle se hissa hors de l'eau, prit appui sur la berge glissante. Son attention fut attirée par de curieuses traces de pattes dans la vase. Des empreintes tridactyles, dont chaque doigt se terminait par une grosse griffe...

En se penchant pour les examiner de plus près, elle sentit le sol vibrer, trembler sous ses mains. Une ombre énorme lui cacha le soleil ; en levant les yeux, elle découvrit avec stupéfaction la peau claire et rugueuse du ventre d'un animal gigantesque. Elle était trop faible pour réagir, même pour se redresser.

Elle eut le temps de voir un pied énorme se poser près d'elle, faisant gicler la vase, et d'entendre une sorte de grognement étouffé. D'un seul coup, la fatigue eut raison de Sarah Harding, ses jambes se dérobèrent sous elle et elle tomba sur le dos. Ses yeux roulèrent dans leurs orbites, elle perdit connaissance.

DODGSON

À quelques mètres de la rivière, Lewis Dodgson monta dans la Jeep Wrangler et claqua la portière. Assis à l'avant, Howard King se tortillait les doigts.

— Comment avez-vous pu faire ça? murmura-t-il d'une voix geignarde.

— Faire quoi? demanda George Baselton, de l'arrière de la voiture.

Dodgson ne répondit pas. Il mit le contact, fit rugir le moteur. Il plaça le levier en position quatre roues motrices; la Jeep s'éloigna du bateau de pêche amarré sur la rive et prit la direction de la jungle.

— Comment avez-vous pu? répéta King, incapable de maîtriser son émotion. C'est terrible.

— Ce qui s'est passé est un accident, fit Dodgson.

— Un accident?

— C'est ça, reprit posément Dodgson, un accident. Elle est passée par-dessus bord.

— Je n'ai rien vu, dit Baselton.

— Et si quelqu'un venait enquêter sur sa disparition et découvrait...

— Découvrait quoi? lança sèchement Dodgson. La mer était mauvaise, elle se tenait à l'avant du bateau, une vague énorme s'est abattue sur le pont et l'a entraînée par-dessus bord. Elle ne savait pas très bien nager. Nous avons fait demi-tour pour essayer de la sauver, mais c'était sans espoir. Un accident profondément regrettable. Qu'est-ce qui vous turlupine?

— Ce qui me turlupine?

— Oui, Howard. Dites-moi précisément ce qui vous emmerde!

— Bon Dieu! j'ai tout vu...

– Non, coupa Dodgson, vous n'avez rien vu.

– Moi, je n'ai rien vu, glissa Baselton. J'étais en bas, je n'ai pas bougé.

– Tant mieux pour vous, reprit King. Mais s'il y a une enquête ?

La Jeep décolla sur la piste de terre qui s'enfonçait dans la jungle.

– Il n'y aura pas d'enquête, affirma Dodgson. Elle a quitté précipitamment l'Afrique, sans dire à personne où elle allait.

– Comment le savez-vous ? pleurnicha King.

– Parce qu'elle me l'a dit, Howard. Voilà comment je le sais. Maintenant, prenez la carte et cessez vos jérémiades. Vous saviez à quoi vous en tenir, quand vous avez accepté de travailler avec moi.

– Je ne savais pas que vous alliez tuer quelqu'un !

– Howard ! fit Dodgson avec un soupir excédé. Il n'arrivera rien. Prenez cette carte !

– Comment le savez-vous ? insista King.

– Je sais ce que je fais, répondit Dodgson. Contrairement à Malcolm et à Thorne, qui sont quelque part sur cette île et qui foutent Dieu sait quoi dans cette satanée jungle !

À la mention de ces noms, l'anxiété de King redoubla.

– Nous allons peut-être tomber sur eux, fit-il nerveusement.

– Non, Howard. Ils ne sauront même pas que nous sommes venus. Avez-vous oublié que nous ne passerons que quatre heures sur cette île ? Arrivée à 13 heures, retour au bateau à 17 heures, débarquement au port deux heures plus tard. À minuit, nous sommes à San Francisco. Terminé. Réglé. *Finito*. Et j'aurai enfin ce que j'aurais dû avoir depuis des années.

– Des embryons de dinosaures, fit Baselton.

– Des embryons ? répéta King, l'air étonné.

– Les embryons ne m'intéressent plus, poursuivit Dodgson. Il y a quelques années, j'ai essayé de me procurer des embryons congelés, mais il n'y a plus de raison de perdre du temps avec ça. Je veux des œufs fécondés. Et, en quatre heures, j'aurai des œufs de toutes les espèces vivant sur l'île.

– Comment peut-on y arriver en quatre heures ?

– Je connais l'emplacement exact de tous les sites de reproduction. La carte, Howard !

King la déplia. C'était une carte topographique à grande échelle, de quatre-vingt-dix centimètres sur soixante, portant en bleu les cotes de nivellement. À plusieurs endroits, dans les vallées, des cercles concentriques étaient tracés en rouge, parfois très serrés.

– Qu'est-ce que c'est ? demanda King.

– Pourquoi ne lisez-vous pas ce qui est écrit, Howard ?

King inclina la carte, regarda la légende et commença à lire.

– « Données sigma Landsat/Nordstat spectres mixtes VSFR/FASLR/IFFVR. » Puis des tas de chiffres. Non, attendez, des dates.

– Exact, fit Dodgson. Des dates.

– Des dates de passage ? C'est une récapitulation, qui réunit les informations de plusieurs passages de satellites ?

– Exact.

– On dirait... un spectre visible, reprit King, les yeux plissés, une fausse ouverture radar et... Qu'est-ce que c'est ?

– Infrarouge, répondit Dodgson en souriant. J'ai fait tout ça en moins de deux heures. J'ai transféré les informations envoyées par satellite, récapitulé le tout et obtenu les réponses que je cherchais.

– Pigé, fit King. Les cercles sont des signatures infrarouges.

– Oui, fit Dodgson. Les gros animaux laissent de grosses signatures. Je me suis procuré les clichés de tous les passages de satellites au-dessus de cette île, ces dernières années, et j'ai porté sur la carte l'emplacement des sources de chaleur. En superposant ces emplacements relevés à chaque passage, j'ai obtenu ces cercles rouges concentriques. Cela signifie que les animaux sont enclins à rester dans le même secteur. Pourquoi ? lança-t-il en se tournant vers King. Parce que ce sont les sites de nidification.

– Oui, fit Baselton, c'est probable.

– Ce sont peut-être les endroits où ils mangent, objecta King.

Dodgson secoua la tête avec agacement.

– À l'évidence, ces cercles ne peuvent être des sites d'alimentation.

– Pourquoi ?

– Parce que ces animaux pèsent en moyenne vingt tonnes chacun, voilà pourquoi ! Un troupeau de dinos de ce poids représente une biomasse de plusieurs centaines de tonnes qui se déplace dans la forêt. Des animaux de cette taille, et en grand nombre, vont avaler des quantités considérables de végétation en une journée. Le seul moyen pour eux d'avoir de quoi manger est de se déplacer. D'accord ?

– J'imagine...

– Vous imaginez ? Regardez autour de vous, Howard. Voyez-vous des endroits où les arbres sont dépouillés ? Non, il n'y en a pas. Ils mangent quelques feuilles sur un arbre et passent au suivant. Ces animaux ne peuvent rester au même endroit pour se nourrir. Mais ce qui reste au même endroit, ce sont leurs nids. Ces cercles rouges doivent donc être des sites de nidification. Si je ne me trompe, ajouta-t-il en jetant un coup d'œil à la carte, le premier est juste derrière cette élévation de terrain.

La Jeep fit une embardée dans une ornière boueuse, s'arracha à la terre détrempée et poursuivit sa route en cahotant.

L'APPEL NUPTIAL

Du haut du mirador, Richard Levine observait les troupeaux à la jumelle. Malcolm avait regagné le camp de base avec les autres, le laissant seul. Au fond, Levine était soulagé de le savoir parti. Il ne demandait rien d'autre que de poursuivre ses observations sur ces animaux extraordinaires et sentait bien que Malcolm ne partageait pas pleinement son enthousiasme sans bornes. Le mathématicien semblait toujours avoir d'autres considérations en tête. Malcolm donnait des signes manifestes d'impatience dans l'acte même de l'observation; ce qui l'intéressait, c'était d'analyser les informations, mais il n'avait pas envie de les recueillir.

Cette différence était bien connue dans la communauté scientifique; la physique en était le parfait exemple. Les spécialistes de physique expérimentale et théorique vivaient dans des mondes entièrement différents; ils n'avaient pas grand-chose d'autre en commun que les articles qui allaient et venaient entre eux. Presque comme s'il s'agissait de deux disciplines distinctes.

La différence d'approche était apparue d'emblée, dès l'époque de Santa Fe. Les deux hommes s'intéressaient à l'extinction, mais Malcolm abordait la question d'une manière générale, d'un point de vue purement mathématique. Son détachement, ses formules implacables avaient fasciné Levine; ils avaient commencé de fructueux échanges, au fil de nombreux déjeuners. Levine enseignait la paléontologie à Malcolm, qui l'initiait aux mathématiques non linéaires. Ils avaient tiré de ces échanges quelques conclusions qui leur avaient beaucoup plu. Mais des divergences s'étaient aussi fait jour. À plusieurs reprises, les deux hommes avaient été priés de quitter l'établissement où ils déjeunaient;

dans la chaleur de Guadalupe Street, ils repartaient à pied vers la rivière, sans cesser de s'accabler d'invectives, tandis que les touristes changeaient prudemment de trottoir.

Leurs divergences avaient dégénéré en critiques personnelles. Malcolm traitait Levine de pédant tatillon, préoccupé de détails sans importance, lui reprochait de ne pas avoir une vue d'ensemble, de ne jamais réfléchir aux conséquences de ses actes. Levine, quant à lui, n'hésitait pas à accuser le mathématicien d'être autoritaire et désinvolte, indifférent aux détails.

« Dieu est dans les détails, avait un jour déclaré Levine.

– Votre Dieu, peut-être, avait riposté Malcolm. Le mien est dans le mécanisme. »

En se remémorant la scène, Levine se dit que cette réponse était exactement celle que l'on pouvait attendre d'un mathématicien. Levine avait la conviction que tout était dans les détails, du moins en biologie, et que la faiblesse la plus courante chez ses confrères biologistes résidait dans une attention insuffisante aux détails.

Levine ne vivait que pour les détails, il ne pouvait s'en détacher. Ainsi, il pensait souvent à l'animal qui l'avait attaqué, quand il était avec Diego ; il repassait sans cesse la scène dans son esprit. Il y avait quelque chose de troublant, une impression qu'il ne parvenait pas à saisir correctement.

L'animal avait attaqué avec impétuosité ; il pensait avoir reconnu un théropode – bipède, queue rigide, crâne développé –, mais, dans l'instant fugitif où il avait aperçu l'animal, il avait cru remarquer une particularité autour des orbites, qui lui faisait penser à *Carnotaurus sastrei*. De la formation de Gorro Frigo, en Argentine. En outre, la peau avait une apparence très inhabituelle, d'un vert lumineux et marbré, mais quelque chose lui échappait...

Il haussa les épaules. Une idée continuait de le tracasser, mais il ne parvenait décidément pas à déterminer de quoi il s'agissait. Rien à faire.

À regret, Levine reporta son attention sur le troupeau de parasaures qui broutaient au bord de la rivière, en compagnie des apatosaures. Il les écouta émettre leur cri caractéristique, qui s'apparentait à un barrissement. Il remarqua que, le plus souvent, les parasaures poussaient un cri de courte durée, comme un coup de trompette. Plusieurs animaux émettaient parfois ce cri avec un synchronisme presque parfait ; cela semblait donc être un moyen sonore d'indiquer au troupeau où se trouvaient tous ses membres. Il y avait un autre appel, prolongé et plus insistant. Ce cri n'était poussé que de loin en loin, et seulement par les deux plus gros animaux, qui levaient la tête pour lancer leur appel long et grave. Il avait une signification, mais laquelle ?

De l'abri écrasé par un soleil de plomb, Levine décida d'effectuer une petite expérience. Plaçant les mains en porte-voix, il imita le barrissement des parasaures. Ce n'était pas une très bonne imitation, mais l'animal dominant leva aussitôt la tête, la tourna de droite et de gauche. Il émit en réponse un cri prolongé.

Levine recommença.

Le parasaure répondit derechef.

Satisfait, Levine prit des notes sur son carnet. Quand il releva la tête, il constata avec étonnement que les parasaures étaient en train de s'éloigner des apatosaures. Le troupeau se rassembla et se mit en branle, à la queue leu leu, se dirigeant droit sur le mirador.

Levine sentit la sueur perler sur son front.

Qu'avait-il fait ? Dans un petit coin de son cerveau, il se demanda s'il n'avait pas imité par hasard l'appel d'un animal en chaleur. Il ne manquait plus que cela, attirer un dinosaure en état d'excitation sexuelle ! Allez savoir comment ces animaux se comportaient à la saison des amours ! Avec une anxiété croissante, il regarda les dinosaures avancer vers lui. Il devrait appeler Malcolm, lui demander son avis. Mais, en y réfléchissant, Levine se dit qu'en imitant le cri du parasaure il avait modifié indûment l'environnement et introduit une nouvelle variable. Exactement ce qu'il avait promis à Thorne d'éviter de faire. C'était un acte inconsidéré, même s'il était probablement de peu d'importance dans le déroulement des choses. Mais Malcolm allait le tancer vertement.

Levine baissa ses jumelles, ouvrit de grands yeux. Un barrissement grave retentit, si fort qu'il en fut assourdi. Le sol se mit à trembler, le mirador commença à osciller dangereusement.

« Ils foncent droit sur moi ! » se dit Levine. Il se baissa, ouvrit son sac à dos et chercha fébrilement la radio.

PROBLÈMES D'ÉVOLUTION

Thorne sortit les plats réhydratés du four à micro-ondes et fit passer les assiettes autour de la petite table. Chacun se servit et commença à manger.

— Qu'est-ce que c'est que ça? demanda Malcolm en piquant la viande de la pointe de sa fourchette.

— Blanc de poulet aux herbes, répondit Thorne.

Malcolm prit une bouchée, secoua la tête.

— Vive la technologie de pointe! fit-il. Ils ont réussi à retrouver le goût exact du carton.

Le regard du mathématicien se posa sur les enfants, assis en face de lui, qui mangeaient avec appétit. Kelly lui lança un coup d'œil, indiqua du bout de sa fourchette les livres sur une étagère, près de la table.

— Il y a une chose que je ne comprends pas, fit-elle.

— Une seule? dit Malcolm.

— Toutes ces histoires sur l'évolution, reprit Kelly. Darwin a écrit son livre il y a bien longtemps, n'est-ce pas?

— Darwin a publié *De l'origine des espèces* en 1859, répondit Malcolm.

— Aujourd'hui, tout le monde lui donne raison, non?

— Je crois qu'il est juste de dire que les scientifiques du monde entier reconnaissent que l'évolution est une caractéristique de la vie sur la Terre. Et que nos ancêtres étaient des animaux, ajouta Malcolm.

— D'accord, fit Kelly. Alors, pourquoi ce tapage aujourd'hui?

— S'il y a du tapage, répondit Malcolm en souriant, c'est que tout le monde reconnaît que l'évolution est une réalité, mais personne ne comprend comment cela fonctionne. Cette théorie soulève de gros problèmes; les scientifiques sont de plus en plus nombreux à le penser.

– Pour trouver l'origine de cette théorie, poursuivit Malcolm en repoussant son assiette, il convient de remonter deux siècles en arrière. Commençons avec le baron Georges Cuvier, le plus célèbre anatomiste de son époque, qui vivait à Paris, le centre intellectuel de la planète. Vers 1800, on commença à mettre au jour des ossements fossiles, et Cuvier comprit qu'il s'agissait d'animaux appartenant à des espèces disparues. C'était une question épineuse, car tout le monde croyait à l'époque que toutes les espèces animales ayant jamais existé vivaient encore. L'idée paraissait raisonnable dans la mesure où l'on considérait que l'âge de la Terre ne dépassait pas quelques milliers d'années. Et parce que Dieu, créateur de tous les animaux, n'aurait jamais laissé disparaître une de ses créatures. On s'accordait donc pour considérer l'extinction comme impossible. Cuvier s'interrogea longtemps sur les ossements exhumés ; il finit par conclure que – Dieu ou pas Dieu – un grand nombre d'espèces animales avaient disparu de la surface de la planète, sans doute à la suite de cataclysmes, dont l'Arche de Noé est une illustration.

– D'accord...

– Cuvier en vint donc, presque malgré lui, à croire à l'extinction, mais il n'accepta jamais l'idée d'évolution. Dans son esprit, l'évolution n'existait pas. Certains animaux mouraient, d'autres survivaient, mais aucun n'évoluait. De son point de vue, un animal ne pouvait changer. Puis Darwin est arrivé ; il a affirmé que les animaux évoluent et que les ossements exhumés étaient ceux des ancêtres disparus d'animaux vivants. Les conséquences de la théorie de Darwin heurtaient bien des susceptibilités. Ses contemporains n'appréciaient pas l'idée que des créatures de Dieu pussent changer ni qu'il pût y avoir un singe dans leur arbre généalogique. C'était embarrassant, c'était dégradant. La controverse fut passionnée. Mais Darwin avait réuni une quantité considérable de données factuelles, d'arguments incontestables. Petit à petit, la théorie de l'évolution reçut l'assentiment de la communauté scientifique et du grand public. Mais la question restait posée : comment s'opère l'évolution ? À cette question, Darwin n'avait pas de réponse satisfaisante.

– La sélection naturelle ? suggéra Arby.

– Oui, c'est l'explication de Darwin. L'action exercée par le milieu favorise certains animaux, qui se reproduisent plus souvent dans les générations suivantes. C'est ainsi que s'opère l'évolution. Mais on se rendit compte que la sélection naturelle n'est pas véritablement une explication. Ce n'est qu'une définition : si un animal survit, c'est parce qu'il est le plus apte. Mais en quoi est-il le plus apte ? Et comment s'opère pratiquement la sélection naturelle ? Personne n'en savait rien, pas plus Darwin que quiconque. Il fallut attendre encore un demi-siècle.

– C'est une question de gènes, suggéra Kelly.

– D'accord, fit Malcolm. Nous arrivons donc au XXᵉ siècle. On redécouvre les travaux de Mendel sur les plantes ; Fischer et White font des études démographiques. En peu de temps, nous apprenons ce que sont les caractères héréditaires. N'oublions pas que, pendant la première moitié du XXe siècle, jusqu'à la fin de la Seconde Guerre mondiale, personne ne savait ce qu'était un gène. Il fallut attendre les travaux de Watson et Crick, en 1953, pour apprendre que les gènes étaient des nucléotides disposés en double hélice. Parfait. Nous connaissions la mutation. En cette fin du XXe siècle, nous avons donc une théorie de la sélection naturelle qui dit que les mutations se produisent spontanément dans les gènes, que le milieu favorise les mutations bénéfiques et que l'évolution s'opère à partir de ce processus de sélection. C'est simple et direct. Dieu n'y est pour rien. Aucun principe supérieur d'organisation n'est en jeu. En un mot, l'évolution n'est rien d'autre que la conséquence d'un tas de mutations qui subsistent ou disparaissent. Pigé ?

— Pigé, fit Arby.

— Mais cette idée soulève un certain nombre de problèmes. Un problème de temps, pour commencer. Une bactérie – le plus ancien microorganisme connu – possède deux mille enzymes. Les scientifiques ont calculé le temps qu'il faudrait pour assembler au hasard ces enzymes dans la « soupe » primitive. Les estimations varient entre quarante et cent milliards d'années. Or, la Terre n'a que quatre milliards d'années. Le hasard seul semble trop lent. D'autant que nous savons maintenant que les bactéries sont apparues seulement quatre cents millions d'années après la formation de la Terre. La vie est donc apparue très rapidement sur notre planète ; pour cette raison, certains scientifiques estiment qu'elle doit être d'origine extraterrestre. Même si, à mon avis, cela ne fait qu'éluder la question.

— Bon, murmura Arby.

— Il y a ensuite le problème de la coordination. Si l'on en croit cette théorie, la merveilleuse complexité de la vie n'est rien d'autre qu'une accumulation d'événements fortuits, une succession d'accidents génétiques échelonnés dans le temps. Pourtant, en étudiant de près les animaux, il semble évident que de nombreux éléments ont dû évoluer simultanément. Prenons la chauve-souris, qui capte l'écho des vibrations qu'elle émet pour éviter les obstacles. Pour arriver à ce résultat, un certain nombre de choses doivent évoluer en même temps. L'animal a besoin d'un appareil spécialisé pour produire les sons, d'oreilles spécialisées pour capter les échos, d'un cerveau spécialisé pour les interpréter et d'un corps spécialisé pour plonger sur les insectes et les attraper. S'il n'y a pas simultanéité, l'animal n'en tire aucun avantage. Croire que tout cela peut arriver par le simple fait du hasard est comme imaginer qu'une tornade s'abattant sur un tas de ferraille assemble les pièces détachées d'un 747 pour en faire un appareil en état de voler. C'est extrêmement difficile à croire.

— Je partage votre opinion, glissa Thorne.

— Problème suivant, poursuivit Malcolm. L'évolution n'agit pas toujours comme le ferait une force aveugle. Certaines niches écologiques ne sont pas occupées ; certaines plantes ne sont pas mangées. Et certains animaux n'évoluent guère. Les requins n'ont pas changé depuis cent soixante millions d'années. Les opossums non plus, depuis l'extinction des dinosaures, il y a soixante-cinq millions d'années. Le milieu biologique a subi des changements spectaculaires, mais les animaux sont pratiquement restés les mêmes. Pas exactement, mais presque. En d'autres termes, il semble qu'ils n'aient pas réagi aux changements du milieu.

— Peut-être sont-ils encore bien adaptés ? suggéra Arby.

— Peut-être. Mais peut-être y a-t-il autre chose que nous ne comprenons pas.

— Comme quoi ?

— D'autres règles qui influent sur le résultat.

— Voulez-vous dire que l'évolution est dirigée ? demanda Thorne.

— Non. Ce serait du créationnisme et c'est faux. Archifaux. Je dis que la sélection naturelle agissant sur les gènes n'explique probablement pas tout. C'est trop simple. D'autres forces sont à l'œuvre. La molécule d'hémoglobine est une protéine repliée comme un sandwich autour d'un atome de fer central auquel l'oxygène est lié. L'hémoglobine se dilate et se contracte en absorbant et en rejetant l'oxygène, comme un minuscule poumon moléculaire. Nous connaissons aujourd'hui la séquence d'acides aminés qui forme l'hémoglobine. Mais nous ne savons pas comment la replier. Heureusement, nous n'avons pas besoin de le savoir, la molécule le fait toute seule. Elle s'organise. Et on constate que tout ce qui vit semble avoir une organisation interne. Les enzymes exercent une action réciproque. Les cellules s'assemblent pour former des organes et les organes s'assemblent pour former un individu. Les individus s'organisent pour former une population. Les populations s'organisent pour former une biosphère cohérente. Grâce à la théorie de la complexité, nous commençons à percevoir la manière dont cette organisation peut s'opérer et ce qu'elle signifie. Cela implique un changement d'importance dans notre manière de concevoir l'évolution.

— Mais, tout compte fait, dit Arby, l'évolution doit quand même être le résultat de l'action du milieu sur les gènes.

— Je ne crois pas que ce soit suffisant, Arby. Je pense qu'il y a autre chose, nécessairement, ne fût-ce que pour expliquer l'apparition de notre propre espèce. Il y a à peu près trois millions d'années, poursuivit-il, des singes d'Afrique qui vivaient dans les arbres sont descendus de leurs branches. Ces singes n'avaient rien de particulier. Ils avaient un petit cerveau, n'étaient pas particulièrement intelligents. Ils n'étaient armés ni de griffes ni de dents acérées. Ni très robustes ni très rapides, ils n'étaient assurément pas de taille, face à un léopard. Comme ils étaient petits, ils ont commencé à se mettre debout, sur leurs pattes de derrière, pour voir par-dessus les hautes herbes. C'est ainsi que tout a commencé. Des singes tout à fait ordinaires, qui voulaient regarder par-dessus les herbes. Au fil du temps, les singes se sont mis de plus en plus souvent debout. Cela leur laissait les mains libres pour faire autre chose. Comme tous les singes, ils utilisaient des instruments. Les chimpanzés, par exemple, se servent de brindilles pour prendre des termites. Petit à petit, nos ancêtres les singes ont appris à utiliser des instruments plus complexes. Leur cerveau s'est ainsi développé. Ce fut le début d'une spirale ; des instruments de plus en plus complexes entraînaient le développement d'un cerveau plus complexe permettant l'utilisation d'instruments encore plus complexes. En termes d'évolution, notre cerveau a littéralement explosé ; il a plus que doublé de volume en un million d'années. Et cela nous a posé des problèmes.

– Quels problèmes ?

– La venue au monde, pour commencer. Un cerveau trop développé ne peut pas traverser le conduit vaginal, ce qui signifie que la mère et l'enfant meurent en couches. Ça ne va pas. Quelle est la réponse en termes d'évolution ? Faire venir le bébé au monde très tôt dans son développement embryonnaire, quand le cerveau est encore assez petit pour sortir de la cavité pelvienne. C'est la solution des marsupiaux ; la majeure partie du développement s'effectue hors du ventre de la mère. Le cerveau d'un bébé humain double de volume pendant la première année. C'est une excellente solution au problème de la naissance, mais qui en engendre d'autres. Le petit de l'homme sera sans défenses longtemps après sa venue au monde. Chez de nombreux mammifères, le petit marche quelques minutes après la naissance. Pour d'autres, c'est l'affaire de quelques jours ou de quelques semaines. Mais il faut une année entière au petit de notre espèce. Il lui faut encore plus longtemps pour être en mesure de se nourrir. Pour compenser la taille de leur cerveau, nos ancêtres ont dû élaborer une organisation sociale stable, permettant de s'occuper des enfants sur une durée de plusieurs années. Ces enfants au cerveau développé, dépourvus de toute défense, ont changé la société. Mais ce n'est pas la conséquence la plus importante.

– Non ?

– Non. L'immaturité biologique de l'enfant à la naissance signifie que le cerveau n'est pas formé. Il vient au monde avec un comportement inné, instinctif, très réduit. Un nouveau-né peut instinctivement téter et serrer, c'est à peu près tout. Le comportement humain complexe n'a rien d'instinctif. Il a fallu aux sociétés humaines développer l'éducation afin de former le cerveau de l'enfant. Lui apprendre comment agir. Chaque société humaine consacre énormément de temps et d'énergie à enseigner à ses enfants la bonne manière de se conduire. Si l'on prend une des sociétés les plus simples, disons dans la forêt pluviale, on constate que l'enfant est entouré d'un réseau d'adultes responsables de son éducation. Pas seulement ses parents, mais les oncles et les tantes, les grands-parents et les anciens de la tribu. Certains apprennent à l'enfant la chasse, la cueillette ou le tissage, d'autres le sexe ou la guerre. Les responsabilités sont clairement définies et, quand un enfant n'a pas, disons, le frère de sa mère pour lui enseigner quelque chose de particulier, la tribu choisit quelqu'un pour le suppléer. Car l'éducation des enfants est, dans un sens, la raison d'être de la société. C'est la chose la plus importante au monde, l'aboutissement des outils, du langage, des structures sociales que l'humanité a développés. Quelques millions d'années plus tard, nos enfants utilisent des ordinateurs. Si ce tableau signifie quelque chose, comment s'effectue la sélection naturelle ? Agit-elle sur le corps, pour augmenter la masse du cerveau ? Contribue-t-elle à accélérer le développement, pour une mise au monde plus rapide ? Agit-elle sur le comportement social, en imposant une coopération et la protection des enfants ? Ou bien agit-elle partout en même temps – le corps, le développement, le comportement social ?

– Partout en même temps, répondit Arby.

– C'est mon avis, poursuivit Malcolm. Mais il peut y avoir des domaines où les choses se produisent automatiquement, résultent d'une organisation interne. Dans toutes les espèces, le nouveau-né a, par exemple, une apparence caractéristique. De grands yeux, une grosse tête, un tout petit visage, un manque de coordination des mouvements. C'est aussi vrai pour un nourrisson que pour un chiot ou un oisillon qui sort de sa coquille. Et cela semble inciter les adultes de toutes les espèces à agir envers eux avec tendresse. On peut dire, dans un sens, que l'apparence du nouveau-né semble déterminer le comportement des adultes. Pour notre espèce, c'est une bonne chose.

– Quel rapport avec l'extinction des dinosaures ? demanda Thorne.

– Les principes d'organisation interne peuvent avoir du bon et du mauvais. Ils peuvent aussi bien coordonner le changement que provoquer le déclin d'une population et lui faire perdre son avantage. J'espère que nous en serons témoins sur cette île, dans le comportement de dinosaures en chair et en os ; cela nous apprendra pourquoi ils ont disparu. En fait, j'ai la conviction que nous savons déjà pourquoi ils ont été frappés d'extinction.

La radio grésilla.

– Bravo ! lança Levine. Je n'aurais pu mieux exprimer les choses. Mais vous devriez peut-être venir jeter un coup d'œil à ce qui se passe ici, Ian. Les parasaures font quelque chose de très intéressant.

– C'est-à-dire ?

– Venez donc voir.

– Les enfants, fit Malcolm, vous restez ici et vous surveillez les moniteurs. Richard, ajouta-t-il, nous allons vous rejoindre.

PARASAURES

Richard Levine s'agrippa au garde-fou, le visage tendu, les yeux écarquillés. Il vit apparaître derrière une éminence la tête majestueuse d'un *Parasaurolophus walkeri*. Le crâne du dinosaure à bec de canard mesurait à peine un mètre, mais il était surmonté d'une énorme crête tubulaire qui partait du museau.

À mesure que l'animal s'approchait, Levine distinguait les taches vertes sur la tête. Le cou était long et puissant, le corps lourd avait un ventre d'un vert plus clair. Haut de trois mètres cinquante, le parasaurolophus avait à peu près la taille d'un gros éléphant. Sa tête arrivait presque à la hauteur de l'abri. L'animal avançait d'une allure régulière, faisant trembler le sol à chaque pas. Quelques secondes plus tard, Levine vit une deuxième tête apparaître au-dessus de l'élévation de terrain... puis une troisième, et une quatrième. Les animaux avançaient droit sur lui, à la queue leu leu, en poussant leur cri.

L'animal de tête arriva à la hauteur du mirador; Levine retint son souffle au passage de l'hadrosaure. Sans s'arrêter, l'animal fixa sur lui de grands yeux bruns qui pivotèrent pour le suivre. Il passa sur ses lèvres une grosse langue pourpre. À chaque pas, la peau du cou tremblait. Il dépassa le mirador, poursuivant son chemin en direction de la jungle. Peu après, le deuxième animal laissa l'abri derrière lui.

Le troisième effleura la charpente d'aluminium, la faisant légèrement osciller. Mais le dinosaure ne sembla rien remarquer; il continua d'avancer du même pas lourd. Ses congénères le suivirent. L'un après l'autre, ils disparurent dans la végétation dense, derrière le mirador. Le sol cessa de vibrer. C'est alors que Levine remarqua la piste, qui longeait le mirador et s'enfonçait dans la jungle.

Il poussa un soupir de soulagement.

Son corps se détendit lentement. Il saisit ses jumelles, inspira à fond pour se calmer. Son anxiété retomba; il commença à se sentir mieux.

Deux questions lui vinrent à l'esprit. Que faisaient les becs de canard? Où allaient-ils? En y réfléchissant, le comportement des dinosaures lui parut extrêmement curieux. En broutant, ils étaient restés groupés, adoptant une disposition défensive qui leur était habituelle, mais, pour se déplacer, ils avaient formé une file, ce qui rendait chaque animal vulnérable, en cas d'attaque d'un prédateur. Ce comportement était pourtant organisé. Il devait y avoir une raison à la marche en file indienne.

Mais laquelle?

Depuis qu'ils étaient entrés sous le couvert des arbres, les parasaures émettaient des mugissements graves et brefs. Levine eut de nouveau le sentiment qu'il s'agissait d'un moyen d'indiquer leur position. Peut-être pour pouvoir se suivre les uns les autres, quand ils se déplaçaient dans la forêt.

Mais pourquoi se déplaçaient-ils?

Où allaient-ils? Que faisaient-ils?

Comment aurait-il pu le découvrir, du haut du mirador? Il continua de prêter l'oreille aux cris des animaux. Puis, d'un mouvement décidé, il enjamba le garde-fou et commença à descendre.

CHALEUR

Elle sentit quelque chose de chaud et humide. Quelque chose de râpeux lui racla le visage, comme du papier de verre. Cela recommença, ce contact rêche sur sa joue. Sarah Harding toussa. Quelque chose coula sur son cou. Elle perçut une odeur bizarre, douceâtre, rappelant la bière de mil d'Afrique. Elle entendit un sifflement grave. Puis la râpe recommença son va-et-vient, partant du cou, remontant vers la joue.

Lentement, elle ouvrit les yeux et découvrit la tête d'un cheval. Les grands yeux sans expression, bordés de cils fins, étaient fixés sur elle. Le cheval était en train de la lécher. Elle se dit que c'était assez agréable, presque rassurant. Allongée sur le dos, dans la boue, avec ce cheval qui...

Ce n'était pas un cheval.

La tête était trop étroite, la partie antérieure de la face trop allongée : les proportions n'étaient pas bonnes. En se tournant, elle vit que la petite tête se prolongeait par un cou étonnamment épais et un corps puissant...

– Mon Dieu ! s'écria-t-elle.

Elle se dressa sur son séant, se jeta à quatre pattes.

Le mouvement brusque surprit le gros animal, qui souffla bruyamment et s'écarta. Il fit lentement quelques pas le long de la rive boueuse, se retourna, la regarda d'un air de reproche.

Elle le voyait tout entier maintenant : tête petite, cou puissant, corps massif, la ligne du dos hérissée d'une double rangée de plaques pentagonales. La queue, traînante, portait de longues épines.

Sarah cligna des yeux.

Ce n'était pas possible.

L'esprit embrouillé, hébétée de stupeur, elle chercha le nom de l'animal. Il lui revint ; elle le connaissait depuis l'enfance.

Stégosaure.

C'était un stégosaure.

Des images d'une chambre d'hôpital, aux murs d'un blanc éclatant, lui remontèrent à la mémoire. La chambre où elle avait rendu visite à Malcolm qui, dans son délire, marmonnait des noms de dinosaures. Elle avait toujours eu des soupçons. Mais là, face à un stégosaure en chair et en os, sa première réaction fut de se dire qu'on lui jouait un tour. Les yeux plissés, elle examina l'animal, cherchant la couture du costume, les articulations mécaniques sous la peau. Mais la peau n'avait pas de couture et l'animal se mouvait d'une manière naturelle. Le stégosaure cligna lentement des yeux. Puis il se détourna, s'avança au bord de l'eau et commença à boire à coups de sa grosse langue râpeuse.

La langue était bleu foncé.

« Comment est-ce possible ? » se demanda Sarah. Cette couleur était-elle due au sang veineux ? S'agissait-il d'un animal à sang froid ? Non. Il se déplaçait sans à-coups, avec l'assurance – et l'indifférence – d'un animal à sang chaud. Les lézards et les reptiles donnent toujours l'impression de se préoccuper de la température du milieu où ils se trouvent. Cet animal ne se comportait pas de la même manière. Immobile, à l'ombre, il lapait l'eau froide de la rivière, indifférent à ce qui l'entourait.

Sarah baissa les yeux vers sa chemise, vit un filet de liquide écumeux qui coulait sur son cou. L'animal avait bavé sur elle.

Il était bien à sang chaud.

Un stégosaure.

La peau du stégosaure avait une texture grenue, pas écailleuse, comme celle d'un reptile. Elle ressemblait plus à celle d'un rhinocéros. Ou d'un phacochère. Mais elle n'avait pas de poils, pas de soies, comme le porc.

Le stégosaure se mouvait lentement. Il avait l'air paisible, assez stupide. « C'est probablement un gros bêta », songea Sarah en observant la tête de l'animal. La boîte crânienne était beaucoup plus petite que celle d'un cheval ; minuscule par rapport au poids de l'animal.

Elle se leva, ne put retenir un gémissement. Elle avait mal partout ; tous ses membres étaient endoloris. Les jambes tremblantes, elle respira profondément.

À quelques mètres d'elle, le stégosaure leva la tête, constata le changement de position. Comme elle ne bougeait pas, il recommença, indifférent, à laper l'eau de la rivière.

Sarah regarda sa montre : 13 h 30. Le soleil était presque au zénith ; elle ne pouvait s'en servir pour s'orienter et il faisait très chaud. Elle décida de marcher, en espérant retrouver Malcolm et Thorne. Nu-pieds, les jambes raides, les muscles douloureux, elle s'enfonça dans la végétation.

Au bout d'une demi-heure de marche, Sarah était assoiffée, mais elle s'était entraînée, dans la savane, à ne pas boire pendant de longues périodes. Elle poursuivit son chemin, insensible à la soif. En approchant d'une corniche, elle croisa une piste empruntée par les animaux sauvages, un large chemin boueux entre les arbres. La marche y était plus facile ; elle suivait la piste depuis un quart d'heure quand elle entendit, devant elle, des glapissement excités. Elle pensa à des chiens et avança avec prudence.

Quelques secondes plus tard, elle perçut des craquements de branches, venant de plusieurs directions. Soudain, un animal d'un vert sombre, ressemblant à un lézard et haut d'un mètre vingt, surgit du couvert des arbres à une vitesse folle et bondit par-dessus Sarah en poussant des cris aigus. Elle baissa instinctivement la tête. Sans lui laisser le temps de reprendre ses esprits, un deuxième animal traversa la piste à toute allure. Presque aussitôt, venant de tous côtés, une bande d'animaux passa avec des glapissements terrifiés. L'un d'eux la heurta et la renversa. Elle tomba dans la boue, au milieu des animaux bondissants.

Quelques mètres plus loin, au bord de la piste, se dressait un grand arbre aux branches basses. Elle se releva d'un bond, s'élança sans réfléchir, s'agrippa à la première branche et se hissa dessus. Elle venait de se mettre à l'abri, quand un nouveau dinosaure, aux pattes munies de griffes acérées, lancé à la poursuite des animaux verts, passa au-dessous d'elle en faisant gicler la boue. Elle eut le temps de distinguer sur le corps sombre de cet animal, haut de près de deux mètres, des bandes tirant sur le rouge, qui rappelaient la robe du tigre. Peu après, un deuxième animal au corps rayé apparut, grondant et sifflant, puis un troisième : une bande de prédateurs chassant les dinosaures verts.

Avec son expérience du terrain, Sarah commença machinalement à compter les animaux qui passaient sous son arbre. Elle dénombra neuf prédateurs tigrés ; cela piqua aussitôt son attention. Elle se dit que ce n'était pas logique. Dès que le dernier prédateur eut disparu, Sarah se laissa tomber de sa branche et s'élança derrière eux. L'idée lui traversa l'esprit qu'elle commettait peut-être une grave imprudence, mais la curiosité fut la plus forte.

Elle poursuivit les dinosaures tigrés entre les arbres, sur un terrain en pente raide. Avant d'atteindre le sommet, des grondements féroces lui apprirent qu'ils avaient rattrapé une proie. En arrivant en haut, elle découvrit une scène étonnante.

Cela n'avait rien à voir avec la mort d'une proie, telle qu'elle en avait souvent vu en Afrique. Dans la plaine de Seronera, la mort de la proie avait sa propre organisation, tout à fait prévisible ; quasi immuable, d'une certaine manière. Les plus gros prédateurs, lions ou hyènes, tout près du cadavre, se nourrissaient avec leurs petits. Plus loin, attendant leur tour, il y avait les vautours et les marabouts. Encore plus loin, sur leurs gardes, les chacals et les autres animaux de petite taille, se nourrissant des restes, tournaient en rond. Quand les grands prédateurs avaient terminé leur repas, ils laissaient la place aux plus petits. Diverses espèces se nourrissaient des différentes parties du corps : les hyènes et les vautours mangeaient les os, les chacals nettoyaient la carcasse. Le schéma était toujours le même ; en conséquence, on se chamaillait et on se battait très peu pour la nourriture.

Sarah découvrit une mêlée furieuse. La proie lui était entièrement cachée par des prédateurs tigrés, qui arrachaient furieusement des lambeaux de chair, s'interrompant fréquemment pour gronder et se battre entre eux. Les attaques étaient féroces ; un prédateur mordit son voisin, lui ouvrant dans le flanc une plaie profonde. Plusieurs autres se tournèrent aussitôt contre l'animal blessé, qui s'enfuit en boitillant, couvert de sang. Repoussé à la périphérie du groupe, il se vengea en faisant une morsure profonde sur la queue d'un congénère.

Sarah vit un jeune, de la moitié de la taille des adultes, s'efforcer d'atteindre la proie pour avoir sa part du festin, mais les autres ne lui laissaient pas la place de passer. Ils grondaient et claquaient furieusement des dents. Le jeune fut contraint de battre en retraite, d'un bond agile, et resta à bonne distance des crocs tranchants comme des rasoirs. Sarah ne vit pas de petits. C'était une société d'adultes féroces.

En observant les prédateurs au corps barbouillé de sang, elle remarqua le réseau de cicatrices qui s'entrecroisaient sur leurs flancs et sur leur cou. À l'évidence, ces animaux étaient intelligents et vifs, mais ils se battaient continuellement. Était-ce la manière dont leur organisation sociale avait évolué ? Si tel était le cas, elle constituait une rareté.

Chez quantité d'espèces, les animaux se battaient pour la nourriture, le territoire et les femelles, mais ces combats se limitaient le plus souvent à des parades et à des agressions rituelles ; les blessures graves étaient rares. Il y avait, bien entendu, des exceptions. Quand des hippopotames mâles se battaient pour la possession d'un harem, ils s'infligeaient souvent de graves blessures. En aucun cas, rien de comparable avec ce qu'elle avait devant les yeux.

Sarah vit l'animal blessé, repoussé à l'écart du groupe, s'avancer furtivement et mordre un de ses congénères, qui bondit sur lui en grondant, le tailladant de sa longue griffe. En un instant, le prédateur blessé fut éventré, ses intestins se répandirent sur le sol par une plaie béante. Il s'effondra en hurlant ; trois autres adultes s'éloignèrent aussitôt de la proie, se jetèrent sur le corps de l'animal blessé et entreprirent de le mettre en pièces avec une incroyable voracité.

Sarah ferma les yeux et tourna la tête. C'était un monde différent du sien, un monde qu'elle ne comprenait pas. Encore abasourdie, elle commença à redescendre, avec précaution, en marchant silencieusement.

UN BRUIT DE MOTEUR

Le Ford Explorer roulait silencieusement entre deux haies d'arbres. Le véhicule électrique suivait en direction du mirador une piste qui longeait la corniche surplombant la vallée.

Thorne était au volant. Il se tourna vers Malcolm.

— Vous avez dit tout à l'heure que vous saviez pourquoi les dinosaures se sont éteints...

— Disons que j'en suis presque sûr, fit Malcolm en changeant de position. La situation est assez simple. Les dinosaures sont apparus au trias, il y a deux cent vingt-huit millions d'années. Ils se sont multipliés au long des deux périodes suivantes, le jurassique et le crétacé. Ils ont dominé la planète pendant cent cinquante millions d'années, une très longue durée.

— Sachant que l'homme n'est là que depuis trois millions d'années, glissa Eddie.

— Ne nous prenons pas trop au sérieux, rectifia Malcolm. Des singes malingres sont là depuis trois millions d'années. Pas nous. Les êtres humains proprement dits ne vivent sur cette planète que depuis trente-cinq mille ans. C'est l'époque à laquelle nos ancêtres ont commencé à peindre les murs des grottes, en France et en Espagne, et à représenter des animaux évoquant des chasses fructueuses. Trente-cinq mille ans. Rien du tout dans l'histoire de la planète. Nous venons d'arriver.

— D'accord...

— Déjà, il y a trente-cinq mille ans, poursuivit Malcolm, des espèces se sont éteintes par notre faute. Les hommes des cavernes tuaient du gibier en si grande quantité que des animaux ont disparu sur plusieurs continents. Il y avait des lions et des tigres en Europe, des girafes et des rhino-

226

céros à Los Angeles. Voilà dix mille ans, les ancêtres des Indiens d'Amérique chassaient les derniers mammouths. Le goût de l'homme pour la destruction ne date pas d'hier...

– Ian...

– C'est une réalité, quoi qu'en pensent les pseudo-intellectuels d'aujourd'hui...

– Ian, nous parlions de dinosaures.

– Exact. Les dinosaures... Je disais donc que, pendant cent cinquante millions d'années, les dinosaures se sont tellement développés sur notre planète qu'au crétacé ils constituaient vingt et un groupes. Quelques-uns, comme les camarasaures et les fabrosaures, avaient déjà disparu. Mais l'écrasante majorité a survécu au long du crétacé. D'un seul coup, il y a soixante-cinq millions d'années, tous les groupes ont été frappés d'extinction. Seuls les oiseaux sont restés. La question est de savoir... Qu'est-ce que c'était ?

– Je croyais que vous le saviez, fit Thorne.

– Non, qu'est-ce que c'était, ce bruit ? Vous n'avez rien entendu ?

– Non.

– Arrêtez-vous.

Thorne stoppa la voiture et coupa le moteur. Ils baissèrent les vitres, l'air chaud s'engouffra à l'intérieur. Il n'y avait pas un souffle de vent. Ils tendirent l'oreille.

– Je n'ai rien entendu, fit Thorne avec un haussement d'épaules. Qu'avez-vous cru... ?

– Chut ! fit Malcolm.

La main en cornet, il passa la tête par la portière pour écouter. Au bout d'un moment, il la rentra.

– Je jurerais avoir entendu un bruit de moteur, dit-il.

– Un moteur ? À combustion interne ?

– Absolument. J'ai eu l'impression que le bruit venait de cette direction, ajouta-t-il en indiquant l'est.

Ils tendirent de nouveau l'oreille, sans rien entendre.

– Comment imaginer qu'il y ait un moteur à essence ici ? fit Thorne. Il n'aurait pas de carburant.

La radio grésilla. C'était Arby.

– Docteur Malcolm ?

– Oui, Arby.

– Qui d'autre y a-t-il, sur l'île ?

– Que veux-tu dire ?

– Regardez sur votre écran.

Thorne alluma le moniteur du tableau de bord. Une image transmise par une caméra de surveillance apparut sur l'écran. La caméra montrait la vallée encaissée qui s'étirait à l'est. Ils virent un versant plongé dans l'ombre d'une épaisse végétation. Une grosse branche occupait une partie de l'écran. L'image était fixe et vide ; il n'y avait aucun signe d'activité.

— Qu'as-tu vu, Arby ?

— Regardez bien.

À travers le feuillage, Malcolm distingua une tache kaki, qui se déplaçait. Quelqu'un descendait la pente couverte d'arbres, tantôt en marchant, tantôt en se laissant glisser. La silhouette était trapue, avec des cheveux bruns coupés court.

— Ça alors ! fit Malcolm en souriant.

— Vous savez qui c'est ?

— Bien sûr. C'est Sarah.

— Eh bien, fit Thorne en tendant la main vers la radio, je pense que nous devrions aller la chercher. Richard ? lança-t-il en enfonçant la touche Émission.

Pas de réponse.

— Richard ? Vous m'entendez ?

Toujours pas de réponse.

— Génial, soupira Malcolm. Il ne répond pas. Il a dû décider d'aller faire un tour. Pour poursuivre ses recherches...

— Je le crains, fit Thorne. Eddie, prends la moto et va voir ce que fabrique Levine. Emporte un Lindstradt. Nous allons chercher Sarah.

LA PISTE

Levine suivit la piste tracée par les animaux, qui s'enfonçait dans la pénombre de la jungle. Les parasaures étaient devant lui; ils faisaient un bruit d'enfer en se frayant un chemin au milieu des fougères et des palmes. Il comprenait maintenant pourquoi ils avaient formé une file : il n'y avait aucun autre moyen pratique de se déplacer dans la végétation dense de la forêt pluviale.

Les cris n'avaient jamais cessé, mais Levine remarqua qu'ils prenaient un caractère nouveau. Plus aigus, plus nerveux. Il pressa le pas, écartant des feuilles de palmier plus hautes que lui, sans quitter la piste labourée. Tout en écoutant les cris des animaux, il perçut une odeur caractéristique, piquante, aigre-douce. Il eut l'impression qu'elle devenait de plus en plus forte.

Il se passait assurément quelque chose chez les parasaures. Leurs cris s'étaient faits plus brefs, des sortes de glapissements. Il y percevait une certaine agitation. Qu'est-ce qui pouvait provoquer l'agitation d'animaux hauts de trois mètres cinquante et longs de neuf mètres ?

La curiosité le dévorait; il se mit à courir, écartant les palmes du bras, sautant par-dessus les troncs d'arbre. Juste devant lui, derrière la barrière végétale, il entendit une sorte de chuintement, un crépitement, puis l'un des parasaures poussa un long mugissement.

En arrivant au pied du mirador, Eddie Carr arrêta la moto. Levine avait disparu. Il examina le sol, vit des empreintes profondes, en grand nombre. Elles étaient grosses, près de soixante centimètres de diamètre, et semblaient se diriger vers la forêt, derrière le mirador.

En scrutant le sol, il vit également des traces de pas récentes; il reconnut l'empreinte des bottes de Levine. À certains endroits, les traces de bottes avaient écrasé le bord des empreintes animales, ce qui signifiait qu'elles avaient été faites après le passage des animaux. Elles se dirigeaient aussi vers la forêt.

Eddie jura à voix basse. Il n'avait vraiment pas envie de s'enfoncer dans la jungle ! Cette perspective lui donnait la chair de poule. Mais que faire d'autre ? Il fallait ramener Levine ; décidément, ce type ne cessait de poser des problèmes. Eddie Carr fit glisser le fusil sur son épaule, le coucha sur le guidon de la moto et tourna les poignées. La moto se mit en marche, silencieusement, et s'enfonça dans l'ombre de la forêt.

Le cœur battant, Levine se glissa le long de la dernière palme géante. Il s'immobilisa d'un coup. Juste devant lui, au-dessus de sa tête, la queue d'un parasaure se balançait. L'animal lui présentait son arrière-train. Un puissant jet d'urine jaillissait de la région postérieure du pubis, éclaboussant le sol. Levine s'écarta d'un bond pour ne pas se faire asperger. Derrière le dinosaure, il vit une clairière au sol foulé par d'innombrables pieds d'animaux. Disséminés dans l'enceinte de la clairière, les parasaures urinaient de concert.

« Ainsi, ils utilisent des latrines », se dit Levine. C'était fascinant, totalement inattendu.

Nombre d'animaux contemporains, les rhinocéros et les cerfs entre autres, préféraient faire leurs besoins à des endroits particuliers. Le plus souvent, le troupeau agissait en coordination. Ce comportement était en général considéré comme une méthode pour marquer un territoire. Quelle qu'en fût la raison, nul n'avait jamais imaginé que les dinosaures agissaient ainsi.

Quand les parasaures eurent fini d'uriner, chaque animal fit quelques pas de côté. Puis ils déféquèrent, toujours à l'unisson. Chaque parasaure expulsa un monticule d'excréments jaune paille. L'évacuation fut accompagnée de longs barrissements... et de très abondantes flatuosités, telles des explosions de méthane.

– Tout à fait charmant, murmura une voix derrière Levine.

Il se retourna, vit Eddie Carr sur la moto, qui agitait la main devant son visage.

– Les pets de dino, c'est quelque chose, reprit Eddie. Il vaut mieux ne pas craquer une allumette si nous ne voulons pas tout faire sauter...

– Chut ! souffla Levine, furieux.

Il se retourna vers les parasaures. Ce n'était pas le moment d'écouter les commentaires vulgaires d'un jeune crétin. Plusieurs animaux baissèrent la tête et commencèrent à lécher les flaques d'urine. Ils voulaient certainement récupérer les éléments nutritifs. Peut-être du sel ; peut-être des hormones. Peut-être quelque chose qui dépendait de la saison. Ou peut-être...

Levine se rapprocha un peu.

On en savait si peu sur ces animaux. On ne connaissait même pas les faits élémentaires de leur vie : comment ils s'alimentaient et éliminaient, comment ils dormaient et se reproduisaient. Un ensemble de comportements complexes, imbriqués, s'était développé chez ces animaux éteints depuis si longtemps. Parvenir à les comprendre pouvait être l'œuvre d'une vie pour des dizaines de scientifiques. Mais l'occasion ne lui en serait probablement pas donnée. Il pouvait seulement espérer former quelques hypothèses, quelques déductions simples qui ne feraient qu'effleurer la complexité de leur vie.

Dans un concert de mugissements, les parasaures s'enfoncèrent dans la forêt. Levine s'apprêta à les suivre.

– Docteur Levine, fit doucement Eddie, venez avec moi sur la moto. Tout de suite.

Levine n'écouta même pas. Tandis que les gros animaux s'éloignaient, plusieurs dizaines de tout petits animaux verts bondirent dans la clairière en gazouillant. Il reconnut aussitôt l'espèce : *Procompsognathus triassicus,* un petit dinosaure nécrophage, découvert par Fraas, en 1913, en Bavière. Levine les observa avec fascination. Il connaissait bien l'animal, mais seulement par des reconstitutions, car il n'existait nulle part au monde un squelette complet de *Procompsognathus.* Ostrom avait effectué les études les plus complètes, mais il lui avait fallu travailler sur un squelette très endommagé et fragmentaire. La queue, le cou et les bras manquaient sur les animaux décrits par Ostrom. Ceux qu'il avait devant les yeux étaient entièrement formés et sautillaient avec vivacité, comme des poulets. Levine vit les compys commencer à manger les excréments tout frais et à boire les restes d'urine. Il plissa le front : était-ce le comportement habituel d'un animal nécrophage ?

Il n'en était pas sûr...

Il s'avança encore pour les observer de plus près.

– Docteur Levine ! souffla Eddie, dans son dos.

Il était intéressant de voir que les compys ne mangeaient que les excréments du jour, pas les matières séchées dont le sol de la clairière était jonché. Les éléments nutritifs qu'ils en tiraient ne devaient être présents que dans les déjections fraîches. Cela faisait penser à une protéine ou une hormone qui se dégradait en peu de temps. Il devait se procurer un échantillon de matières fraîches pour l'analyser. Levine fouilla dans la poche de sa chemise, en sortit un sac en plastique. Il s'avança au milieu des compys, qui semblaient indifférents à sa présence.

Il s'accroupit près du tas d'excréments le plus proche, avança lentement le bras.

– Docteur Levine !

Il tourna la tête, agacé. Au même moment, un des compys bondit et lui mordit la main. Un autre sauta sur son épaule, lui mordit l'oreille. Levine se releva en hurlant. Les compys sautèrent à terre et s'enfuirent en sautillant.

— Merde! lâcha Levine.

Eddie s'approcha sur la moto.

— Ça suffit! fit-il. Montez derrière moi, nous partons!

LE NID

La Jeep Wrangler rouge s'arrêta. Devant la voiture, la piste continuait au milieu des arbres et donnait dans une clairière. Elle était large et boueuse, tassée par le passage de gros animaux. De profondes empreintes étaient visibles dans la boue.

Venant de la clairière, un cri nasillard retentit, évoquant celui d'une oie géante.

— Bon, fit Dodgson. Passez-moi le boîtier.

King ne fit pas un geste.

— Quel boîtier? demanda Baselton.

— Il y a une boîte noire sur le siège, à côté de vous, expliqua Dodgson sans quitter la clairière des yeux. Et une batterie de piles. Passez-les-moi.

— C'est lourd, grogna Baselton.

— À cause des aimants.

Dodgson tendit les bras pour prendre le boîtier de métal noir anodisé. Il était de la taille d'une boîte à chaussures, mais se terminait par une ouverture conique. Sur le dessous était montée une crosse de pistolet. Dodgson fixa la batterie à sa ceinture, la relia au boîtier qu'il souleva par la crosse de pistolet. Il y avait un bouton sur l'arrière, surmonté d'un cadran.

— La batterie est chargée?

— Elle est chargée, répondit King.

— Bien, fit Dodgson. Je passe le premier et je m'approche des œufs. Je règle l'intensité pour me débarrasser des animaux. Vous me suivez. Dès que les animaux se sont éloignés, chacun de vous prend un œuf dans le nid. Vous faites demi-tour et vous les rapportez à la voiture. Je serai le dernier à revenir. Nous partirons aussitôt après. Compris?

— Compris, répondit Baselton.

— D'accord, fit King. Quel genre de dinosaures allons-nous découvrir ?

— Je n'en ai pas la moindre idée, répondit Dodgson en descendant de la Jeep. Cela n'a aucune importance. Il suffit de suivre la procédure.

Il referma doucement la portière.

Les autres descendirent sans bruit ; les trois hommes se mirent en route sur la piste gorgée d'eau. Leurs pieds s'enfonçaient dans la boue. Des cris continuaient à leur parvenir de la clairière. Dodgson se dit que les animaux devaient être nombreux.

Il écarta les dernières fougères et les vit.

C'était un vaste site de nidification, renfermant quatre ou cinq petits monticules de terre recouverts d'herbe. Les nids faisaient un peu plus de deux mètres en largeur et moins d'un mètre en profondeur. Il y avait vingt adultes à la peau beige ; tout un troupeau de dinosaures entourait les nids. Les adultes étaient gros, neuf mètres de long et trois de haut. Ils poussaient des cris et des grognements.

— Seigneur ! souffla Baselton, les yeux écarquillés.

— Des maiasaures, murmura Dodgson en secouant la tête. Ce sera du gâteau.

Les maiasaures doivent leur nom au paléontologue Jack Horner. Avant Horner, on supposait que les dinosaures abandonnaient leurs œufs, comme la plupart des reptiles. Cette hypothèse correspondait à l'image que l'on se faisait autrefois des dinosaures. Des animaux reptiliens, à sang froid. Comme les reptiles, on les croyait solitaires ; les peintures murales des musées montraient rarement plus d'un individu de chaque espèce : un brontosaure d'un côté, un stégosaure ou un tricératops de l'autre, en train de patauger dans un marécage. Mais les fouilles de Horner dans les bad lands du Montana avaient apporté des preuves claires, sans ambiguïté, du fait qu'une espèce d'hadrosaures au moins s'occupait de ses œufs et élevait ses petits. Horner avait intégré ce comportement dans le nom donné à ces animaux. Maiasaure signifie « reptile bonne mère ».

En les observant, Dodgson vit que les maiasaures étaient en effet des parents attentifs. En faisant le tour des nids, les adultes marchaient avec précaution, afin de ne pas écraser les petits monticules de terre meuble. Les maiasaures étaient des dinosaures à bec de canard. Ils avaient une grosse tête terminée par un museau large et aplati, ressemblant au bec d'un canard.

Les adultes prenaient de grosses bouchées d'herbe, qu'ils laissaient tomber sur les œufs protégés par le monticule. Dodgson savait que cela leur permettait d'assurer la régulation thermique des œufs. Si un animal de cette taille s'était assis dessus, il les aurait écrasés. Ils disposaient donc une couche d'herbe, afin de garder la chaleur et de conserver les œufs à une température plus constante. Tous les animaux prenaient part à l'opération.

— Ils sont énormes, fit Baselton.

— Ce ne sont rien d'autre que des vaches géantes, répliqua Dodgson.

Malgré leur taille, les herbivores avaient l'air docile, assez stupide d'une vache.

— Prêts ? pousuivit Dodgson. Allons-y !

Il souleva le boîtier comme un pistolet et s'avança dans la clairière.

Dodgson s'attendait à une vive réaction des maiasaures, quand ils le verraient apparaître ; mais il ne se passa rien. Ils semblèrent à peine remarquer sa présence. Un ou deux adultes tournèrent la tête dans sa direction, pour le considérer d'un œil bovin, puis ils se désintéressèrent de lui. Ils continuèrent à recouvrir d'herbe les œufs sphériques, très clairs, d'une cinquantaine de centimètres de diamètre. Ils faisaient plus du double d'un œuf d'autruche ; la grosseur d'un ballon de plage. Aucun n'était encore éclos.

King et Baselton sortirent du couvert des arbres et vinrent le rejoindre. Les maiasaures ne leur prêtaient toujours aucune attention.

— Incroyable, murmura Baselton.

— C'est parfait, fit Dodgson.

Il commença à tourner le bouton du boîtier. Un sifflement aigu, ininterrompu, emplit la clairière. Les dinosaures se tournèrent aussitôt vers la source du bruit, avec force nasillements et mouvements de tête. Ils semblaient désorientés, agités. Dodgson continua de tourner le bouton ; les vibrations sonores se firent plus stridentes.

Les maiasaures secouèrent la tête, s'éloignèrent du bruit douloureux. Ils se regroupèrent au fond de la clairière. Plusieurs animaux manifestèrent leur nervosité en urinant. Quelques-uns s'enfoncèrent dans la forêt, abandonnant les nids. Malgré leur agitation, les dinosaures restaient à distance.

— Allons-y, fit Dodgson.

King enjamba le bord du premier nid. Il poussa un grognement en prenant un œuf : ses bras en faisaient difficilement le tour. Les maiasaures protestèrent à grands cris, mais pas un seul adulte ne s'avança. Baselton entra à son tour dans le nid, prit un œuf et suivit King, qui repartit vers la voiture.

Dodgson recula, le boîtier tourné dans la direction des dinosaures. À l'orée de la forêt, il coupa le son.

Les maiasaures regagnèrent aussitôt le centre de la clairière en poussant leur cri nasillard. Mais, en arrivant devant les nids, les adultes donnèrent l'impression d'avoir oublié ce qui venait de se passer. Au bout d'un petit moment, ils cessèrent de crier et recommencèrent à recouvrir d'herbe les œufs. Ils n'accordèrent aucune attention à Dodgson qui s'éloigna sur la piste.

« Vraiment stupides », se dit-il en arrivant la voiture. Baselton et King avaient placé les œufs dans de gros emballages en polystyrène et disposaient soigneusement de la mousse autour. Les deux hommes souriaient comme des gamins ravis d'une bonne blague.

– C'est incroyable !

– Génial ! Fantastique !

– Qu'est-ce que je vous avais dit ? lança Dodgson. Facile comme tout ! À ce rythme, poursuivit-il en regardant sa montre, nous n'aurons pas besoin de quatre heures.

Il se mit au volant, établit le contact. Baselton monta à l'arrière. King s'installa à l'avant, reprit la carte de l'île.

– Aux suivants, fit Dodgson.

LE MIRADOR

— Je vous dis que ça ira ! lança Levine avec irritation.

Il transpirait dans la chaleur étouffante, sous le toit d'aluminium du mirador.

— La peau n'est même pas déchirée, poursuivit-il en montrant sa main, où apparaissait un demi-cercle rouge, à l'endroit où le compy avait marqué la peau de ses dents.

— C'est vrai, fit Eddie, mais votre oreille saigne un peu.

— Je ne sens rien. Ça ne peut pas être grave.

— Ce n'est pas grave, poursuivit Eddie en ouvrant la trousse de premiers secours. Mais il vaut mieux la nettoyer.

— Je préfère continuer mes observations, protesta Levine.

Les dinosaures étaient à moins de quatre cents mètres ; il les voyait distinctement. Dans l'air brûlant, sans un souffle de vent, il les entendait respirer.

Il les entendait respirer.

Du moins, il les aurait entendus si ce freluquet lui avait fichu la paix.

— Écoutez, reprit-il, je sais ce que je fais. Vous êtes arrivé à la fin d'une expérience passionnante et très réussie. J'ai fait venir les dinosaures à moi en imitant leur cri.

— Vous avez fait ça ?

— Oui. C'est pour cela qu'ils sont partis dans la forêt. Je ne pense pas avoir vraiment besoin de votre assistance...

— L'ennui, c'est que vous avez un peu de caca de dino sur l'oreille et qu'il y a deux ou trois écorchures. Je vais la nettoyer, poursuivit Eddie en imbibant une compresse de désinfectant. Ça risque de piquer un peu.

— Je m'en fiche, j'ai d'autres sujets de... Ouille !

237

– Cessez de bouger, fit Eddie. J'en ai pour une seconde.

– C'est absolument inutile !

– Si vous restiez tranquille, ce serait déjà fini. Voilà.

Il retira la compresse. Levine vit des traces brunes et une petite traînée rouge. Comme il l'avait imaginé, ce n'était qu'une écorchure. Il porta la main à son oreille ; elle ne lui faisait pas mal.

Il se retourna vers la plaine, tandis qu'Eddie refermait la trousse.

– Quelle chaleur ! déclara Eddie.

– Oui, fit Levine en haussant les épaules.

– Sarah Harding est arrivée. Je crois qu'ils l'ont emmenée au camion. Voulez-vous partir maintenant ?

– Je ne vois pas pourquoi je partirais, répliqua Levine.

– Je pensais que vous auriez peut-être envie de lui dire bonjour.

– Mon travail est ici, poursuivit Levine.

Il lui tourna le dos, prit les jumelles, les colla à ses yeux.

– Alors, vous ne voulez pas repartir ?

– Jamais de la vie, répondit Levine. J'ai soixante-cinq millions d'années à rattraper.

LE CAMION

Kelly Curtis écoutait le bruit de la douche. Elle n'en revenait pas. Elle regarda les vêtements crottés, en désordre sur le lit : un short et une chemisette kaki.

Les vêtements portés par Sarah Harding !

Kelly ne put s'empêcher d'avancer le bras et de les toucher. Le tissu était élimé, effrangé. Elle remarqua que des boutons avaient été recousus ; ils n'étaient pas assortis. Il y avait des traînées rougeâtres près de la poche, peut-être des taches de sang décoloré. Elle palpa l'étoffe...

— Kelly ?

C'était Sarah, qui appelait de la douche.

Elle se souvient de mon nom.

— Oui, répondit-elle, d'une voix trahissant sa nervosité.

— Il y a du shampooing ?

— Je regarde, docteur Harding.

Elle commença à ouvrir précipitamment des tiroirs. Les hommes étaient tous partis à l'autre bout du camion, la laissant seule avec Sarah, pendant qu'elle se lavait.

Kelly fouilla fébrilement dans tous les tiroirs, les referma violemment l'un après l'autre.

— Si tu n'en trouves pas, ce n'est pas grave ! cria Sarah.

— Je cherche...

— Y a-t-il du liquide vaisselle ?

Kelly regarda autour d'elle ; elle vit une bouteille en plastique vert près de l'évier.

— Oui, docteur Harding, mais...

— Passe-le-moi, c'est fait pareil. Cela ne me dérange pas.

Une main écarta le rideau de douche et s'avança. Kelly lui donna la bouteille.

– Tu peux m'appeler Sarah.

– D'accord, docteur Harding.

– Sarah.

– D'accord, Sarah.

Sarah Harding était comme tout le monde. Très simple, normale.

Assise sur le tabouret de la cuisine, l'air extasié, Kelly attendit en balançant les jambes, pour le cas où le docteur Harding – Sarah – aurait besoin d'autre chose. Elle l'écouta fredonner *I'm Gonna Wash That Man Right out of My Hair.* Au bout d'un moment, l'eau cessa de couler, une main se glissa hors de la douche pour prendre une serviette. Sarah sortit, enroulée dans la serviette.

Elle se passa la main dans les cheveux ; toute l'attention qu'elle accordait à son apparence, semblait-il.

– On se sent mieux, fit-elle. C'est le grand luxe, ici. Doc a vraiment fait du bon boulot.

– Oui, fit Kelly, c'est drôlement bien.

Sarah lui sourit.

– Quel âge as-tu, Kelly ?

– Treize ans.

– Tu es en quelle classe ? Quatrième ?

– Cinquième.

– Cinquième, répéta pensivement Sarah.

– Le docteur Malcolm vous a laissé des vêtements, reprit Kelly. Il a dit qu'il pensait qu'ils vous iraient.

Elle indiqua du doigt un short et un tee-shirt propres.

– C'est à qui ?

– Eddie, je crois.

– Ça devrait aller, fit Sarah en prenant les vêtements.

Elle les emporta dans la chambre, commença à s'habiller.

– Que veux-tu faire, quand tu seras grande ? demanda-t-elle.

– Je ne sais pas.

– Excellente réponse.

– Vous croyez ?

Sa mère la poussait à prendre un boulot à temps partiel, à décider elle-même de son avenir.

– Oui, répondit Sarah. Les gens intelligents ne savent jamais ce qu'ils veulent faire avant vingt-cinq ou trente ans.

– Ah bon !

– Qu'aimerais-tu étudier ?

– Euh !... j'aime bien les maths, fit Kelly d'une voix hésitante, comme si elle se sentait coupable.

Sarah dut remarquer son hésitation.

240

– Qu'est-ce que tu reproches aux maths?

– Euh!... les filles ne sont pas bonnes en maths. Enfin, vous voyez ce que je veux dire?

– Non, je ne vois pas, répliqua Sarah d'un ton ferme.

Kelly sentit l'affolement la gagner. Elle avait le sentiment que le moment de chaleureuse complicité qu'elle venait de partager avec Sarah Harding était en train de s'évanouir, comme si elle avait donné une mauvaise réponse à un professeur exigeant. Elle décida de ne plus rien dire et attendit en silence.

Au bout d'un moment, Sarah revint, portant les vêtements trop grands d'Eddie. Elle s'assit, commença à mettre des chaussures. Ses gestes étaient très normaux, très décontractés.

– Qu'est-ce que cela signifie, *les filles ne sont pas bonnes en maths*?

– C'est ce que tout le monde dit.

– Qui, tout le monde?

– Mes profs.

– De mieux en mieux, fit Sarah en secouant la tête. Tes professeurs...

– Les autres élèves me traitent de grosse tête. Des trucs comme ça, vous voyez...

Kelly avait tout lâché dans le même souffle. Elle n'en revenait pas de se confier à Sarah Harding, qu'elle ne connaissait que par des articles et des photos, de lui raconter ces choses intimes. Toutes ces choses qui la perturbaient tant.

Sarah lui adressa un grand sourire.

– Eh bien, fit-elle, si tes copains de classe disent ça, tu dois être assez bonne en maths, non?

– Sans doute...

– C'est merveilleux, Kelly.

– Le problème, c'est que les garçons n'aiment pas les filles trop intelligentes.

– Vraiment? fit Sarah en haussant les sourcils.

– Ben, c'est ce que tout le monde dit...

– Qui, tout le monde?

– Ma mère...

– Je vois. Elle doit savoir de quoi elle parle.

– Pas sûr, reconnut Kelly. Ma mère ne sort qu'avec des ringards.

– Alors, elle pourrait se tromper? poursuivit Sarah avec un sourire.

– Sans doute.

– D'après mon expérience personnelle, certains hommes aiment les femmes intelligentes, d'autres pas. C'est comme tout, en ce bas monde, ajouta-t-elle en se levant. À propos, as-tu entendu parler de George Schaller?

– Bien sûr, il a étudié les pandas.

– Exact. Avant les pandas, il y avait eu les léopards des neiges, les lions et les gorilles. C'est le plus grand spécialiste des animaux du XXe siècle. Sais-tu comment il travaille?

Kelly secoua la tête.

— Avant de partir sur le terrain, George lit tout ce qui a été écrit sur l'animal qu'il va étudier. Ouvrages de vulgarisation, articles de journaux, revues scientifiques, tout. Puis il va faire ses propres observations. Sais-tu ce qu'il découvre, en général?

Kelly secoua de nouveau la tête, n'osant pas ouvrir la bouche.

— Que presque tout ce qui a été dit et écrit est faux. Prenons l'exemple des gorilles. George a étudié les gorilles de montagne dix ans avant que l'idée n'en vienne à Dian Fossey. Il découvrit que ce que l'on croyait sur les gorilles était exagéré, mal interprété, ou purement fantaisiste... Comme cette idée que l'on ne peut emmener une femme dans une expédition chez les gorilles, car elle se ferait violer par les animaux. C'est faux. Tout est... absolument... faux.

Ses chaussures lacées, Sarah se leva.

— Tu vois, Kelly, reprit-elle, même à ton âge, il y a quelque chose que tu peux déjà apprendre. Toute ta vie, les gens te raconteront des choses. La plupart du temps, peut-être quatre-vingt-quinze fois sur cent, ce qu'ils diront sera faux.

Kelly garda le silence. Elle se sentit étrangement désemparée.

— La vie est ainsi faite, poursuivit Sarah, que les gens, le plus souvent, ignorent de quoi ils parlent. Il est difficile de savoir qui croire. Mais je me doute de ce que tu ressens.

— Ah bon?

— Oui. Ma mère à moi me disait que je n'arriverais jamais à rien. Certains de mes professeurs aussi, ajouta Sarah en souriant.

— Vraiment?

Kelly refusait de croire cela.

— Je t'assure, fit Sarah. En fait...

Elles entendirent la voix de Malcolm s'élever de l'autre côté du camion.

— Non! Non! Les imbéciles! Ils vont tout faire rater!

Sarah se retourna et alla aussitôt rejoindre les hommes. Kelly se releva d'un bond et s'élança derrière elle.

Les hommes étaient rassemblés autour du moniteur. Tout le monde parlait en même temps, il y avait de l'électricité dans l'air.

— C'est terrible! lança Malcolm. Terrible!

— C'est bien une Jeep? fit Thorne.

— Ils avaient une Jeep rouge, déclara Sarah en s'approchant de l'écran.

— Alors, c'est Dodgson, fit Malcolm. Merde!

— Qu'est-il venu faire?

– J'ai ma petite idée.

Kelly se glissa entre les adultes pour regarder l'écran ; elle vit des arbres, la tache mouvante d'un véhicule rouge et noir.

– Où sont-ils ? demanda Malcolm à Arby.

– Dans la vallée de l'Est, je crois. Près de l'endroit où nous avons retrouvé le docteur Levine.

La radio grésilla. Ils entendirent la voix de Levine.

– Seriez-vous en train de dire qu'il y a d'autres personnes sur l'île ?

– Oui, Richard.

– Eh bien, il vaudrait mieux les arrêter, avant qu'ils fichent tout en l'air.

– Je sais. Voulez-vous revenir ?

– Pas sans une très bonne raison, répondit Levine. S'il y en a une, prévenez-moi.

Il coupa la communication.

– C'est bien eux, reprit Sarah en suivant la Jeep sur l'écran. Ton ami Dodgson, Ian.

– Ce n'est pas mon ami.

Malcolm se leva ; sa jambe lui arracha une grimace de douleur.

– Allons-y, fit-il. Nous devons arrêter ces salauds. Il n'y a pas de temps à perdre.

NID

La Jeep Wrangler s'arrêta silencieusement. Devant la voiture se dressait une muraille végétale. Mais le soleil donnait juste derrière, dans une clairière.

Assis au volant, Dodgson écoutait. King se tourna vers lui, mais il leva la main, lui fit signe de se taire. Il perçut distinctement le bruit qu'il attendait : un grondement sourd, continu, qui ressemblait à un ronronnement. Le bruit venait de derrière l'écran de végétation. Émis par le plus gros félin qu'il eût jamais entendu. Il sentait une vibration intermittente, à peine perceptible, juste assez forte pour faire tinter les clés de la voiture sur la colonne de direction. À la longue, la lumière se fit dans son esprit : *des pas.*

Quelque chose de très gros. Qui marchait.

À ses côtés, King regardait droit devant lui, béant de stupeur. Dodgson se tourna vers Baselton ; pétrifié, le professeur écoutait en serrant si fort le siège que ses jointures étaient blanches.

Une ombre s'étendit sur les fougères, devant la voiture. À en juger par la forme de l'ombre, l'animal était haut de six mètres et long d'une douzaine. Il marchait sur ses pattes postérieures, avait un corps puissant, un cou assez court, une très grosse tête.

Un tyrannosaure.

Dodgson hésita, sans quitter des yeux l'ombre gigantesque. Son cœur lui martelait la poitrine. Il envisagea de passer au nid suivant, mais se dit que le boîtier fonctionnerait aussi bien pour celui-ci.

— Finissons-en, dit-il. Passez-moi le boîtier.

Baselton le lui tendit, comme la première fois.

— C'est chargé ? demanda Dodgson.

– Batterie chargée, répondit King.

– Allons-y, fit Dodgson. Exactement comme tout à l'heure. Je passe le premier, vous me suivez et vous rapportez les œufs à la voiture. Prêts ?

– Prêt, fit Baselton.

King ne répondit pas ; il regardait l'ombre de l'animal géant.

– C'est quelle espèce de dinosaure ?

– Un tyrannosaure.

– Seigneur ! murmura King.

– Un tyrannosaure ? fit Baselton.

– Peu importe l'espèce, reprit Dodgson avec agacement. Contentez-vous d'exécuter le plan, comme tout à l'heure. Tout le monde est prêt ?

– Un instant, fit Baselton.

– Et si ça ne marche pas ? lança King.

– Nous savons que ça marche, répliqua Dodgson.

– J'ai lu récemment quelque chose d'assez curieux sur les tyranno-saures, reprit Baselton. Un paléontologue du nom de Roxton a étudié la boîte crânienne du tyrannosaure et en a conclu que son cerveau n'était guère différent de celui d'une grenouille ; en plus gros, bien entendu. Cela donne à penser que son système nerveux ne réagit qu'au mouvement. Il ne voit pas ce qui ne bouge pas. Un objet immobile est invisible pour lui.

– En êtes-vous sûr ? demanda King.

– C'est ce que disait l'article. Et cela paraît tout à fait logique. Il ne faut pas oublier que le tyrannosaure, malgré sa taille imposante, avait une intelligence rudimentaire. Il semble parfaitement logique que son cerveau soit comparable à celui de la grenouille.

– Je ne vois pas pourquoi nous irions nous jeter dans la gueule du loup, fit nerveusement King. Il est beaucoup plus gros que les autres.

– Et alors ? riposta Dodgson. Vous avez entendu ce que George a dit : ce n'est qu'une grenouille géante. Finissons-en ! Allez-vous descendre de cette voiture ! Et ne claquez pas la portière !

George Baselton s'était senti à l'aise dans son rôle habituel, celui du professeur, qui consistait à dispenser les connaissances à qui en manquait. Mais, en approchant du nid, il remarqua avec étonnement que ses genoux s'étaient mis à trembler. Il avait l'impression d'avoir les jambes en coton. Il avait toujours cru que c'était une image ; il constata avec angoisse que cela pouvait être littéralement vrai. George Baselton se mordit les lèvres, se força à garder son sang-froid. Pas question de montrer qu'il avait peur. Il restait maître de la situation.

Dodgson était devant, tenant le boîtier noir comme une arme. Baselton regarda furtivement King ; le teint crayeux, le front moite de sueur, il semblait sur le point de tomber dans les pommes et avançait à petits pas. Baselton s'approcha de lui. Pour s'assurer qu'il allait bien.

Devant, Dodgson se retourna encore une fois, fit signe aux deux autres de le rattraper. Il leur lança un regard noir avant de traverser la végétation bordant la clairière.

Baselton vit le tyrannosaure. Non... il y en avait deux ! Deux adultes, qui se tenaient de chaque côté d'un monticule de terre, dressés sur leurs pattes de derrière. Un corps puissant, d'un rouge sombre, des mâchoires énormes. Comme les maiasaures, les deux animaux posèrent sur Dodgson un regard stupide, comme s'ils n'en revenaient pas de voir apparaître cet intrus. Puis ils poussèrent en chœur un rugissement de fureur. Un cri d'une force inimaginable, vibrant, assourdissant.

Dodgson leva le boîtier, le dirigea sur les animaux. Un sifflement aigu emplit aussitôt la clairière.

Les tyrannosaures répondirent par un nouveau rugissement ; la tête baissée, le cou tendu, claquant des mâchoires, ils s'apprêtèrent à attaquer. Ils étaient gigantesques ; les vibrations sonores n'avaient pas d'effet sur eux. Ils contournèrent le monticule, s'avancèrent vers Dodgson. Le sol trembla sous leurs pas.

– Merde ! souffla King.

Dodgson garda son calme. Il tourna le bouton. Baselton plaqua les mains sur ses oreilles. Le sifflement se fit plus aigu, plus intense, strident, incroyablement douloureux. La réaction fut instantanée : les tyrannosaures firent un pas en arrière, comme s'ils venaient de recevoir un coup. Ils baissèrent la tête. Ils clignèrent rapidement des yeux. Les ondes sonores faisaient vibrer l'air. Les animaux rugirent encore, plus faiblement, sans conviction. Un cri plaintif s'éleva du nid.

Dodgson s'avança, le boîtier levé, braqué sur les animaux. Les tyrannosaures reculèrent, regardèrent à l'intérieur du nid, se retournèrent vers Dodgson. Ils secouèrent la tête, rapidement, comme pour se déboucher les oreilles. Dodgson tourna calmement le bouton. Le son devint encore plus strident, insupportable.

Dodgson franchit le monticule de terre entourant le nid. Baselton et King le suivirent maladroitement. Baselton découvrit l'intérieur du nid, qui contenait quatre œufs blancs mouchetés et deux bébés ressemblant à de grosses dindes ébouriffées, ou à des oisillons géants.

Les deux tyrannosaures avaient reculé au fond de la clairière, repoussés par le sifflement strident. Comme les maiasaures, ils urinèrent, en proie à une vive agitation. Ils tapèrent du pied, sans s'approcher.

– Prenez les œufs ! hurla Dodgson pour couvrir le son strident produit par le boîtier.

L'air hébété, King se laissa glisser au fond du nid, referma les bras sur l'œuf le plus proche. Il ne parvint pas à le saisir de ses mains tremblantes ; l'œuf fut projeté en l'air. King le rattrapa au vol, trébucha. Il écrasa la jambe d'un des bébés, qui hurla de peur et de douleur.

Attirés par ses cris, les parents essayèrent de se rapprocher. King sortit précipitamment du nid, se courba en deux pour s'enfoncer dans la forêt. Baselton le regarda disparaître.

– George! hurla Dodgson, le boîtier toujours dirigé vers les tyrannosaures. Allez chercher un autre œuf!

Baselton tourna la tête vers les deux adultes; il vit leur agitation et leur colère, il observa les mâchoires qui s'ouvraient et se refermaient en claquant. Il eut le sentiment que les animaux – ondes sonores ou pas – ne laisseraient personne d'autre pénétrer dans leur nid. King avait eu de la chance; il n'en aurait pas autant, il le sentait, et...

– George! Allez!

– Je ne peux pas!

– Pauvre connard!

Tenant le boîtier à bout de bras, Dodgson entreprit d'entrer lui-même dans le nid. Pour franchir le monticule, il fut obligé de se tourner... Le fil de la batterie se débrancha.

Le sifflement cessa brusquement.

Le silence tomba dans la clairière.

Baselton poussa un gémissement.

Les tyrannosaures secouèrent la tête, une dernière fois, avec un long rugissement. Baselton vit Dodgson figé sur place, rigoureusement immobile. Il s'immobilisa lui aussi, forçant son corps à ne pas bouger, ses genoux à cesser de trembler, retenant son souffle.

Et il attendit.

Les tyrannosaures commencèrent à traverser la clairière, dans sa direction.

– Qu'est-ce qu'ils font? s'écria Arby, si près du moniteur que son nez touchait presque l'écran. Ils sont cinglés! Ils restent immobiles!

À ses côtés, les yeux rivés sur l'écran, Kelly gardait le silence.

– Tu as toujours envie d'aller faire un tour? demanda Arby.

– La ferme! souffla Kelly.

– Non, fit Malcolm, les yeux fixés sur le moniteur du tableau de bord, ils ne sont pas cinglés.

L'Explorer filait en cahotant sur la piste qui menait à la zone orientale de l'île. Thorne était au volant, Malcolm et Sarah à l'arrière.

– Il devrait essayer de rebrancher son appareil, dit-elle. Tu crois qu'ils vont rester où ils sont, Ian?

– Oui.

– Pourquoi?

– Ils sont mal informés, répondit Malcolm.

DODGSON

Dodgson regarda le tyrannosaure s'avancer vers lui. Pour un animal de cette taille, il était très prudent. Un seul des deux adultes s'était mis en mouvement ; il s'arrêtait tous les trois ou quatre pas pour rugir férocement, mais se montrait étrangement hésitant, comme intrigué par le fait que ces intrus ne prenaient pas la fuite. Mais peut-être ne pouvait-il pas les voir ? Peut-être les deux hommes avaient-ils disparu pour lui ?

L'autre adulte restait en retrait, protégeant l'arrière du nid. Il levait et baissait la tête, très agité.

Il était agité, mais n'attaquait pas.

Le premier dinosaure poussait des rugissements terrifiants, à glacer le sang. Dodgson n'osait pas regarder Baselton, à quelques mètres de lui. Le professeur devait trembler dans sa culotte. « Pourvu qu'il ne parte pas en courant », se dit Dodgson. S'il se mettait à courir, il était mort. S'il demeurait parfaitement immobile, tout irait bien.

Raide, tous ses muscles contractés, Dodgson tenait le boîtier anodisé de la main gauche, à la hauteur de sa taille. De la main droite, lentement, avec d'infinies précautions, il tira le fil électrique débranché. Encore quelques secondes et il sentirait la fiche entre ses doigts ; il suffirait alors de la rebrancher sur le boîtier.

Ce faisant, il ne quitta pas des yeux le tyrannosaure. Le sol tremblait sous ses pieds. Il entendit les plaintes du bébé que King avait blessé. Ces cris semblaient inquiéter les parents, les exciter.

Aucune importance. Encore quelques secondes et la fiche serait rebranchée. Et après...

Le tyrannosaure était maintenant tout près. Dodgson perçut l'haleine fétide du carnivore. L'animal rugit ; il sentit son souffle brûlant. Le

248

tyrannosaure se trouvait juste à côté de Baselton. Dodgson tourna la tête, très légèrement, pour regarder.

Baselton se tenait raide comme un piquet. Le tyrannosaure baissa son énorme tête. Il renifla. Il releva la tête, l'air indécis.

« Il ne le voit vraiment pas », se dit Dodgson.

Le dinosaure lança un cri féroce. Baselton parvint à conserver son immobilité. Le tyrannosaure se pencha, les mâchoires monstrueuses s'ouvrirent et se refermèrent. Baselton regarda devant lui, fixement. Les énormes narines dilatées le flairèrent, une longue et bruyante inspiration, qui fit onduler le pantalon du professeur.

Puis le tyrannosaure poussa légèrement Baselton du bout du museau. Dodgson comprit à cet instant que l'animal voyait. D'un mouvement latéral de la tête, le tyrannosaure poussa Baselton, le renversa sans effort. Baselton se mit à hurler quand le pied colossal descendit pour le clouer au sol.

– Saloperie! cria Baselton, les bras levés, juste avant que les mâchoires énormes se referment sur lui.

Le mouvement fut lent, presque délicat; l'instant d'après, la tête se redressa vivement, déchiquetant le corps. Dodgson entendit un hurlement; il vit quelque chose de petit et de flasque qui pendait de la gueule, et il comprit que c'était le bras de Baselton. La main se balançait, le bracelet métallique de la montre jetait des reflets au soleil, sous l'œil énorme du tyrannosaure.

En entendant le hurlement de Baselton – un cri ininterrompu, monocorde –, Dodgson sentit ses jambes flageoler et la sueur perler sur son front. Il pivota sur lui-même et se mit à courir vers la voiture, vers la sécurité, vers n'importe quoi d'autre. À foncer comme un dératé.

Kelly et Arby tournèrent la tête en même temps. Kelly eut un haut-le-cœur; elle ne pouvait pas regarder plus longtemps. Mais ils entendaient encore à la radio les cris atténués de l'homme étendu sur le dos, que le dinosaure déchirait à belles dents.

– Coupe le son, gémit Kelly.

Quelques secondes plus tard, le silence se fit.

Kelly soupira, ses épaules s'affaissèrent.

– Merci, murmura-t-elle.

– Je n'ai rien fait, dit Arby.

Elle leva les yeux vers l'écran, les détourna presque aussitôt. Le tyrannosaure était en train de déchirer quelque chose de rouge. Elle ne put retenir un frisson.

Tout était silencieux dans le camion. Kelly perçut le tic-tac des compteurs électroniques, le bruit sourd des pompes à eau, sous le plancher. Dehors, un vent léger faisait bruire les hautes herbes. Kelly se sentit soudain très seule, isolée sur cette île.

– Arby, demanda-t-elle, qu'est-ce qu'on va faire?

Arby ne répondit pas.

Il se précipita dans la salle de bains.

– Je le savais, fit Malcolm, les yeux rivés sur le moniteur. Je savais que cela se passerait comme ça. Ils ont essayé de voler des œufs... Regardez, les tyrannosaures s'en vont! Tous les deux!

Il se pencha vers la radio.

– Arby? Kelly? Vous m'entendez?

– On ne peut pas parler, fit Kelly.

L'Explorer continua de dévaler la pente, vers le nid des tyrannosaures. Agrippé au volant, Thorne avait la mine sombre.

– Quel bordel! soupira-t-il.

– Kelly? Tu m'entends? Nous ne voyons pas ce qui se passe là-bas. Les tyrannosaures ont quitté leur nid! Kelly? Dis-nous ce qui se passe!

Dodgson courut à toutes jambes vers la Jeep. La batterie tomba pendant sa course folle, mais il n'en avait cure. Il vit King qui attendait dans la voiture, livide, nerveux.

Dodgson bondit au volant, mit le moteur en marche. Les tyrannosaures rugirent.

– Où est Baselton? demanda King.

– Il n'a pas réussi.

– Qu'est-ce que ça veut dire?

– Ça veut dire qu'il n'a pas réussi à s'en sortir, bordel! hurla Dodgson en manœuvrant le levier de vitesse.

La Jeep démarra avec une secousse, gravit la pente en cahotant. Ils entendirent les tyrannosaures rugir derrière eux.

L'œuf dans les bras, King se retourna.

– Il vaudrait peut-être mieux s'en débarrasser, fit-il.

– Je vous interdis de lâcher cet œuf!

– Peut-être veulent-ils juste le récupérer, poursuivit King en baissant la vitre.

– Non, fit Dodgson. Non!

Il tendit le bras pour retenir King, qui se débattit, tout en conduisant de l'autre main. La piste était étroite, sillonnée de profondes ornières. La Jeep faisait des embardées.

Soudain, devant eux, un des tyrannosaures surgit des arbres. L'animal se planta au milieu de la piste, grondant, bloquant le passage.

– Nom de Dieu! souffla Dodgson en écrasant la pédale de frein.

La Jeep dérapa interminablement sur le sol boueux avant de s'immobiliser.

Le tyrannosaure s'avança pesamment en rugissant.

– Demi-tour! hurla King. Faites demi-tour!

Dodgson ne l'écouta pas. Il passa brutalement la marche arrière, la voiture redescendit la piste. Il conduisait vite, le chemin était étroit.

– Vous êtes complètement fou! cria King. Vous allez nous tuer!

D'un revers de main, Dodgson le frappa sur la bouche.

– Allez-vous fermer votre gueule?

Il avait besoin de toute son attention pour manœuvrer la Jeep en marche arrière sur la piste sinueuse. Même en accélérant à fond, il était sûr que le tyrannosaure les rattraperait. Jamais il n'y arriverait! Ils étaient dans une Jeep, avec une capote en toile, et ils allaient se faire bouffer...

– Non! hurla King.

Derrière la voiture, Dodgson vit le second tyrannosaure charger sur la piste. Devant, le premier animal fondait sur eux. Ils étaient pris au piège.

Cédant à la panique, il tourna le volant, la voiture quitta la piste, s'engagea à reculons dans la végétation touffue qui la bordait. Il sentit une violente secousse. La voiture s'abaissa brusquement; il comprit que les roues arrière étaient suspendues en l'air, au bord d'une saillie. Il écrasa la pédale d'accélérateur, mais les roues tournèrent dans le vide. C'était sans espoir. La voiture bascula lentement en arrière, s'enfonça dans un enchevêtrement végétal impénétrable. Mais ils avaient dépassé le bord de la saillie. À côté de lui, King sanglotait. Il entendit les rugissements des tyrannosaures, tout proches.

Dodgson poussa violemment la portière et sauta dans le vide. Il plongea au milieu du feuillage, heurta violemment un tronc d'arbre et dévala une pente raide. Au cours de la chute interminable, il ressentit une douleur aiguë au front et eut un éblouissement. Puis les ténèbres l'enveloppèrent, et il perdit connaissance.

DÉCISION

Assis dans l'Explorer, en haut de la corniche surplombant la vallée mangée par la jungle, les vitres baissées, ils entendaient les rugissements des tyrannosaures et le fracas des énormes animaux se frayant un chemin dans la végétation.

— Ils ont abandonné le nid tous les deux, dit Thorne.

— Oui, fit Malcolm avec un soupir. Les autres ont dû emporter quelque chose.

Ils restèrent un moment silencieux, l'oreille tendue.

Ils perçurent un bourdonnement étouffé; la moto s'arrêta à leur hauteur.

— Je me suis dit que vous pourriez avoir besoin d'un coup de main, fit Eddie. Vous voulez descendre?

— Il n'en est pas question, répondit Malcolm. C'est trop dangereux... Nous ne savons pas où ils sont.

— Pourquoi Dodgson est-il resté planté comme ça? demanda Sarah. Ce n'est pas de cette manière qu'il faut s'y prendre avec les prédateurs. Quand on se sent menacé par des lions, on fait beaucoup de bruit, on agite les bras, on leur lance tout ce qu'on trouve. On essaie de les faire fuir; on ne reste pas planté comme un piquet.

— Il n'a pas dû lire le bon article, répondit Malcolm en secouant lentement la tête. On a fait circuler une théorie selon laquelle les tyrannosaures ne percevaient que le mouvement. Un chercheur du nom de Roxton a pris des moulages de la boîte crânienne de *rex* et en a conclu que les tyrannosaures avaient un cerveau de grenouille.

— Roxton est un imbécile, lança la voix de Levine à la radio. Il n'a

252

même pas assez de connaissances en anatomie pour faire l'amour avec sa femme. Son article relève de la fumisterie.

— Quel article ? demanda Thorne.

La radio grésilla.

— Roxton, reprit Levine, croit que les organes de la vue du tyrannosaure étaient semblables à ceux des amphibiens. Une grenouille perçoit le mouvement, pas ce qui est immobile. Il est impossible qu'il en aille de même d'un prédateur tel que le tyrannosaure. Absolument impossible. La défense la plus courante des animaux qui leur servent de proie est en effet de se figer sur place. Quand un cerf ou un animal de ce genre sent un danger, il demeure immobile. Un prédateur doit être en mesure de le voir. C'était le cas du tyrannosaure.

Levine fit entendre un ricanement de mépris.

— C'est comme cette autre théorie stupide avancée par Grant, il y a quelques années, qui prétendait qu'un tyrannosaure pouvait être perturbé par une pluie torrentielle, car il n'était pas adapté à un climat humide. C'est tout aussi absurde. Le crétacé n'était pas une période particulièrement sèche. Et, en tout état de cause, le tyrannosaure est un animal d'Amérique du Nord — les ossements découverts l'ont été au Canada et aux États-Unis. *Tyrannosaurus rex* vivait sur les rives de la grande mer intérieure, à l'est des Rocheuses. Les orages sont fréquents sur les versants des montagnes. Je suis persuadé que les tyrannosaures connaissaient bien la pluie et qu'ils s'y sont adaptés.

— Y a-t-il une raison, demanda Malcolm, pour laquelle un tyrannosaure n'attaquerait pas quelqu'un ?

— Bien sûr, répondit Levine. Une raison évidente.

— À savoir ?

— S'il n'avait pas faim, s'il venait de dévorer une proie. Tout animal de la grosseur d'une chèvre suffirait à assouvir sa faim plusieurs heures. Non, Ian, le tyrannosaure voit bien, ce qui bouge comme ce qui reste immobile.

Ils écoutèrent les rugissements montant de la vallée. Ils virent des ondulations dans le feuillage, au nord, à moins d'un kilomètre. D'autres rugissements retentirent. Les deux prédateurs semblaient se répondre.

— Qu'avons-nous emporté ? demanda Sarah Harding.

— Trois Lindstradt, répondit Thorne. Ils sont chargés.

— Très bien, fit-elle. Allons-y.

La radio grésilla.

— Je ne suis pas sur place, fit Levine, mais je vous conseillerais d'attendre.

— Pas le temps, répliqua Malcolm. Sarah a raison. Nous allons descendre et nous verrons bien ce qui arrivera.

— Votre dernière heure, fit Levine.

Arby revint s'asseoir devant le moniteur, en s'essuyant le menton. Il paraissait encore secoué.

— Qu'est-ce qu'ils font maintenant? demanda-t-il.

— Le docteur Malcolm et les autres vont vers le nid.

— Tu te fiches de moi? lança-t-il.

— Ne t'inquiète pas, répondit Kelly, Sarah a les choses en main.

— On peut toujours espérer, fit Arby.

LE NID

Ils arrêtèrent l'Explorer juste derrière la clairière. Eddie appuya la moto contre un arbre et attendit, pendant que les autres descendaient de la Jeep.

Sarah Harding reconnut l'odeur aigre et familière de viande en décomposition et d'excréments qui marquait toujours le site de nidification d'un carnivore. Dans la chaleur d'étuve de l'après-midi, la puanteur donnait envie de vomir. Des mouches bourdonnaient autour d'eux. Sarah prit un des fusils, le mit en bandoulière. Elle se tourna vers les trois hommes. Ils la regardaient, immobiles, tendus. Le visage de Malcolm était très pâle, décoloré autour des lèvres. Cela rappela à Sarah le jour où Coffmann, son vieux professeur, lui avait rendu visite, en Afrique. Coffmann était un ces types au faux air d'Hemingway, gros buveur, coureur de jupons, toujours un tas d'histoires à raconter sur ses aventures chez les orangs-outans de Sumatra ou les makis à queue zébrée de Madagascar. Elle l'avait donc emmené dans la savane, assister à une chasse et voir les lions dévorer une proie. Coffmann n'avait pas tardé à tourner de l'œil. Il pesait près d'un quintal ; Sarah avait dû le traîner par le col de sa chemise, pendant que les lions se rapprochaient en grondant. Elle n'avait pas oublié cette leçon.

Elle se pencha vers les trois hommes.

— Si vous avez de l'appréhension, murmura-t-elle, ne venez pas. Attendez ici. Je ne veux pas avoir à m'inquiéter pour vous ; je peux me débrouiller seule.

Elle commença à s'éloigner.

— Es-tu sûre... ?

— Oui. Et maintenant, silence !

Elle se dirigea vers la clairière. Malcolm et les autres pressèrent le pas pour la rattraper. Sarah écarta des palmes, s'avança à découvert. Les tyrannosaures étaient partis, laissant le cône boueux sans défense. Sur la droite, elle vit une chaussure, avec un lambeau de chair qui dépassait de la chaussette lacérée. Tout ce qui restait de Baselton.

Venant de l'intérieur du nid, un cri aigu, plaintif lui parvint. Sarah enjamba le petit mur de terre, Malcolm sur ses talons. Elle découvrit deux bébés tyrannosaures qui piaillaient. Près d'eux se trouvaient trois gros œufs. Des empreintes profondes s'entrecroisaient sur le sol boueux.

– Ils ont pris un des œufs, fit Malcolm. Quelle connerie !

– Tu aurais préféré que rien ne vienne perturber ton petit écosystème ?

– Oui, fit Malcolm avec un mince sourire. J'espérais.

– C'est raté, poursuivit Sarah en longeant le bord du nid.

Elle se pencha pour examiner les bébés. Le premier était recroquevillé, le cou duveteux rentré dans les épaules. Le comportement de l'autre était très différent. Il ne remua pas à leur approche ; il resta allongé sur le côté, la respiration courte, les yeux vitreux.

– Il est blessé, dit Sarah.

En haut du mirador, Levine appuya le casque sur ses oreilles et parla dans le micro collé à sa joue.

– Il me faut une description.

– Il y en a deux, fit Thorne. Une soixantaine de centimètres, à peu près dix-huit kilos. De la taille d'un petit casoar. Grands yeux, museau court, couleur brun clair. Ils ont un collier de duvet autour du cou.

– Ils se tiennent debout ?

– Euh !... ils y arrivent, mais pas très bien. Disons qu'ils sautillent ; ils piaillent beaucoup.

– Alors, ce sont des bébés. Probablement pas plus de quelques jours. Jamais sortis du nid. À votre place, je ferais très attention.

– Pourquoi ?

– Avec des bébés de cet âge, les parents ne seront pas longtemps absents.

Sarah se pencha sur le petit animal blessé. En piaillant, il essaya de se traîner vers elle, avec difficulté. Une de ses jambes formait un angle bizarre.

– Je crois que c'est la jambe gauche.

– Elle est cassée ? demanda Eddie en venant se placer à côté d'elle.

– Probablement, mais...

– Hé ! s'écria Eddie.

Le bébé lança la tête en avant et planta ses dents dans une botte, à la hauteur de la cheville. Eddie tira le pied en arrière, entraînant le petit animal, qui ne lâchait pas prise.

— Vas-tu me lâcher!

Eddie souleva la jambe et la secoua; le bébé ne voulait pas le lâcher. Eddie continua de secouer la jambe, puis il abandonna. Le bébé resta étendu par terre, haletant, les mâchoires serrées sur le cuir de la botte.

— Incroyable, fit Eddie.

— Tout petit, mais déjà agressif, fit Sarah. Dès la naissance...

Eddie examina les dents minuscules et acérées. Elles n'avaient pas mordu dans le cuir, mais le petit animal tenait bon. Avec la crosse de son fusil, Eddie donna deux ou trois coups sur la tête du bébé. Sans résultat. Il resta étendu, le souffle saccadé. Les grands yeux levés vers Eddie clignèrent lentement, les mâchoires restèrent bloquées.

Ils entendirent, venant du nord, les rugissements des parents, étouffés par la distance.

— Fichons le camp d'ici, dit Malcolm. Nous avons vu ce que nous voulions voir. Il faut savoir où Dodgson est parti.

— Il me semble avoir aperçu des traces partant de la piste, fit Thorne. Ils sont peut-être passés par là.

— Allons voir ça.

Ils repartirent tous vers la voiture.

— Attendez un peu! fit Eddie en regardant sa botte. Qu'est-ce que je fais du bébé?

— Abattez-le, lança Malcolm par-dessus son épaule.

— Quoi, le tuer?

— Il a une jambe cassée, Eddie, fit Sarah. De toute façon, il va mourir.

— Oui, mais...

— Nous allons remonter la piste, Eddie! cria Thorne. Si nous ne trouvons pas Dodgson, nous suivrons la route de la corniche, en direction du labo. Puis nous regagnerons le camion.

— D'accord, Doc, je vous suis.

Eddie prit son fusil, le fit tourner entre ses mains.

— Faites-le tout de suite, lança Sarah en montant dans l'Explorer. Il vaut mieux ne plus être là quand son papa et sa maman reviendront.

LA RUINE DU JOUEUR

Tandis qu'ils remontaient la piste, Malcolm garda les yeux fixés sur l'écran du tableau de bord, où se succédaient les images des caméras de surveillance. Il cherchait Dodgson et son compagnon.

– Bilan de la situation ? demanda Levine à la radio.

– Ils ont pris un œuf, répondit Malcolm. Et il a fallu abattre un des bébés.

– Deux de perdus, donc. Sur une couvée de... Combien, six ?

– C'est ça.

– Sincèrement, je ne trouve pas ça si grave. L'important est de les empêcher de continuer.

– Nous sommes à leur recherche, bougonna Malcolm.

– Ça devait arriver, Ian, glissa Sarah. Tu sais bien qu'on ne peut espérer observer les animaux sans rien modifier. C'est une impossibilité scientifique.

– Bien sûr, reconnut Malcolm. C'est la plus grande découverte scientifique du XXᵉ siècle : on ne peut rien étudier sans le modifier.

Depuis Galilée, les scientifiques avaient adopté le point de vue qu'ils étaient des observateurs objectifs de la nature. La chose était implicite dans tous les aspects de leur comportement, y compris dans leur manière de rédiger leurs articles, en utilisant des tournures telles que « Il a été observé... », comme si ce n'était pas le fait d'un individu. Trois siècles durant, cette qualité impersonnelle fut la marque distinctive de la science. Étant objectif, l'observateur n'exerçait aucune influence sur ce qu'il décrivait.

Cette objectivité distinguait la science de la religion, ou des sciences humaines, des domaines où le point de vue de l'observateur était indissolublement lié à l'objet de son observation.

Au XXe siècle, cette différence avait disparu.

L'objectivité scientifique n'était plus de mise, même au niveau le plus fondamental. Les physiciens savaient qu'il était impossible de mesurer une seule particule subatomique sans exercer une action sur elle. En plaçant les instruments pour mesurer la position de cette particule, on modifiait sa vitesse ; en mesurant sa vitesse, on modifiait sa position. Cette vérité fondamentale devint le principe d'incertitude de Heisenberg : tout ce qu'on étudiait, on le modifiait aussi. En fin de compte, il devint évident que tous les scientifiques faisaient partie intégrante d'un univers où il n'était permis à personne d'être un simple observateur.

— Je sais que l'objectivité est impossible, fit Malcolm avec agacement. Ce n'est pas ça qui me préoccupe.

— Qu'est-ce qui te préoccupe ?

— La ruine du joueur, répondit Malcolm sans quitter des yeux le moniteur.

La ruine du joueur était un phénomène statistique bien connu et très controversé, dont les conséquences étaient déterminantes, à la fois pour l'évolution et pour la vie de tous les jours.

— Imaginons que je sois un joueur, dit-il, et que je joue à pile ou face. Chaque fois que la pièce montre le côté face, je gagne un dollar. Quand c'est pile, je perds un dollar.

— D'accord...

— Que se passe-t-il à la longue ?

— Les chances de tomber sur pile ou sur face sont égales, fit Sarah avec un petit haussement d'épaules. On gagne ou on perd, et on termine à zéro.

— Il n'en est malheureusement rien, fit Malcolm. Si on joue assez longtemps, on perd toujours ; le joueur finit ruiné. C'est pourquoi les casinos gagnent de l'argent. Mais la question est de savoir ce qui se passe, au fil du temps. Avant que le joueur soit ruiné ?

— Dis-le, fit-elle. Que se passe-t-il ?

— En étudiant la courbe des gains et des pertes de notre joueur, on constate qu'il gagne ou perd par périodes. En d'autres termes, tout dans la vie va par phases. C'est un phénomène bien réel, que l'on observe partout : les conditions climatiques, les crues, le base-ball, le rythme cardiaque, les cours de la Bourse. Quand les choses vont mal, cela a tendance à se prolonger. Jamais deux sans trois, comme dit le proverbe. La théorie de la complexité nous montre que la sagesse populaire voit juste. Tout fout le camp en même temps.

— Que veux-tu dire ? Que tout fout le camp maintenant ?

— C'est possible, répondit Malcolm, à cause de ce salaud de Dodgson... Je me demande où ils sont passés.

KING

Il y eut une sorte de bourdonnement, lointain semblable à celui d'une abeille. Howard King le perçut vaguement, en revenant lentement à lui. Il ouvrit les yeux, vit le pare-brise d'une voiture et, derrière, des branches.

Le bourdonnement s'intensifia.

King ne savait pas où il était. Il ne se rappelait pas comment il était arrivé là ni ce qui s'était passé. Il avait mal aux épaules et aux hanches. Des élancements sur l'avant du crâne. Il essaya de rassembler ses souvenirs, mais la douleur l'empêchait de se concentrer, de faire fonctionner son cerveau. La dernière image qu'il avait conservée en mémoire était celle du tyrannosaure au milieu de la piste, devant la voiture. Après, Dodgson s'était retourné et...

King remua la tête ; il ne put retenir un cri quand une douleur fulgurante remonta de la nuque pour irradier dans tout son crâne. La douleur lui coupa le souffle. Il ferma les yeux en grimaçant, les rouvrit lentement.

Dodgson n'était pas dans la voiture. La portière du conducteur était grande ouverte ; des ombres mouvantes jouaient sur le panneau. La clé se trouvait toujours sur le contact.

Dodgson avait disparu.

Une traînée de sang souillait le volant. Le boîtier noir était sur le plancher, près du levier de vitesse. La portière grinça, s'ouvrit légèrement.

King perçut de nouveau le bourdonnement lointain, comme une abeille géante. Il comprit que c'était un bruit mécanique. Quelque chose de mécanique.

Cela lui fit penser au bateau. Combien de temps attendrait-il sur la rivière ? Et quelle heure était-il ? Il regarda sa montre ; le verre était brisé, les aiguilles arrêtées sur 1 h 54.

Le bourdonnement se rapprocha.

Avec effort, King s'écarta du dossier, se pencha vers le tableau de bord. Des ondes de douleur se propagèrent le long de sa colonne vertébrale, mais elles s'apaisèrent rapidement. Il prit une longue inspiration.

« Tout va bien, se dit-il. Au moins, je suis encore en vie. »

Il regarda la portière ouverte, sur laquelle donnait le soleil. Il était haut dans le ciel ; ce devait donc encore être l'après-midi. À quelle heure partait le bateau : 4 heures, 5 heures ? Il ne s'en souvenait plus. Mais il était sûr que les pêcheurs locaux ne s'attarderaient pas dans l'île ; quand le soir commencerait à tomber, ils lèveraient l'ancre.

Howard King voulait être à bord à ce moment-là. C'était la seule chose qui lui importait. Il se redressa en grimaçant, se glissa péniblement sur le siège du conducteur. Il s'installa derrière le volant, respira un grand coup et se pencha pour regarder par la portière ouverte.

La voiture était suspendue dans le vide, retenue par des branches. Il vit une pente raide, couverte d'un enchevêtrement végétal, qui dégringolait sous le feuillage des grands arbres. Un vertige le prit, rien qu'à regarder en bas. Le sol était au moins à sept ou huit mètres. Il vit quelques fougères isolées, deux ou trois rochers sombres. Il se tortilla pour voir plus loin.

C'est alors qu'il le découvrit.

Dodgson était étalé sur le dos, la tête vers le bas de la pente. Le corps était replié, les bras et les jambes dans une position bizarre. Il ne remuait pas. King ne voyait pas très bien à cause de la végétation touffue, mais Dodgson semblait mort.

Le bourdonnement gagna en intensité, se rapprocha rapidement. King se redressa ; à travers le feuillage bouchant le pare-brise, il vit une voiture passer à moins de dix mètres. Une voiture !

Elle disparut. À en juger par le bruit du moteur, c'était un véhicule électrique. Ce devait donc être Malcolm.

Howard King puisa un certain réconfort dans le fait qu'il y avait d'autres personnes sur cette île. Il se sentit animé d'une énergie accrue, malgré la douleur qui lui labourait le corps. Il tendit le bras, mit le contact. Le moteur gronda.

Il engagea une vitesse, appuya doucement sur l'accélérateur.

Les roues arrière tournèrent dans le vide. Il passa en traction avant. Le Jeep fit un bond et commença à descendre en se balançant, rebondissant de branche en branche. Trente secondes plus tard, elle toucha le sol.

King se souvenait de cette route. Sur la droite, elle menait au nid des tyrannosaures. Malcolm était parti dans la direction opposée.

Il tourna à gauche, s'engagea sur la route. Il essaya de se rappeler comment rejoindre la rivière et le bateau. Il se souvenait vaguement d'une fourche, au sommet de la colline. Arrivé à cet embranchement, il redescendrait et ficherait le camp de cette île.

C'était son unique objectif : foutre le camp de cette île, avant qu'il soit trop tard.

MAUVAISE NOUVELLE

L'Explorer atteignit le sommet de l'escarpement, Thorne s'engagea sur la route de la corniche, qui sinuait le long de la paroi rocheuse. Longeant le plus souvent un précipice, elle offrait une vue circulaire sur toute l'île. Ils s'arrêtèrent enfin à un endroit où la route surplombait la vallée. Sur la gauche, ils voyaient le mirador et, plus près, les deux gros véhicules dans la clairière. Sur la droite s'étendait le gigantesque laboratoire ; au fond apparaissaient les logements des ouvriers.

– Je ne vois Dodgson nulle part, fit Malcolm, l'air maussade. Où a-t-il pu passer ?

Thorne enfonça le bouton de la radio.

– Arby ?

– Oui, Doc.

– Les vois-tu ?

– Non, répondit Arby en hésitant, mais...

– Mais quoi ?

– Vous ne voulez pas venir nous rejoindre ? C'est vraiment incroyable...

– Quoi ?

– Eddie. Il vient d'arriver ; il a rapporté un bébé.

– Il a fait *quoi* ? souffla Malcolm.

CINQUIÈME CONFIGURATION

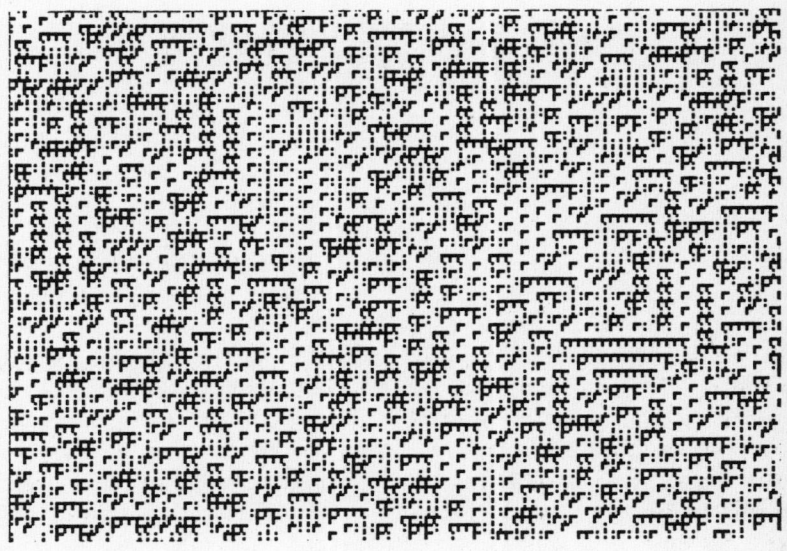

Au bord du chaos, des événements inattendus se produisent. La survie est gravement menacée.

IAN MALCOLM

BÉBÉ

Tout le monde se pressait autour de la table sur laquelle le bébé *Tyrannosaurus rex* était étendu, les yeux fermés, le museau enfoncé dans l'embout ovale de plastique transparent d'un masque à oxygène. Le masque collait presque au museau de l'animal. L'oxygène chuintait doucement dans le tuyau.

— Je n'ai pas pu me résoudre à le laisser comme ça, expliqua Eddie. J'ai pensé que nous pourrions soigner sa jambe...

— Eddie, soupira Malcolm, en secouant la tête.

— Alors, je lui ai fait une injection de morphine – il y en avait dans la trousse de premiers secours – et je l'ai ramené ici. Vous voyez? Le masque à oxygène est presque à sa taille.

— Eddie, reprit Malcolm, il ne fallait pas faire ça.

— Pourquoi? Il n'y a pas de problème; on le soigne et on le ramène, c'est tout.

— Vous avez modifié l'écosystème.

— Ce que vous avez fait est extrêmement hasardeux, lança Levine, à la radio. Extrêmement.

— Merci, Richard, dit Thorne.

— Je suis résolument hostile à l'idée de ramener des animaux dans le camion.

— Trop tard pour s'en inquiéter, ajouta Sarah Harding.

Elle se pencha sur l'animal et commença à appliquer des électrodes sur sa poitrine; ils entendirent le battement du cœur. Il allait très vite, à plus de cent cinquante pulsations à la minute.

— Quelle quantité de morphine lui avez-vous injectée?

— Euh!... fit Eddie. Je... j'ai mis toute la seringue.

– Quelle dose? Dix centimètres cubes?

– Je crois. Peut-être vingt.

– Combien de temps faudra-t-il avant que l'effet se dissipe? demanda Malcolm.

– Aucune idée, répondit Sarah. J'ai endormi des lions et des chacals sur le terrain, pour les marquer. Avec ces animaux, il y a une corrélation entre la dose et le poids. Mais, pour un jeune, on ne peut pas savoir; peut-être quelques minutes, peut-être plusieurs heures. Et je ne connais absolument rien sur les bébés tyrannosaures. En gros, c'est une fonction du métabolisme et celui-ci semble rapide, comme pour les oiseaux. Le cœur bat à toute allure. Tout ce que je peux dire, c'est qu'il faut s'occuper de lui aussi vite que possible.

Sarah Harding prit le petit transducteur à ultrasons et le plaça sur la jambe du bébé. Elle regarda par-dessus son épaule, dans la direction du moniteur. Les enfants lui bouchaient la vue.

– Laissez-nous un peu de place, s'il vous plaît. Nous n'avons pas beaucoup de temps... Merci, ajouta-t-elle, quand ils se furent écartés.

Sarah vit apparaître sur l'écran les contours vert et blanc de la jambe et des os. Étonnamment voisins de ceux d'un gros oiseau, un vautour ou une cigogne. Elle déplaça l'appareil.

– Bon, fit-elle, voilà les métatarsiens... le tibia et le péroné, les deux os de la jambe...

– Pourquoi les os ont-ils des différences de couleur? demanda Arby en regardant les zones blanches bordées de vert pâle.

– Parce que c'est un bébé, répondit Sarah. Les jambes sont composées en grande partie de cartilage; la calcification ne fait que commencer. Je suppose qu'il ne peut pas encore marcher, ou pas très bien. Tiens, regarde la rotule... Tu vois l'apport de sang dans la capsule articulaire...

– Comment se fait-il que vous connaissiez si bien l'anatomie? demanda Kelly.

– Bien obligée. Je passe beaucoup de temps à étudier les excréments des prédateurs; j'examine des bouts d'os, pour déterminer quel animal a été dévoré. Il faut avoir des connaissances en anatomie comparée. Et mon père était vétérinaire, ajouta-t-elle en continuant de déplacer l'appareil le long de la jambe.

– Ton père était vétérinaire? demanda Malcolm en lui lançant un regard pénétrant.

– Oui, au zoo de San Diego. Un spécialiste des oiseaux. Mais je ne vois pas ce que... Peux-tu agrandir ça?

Arby appuya sur une touche; l'image grossit deux fois.

– Bon... Parfait. Tu vois?

– Non.

– Au milieu du péroné. Regarde bien; une fine ligne noire. C'est une fracture, juste au-dessus de l'épiphyse.

— Cette petite ligne noire, là?

— Cette petite ligne noire, Arby, est synonyme de mort pour le bébé. Le péroné ne se remettra pas correctement en place et l'articulation de la cheville ne pourra pas pivoter, quand il se tiendra sur ses pattes postérieures. Le bébé ne pourra pas courir, probablement pas marcher. Il sera estropié et périra sous les griffes d'un prédateur avant d'avoir dépassé l'âge de quelques semaines.

— Nous pouvons réduire la fracture, affirma Eddie.

— D'accord, fit Sarah. Que comptez-vous utiliser pour plâtrer la jambe?

— Diesterase, répondit Eddie. J'en ai apporté un kilo, en tubes de cent centimètres cubes. J'en ai pris beaucoup, pour servir de colle. C'est une résine polymère, qui devient dure comme du fer en se solidifiant.

— Génial, fit Sarah. Idéal pour le tuer.

— Pourquoi?

— Parce qu'il grandit, Eddie. Dans quelques semaines, il sera beaucoup plus gros. Il nous faut quelque chose de rigide, mais de biodégradable. Quelque chose qui disparaîtra ou se brisera dans trois à cinq semaines, quand la jambe sera guérie. Avez-vous ça?

— Je ne sais pas, fit Eddie, l'air dubitatif.

— Nous n'avons pas beaucoup de temps, insista Sarah.

— Doc, fit Eddie, voilà une fameuse question d'examen : comment fabriquer un plâtre pour dinosaure uniquement avec des Cotons-Tiges et de la superglu?

— Bien vu, fit Thorne.

L'ironie de la situation ne lui échappa pas. Il avait donné pendant trois décennies à ses étudiants des problèmes de ce genre; maintenant, c'était à lui d'en résoudre un.

— Nous pourrions peut-être dégrader la résine, poursuivit Eddie. La mélanger à du sucre, par exemple.

— Les groupes hydroxyles du saccharose rendront la résine friable, objecta Thorne. Elle durcira comme il faut, mais se brisera comme du verre dès que l'animal bougera.

— Et si nous la mélangions à un tissu imprégné de sucre?

— Pour que les bactéries détruisent le tissu?

— Oui.

— Et le plâtre se brisera?

— Oui.

— Ça pourrait marcher, fit Thorne avec un petit haussement d'épaules. Mais nous ne pouvons pas savoir combien de temps le plâtre tiendra. Quelques jours, ou bien quelques mois.

— C'est trop long, fit Sarah. Cet animal grandit rapidement; si la croissance est freinée, il sera estropié par le plâtre.

— Ce qu'il nous faut, reprit Eddie, c'est une résine organique qui formera un liant susceptible de se décomposer. Comme une gomme.

– Du chewing-gum? suggéra Arby. J'en ai plein dans...

– Non, je pensais à une autre sorte de gomme. La résine Diesterase...

– La solution n'est pas chimique, coupa Thorne. Nous n'avons pas ce qu'il faut.

– Que faire? Il n'y a pas d'autre possibilité que...

– Et si vous prépariez quelque chose qui réagit différemment dans des sens différents? suggéra Arby. Résistant de l'un, souple de l'autre.

– Impossible, répondit Eddie. La résine est homogène. C'est comme une pâte collante qui devient dure comme la pierre en séchant...

– Attends un peu, lança Thorne en se tournant vers le garçon. À quoi pensais-tu, Arby?

– Sarah a dit que la jambe allait grandir. Elle va donc s'allonger, ce qui n'a pas d'importance pour un plâtre, et s'élargir, ce qui est plus ennuyeux, car le plâtre va la comprimer. S'il pouvait être plus souple dans son diamètre...

– Il a raison, fit Thorne. La solution est dans la structure.

– Comment faire? demanda Eddie.

– Il suffit de faire une fente. Peut-être en utilisant du papier aluminium; il y en a dans la cuisine.

– Ce ne sera pas assez résistant, objecta Eddie.

– Si, en le recouvrant d'une couche de résine.

Thorne se tourna vers Sarah.

– Nous pouvons faire un plâtre rigide pour les efforts verticaux, flexible pour les efforts latéraux. C'est un simple problème de mécanique. Le bébé pourra marcher avec sa gaine de résine et tout se passera bien, tant que les efforts seront verticaux. Quand sa jambe grossira, la fente fera éclater la résine en s'élargissant et le plâtre tombera.

– C'est ça, fit Arby.

– Ce sera difficile à faire? demanda Sarah.

– Non, assez facile. Il suffit de fabriquer un fourreau en papier alu et de l'enrober de résine.

– Qu'est-ce qui tiendra l'aluminium pendant l'opération? demanda Eddie.

– Pourquoi pas du chewing-gum? fit Arby.

– Bonne idée, approuva Thorne en souriant.

Le bébé rex remua, ses jambes tressaillirent. Il souleva la tête, faisant tomber le masque à oxygène, et émit une plainte ténue.

– Vite, fit Sarah en lui prenant la tête. De la morphine.

Malcolm avait une seringue; il la planta dans le cou du petit animal.

– Pas plus de cinq centimètres cubes, fit Sarah.

– Pourquoi? Il dormira plus longtemps.

– Il est en état de choc, Ian. Tu pourrais le tuer en injectant une dose trop forte. Provoquer un arrêt respiratoire. Ses glandes surrénales ont dû aussi répondre au stress.

– S'il en a, répliqua Malcolm. On ne sait pas si un tyrannosaure sécrète des hormones. En vérité, on ne sait rien sur ces animaux.

La radio grésilla. La voix de Levine se fit entendre.

– Cela n'engage que vous, Ian. En réalité, j'imagine que nous découvrirons que les dinosaures sécrètent des hormones. Il y a de bonnes raisons de le supposer. Au fait, puisque vous vous êtes imprudemment donné la peine d'enlever ce bébé, profitez-en pour prélever un peu de sang. Pendant ce temps, Doc, pouvez-vous me prendre au téléphone ?

– Ce type commence à me porter sérieusement sur les nerfs, soupira Malcolm.

Thorne se dirigea vers le module de communications, situé à l'avant du camion. La demande de Levine était curieuse : le son était transmis d'un bout à l'autre du Challenger par un excellent système de microphones. Levine le savait ; il l'avait conçu lui-même.

– Oui ? fit Thorne en décrochant.

– Doc, dit Levine, je n'irai pas par quatre chemins : c'est une erreur d'avoir ramené ce bébé. Nous cherchons les ennuis.

– Quel genre d'ennuis ?

– Je n'en sais rien et je ne veux pas vous alarmer inutilement. Mais ce serait une bonne idée de conduire les enfants au mirador ; venez donc aussi, avec Eddie.

– Vous êtes en train de me conseiller d'évacuer le camion. Vous pensez vraiment que c'est nécessaire ?

– En un mot, répondit Levine, oui. Je le pense vraiment.

Quand on lui injecta la morphine, le bébé tyrannosaure émit un long soupir et retomba sur la table. Sarah fixa le masque à oxygène sur sa tête. Elle tourna la tête vers le moniteur, pour surveiller le rythme cardiaque, mais Arby et Kelly lui bouchaient encore la vue.

– Les enfants, s'il vous plaît !

Thorne revint et frappa dans ses mains.

– Allez, les enfants ! Balade sur le terrain ! En route !

– Tout de suite ? protesta Arby. On voulait regarder le bébé...

– Pas question. Le docteur Malcolm et le docteur Harding ont besoin de place pour travailler. Nous allons faire un tour jusqu'au mirador. Nous observerons les dinosaures en attendant la fin de l'après-midi.

– Mais, Doc...

– On ne discute pas ! Nous ne restons pas ici, pour ne pas gêner. Eddie, tu nous accompagnes. Laissons ces tourtereaux faire ce qu'ils ont à faire.

Quelques secondes plus tard, ils étaient partis. La portière du camion claqua derrière eux. Sarah entendit le bourdonnement du moteur de l'Explorer diminuer d'intensité. Elle se pencha sur le bébé, ajusta le masque à oxygène.

– Quels tourtereaux? fit-elle.

Malcolm haussa les épaules.

– C'est Levine qui a eu l'idée de mettre tout le monde dehors?

– Probablement.

– Saurait-il quelque chose que nous ignorons?

– Je suis sûr qu'il le pense, en tout cas, répondit Malcolm en riant.

– Bon, reprit Sarah, commençons à fabriquer ce plâtre. Je veux que ce soit terminé aussi vite que possible, pour ramener le bébé chez lui.

LE MIRADOR

Quand ils arrivèrent au pied du mirador, le soleil avait disparu derrière des nuages bas. Une douce lumière aux reflets mordorés baignait la vallée au moment où Eddie gara l'Explorer sous la charpente d'aluminium. Ils grimpèrent jusqu'au petit abri. Levine y était, les yeux collés à ses jumelles ; il ne sembla pas vraiment content de les voir.

— Allez-vous cesser de bouger tout le temps ? lança-t-il avec irritation.

Du haut du mirador, la vue était magnifique. Un roulement de tonnerre se fit entendre au nord. Le temps se rafraîchissait ; il y avait de l'électricité dans l'air.

— Il va y avoir un orage ? demanda Kelly.

— On dirait, répondit Thorne.

Arby leva un regard inquiet vers le toit métallique de l'abri.

— Combien de temps allons-nous rester là ? demanda-t-il.

— Un certain temps, répondit Thorne. Nous ne disposons que d'une journée. L'hélicoptère vient nous chercher demain matin. J'ai pensé que vous avez mérité de voir encore une fois les dinosaures en liberté.

— Quelle est la vraie raison ? demanda Arby en lui lançant un regard pénétrant.

— Moi, je sais, fit Kelly.

— Ah bon ? C'est quoi, la raison ?

— Le docteur Malcolm veut être seul avec Sarah, imbécile.

— Pourquoi ?

— Ce sont de vieux amis.

— Et alors ? On voulait juste regarder.

— Non, fit Kelly. Ce sont de vieux *amis*, tu comprends ?

— Je comprends parfaitement. Je ne suis pas complètement idiot.

– Ça suffit! fit Levine, sans lâcher ses jumelles. Vous ratez le plus intéressant.

– Que se passe-t-il?

– Regardez les tricératops, près de la rivière. Quelque chose les perturbe.

Après s'être paisiblement désaltéré, le troupeau de tricératops commençait à donner des signes d'agitation. Les dinosaures poussaient des cris ridiculement aigus pour des animaux de cette taille; on eût dit des jappements de chiens.

– Il y a quelque chose dans les branches, sur l'autre rive, dit Arby.

Il discernait des formes sombres en mouvement, sous les arbres.

Les tricératops commencèrent à se déplacer, se rapprochant les uns des autres jusqu'à ce qu'ils forment une manière de rosace, leurs longues cornes recourbées tournées vers l'extérieur, contre la menace invisible. L'unique bébé du troupeau, au centre, poussait des glapissements de terreur. Un des animaux, sans doute la mère, se retourna pour frotter sa tête contre lui. Le bébé cessa de gémir.

– Je les vois, annonça Kelly, les yeux rivés sur les arbres. Ce sont des raptors.

Le troupeau de tricératops fit face aux prédateurs; les adultes continuèrent à japper en balançant leurs cornes effilées. Ils donnaient une indiscutable impression de coordination, de défense de groupe contre les prédateurs.

Levine avait un sourire radieux.

– Il n'y avait aucune preuve de cela, fit-il d'une voix enjouée. La plupart des paléontologues croyaient même que ce n'était pas possible.

– Qu'est-ce qui n'était pas possible? demanda Arby.

– Ce comportement de défense de groupe. Surtout chez les tricératops. Comme ils ressemblent un peu à des rhinos, on les supposait solitaires, comme les rhinos. Maintenant, nous allons voir... Ah! Voilà!

Un velociraptor quitta l'abri du rideau d'arbres et s'avança à découvert, seul. Il allait vite, sur ses pattes postérieures, s'équilibrant avec sa queue rigide.

Les cris aigus des tricératops redoublèrent à l'apparition du raptor. Les autres prédateurs restèrent cachés derrière les arbres. Le velociraptor à découvert commença à décrire lentement un demi-cercle autour du troupeau et entreprit de traverser la rivière. Nageant sans effort, il toucha l'autre rive. Il se trouvait à une cinquantaine de mètres en amont du troupeau de tricératops, qui se tournèrent pour présenter un front uni. Toute leur attention était concentrée sur l'ennemi visible.

Lentement, furtivement, d'autres prédateurs sortirent de leur cachette. Ils progressaient en rasant le sol, dissimulés par les hautes herbes.

– Ils sont en chasse, souffla Arby.

– En groupe, ajouta Levine.

Il ramassa sur le plancher de l'abri un bout d'emballage d'une barre énergétique, le lâcha pour voir d'où venait le vent.

– Le gros de la bande est sous le vent, le troupeau ne les sent pas. Je pense, ajouta Levine en levant ses jumelles, que nous allons assister à une attaque.

Ils regardèrent les raptors refermer le cercle autour des tricératops. Un éclair déchira soudain le ciel, illuminant le sol de la vallée. Surpris, un des raptors tapis dans la végétation se redressa ; sa tête apparut fugitivement au-dessus des herbes.

Le troupeau de tricératops pivota derechef, se regroupant pour faire face à cette nouvelle menace. Tous les raptors s'immobilisèrent, comme pour reconsidérer leur plan d'attaque.

– Qu'est-ce qui se passe ? demanda Arby. Pourquoi s'arrêtent-ils ?

– L'affaire est mal engagée.

– Pourquoi ?

– Regarde. Le gros de la bande est encore de l'autre côté de la rivière. Ils sont trop loin pour lancer une attaque.

– Vous voulez dire qu'ils abandonnent ? Déjà ?

– Apparemment, fit Levine.

L'un après l'autre, les raptors tapis dans les herbes levèrent la tête, révélant leur position. À l'apparition de chaque prédateur, les tricératops poussaient leurs cris aigus. Les raptors semblaient comprendre que la situation était sans espoir. Ils s'éloignèrent lentement, regagnant le couvert des arbres. En les voyant battre en retraite, les tricératops se mirent à japper de plus belle.

D'un seul coup, le velociraptor resté seul au bord de la rivière chargea. Il se déplaça à une vitesse stupéfiante, filant comme un guépard sur les cinquante mètres qui le séparaient du troupeau. Les adultes n'eurent pas le temps de reprendre leur formation de défense. Le bébé était sans protection. Il se mit à couiner de terreur en voyant le prédateur fondre sur lui.

Le velociraptor bondit, les pattes arrière levées. Un nouvel éclair zébra le ciel, ils virent les griffes recourbées s'élever très haut. Au dernier moment, l'adulte le plus proche se retourna, balança sa grosse tête cornue protégée par un large couvre-nuque, touchant obliquement le prédateur et l'envoyant rouler sur la rive boueuse. Le tricératops chargea aussitôt, la tête haute. En arrivant devant le velociraptor, il s'arrêta brusquement, baissa la tête vers l'animal couché sur le flanc. Mais le velociraptor fut le plus rapide ; il bondit sur ses pattes en sifflant, et les cornes du tricératops labourèrent le sol boueux. Le velociraptor se retourna, planta sa grosse griffe en faux sur le nez du tricératops, faisant jaillir le sang. L'herbivore poussa un hurlement de douleur. Deux autres adultes chargèrent, le reste du troupeau protégeant le bébé. Le raptor abandonna le combat, disparut dans les herbes.

– Génial ! fit Arby. Quel spectacle !

LE TROUPEAU

King poussa un long soupir de soulagement en arrivant à la bifurcation. Il prit à gauche ; la Jeep s'engagea sur une large route de terre. Il la reconnut tout de suite : c'était la route de la corniche, celle qui le ramènerait au bateau. Il tourna la tête vers la vitre, son regard se porta à l'autre bout de la vallée ; le bateau était toujours là ! Parfait ! Il émit un petit cri de joie et de soulagement mêlés, écrasa la pédale d'accélérateur. Il vit les pêcheurs sur le pont du bateau, la tête levée pour scruter le ciel. Malgré l'orage qui menaçait, ils ne semblaient pas se disposer au départ. Ils devaient attendre Dodgson.

Tout se présentait bien, il y serait dans quelques minutes. Après avoir longtemps roulé entre deux murailles végétales, il voyait enfin précisément où il se trouvait. La route de la corniche surplombait la vallée en suivant une des crêtes volcaniques. À cette hauteur, la végétation était rare ; au fil des méandres de la route, l'île entière s'offrait à sa vue. À l'est, il voyait un ravin en contrebas et, au fond, le bateau à l'ancre. À l'ouest, la vue portait jusqu'au laboratoire et aux deux camions de Malcolm, garés dans une clairière.

Ils n'avaient même pas découvert ce que Malcolm était venu faire là. Mais cela n'avait plus d'importance. Il allait quitter cette île ; c'était la seule chose qui comptait. Il avait presque l'impression de sentir le pont du bateau sous ses pieds. Un des pêcheurs lui offrirait peut-être une bière, une bière bien fraîche, pendant qu'ils descendraient la rivière, pour foutre le camp de cette île. Il savait ce qu'il allait faire : il porterait un toast à Dodgson.

« Deux bières, se dit-il, ce serait encore mieux. »

À la sortie d'un virage, King vit un troupeau d'animaux occupant toute la largeur de la route. Des dinosaures verts, hauts d'un mètre vingt, avec une grosse tête bombée et des tas de petites cornes. Ils ressemblaient à de petits buffles d'eau verts. Ils étaient très nombreux. King freina brusquement ; la Jeep fit un écart avant de s'immobiliser.

Les dinosaures verts regardèrent la voiture, aucun ne bougea. Ils restèrent sur la route, l'air indolent, paisible. King attendit en pianotant sur le volant. Voyant que rien ne se passait, il donna un coup de klaxon, fit un appel de phares.

Les animaux continuèrent à regarder la voiture.

Ils avaient un aspect curieux, avec ce dôme lisse sur le front et toutes les petites cornes qui l'entouraient. Ils se contentaient de le regarder, avec un air stupide de bovin. King avança lentement pour se frayer un chemin au milieu du troupeau. Pas un animal ne s'écarta. Le pare-buffle toucha un dinosaure, qui grogna, fit deux pas en arrière et fonça, tête baissée, sur la voiture qu'il heurta violemment, avec un bruit métallique.

Il aurait pu percer le radiateur ; il fallait faire attention. La Jeep s'arrêta ; King attendit, le moteur au ralenti. Les animaux reprirent leur place.

Plusieurs dinosaures étaient allongés sur la route. Il ne pouvait pas rouler sur eux. Il tourna la tête vers la rivière, vit le bateau à moins de quatre cents mètres. Il n'imaginait pas être si près. En regardant plus attentivement, il remarqua que les pêcheurs s'affairaient sur le pont. Ils étaient en train d'arrimer la grue. Ils s'apprêtaient à lever l'ancre !

Plus question d'attendre ! Il ouvrit la portière et descendit, laissant le véhicule au milieu de la route. Les animaux se relevèrent aussitôt, le plus proche chargea dans sa direction. La portière était restée ouverte ; l'animal fonça sur l'obstacle. La portière se referma violemment, le métal tout cabossé. King s'avança prudemment vers le bord de la route ; il découvrit une pente verticale, un à-pic de plus de trente mètres. Il n'arriverait jamais en bas, du moins pas à cet endroit. Un peu plus loin, la pente était moins raide. Mais d'autres animaux chargeaient ; il n'avait pas le choix. Il contourna l'arrière de la voiture, évitant de justesse un dinosaure qui fracassa les feux arrière, faisant voler le plastique en éclats.

Un autre animal fonça directement sur l'arrière de la Jeep ; King fut obligé de grimper sur la roue de secours, quand l'animal se jeta sur le pare-chocs. La secousse lui fit perdre l'équilibre, il roula par terre, tandis que les dinosaures se rapprochaient en grognant. Il se releva, s'élança en courant vers l'autre côté de la route, où s'élevait un petit talus. Il grimpa à quatre pattes dans les herbes. Les animaux ne le poursuivirent pas. Mais il n'était pas plus avancé : il se trouvait du mauvais côté de la route !

Il devait traverser, d'une manière ou d'une autre.

Il atteignit le sommet du talus, commença à redescendre en jurant à voix basse. Il décida de parcourir une centaine de mètres, pour dépasser le troupeau, avant de traverser la route. S'il y parvenait, il pourrait rejoindre le bateau.

Il se trouva très vite au milieu d'une végétation impénétrable. Il trébucha, glissa en bas d'une pente boueuse ; quand il se releva, il ne savait plus très bien quelle direction prendre. Il était au fond d'une ravine, de hauts palmiers poussaient les uns contre les autres. Il ne voyait qu'à un ou deux mètres, quelle que fût la direction. La panique le saisit ; il ne savait plus où aller. Il avança, écartant des palmes humides, cherchant à s'orienter.

Penchés sur le garde-fou de l'abri, les enfants suivaient des yeux les raptors qui s'éloignaient. Thorne prit Levine à part.

– Pourquoi teniez-vous à ce que nous venions vous rejoindre ?

– Simple précaution, répondit Levine. En ramenant cet animal au camion, nous risquons de nous attirer des ennuis.

– Quel genre d'ennuis ?

– Je ne sais pas très bien ; en général, les parents n'aiment pas qu'on enlève leurs bébés. Et les parents de celui-ci sont très gros.

– Regardez ! cria Arby. Regardez !

– Quoi ? fit Levine en se retournant.

– Il y a un homme !

Haletant, King déboucha de la forêt et s'avança dans la plaine. Au moins, il voyait où il était ! Il s'arrêta, dégouttant de sueur, maculé de boue, pour essayer de s'orienter.

Déçu, il constata qu'il ne s'était pas rapproché du bateau. Il semblait toujours être du mauvais côté de la route. Il se trouvait à l'entrée d'une vaste plaine traversée par une rivière et presque déserte ; seuls quelques dinosaures étaient groupés sur la rive la plus proche. Des dinosaures à cornes, les tricératops. Ils paraissaient assez agités. Les gros animaux levaient et baissaient leur tête cuirassée en lançant des sortes de jappements.

À l'évidence, le plus simple était de suivre la rivière, qui le conduirait au bateau. Mais il faudrait faire attention en passant près des tricératops. Il plongea la main dans sa poche, en sortit une barre de céréales. Il retira le papier en observant les tricératops. S'ils pouvaient s'éloigner ! Combien de temps lui faudrait-il pour rejoindre le bateau ? C'est la seule question qui le préoccupait. Il se décida à avancer, malgré les tricératops, et s'engagea dans la plaine.

Il entendit soudain un sifflement reptilien ; le bruit venait des hautes herbes, quelque part sur sa gauche. Il perçut en même temps une odeur fétide, une odeur de pourriture. Il s'arrêta, attendit. La barre de céréales n'avait plus aussi bon goût.

Derrière lui, venant de la rivière, il entendit le bruit d'un animal qui se jetait à l'eau.

King se retourna pour voir ce que c'était.

— C'est un des hommes de la Jeep, annonça Arby. Je me demande ce qu'il attend.

De leur poste d'observation, ils voyaient sur l'autre rive les silhouettes furtives des raptors qui se glissaient dans les herbes. Deux des prédateurs avancèrent à découvert et entreprirent de traverser la rivière. Ils se dirigeaient vers l'homme.

— Non ! souffla Arby, horrifié.

King vit deux grands lézards, au corps sombre et rayé, qui commençaient à traverser la rivière. Debout sur leurs pattes de derrière, ils avançaient à petits bonds. Leur silhouette se reflétait dans l'eau. Ils faisaient claquer leur mâchoire allongée en lançant des sifflements menaçants.

King regarda en amont ; un autre lézard traversait, et encore un autre, un peu plus loin. Ces derniers étaient déjà au milieu du cours d'eau ; ils nageaient.

Howard King s'éloigna de la rivière, recula dans les hautes herbes. Puis il se retourna et partit à toutes jambes, les herbes lui battant la poitrine. Il courait de toutes ses forces, le souffle court, quand la tête d'un autre lézard apparut devant lui. L'animal sifflait et grondait. Pour l'éviter, King infléchit sa course, mais le lézard bondit. Il bondit si haut que son corps s'éleva au-dessus des herbes ; King vit l'animal entier suspendu en l'air, les pattes postérieures levées. Il eut le temps d'apercevoir des griffes recourbées, effilées comme des poignards.

King obliqua de nouveau ; le lézard retomba derrière lui en poussant un grand cri et roula dans l'herbe. King ne se retourna pas ; la peur lui donnait une énergie accrue. Il entendit le lézard gronder dans son dos. Il accéléra encore ; il lui restait moins de vingt mètres à parcourir à découvert, avant de rejoindre la forêt. Il vit des arbres – de gros arbres. S'il parvenait à grimper sur l'un d'eux, il aurait la vie sauve.

Il aperçut sur la gauche un autre lézard qui s'avançait en diagonale. Il ne voyait que la tête dépassant des herbes. Le lézard semblait se déplacer à une vitesse stupéfiante. « Je n'y arriverai jamais, se dit-il. »

Mais il allait essayer.

À bout de souffle, les poumons en feu, il jeta toutes ses forces dans cette course folle. Plus que dix mètres avant les arbres. Il tira sur ses bras, il allongea sa foulée, haletant comme un soufflet de forge.

Quelque chose de lourd le frappa par-derrière, le plaquant au sol ; une douleur atroce lui laboura le dos, il comprit que c'étaient les griffes plantées dans sa chair. Il heurta durement la terre, essaya de rouler sur lui-même, mais l'animal ne lâcha pas prise, l'empêchant de bouger. Couché sur le ventre, immobilisé, il perçut un grondement dans son oreille. La douleur dans son dos était si forte que la tête commença à lui tourner.

Il sentit le souffle chaud de l'animal sur sa nuque, entendit ses grondements menaçants. Une terreur affreuse s'empara de lui. Soudain, une sorte de lassitude le prit, il céda à un engourdissement de tout son être. Tout sembla se ralentir. Comme en rêve, il distingua chaque brin d'herbe devant son nez, avec une grande netteté et une sorte de langueur. Il prêta à peine attention à la douleur aiguë de sa nuque, il attacha peu d'importance au fait que son cou était pris dans les mâchoires de l'animal. Il avait l'impression que cela arrivait à quelqu'un d'autre. Il était loin, très loin. Il eut un tressaillement de surprise en entendant craquer les os de sa nuque...

Puis ce fut le noir.

Le néant.

— Ne regardez pas! ordonna Thorne en écartant Arby du garde-fou.

Il attira le garçon contre sa poitrine, mais Arby se dégagea avec vivacité pour voir ce qui allait se passer. Thorne tendit la main vers Kelly; elle se déroba, la tête tournée vers la plaine.

— Ne regardez pas! répéta Thorne. Ne regardez pas!

Les enfants continuèrent de regarder, en silence.

Levine braqua ses jumelles sur la scène atroce; il y avait maintenant cinq raptors autour du corps, qui dévoraient leur proie avec voracité. Il vit un des animaux relever vivement la tête, un bout de tissu couvert de sang dans la gueule. Une pointe du col de la chemise. Un autre secoua entre ses mâchoires la tête détachée du corps, qu'il finit par laisser tomber. Un coup de tonnerre retentit, un éclair lointain zébra le ciel. L'obscurité tombait, Levine commençait à avoir des difficultés à distinguer ce qui se passait. Mais il était évident que, s'il existait une organisation hiérarchique pendant la chasse, elle n'avait plus cours au moment de dévorer la proie.

C'était chacun pour soi. Les raptors, très excités, s'approchaient en sautillant et baissaient la tête pour déchirer le corps; ils n'arrêtaient pas de se donner des coups de pattes et de dents. Un animal s'écarta, quelque chose de brun dépassant de sa gueule. Il commença à mâcher avec une expression bizarre. Puis il s'éloigna du reste de la bande, prit délicatement l'objet brun entre ses bras. Dans la lumière déclinante, il fallut un moment à Levine pour comprendre ce qu'il faisait : le prédateur mangeait une barre de céréales. Et il semblait y prendre du plaisir.

Le raptor revint au milieu de ses congénères, enfouit son long museau dans le corps déchiqueté. D'autres prédateurs rappliquaient en courant ou en bondissant pour prendre part au festin. Avec des grognements furieux, ils se jetaient dans la mêlée.

Levine baissa ses jumelles et regarda les deux enfants. Calmement, en silence, ils observaient la scène.

DODGSON

Dodgson fut réveillé par des pépiements bruyants, comme si des centaines de petits oiseaux chantaient autour de lui. Cela semblait venir de partout. En ouvrant les yeux, il vit qu'il était étendu sur le dos, sur un sol en pente et humide. Il essaya de se relever, mais son corps était lourd et endolori. Il avait la sensation d'un poids énorme sur ses jambes, son estomac, ses bras. Ce qui pesait sur sa poitrine rendait sa respiration difficile.

Et il avait sommeil, terriblement sommeil. Rien ne lui paraissait plus important au monde que de se rendormir. Il s'abandonna à une douce somnolence, mais sentit quelque chose tirer sur sa main. Tirer sur ses doigts, un par un. Comme pour le ramener à l'état de veille. Lentement, très lentement.

Dodgson ouvrit les yeux.

Un petit dinosaure vert se tenait près de sa main. L'animal se pencha, prit un doigt entre ses petites mâchoires et tira. Les doigts étaient couverts de sang. Des lambeaux de chair avaient déjà été arrachés.

Dodgson écarta la main dans un mouvement réflexe ; les pépiements gagnèrent en intensité. Dodgson tourna la tête, vit qu'il était entouré de petits dinosaures verts. Il y en avait sur sa poitrine et sur ses jambes. Ils étaient gros comme des poulets et picoraient son estomac, ses cuisses, son bas-ventre, comme des poulets, à petits coups de dents...

Révolté, Dodgson se releva d'un bond, chassant les lézards qui s'écartèrent en sautillant, avec des petits cris aigus. Les animaux s'éloignèrent de quelques mètres, puis s'arrêtèrent. Ils se retournèrent pour le regarder, sans montrer le plus petit signe de peur. Tout au contraire, ils semblaient attendre.

C'est à ce moment-là que Dodgson comprit. Les petits dinosaures étaient des *Procompsognatus*. Des compys.

Des animaux vivant de cadavres.

Ils ont cru que j'étais mort.

Il recula en chancelant, faillit perdre l'équilibre. Il avait mal partout, la tête commençait à lui tourner. Les petits animaux suivaient tous ses mouvements en gazouillant.

– Allez-vous-en ! fit-il en les chassant de la main. Fichez le camp !

Ils ne bougèrent pas. Ils attendirent, la tête penchée sur le côté, l'air curieux.

Dodgson baissa les yeux pour se regarder. Sa chemise et son pantalon portaient la marque d'innombrables déchirures. Le sang coulait de plusieurs dizaines de blessures infimes, sur tout son corps. Il eut un étourdissement, fut obligé de poser les mains sur ses genoux. Il inspira longuement en regardant les gouttes de sang tomber sur le sol jonché de feuilles.

« Bon Dieu ! » se dit-il en prenant une nouvelle inspiration.

Voyant qu'il ne bougeait pas, les animaux s'enhardirent. Quand il se redressa, ils reculèrent. Bientôt, ils se rapprochèrent de nouveau.

L'un d'eux vint assez près pour que Dodgson lui lance un coup de pied vicieux. Le petit animal fut projeté en l'air ; il poussa des cris affolés mais retomba sur ses pattes, comme un chat, indemne.

Les autres restèrent où ils étaient.

Ils attendaient.

Dodgson regarda autour de lui, se rendit compte que le soir tombait. Il regarda sa montre : 18 h 40. Il ne restait que quelques minutes de jour. Sous la voûte de feuillage de la jungle, il faisait déjà sombre.

Il devait trouver un abri, sans perdre de temps. Il regarda la boussole sur le bracelet de sa montre, prit la direction du sud. Il était presque sûr que la rivière était au sud. Il devait regagner le bateau ; il y serait en lieu sûr.

Il se mit en route, les compys le suivirent en gazouillant. Ils restaient à deux ou trois mètres et faisaient beaucoup de bruit en sautillant au milieu de la végétation. Dodgson se rendit compte qu'il y en avait plusieurs dizaines. Dans l'obscurité qui tombait, leurs yeux brillaient d'un éclat vert.

Son corps n'était que douleur. Chaque pas lui arrachait une grimace. Son sens de l'équilibre n'était pas bon. Il perdait du sang et avait affreusement sommeil. Jamais il ne parviendrait à gagner la rivière. Jamais il ne réussirait à parcourir plus de deux cents mètres. Il trébucha sur une racine, s'étala sur le ventre. Il se releva lentement, de la terre collée sur ses vêtements imbibés de sang.

Il se retourna vers les yeux verts, se força à poursuivre sa marche. Il pouvait aller un peu plus loin. Soudain, juste devant lui, il vit de la lumière à travers le feuillage. Était-ce le bateau? Il pressa le pas, les compys sur ses talons.

Il écarta des feuilles, découvrit une petite construction, ressemblant à une cabane à outils ou une maison de gardien. Les murs étaient en ciment, le toit en tôle ondulée. Elle avait une fenêtre carrée, à travers laquelle brillait de la lumière. Dodgson trébucha de nouveau, tomba sur les genoux et se traîna jusqu'à la cabane. Il leva la main, prit appui sur la poignée pour se relever et poussa la porte.

La cabane était vide. Quelques tuyaux sortaient du plancher. Quelques années plus tôt, ils avaient dû être reliés à des machines, mais les machines avaient disparu. Il ne restait que des traces de rouille sur le sol de ciment, là où elles avaient été boulonnées.

Dans un angle de la pièce il y avait une lumière électrique. Elle était munie d'un minuteur, de manière à s'allumer la nuit. C'est la lumière qu'il avait vue de l'extérieur. Y avait-il donc l'électricité sur cette île? Comment était-ce possible? Après tout, il s'en fichait. Il referma soigneusement la porte, fit quelques pas flageolants dans la pièce et se laissa tomber sur le ciment. À travers les vitres sales, il vit les compys taper sur la fenêtre et bondir de fureur. Dans l'immédiat, il ne risquait rien.

Il faudrait repartir, bien sûr. Il faudrait trouver le moyen de quitter cette saloperie d'île. Mais pas tout de suite.

Plus tard.

Il s'occuperait de tout cela plus tard.

Dodgson posa la joue sur le ciment froid et humide; il sombra dans le sommeil.

LE CAMION

Sarah Harding entoura de papier aluminium la jambe cassée du bébé tyrannosaure. L'animal endormi respirait calmement, sans bouger. Le petit corps était détendu. L'oxygène chuintait dans le tuyau.

Elle confectionna un fourreau de quinze centimètres de long. À l'aide d'une petite brosse, elle badigeonna le papier aluminium de résine.

— Combien de raptors y a-t-il? demanda Sarah. Je ne suis pas sûre de bien les avoir comptés, quand je les ai vus. Je dirais neuf.

— Je pense qu'ils sont plus nombreux, fit Malcolm. Disons onze ou douze.

— Douze raptors? fit-elle, surprise. Sur une si petite île?

— Oui.

La résine dégageait une odeur âcre, qui rappelait celle de la colle. Elle en appliqua une couche régulière sur l'aluminium.

— Tu sais ce que je pense? reprit-elle.

— Oui. Il y en a trop.

— Beaucoup trop, Ian, poursuivit Sarah sans relever la tête. Ce n'est pas normal. En Afrique, les prédateurs tels que les lions sont très éparpillés. On compte un lion pour dix kilomètres carrés, parfois quinze. L'écosystème ne peut pas en supporter plus. Sur une île comme celle-ci, il ne devrait pas y avoir plus de cinq raptors. Tiens-moi ça...

— N'oublie pas que les proies sont énormes ici... Certains de ces animaux pèsent vingt à trente tonnes.

— Je ne suis pas persuadée que ce soit un facteur déterminant, répliqua Sarah. Admettons que ce soit vrai; je double l'estimation et je t'accorde dix raptors pour toute l'île. Mais tu dis qu'il y en a douze. Sans compter les autres grands prédateurs. Les *rex*...

282

– Tu as raison.

– C'est trop, répéta Sarah.

– La population animale est plutôt dense, poursuivit Malcolm.

– Pas assez. Les études faites sur les prédateurs, qu'il s'agisse des tigres en Inde ou des lions en Afrique, montrent en général que l'on rencontre dans la faune d'une région un prédateur pour deux cents proies. Ce qui signifie que, pour vingt-cinq prédateurs, il faudrait au moins cinq mille proies sur cette île. Crois-tu qu'elles soient si nombreuses ?

– Non.

– À ton avis, reprit Sarah, combien d'animaux y a-t-il en tout ?

– Deux ou trois cents, répondit Malcolm. Cinq cents au maximum.

– Dix fois moins qu'il ne faudrait, Ian. Tiens ça, je vais chercher la lampe.

Elle fit passer la lampe chauffante sur la jambe du bébé pour durcir la résine, ajusta le masque à oxygène.

– La population de l'île ne peut nourrir autant de prédateurs, reprit Sarah. Pourtant, ils sont là.

– Vois-tu une explication ?

– Il doit y avoir une source d'alimentation dont nous ne savons rien.

– Tu penses à une source artificielle ? Je ne crois pas.

– Non, fit Sarah. Une source artificielle contribuerait à apprivoiser les animaux. Ce n'est pas le cas. La seule autre explication qui me vienne à l'esprit est que le taux de mortalité des proies est très élevé. Si elles grandissent très vite ou meurent jeunes, elles peuvent représenter une quantité de nourriture plus importante qu'en temps normal.

– J'ai remarqué, glissa Malcolm, que les animaux des plus grosses espèces ne paraissent pas atteindre leur plein développement. Peut-être se font-ils tuer jeunes.

– Peut-être, fit-elle. Mais si un taux de mortalité anormalement élevé des proies permet de nourrir ces prédateurs, nous devrions découvrir des carcasses, de nombreux squelettes d'animaux morts. En as-tu vu ?

Malcolm secoua la tête.

– Non, répondit-il. En fait, maintenant que tu en parles, je n'ai pas vu un seul squelette.

– Moi non plus, fit Sarah en écartant la lampe. Il y a des choses bizarres sur cette île, Ian.

– Je sais.

– Vraiment ?

– Oui, fit Malcolm. Je le soupçonne depuis le début.

Il y eut un roulement de tonnerre. Du haut du mirador, ils ne voyaient plus la plaine, gagnée par l'obscurité ; le silence régnait, uniquement troublé par les grondements lointains des raptors.

– Nous ferions peut-être mieux de redescendre, fit Eddie, sans cacher sa nervosité.

— Pourquoi? demanda Levine.

Il avait abandonné ses jumelles pour prendre les lunettes de vision nocturne. Il se félicitait d'avoir pensé à les emporter. Avec les lunettes, le monde apparaissait en nuances pâles de vert. Il distinguait parfaitement les raptors qui s'acharnaient sur les restes de leur proie, les hautes herbes piétinées et souillées de sang. Le corps était entièrement dépecé, mais des craquements d'os rongés par les prédateurs leur parvenaient encore.

— Je me disais seulement, reprit Eddie, que nous serions plus en sécurité dans le camion, maintenant que la nuit est tombée.

— Pourquoi? répéta Levine.

— Euh!... Parce qu'il est solide, renforcé, que nous serons protégés. Tout ce qu'il nous faut. Je pense qu'il vaudrait mieux être là-bas, c'est tout. Vous n'avez pas l'intention de passer la nuit ici?

— Non, répondit Levine. Vous me prenez pour un obsédé?

Eddie répondit par un grognement.

— Mais nous allons rester encore un peu, reprit Levine.

— Doc? fit Eddie en se tournant vers Thorne. Qu'en dites-vous? Il ne va pas tarder à pleuvoir.

— Encore un petit moment, répondit Thorne. Et nous rentrerons tous ensemble.

— Il y a des dinosaures sur cette île depuis cinq ans, peut-être plus, dit Malcolm. Aucun n'était apparu ailleurs, mais, d'un seul coup, dans le courant de cette année, des cadavres sont rejetés sur les plages du Costa Rica et, d'après certaines rumeurs, de plusieurs îles du Pacifique.

— Entraînés par les courants?

— Probablement. Mais la question est : pourquoi maintenant? Pourquoi maintenant, au bout de cinq ans? Quelque chose a changé, mais nous ne savons pas... Attends un peu!

Il s'écarta de la table, se dirigea vers la console. Il regarda l'écran.

— Qu'est-ce que tu fais?

— Arby nous a donné accès au réseau qui contient des vieux fichiers de recherche de la fin des années 80, expliqua Malcolm en promenant la souris sur l'écran. Nous ne les avons même pas regardés...

Il vit le menu s'afficher, montrant des fichiers de travail et des fichiers de recherche. Il fit défiler des écrans de texte.

— Il y a plusieurs années, reprit-il, ils ont eu des problèmes avec une maladie. Nous avons trouvé dans le labo des notes de service à ce sujet.

— Quel genre de maladie?

— Ils l'ignoraient.

— Il existe dans des régions reculées des maladies qui mettent très longtemps à incuber, fit Sarah. Elles peuvent prendre cinq à dix ans pour se déclarer et sont dues à des virus ou des prions. Tu sais, des fragments de protéine... La tremblante du mouton ou la maladie de la vache folle.

– Ces maladies ne peuvent provenir que d'une nourriture contaminée, fit Malcolm.

– Que donnaient-ils à manger à leurs animaux? demanda Sarah après un silence. Si j'élevais des bébés dinosaures, je me poserais la question de savoir comment les nourrir. Ils leur donnaient du lait, j'imagine, mais...

– Du lait, oui, fit Malcolm, le nez sur l'écran. Six premières semaines, lait de chèvre...

– Cela paraît logique. Tous les zoos utilisent du lait de chèvre, parce qu'il est hypoallergénique. Et après le lait?

– Laisse-moi le temps de chercher, fit Malcolm.

Sarah avait soulevé la jambe du bébé en attendant que la résine durcisse. Elle se pencha sur le plâtre, renifla. L'odeur était encore forte.

– J'espère que ça ira, reprit-elle. Parfois, en présence d'une odeur particulière, les parents n'acceptent pas de reprendre un bébé. L'odeur se dissipera peut-être quand les composants auront durci. Cela fait combien de temps?

– Dix minutes, répondit Malcolm en regardant sa montre. Encore dix minutes et ce sera pris.

– J'aimerais ramener ce petit bonhomme dans son nid, fit Sarah.

Ils entendirent un coup de tonnerre, regardèrent par la vitre. La nuit était noire.

– Il sera probablement trop tard pour le ramener ce soir, fit Malcolm en continuant à taper sur le clavier, les yeux rivés sur l'écran.

– Voyons... Que leur ont-ils donné à manger? Voilà! Dans la période 1988-1989... les herbivores avaient des plantes macérées, avec trois repas par jour. Et les carnivores...

Il s'interrompit.

– Que mangeaient les carnivores?

– On dirait des farines de protéines animales...

– Quelle origine? En général, c'est de la viande de dinde ou de poulet, à quoi on ajoute des antibiotiques.

– Sarah, fit doucement Malcolm, ils utilisaient du mouton.

– Non! Ils n'auraient pas fait ça!

– Si... Leur fournisseur utilisait des farines de viande de mouton.

– Tu plaisantes?

– Je crains que non, fit Malcolm. Voyons maintenant si je peux trouver...

Le bourdonnement d'une alarme se fit entendre. Au-dessus de lui, sur le panneau mural, une lumière rouge se mit à clignoter. Quelques secondes plus tard, les lumières extérieures, des lampes à halogène fixées sur le toit du camion, s'allumèrent, baignant la clairière dans une lumière crue.

– Qu'est-ce que c'est? demanda Sarah.

– Les capteurs de mouvement... Quelque chose les a déclenchés.

Malcolm s'écarta de l'ordinateur pour aller regarder par la vitre. Il ne vit rien que les hautes herbes, les formes sombres des arbres à la lisière de la forêt. Tout était silencieux.

– Que s'est-il passé ? demanda Sarah, toujours absorbée par le bébé tyrannosaure.

– Je ne sais pas. Je ne vois rien.

– Mais quelque chose a déclenché les capteurs ?

– Je suppose.

– Le vent ?

– Il n'y a pas de vent, répondit Malcolm.

– Regardez ! s'écria Kelly.

Thorne se retourna. De leur poste d'observation dans la vallée, ils voyaient au nord l'abrupt rocheux et la clairière où étaient garés les deux gros véhicules de l'expédition.

Les lumières extérieures des camions venaient de s'allumer.

Thorne prit la radio qu'il portait à la ceinture.

– Ian ? Vous m'entendez ?

Il y eut des craquements de parasites.

– Oui, Doc, je vous reçois.

– Que se passe-t-il ?

– Je ne sais pas, répondit Malcolm. L'éclairage extérieur vient de se mettre en marche ; je pense qu'un capteur a été actionné. Mais nous ne voyons absolument rien.

– L'air se rafraîchit vite, suggéra Eddie. C'est peut-être un phénomène de convection.

– Tout va bien, Ian ? reprit Thorne.

– Oui, ça va. Ne vous inquiétez pas.

– J'ai toujours pensé qu'ils étaient trop sensibles, bougonna Eddie. Question de réglage, c'est tout.

Levine écouta en silence, le front plissé.

Sarah avait terminé ; elle enveloppa le bébé dans une couverture, l'attacha délicatement sur la table à l'aide de sangles de toile. Elle vint se placer près de Malcolm, devant la vitre.

– Qu'en penses-tu ?

– D'après Eddie, les capteurs sont trop sensibles.

– Tu crois ?

– Je ne sais pas. Il n'y a jamais eu d'essais.

Malcolm scruta les silhouettes des arbres, à l'orée de la forêt, à l'affût d'un mouvement. Il crut percevoir une sorte de grognement, un grondement étouffé. Il eut l'impression qu'une réponse venait de l'autre côté, derrière lui. Il alla regarder par l'autre vitre, ne vit que les formes sombres des arbres. Chacun de son côté, le nez collé à la vitre, Ian et Sarah essayèrent de distinguer quelque chose dans la nuit. Très tendu, Malcolm retenait son souffle.

— Je ne vois rien, Ian, fit Sarah au bout d'un moment.

— Moi non plus.

— Ce doit être une fausse alerte.

C'est alors qu'il perçut une vibration à travers le plancher, un bruit lourd et sourd, résonnant sur le sol de la clairière. Il tourna la tête vers Sarah ; elle avait les yeux écarquillés.

Malcolm savait ce que c'était. La vibration reprit ; il n'y avait plus à s'y tromper.

Sarah se retourna vers la vitre.

— Ian, murmura-t-elle. Je le vois !

Malcolm alla la rejoindre. Elle indiqua du doigt les arbres les plus proches.

— Où ?

Il vit soudain une énorme tête sortir du feuillage, à mi-hauteur d'un gros arbre. La tête se tourna lentement d'un côté et de l'autre, comme pour écouter. C'était un *Tyrannosaurus rex* adulte.

— Ian, reprit Sarah dans un souffle, regarde... Il y en a deux.

Il vit, sur la droite, un second animal sortir des arbres. Un peu plus gros ; c'était la femelle. Les animaux grondèrent, une espèce de roulement dans la nuit. Ils sortirent lentement du couvert végétal, s'avancèrent dans la clairière. L'éclat de la lumière les fit battre des paupières.

— Ce sont les parents ?

— Je ne sais pas. Je crois.

Malcolm jeta un coup d'œil au bébé. Il dormait encore ; la respiration était régulière, la couverture se soulevait et s'abaissait lentement.

— Qu'est-ce qu'ils font ici ? demanda Sarah.

— Je n'en sais rien.

Les animaux restaient au bord de la clairière, près du couvert des arbres. Ils semblaient hésiter, attendre quelque chose.

— Tu crois qu'ils cherchent leur bébé ?

— Sarah, je t'en prie !

— Je parle sérieusement.

— C'est ridicule !

— Pourquoi ? Ils ont dû suivre sa trace jusqu'ici.

Les tyrannosaures levèrent la tête, les mâchoires dressées vers le ciel. Puis ils tournèrent la tête de droite et de gauche, en décrivant lentement un cercle. Ils répétèrent le mouvement, firent un pas en avant, en direction du camion.

— Nous sommes à plusieurs kilomètres du nid, fit Malcolm. Il leur est impossible d'avoir suivi sa trace.

— Qu'en sais-tu ?

— Sarah!...

— Tu as dit toi-même que nous ne savons rien sur ces animaux. Nous ignorons tout de leur physiologie, de leur biochimie, de leur système nerveux, de leur comportement. Nous ne savons rien non plus sur leur système sensoriel...

— Certes, mais...

— Ce sont des prédateurs, Ian. La vue, l'ouïe et l'odorat sont très développés.

— J'imagine.

— Nous ne savons pas ce qu'ils ont d'autre, poursuivit Sarah.

— Quoi d'autre?

— Il existe d'autres modalités sensorielles, Ian. Les serpents perçoivent les radiations infrarouges, les chauves-souris captent l'écho des vibrations à haute fréquence qu'elles émettent, les oiseaux et les tortues détectent le champ magnétique de la Terre, ce qui leur permet de s'orienter pour leurs migrations. Les dinosaures possèdent peut-être d'autres spécificités sensorielles dont nous n'avons pas la moindre idée.

— Sarah, c'est ridicule.

— Crois-tu? Alors, explique-moi ce qu'ils font ici.

Dehors, près des arbres, les tyrannosaures étaient devenus silencieux. Les grondements s'étaient tus, mais les deux animaux continuaient de tourner lentement la tête de droite et de gauche.

— On dirait..., commença Malcolm, le front plissé par la perplexité. On dirait qu'ils regardent dans toutes les directions.

— Avec les lumières dans les yeux? Non, Malcolm, ils sont aveuglés.

À peine avait-elle prononcé ces mots, il sut qu'elle était dans le vrai. Mais les deux têtes continuaient à tourner du même mouvement régulier.

— Que font-ils? reprit Malcolm. Ils sentent?

— Non. Ils ont la tête levée, les narines ne remuent pas.

— Ils écoutent?

— Possible.

— Qu'est-ce qu'ils écoutent?

— Le bébé, peut-être.

— Sarah, reprit Malcolm après un nouveau coup d'œil vers le petit animal, le bébé est inconscient.

— Je sais.

— Il ne fait aucun bruit.

— Aucun que nous puissions entendre, rétorqua Sarah, sans quitter des yeux les tyrannosaures. Mais ils font quelque chose, Ian. Leur comportement a une signification; nous ignorons laquelle.

Du haut du mirador, Levine observait la clairière à l'aide des lunettes de vision nocturne. Il vit les deux tyrannosaures à la lisière des arbres. Ils remuaient la tête d'un mouvement bizarre, parfaitement synchronisé.

Les animaux firent quelques pas hésitants en direction du camion, levèrent la tête, la tournèrent des deux côtés, semblèrent enfin se décider. Ils commencèrent à traverser la clairière, rapidement, presque avec agressivité.

Il entendit la voix de Malcolm à la radio.

– Ce sont les lumières! Les lumières les attirent!

Quelques secondes plus tard, les lumières s'éteignirent, la clairière fut plongée dans l'obscurité. Dans l'abri, tout le monde plissa les yeux. La voix de Malcolm leur parvint de nouveau.

– C'est ce qu'il fallait faire!

– Que voyez-vous? demanda Thorne à Levine.

– Rien.

– Que font-ils?

– Ils restent immobiles.

Il vit que les tyrannosaures s'étaient arrêtés, comme si le changement d'éclairage les déconcertait. Malgré la distance, il percevait leurs grondements, mais ils paraissaient hésitants. Les deux animaux agitèrent la tête, firent claquer leurs mâchoires. Mais ils ne s'aventurèrent pas plus loin.

– Que se passe-t-il? demanda Kelly.

– Ils attendent, répondit Levine. Pour le moment.

Il avait l'impression très nette que les tyrannosaures étaient perturbés. Les gros véhicules devaient représenter un changement majeur et inquiétant dans leur environnement. « Ils vont peut-être faire demi-tour et repartir », se dit-il. Malgré leur taille gigantesque, les animaux semblaient méfiants, presque timorés.

Ils poussèrent un nouveau rugissement. Et il les vit se remettre en mouvement, avancer vers le camion.

– Ian, qu'est-ce qu'on fait?

– Que veux-tu que je te dise? répondit Malcolm dans un souffle.

Accroupis côte à côte dans l'allée, ils essayaient de rester invisibles des vitres. Les tyrannosaures avançaient d'une allure implacable. Chaque pas produisait maintenant une vibration perceptible; les deux animaux de dix tonnes s'avançaient vers eux.

– Ils viennent droit sur nous!

– J'ai remarqué, fit Malcolm.

Le premier tyrannosaure s'arrêta devant le camion, si près que son corps boucha toute la surface du châssis vitré. Malcolm ne vit que les jambes aux muscles puissants et le ventre. La tête était hors de vue, beaucoup plus haut.

Le second tyrannosaure arriva de l'autre côté. Les deux animaux commencèrent à tourner autour du camion en grondant. Leurs pas pesants faisaient trembler le plancher. Ils perçurent l'odeur âcre des prédateurs. Un des tyrannosaures se frotta contre le flanc du camion; la peau écailleuse racla le métal.

Malcolm sentit la panique le gagner. À cause de l'odeur, qui lui rappelait sa précédente expérience. Il se mit à transpirer. Il tourna la tête vers Sarah, vit qu'elle était concentrée, qu'elle suivait les mouvements des animaux.

— Ce n'est pas un comportement de chasse, murmura-t-elle.

— Je ne sais pas, répondit Malcolm. Peut-être que si. Ce ne sont pas des lions, tu sais.

Un des tyrannosaures lança un rugissement dans la nuit, un cri rauque, à faire dresser les cheveux sur la tête.

— Ils ne chassent pas, reprit Sarah. Ils le cherchent, Ian.

Peu après, le second tyrannosaure répondit par un autre rugissement. La grosse tête s'inclina, s'arrêta à la hauteur de la vitre. Malcolm se baissa, s'aplatit sur le plancher. Sarah se laissa tomber sur lui. Une chaussure lui écrasa l'oreille.

— Tout ira bien, Sarah.

Ils entendirent les tyrannosaures gronder devant le camion.

— Pourrais-tu déplacer ton pied ? murmura Malcolm.

Elle se tourna légèrement ; il se souleva avec précaution, pour regarder par-dessus les coussins du siège. Il aperçut le gros œil du *rex*, fixé sur lui. L'œil roula dans son orbite. Il vit les mâchoires s'ouvrir et se refermer. L'haleine du prédateur embua le verre.

La tête du tyrannosaure s'éloigna de la vitre ; l'espace d'un instant, Malcolm respira mieux. Mais la tête revint, heurta la carrosserie avec un bruit mat, faisant osciller le camion.

— Ne t'inquiète pas, Sarah. Le camion est très résistant.

— Tu ne peux pas savoir comme je suis soulagée, souffla-t-elle.

De l'autre côté, le tyrannosaure lança un rugissement avant de pousser le camion du museau. La suspension grinça sous le choc.

Les deux animaux entreprirent, en cadence et en alternance, de donner de grands coups de tête des deux côtés. Ian et Sarah furent ballottés en tous sens. Elle essaya de se retenir, un choc plus violent lui fit lâcher prise. Le plancher s'inclinait fortement à chaque impact. Le matériel de laboratoire était projeté des tables. Il y avait des bruits de verre brisé.

D'un seul coup, le martèlement cessa. Le silence se fit.

Malcolm prit appui sur un genou en grommelant.

Il regarda par la vitre, vit l'arrière-train d'un tyrannosaure, qui reculait.

— Qu'allons-nous faire ? murmura-t-il.

La radio grésilla. C'était la voix de Thorne.

— Ian, vous m'entendez ? Ian ?

— Coupe ça, bon sang ! souffla Sarah.

Malcolm porta la main à sa ceinture, prit la radio.

— Nous n'avons pas de mal, murmura-t-il, avant de couper la communication.

À quatre pattes, Sarah gagna le laboratoire de biologie. En la suivant, il vit derrière la vitre la grosse tête du tyrannosaure, qui regardait dans la direction du bébé, attaché sur la table. L'animal fit entendre un grognement étouffé.

La tête se rapprocha de la vitre.

L'animal grogna de nouveau.

— *Elle veut son bébé, Ian*, murmura Sarah.

— En ce qui me concerne, je n'y vois aucun inconvénient, souffla Malcolm.

Recroquevillés sur le plancher, ils s'efforçaient de rester hors de vue de l'animal.

— Comment allons-nous le lui faire passer?

— Je ne sais pas. En le poussant dehors, peut-être.

— Je ne veux pas qu'ils risquent de l'écraser, protesta Sarah.

— C'est le dernier de mes soucis! répliqua Malcom.

Derrière la vitre, le tyrannosaure émit une succession de petits grognements, suivis d'un long rugissement menaçant. C'était la grosse femelle.

— Sarah...

Trop tard. Elle s'était levée et faisait face au tyrannosaure. Elle commença à parler d'une voix douce, apaisante.

— Tout va bien... Tout va bien maintenant... Ton bébé n'a pas de mal... Je vais desserrer les sangles... Tu n'as qu'à me regarder...

La tête de l'animal était si grosse qu'elle occupait tout le châssis vitré. Sarah vit les muscles du cou frémir sous la peau. Les mâchoires remuèrent légèrement. Les mains tremblantes, elle commença à défaire les sangles.

— Tout va bien... Ton bébé n'a pas de mal... Regarde, il va bien...

Recroquevillé à ses pieds, Malcolm leva la tête.

— Qu'est-ce que tu fais?

— Je sais que cela peut paraître complètement dingue... mais ça marche avec les lions... parfois. Et voilà... ton bébé est libre...

Sarah déroula la couverture et retira le masque à oxygène, sans cesser de parler d'une voix douce.

— Et maintenant... il me reste... à te le porter...

Elle souleva le bébé. La tête de la femelle recula et vint s'écraser obliquement sur le verre qui se fêla en étoile, avec un grand craquement. Sarah ne voyait plus à travers, mais elle distingua une forme mouvante; au second impact, le verre vola en éclats. Sarah lâcha le bébé et bondit en arrière; la tête passa à travers la vitre, s'enfonça d'un mètre à l'intérieur. Des filets de sang provoqués par les éclats de verre coulaient sur le museau de l'animal. Après cet accès de violence, il se calma, ses mouvements se firent délicats. Le tyrannosaure flaira le bébé, en commençant par la tête avant de descendre lentement le long du petit corps. Il s'arrêta à la hauteur du plâtre, flaira plus longuement, donna un petit coup de langue. Enfin, la mère posa doucement la mâchoire inférieure sur la poitrine du bébé. Elle resta un long moment dans cette position, sans bouger. Seuls les yeux, fixés sur Sarah, clignèrent lentement.

Allongé sur le plancher, Malcolm vit du sang couler goutte à goutte de la table. Il commença à se redresser, mais Sarah repoussa sa tête de la main.

— Chut! fit-elle.

— Qu'est-ce qu'il fait?

— Il écoute le battement du cœur.

Le tyrannosaure grogna, ouvrit la gueule, saisit délicatement le petit corps entre ses mâchoires. La tête recula lentement, traversa le châssis de la vitre brisée, emportant le bébé à l'extérieur.

La mère posa le bébé sur le sol de la clairière. La tête disparut au-dessous de la vitre du camion.

— Il s'est réveillé? demanda Malcolm. Le bébé est réveillé?

— Chut!

Ils perçurent un bruit venant de l'extérieur, une sorte de lapement, entrecoupé de sons gutturaux, très doux. Malcolm vit Sarah se pencher en avant, pour essayer de voir derrière la vitre.

— Que se passe-t-il?

— Elle le lèche. Elle le pousse du bout du museau.

— Et puis?

— C'est tout. Elle ne fait que ça.

— Et le bébé?

— Il ne bouge pas. Il roule sur lui-même, comme s'il était mort. Combien de morphine lui avons-nous injectée, la dernière fois?

— Aucune idée. Comment veux-tu que je le sache?

Malcolm resta allongé, écoutant les bruits faits par la mère. Enfin, après ce qui lui sembla une éternité, il perçut un cri faible et aigu.

— Ian! Il se réveille! Le bébé se réveille!

Malcolm se mit à genoux, regarda par la vitre, juste à temps pour voir le tyrannosaure, le bébé entre les mâchoires, se diriger vers le bord de la clairière.

— Que fait-il?

— J'imagine qu'il va le mettre à l'abri.

Le second tyrannosaure apparut, suivant le premier. Malcolm et Sarah observèrent les deux animaux, tandis qu'ils s'éloignaient du camion.

— On l'a échappé belle, fit-il.

— Comme tu dis, souffla Sarah.

Elle essuya en soupirant un peu de sang sur son avant-bras.

— Ian? lança Thorne d'une voix vibrante d'inquiétude. Vous m'entendez? Ian?

– Ils ont peut-être coupé la radio, fit Kelly.

Quelques gouttes de pluie commencèrent à tomber, crépitant sur le toit métallique de l'abri. Levine avait la tête tournée vers le camion. Un éclair zébra le ciel.

– Voyez-vous ce que font les animaux ? demanda Thorne.

– Je les vois, répondit Eddie. On dirait... on dirait qu'ils s'en vont !

Tout le monde poussa des acclamations.

Tout le monde sauf Levine, qui resta silencieux, les lunettes de vision nocturne braquées sur la clairière. Thorne se tourna vers lui.

– C'est vrai, Richard ? Tout se présente bien ?

– En réalité, je ne pense pas, répondit Levine. Je crains que nous n'ayons commis une grave erreur.

Par la vitre brisée, Malcolm regarda s'éloigner les deux tyrannosaures. À ses côtés, Sarah demeurait silencieuse. Elle ne quittait pas les animaux des yeux.

La pluie se mit à tomber plus fort ; quelques gouttes entrèrent par le châssis de la vitre. Le tonnerre roula au loin, un éclair dessina un losange de feu, illuminant les prédateurs géants.

Au pied des premiers grands arbres, les tyrannosaures s'arrêtèrent ; la mère déposa le bébé sur le sol.

– Pourquoi font-ils ça ? demanda Sarah. Ils devraient regagner leur nid.

– Je ne sais pas...

– Peut-être que le bébé est mort, poursuivit Sarah.

Il n'en était rien. Quand un nouvel éclair déchira l'obscurité, ils virent le petit animal remuer. Il était encore vivant. Ils entendirent son cri aigu quand un des adultes le prit dans sa gueule pour le poser délicatement à l'enfourchure de deux hautes branches.

– Non ! fit Sarah en secouant lentement la tête. Ça ne va pas, Ian. Ça ne va pas du tout !

La femelle resta encore un peu près du bébé, le poussa du museau pour bien le caler entre les branches. Puis elle se retourna, la gueule béante, et poussa un long rugissement.

Le mâle répondit.

Du même mouvement impétueux, les deux tyrannosaures chargèrent, traversant la clairière à toute vitesse.

– Seigneur !

– Accroche-toi, Sarah ! s'écria Malcolm. Ça va faire mal !

Le choc d'une violence inouïe les projeta en l'air. Sarah hurla en tombant à la renverse. La tête de Malcolm heurta quelque chose, il retomba lourdement sur le plancher, sonné. Le camion oscilla, les amortisseurs gémirent. Les tyrannosaures rugirent, foncèrent derechef, tête baissée.

Malcolm entendit Sarah crier son nom, puis le camion bascula sur le côté. Il se protégea la tête ; du verre et du matériel de laboratoire volaient autour de lui. Quand il se redressa, tout était sens dessus dessous. La vitre fracassée par la femelle se trouvait juste au-dessus de sa tête. Il reçut des gouttes de pluie sur le visage. Quand un éclair illumina l'intérieur du camion, il eut la vision dantesque d'une tête énorme qui le regardait par l'ouverture. Il entendit le crissement des griffes du tyrannosaure sur la carrosserie, puis la tête disparut. Quelques secondes plus tard, avec force grondements, les tyrannosaures commencèrent à pousser le camion sur la terre détrempée.

– Sarah ! hurla Malcolm.

Il la vit, juste derrière, avant que tout se mette de nouveau à tourner autour de lui. Le camion se renversa avec un craquement sinistre ; il resta sur le toit. Malcolm commença à ramper pour rejoindre Sarah. Il leva les yeux, vit au-dessus de sa tête le matériel de laboratoire fixé sur des tablettes ; des tubes laissaient échapper leur contenu. Il sentit une brûlure sur son épaule ; en entendant une sorte de chuintement, il comprit que ce devait être un acide.

Sarah gémissait dans l'obscurité. À la faveur d'un éclair, Malcolm la vit, recroquevillée près du soufflet tordu qui reliait les deux véhicules. Le passage était presque fermé, ce qui signifiait que la remorque était encore sur ses roues. Un spectacle d'horreur !

Les tyrannosaures poussèrent un long rugissement, suivi d'une explosion assourdie. Ils mordaient les pneus ! « Dommage qu'ils n'aient pas choisi le câble de la batterie, songea Malcolm. Ils auraient eu une belle surprise. »

Les tyrannosaures se jetèrent de nouveau sur le camion, le faisant glisser sur le sol boueux. Dès qu'il s'immobilisait, les animaux recommençaient. Le véhicule tanguait à chaque impact.

Il arriva à la hauteur de Sarah ; elle se jeta dans ses bras en murmurant son prénom. La moitié gauche de son visage était dans l'obscurité ; à la lumière intense d'un éclair, il vit qu'elle était couverte de sang.

– Tu n'as pas de mal ?

– Ça ira, répondit-elle en essuyant le sang qui lui coulait dans les yeux. Peux-tu regarder ce que c'est ?

Un nouvel éclair fit briller un gros éclat de verre fiché à la naissance des cheveux. Il le retira, appuya pour contenir le sang qui giclait. Ils étaient dans la cuisine ; Malcolm leva le bras, décrocha un torchon. Il le pressa sur le front de Sarah, regarda la toile rougir.

– Tu as mal ?

– Ça ira.

– Je ne pense pas que ce soit très grave.

Sa phrase fut couverte par les rugissements des tyrannosaures.

– Qu'est-ce qu'ils font ? demanda Sarah d'une voix éteinte.

Les animaux se jetèrent de nouveau contre le camion. Cette fois, le véhicule sembla remuer beaucoup plus. Il glissa sur le toit, commença à s'incliner...

À s'incliner !

— Ils nous poussent, fit Malcolm.

— Où, Ian ?

— Vers le bord de l'abrupt.

Les tyrannosaures poussèrent encore une fois ; le véhicule poursuivit sa glissade.

— Ils vont nous pousser du haut de l'escarpement.

L'à-pic rocheux de cent cinquante mètres plongeait à la verticale dans la vallée. Jamais ils ne survivraient à une telle chute.

Elle prit le torchon, écarta la main de Malcolm.

— Fais quelque chose, Ian.

— Bon... d'accord.

Il s'éloigna d'elle, arc-bouté dans l'attente du prochain impact. Il ne savait que faire ; il n'avait pas la moindre idée. Le camion était sens dessus dessous, tout avait basculé dans la folie. Son épaule le brûlait, il sentait l'acide ronger sa chemise, peut-être sa peau. La brûlure le faisait souffrir. Le camion était plongé dans l'obscurité, il n'y avait plus d'électricité, il voyait du verre partout et...

Il n'y avait plus d'électricité.

Malcolm voulut se relever, un choc terrible le projeta sur le côté ; en tombant, sa tête heurta violemment le réfrigérateur. La porte s'ouvrit, des berlingots de lait et des bouteilles dégringolèrent avec fracas. Mais le réfrigérateur n'était pas éclairé.

Il n'y avait pas d'électricité.

Étendu sur le dos, il regarda par la vitre et vit le pied gigantesque d'un des tyrannosaures. Un éclair illumina la clairière au moment où le pied se levait pour frapper ; le camion se déplaça, glissant plus rapidement, il commença à s'incliner avec des grincements de métal.

— Merde ! fit Malcolm à mi-voix.

— Ian...

Trop tard ! Malcolm vit l'avant du véhicule basculer au bord de l'abrupt, avec force craquements et raclements de métal. Le mouvement s'accéléra, le plafond donna l'impression de se dérober sous lui. Sarah glissa, s'agrippa à lui au passage, les tyrannosaures poussèrent des rugissements de triomphe.

« Nous basculons dans le vide », se dit Malcolm.

Ne sachant que faire, il saisit la porte du réfrigérateur, se cramponna de toutes ses forces. La porte était froide, glissante d'humidité. Le camion bascula et tomba dans un fracas métallique. Malcolm sentit ses mains glisser sur la surface émaillée, glisser de plus en plus... Il lâcha prise, fut irrésistiblement entraîné vers l'avant du véhicule. Il vit le siège du conducteur arriver à sa rencontre, heurta quelque chose dans la pénombre, ressentit une douleur atroce, se plia en deux.

Lentement, doucement, tout s'obscurcit autour de lui.

La pluie tambourinait sur le toit de l'abri et formait un rideau liquide sur les quatre côtés. Levine essuya les verres des lunettes de vision nocturne, les remit, la tête tournée vers l'escarpement.

– Que se passe-t-il? demanda Arby.

– Je n'en sais rien.

Il était difficile de distinguer quoi que ce fût sous ce déluge. Quelques instants auparavant, ils avaient regardé, horrifiés, les deux tyrannosaures pousser les véhicules vers l'abrupt. Les prédateurs géants l'avaient fait avec une certaine facilité; Levine estima le poids des deux animaux à une vingtaine de tonnes, alors que le camion n'en faisait guère plus de deux. Une fois retourné, il glissa sans difficulté sur l'herbe mouillée, tandis que les tyrannosaures le poussaient du ventre ou à grands coups de leurs puissantes pattes postérieures.

– Pourquoi font-ils ça? demanda Thorne en venant se placer aux côtés de Levine.

– J'imagine que nous avons modifié la perception qu'ils ont de leur territoire.

– Pouvez-vous être plus clair?

– N'oublions pas à qui nous avons affaire, expliqua Levine. Même si les tyrannosaures montrent un comportement complexe, il est en grande partie instinctuel. C'est un comportement inné, inconscient. Le territoire relève de cet instinct. Les tyrannosaures marquent leur territoire et le défendent. Ce n'est pas un comportement réfléchi – les animaux n'ont pas un cerveau très developpé –, ils le font d'instinct. Tout comportement instinctuel est déclenché par quelque chose. Je crains qu'en déplaçant le bébé nous n'ayons déplacé les limites de leur territoire, en englobant la clairière où ils ont retrouvé leur petit. De telle sorte qu'ils vont défendre ce nouveau territoire, en chasser nos véhicules.

Un nouvel éclair illumina la vallée, ils eurent une vision d'horreur. Le camion avait basculé du haut de l'à-pic. Suspendu dans le vide, il n'était plus retenu que par le soufflet qui le reliait à la remorque.

– Ça ne tiendra jamais! s'écria Eddie. Pas longtemps!

Ils eurent le temps de voir les tyrannosaures dans la clairière. Les animaux poussaient méthodiquement la remorque vers le précipice.

– J'y vais! lança Thorne en se tournant vers Eddie.

– Je vous accompagne!

– Non! Reste avec les enfants!

– Mais vous aurez besoin...

– Reste avec les enfants! On ne peut pas les laisser seuls!

– Levine peut...

– Non, tu restes !

Thorne commença à dévaler l'échafaudage, rendu glissant par la pluie. En levant la tête, il vit Kelly et Arby qui le regardaient. Il sauta dans l'Explorer, mit le contact. Il calculait déjà la distance à parcourir jusqu'à la clairière. Au moins cinq kilomètres. Même en roulant à tombeau ouvert, il lui faudrait sept à huit minutes pour y arriver.

Il serait trop tard. Jamais il ne pourrait arriver à temps.

Mais il devait essayer.

Sarah Harding perçut un grincement cadencé et ouvrit les yeux.

Tout était sombre ; elle ne savait plus où elle était. À la faveur d'un éclair, elle eut une vue plongeante vers le fond de la vallée, cent cinquante mètres en contrebas. La vallée se balançait doucement.

Elle regardait par le pare-brise du camion, la tête en bas. Le véhicule ne bougeait plus, mais il était suspendu dans le vide, à la verticale.

Sarah était étendue en travers du siège du conducteur, qui avait sauté de sa glissière et fracassé un tableau de contrôle mural. Des fils électriques pendaient, des indicateurs clignotaient.

Elle avait du mal à voir, à cause du sang qui coulait sur son œil gauche. Elle sortit un pan de sa chemise, déchira deux bandes de tissu. Elle plia la première pour en faire une compresse qu'elle appliqua sur la plaie de son front. Puis elle noua l'autre autour de sa tête, pour tenir la compresse. Sarah ressentit une douleur très vive, de courte durée ; les dents serrées, elle attendit que la douleur se calme.

Elle entendit un bruit sourd, vibrant, au-dessus de sa tête. Elle se retourna, leva les yeux ; elle vit le camion, à la verticale, dans toute sa longueur. Malcolm était à trois mètres au-dessus d'elle, recroquevillé sur une table de laboratoire, inerte.

– Ian, fit-elle doucement.

Aucune réaction.

Le camion se mit de nouveau à trembler ; un choc sourd fut suivi d'un craquement. Sarah comprit ce qui se passait. Suspendu le long de la paroi rocheuse, le camion se balançait. Mais il était encore relié par le soufflet à la remorque qui le retenait. Et les tyrannosaures, dans la clairière, s'efforçaient de précipiter la remorque dans le vide.

– Ian, reprit-elle. Ian !

Elle parvint à se mettre debout, sans prêter attention à la douleur qui torturait toute sa carcasse. Elle eut un début d'étourdissement, se demanda combien de sang elle avait perdu. Elle commença à grimper, en se dressant sur le dossier du siège, de manière à pouvoir s'agripper à la première table de biologie. Les bras levés, elle réussit à atteindre une poignée scellée dans la paroi. Elle sentit le camion osciller.

En prenant appui sur la poignée, elle parvint à ouvrir la porte du réfrigérateur. Elle s'accrocha à une grille, s'assura qu'elle tenait bon, pesa de tout son poids. Elle leva une jambe, fit entrer sa chaussure dans le réfrigérateur. Elle se hissa par la force des bras, fit un rétablissement. De là, elle réussit à atteindre la poignée de la porte du four.

« C'est de l'escalade, se dit-elle. De l'escalade dans une cuisine. »

Elle arriva auprès de Malcolm. Un éclair lui permit de voir son visage tuméfié. Il poussa un petit gémissement. Elle rampa jusqu'à lui, essayant de déterminer la gravité de ses blessures.

— Ian, murmura-t-elle.

— Pardon, souffla-t-il, sans ouvrir les yeux.

— De quoi?

— C'est moi qui t'ai entraînée là-dedans.

— Peux-tu bouger, Ian? Comment te sens-tu?

— Ma jambe, grogna Malcolm.

— Il faut faire quelque chose, Ian.

Elle entendit rugir les tyrannosaures au bord de l'escarpement. Elle avait l'impression d'avoir toujours vécu avec ces rugissements dans les oreilles. Le camion oscillait d'une manière inquiétante; ses pieds glissèrent du réfrigérateur, elle se retrouva suspendue par les bras à la porte du four. La cabine du camion était à près de six mètres en dessous.

Elle savait que la poignée du four ne pourrait supporter son poids. Pas longtemps, en tout cas.

Sarah commença à balancer ses jambes, en lançant de grands coups de pied en arrière, jusqu'à ce qu'elles rencontrent quelque chose de dur. Elle tâta du bout du pied, prit appui sur la surface dure. Elle regarda par-dessus son épaule, vit qu'elle se tenait sur le côté de l'évier en inox. En déplaçant les pieds, elle ouvrit le robinet, eut les jambes trempées.

Les tyrannosaures poursuivaient leur martèlement, entrecoupé de rugissements. Les oscillations du camion s'amplifièrent.

— Nous n'avons plus beaucoup de temps, Ian. Il faut faire quelque chose.

Il souleva la tête, fixa sur elle un regard sans expression. Ses lèvres formèrent un mot : « Électricité ».

— Quoi, électricité?

— Elle est coupée.

Elle ne comprenait pas ce qu'il voulait dire. Bien sûr que l'électricité était coupée. Il lui revint à l'esprit que Ian l'avait coupée lui-même, à l'approche des tyrannosaures. Au début, l'éclairage les avait perturbés, peut-être en irait-il de même maintenant.

— Tu veux que j'allume l'électricité?

— Oui, fit-il avec un mouvement de tête imperceptible. Allume.

— Comment fait-on, Ian? demanda-t-elle en fouillant l'obscurité du regard.

— Le tableau.

— Où?

Il ne répondit pas. Elle lui secoua l'épaule.

– Où est le tableau, Ian ?

Il tendit le doigt vers le bas.

Elle baissa les yeux, vit les fils qui pendaient.

– Je ne peux pas ; tout est arraché.

– En haut...

Il parlait d'une voix à peine audible. Elle se rappela vaguement qu'il y avait un autre tableau de contrôle, juste à l'entrée de la remorque. Si elle pouvait arriver jusque-là, elle réussirait peut-être à rallumer l'électricité.

– D'accord, Ian. J'y vais.

Elle se remit en route, continua de grimper. La cabine du camion était maintenant à près de dix mètres. Les tyrannosaures accompagnaient de leurs rugissements les coups portés à la remorque. Sarah poursuivit sa lente progression.

Son idée était de traverser le soufflet pour gagner l'intérieur de la remorque ; en se rapprochant, elle comprit que ce ne serait pas possible. À la lumière d'un éclair, elle vit que le passage en accordéon s'était refermé en se tordant, lorsque le camion avait plongé dans le vide.

Elle était prisonnière du camion.

Elle entendit les tyrannosaures, chaque coup faisait vibrer la tôle.

– Ian ?

Elle se tourna pour regarder en bas. Il ne bougeait pas.

Coincée au fond du camion, elle éprouva un sentiment nauséeux, celui d'avoir perdu. Encore un ou deux coups de patte et tout serait terminé. Ils s'écraseraient dans la vallée. Il n'y avait plus rien à faire. Elle était suspendue dans le noir, l'électricité était coupée, il n'y avait plus rien...

Peut-être que si ! Elle perçut un bourdonnement électrique dans l'obscurité, près d'elle. Y avait-il un autre tableau à cette extrémité du camion ? Avaient-ils placé un tableau de contrôle de chaque côté ?

Accrochée par les mains, les muscles des épaules et des bras contractés, elle chercha du regard le second tableau. Elle était presque au fond ; s'il y avait un second tableau, il ne devait pas être loin. Mais où ? Elle attendit un éclair pour regarder par-dessus une épaule, puis l'autre.

Elle ne vit rien.

La douleur dans ses bras devenait insupportable.

– Ian, je t'en prie !...

Pas de tableau.

Ce n'était pas possible ; elle entendait encore le bourdonnement. Il devait y avoir un tableau de contrôle, mais elle ne le voyait pas. Il devait être par là ! Elle se balança de droite et de gauche, la lumière brève et intense d'un éclair illumina l'intérieur du camion et elle le vit.

À quinze centimètres de sa tête. Le tableau était à l'envers, mais elle distinguait les boutons et les commandes. Il faisait noir ; si elle réussissait à déterminer quel bouton...

Pas le temps!

Elle lâcha la main droite, se retenant de la gauche, enfonça tous les boutons à sa portée. L'éclairage revint aussitôt, toutes les lumières intérieures s'allumèrent.

Elle appuya méthodiquement sur tous les boutons. Il y eut quelques courts-circuits, des crépitements d'étincelles, de la fuméee.

Elle continua.

Soudain, à quelques centimètres de son visage, le moniteur mural s'alluma, présentant une image bleutée, floue. La mise au point se fit rapidement. Elle voyait l'écran de biais, mais elle distingua les tyrannosaures, dressés au-dessus de la remorque, la touchant de leurs petits bras, la poussant de leurs jambes puissantes. Elle enfonça les derniers boutons. Il n'en resta plus qu'un, protégé par un cache argenté; elle le souleva et appuya.

Elle vit les tyrannosaures disparaître dans une gerbe incandescente d'étincelles, elle entendit leurs rugissements de fureur. Puis le moniteur vidéo s'éteignit, des étincelles crépitèrent autour du visage de Sarah, lui piquant les joues et les mains. Toutes les lumières s'éteignirent, le camion fut de nouveau plongé dans l'obscurité.

Il y eut un long moment de silence.

Puis le martèlement inexorable reprit.

THORNE

Les essuie-glaces allaient et venaient sur le pare-brise ; malgré la pluie battante, Thorne prenait les virages à toute allure. Il regarda sa montre. Il était parti depuis deux minutes, peut-être trois.

Peut-être plus. Il ne savait plus.

La route était devenue une piste boueuse, glissante, dangereuse. Il traversait de grandes flaques, faisait gicler des gerbes d'eau en retenant son souffle. Ils avaient travaillé à l'atelier sur l'étanchéité du châssis, mais il y avait toujours un risque. Chaque flaque constituait un test. Jusqu'à présent, tout allait bien.

Trois minutes s'étaient écoulées.

Au moins trois.

Il braqua pour prendre un virage serré ; à la sortie, à la faveur d'un éclair, il vit une flaque occupant toute la largeur de la route. Il accéléra, les vitres latérales furent éclaboussées d'une eau boueuse. Il se retrouva de l'autre côté ; la voiture roulait toujours. Tandis que l'Explorer se lançait à l'assaut d'une côte, Thorne vit les aiguilles du tableau de bord s'affoler ; il entendit le grésillement annonciateur d'un court-circuit fatal. Il y eut une explosion sous le capot, une fumée âcre sortit du radiateur, la voiture s'arrêta net.

Quatre minutes.

Assis au volant, il écouta la pluie tambouriner sur le toit. Il tourna la clé de contact. Rien.

Le moteur était grillé.

Un rideau de pluie coulait sur le pare-brise. Thorne s'enfonça dans son siège en soupirant, le regard fixe. Sur le siège du passager avant, la radio grésilla.

– Doc ? Vous êtes bientôt arrivé ?

Thorne regarda la route à travers le rideau de pluie, essayant d'estimer sa position. Il devait être encore à un kilomètre et demi de la clairière, peut-être deux. Trop loin pour tenter le coup à pied. Il jura tout bas, abattit son poing sur le siège.

– Non, Eddie. Il y a eu un court-circuit.

– Quoi ?

– J'ai grillé le moteur. Je...

Thorne n'acheva pas sa phrase. Il venait de remarquer quelque chose.

Derrière un coude de la route, une faible lumière rouge clignotait. Il plissa les yeux pour mieux voir. Non, ce n'était pas une illusion d'optique : il y avait bien une lumière rouge clignotante.

– Doc ? reprit Eddie. Vous m'entendez ?

Thorne ne répondit pas ; il saisit la radio d'une main, le Lindstradt de l'autre, sauta de la voiture. La tête rentrée dans les épaules pour se protéger de la pluie, il s'élança sur la route en pente, vers la bifurcation. En sortant d'un virage, il vit la Jeep rouge au beau milieu de la route, les feux arrière clignotant. À travers le plastique brisé d'un des feux, une ampoule blanche jetait une lumière vive.

Thorne s'approcha, scruta l'intérieur de la voiture. Il vit qu'il n'y avait personne au volant. La portière avant gauche, bosselée, n'était même pas fermée. Thorne s'installa sur le siège, tâtonna sous le volant... Oui, les clés étaient là ! Il mit le contact ; le moteur rugit.

Il fit marche arrière jusqu'à l'embranchement, s'engagea sur la route de la corniche, en direction de la clairière. Quelques virages plus loin, aperçut le toit vert du laboratoire, tourna à gauche. À un coude de la route, les phares éclairèrent la clairière où les dinosaures s'acharnaient sur la remorque.

En voyant cette nouvelle lumière, les tyrannosaures se retournèrent et rugirent à l'unisson. Ils abandonnèrent la remorque et chargèrent. Thorne passa précipitamment la marche arrière, s'apprêta fébrilement à faire demi-tour, quand il se rendit compte que les animaux ne venaient pas vers lui.

Ils traversaient la clairière en diagonale, en direction d'un gros arbre. Arrivés sous l'arbre, ils s'arrêtèrent, la tête levée vers les branches. Thorne éteignit les phares et attendit. Il ne voyait plus les animaux que par intermittence, à la faveur des éclairs. Sous le ciel déchiré par un losange de feu, il les vit descendre le bébé de l'arbre, frotter la tête contre leur petit. À l'évidence, son arrivée à l'improviste avait éveillé chez eux une vive inquiétude pour leur progéniture.

Lorsque l'éclair suivant illumina le ciel, les tyrannosaures avaient disparu. La clairière était vide. Étaient-ils vraiment partis ? Se cachaient-ils ? Thorne baissa la vitre, avança la tête sous la pluie. C'est alors qu'il entendit un curieux grincement, sourd et continu. On eût dit le cri d'un animal, mais le bruit était trop régulier, trop continu. Il tendit l'oreille, se rendit compte qu'il s'agissait d'autre chose. C'était un bruit de métal.

Thorne ralluma les phares, avança lentement. Les tyrannosaures étaient partis. Le pinceau de lumière blanche éclaira la remorque.

Avec un grincement métallique ininterrompu, elle glissait lentement sur l'herbe trempée, vers le bord de l'escarpement.

— Qu'est-ce qu'il fait maintenant? hurla Kelly, pour couvrir le fracas de la pluie.

— Il roule, répondit Levine.

De leur poste d'observation, ils voyaient les phares de la voiture traverser la clairière.

— Il roule vers la remorque et il...

— Quoi? reprit Kelly. Il fait quoi?

— Le tour d'un arbre, répondit Levine. Un gros arbre, à la lisière de la forêt.

— Pourquoi?

— Il doit enrouler le câble autour de l'arbre, répondit Eddie. C'est la seule raison possible.

— Et maintenant? reprit Arby, après un moment de silence.

— Il est descendu de la voiture. Il court vers la remorque.

À quatre pattes dans la boue, Thorne tenait le gros crochet du câble de la Jeep. La remorque continuait de glisser, mais il réussit, en rampant, à faire passer le crochet autour de l'essieu arrière. Il retira les doigts juste au moment où le crochet se refermait en claquant, roula sur lui-même pour se dégager. La remorque chassa brusquement sur l'herbe mouillée, les pneus passèrent à l'endroit où se trouvait le corps de Thorne quelques secondes plus tôt. Le câble enroulé autour du treuil de la Jeep se tendit; le châssis de la remorque émit un long grincement de protestation.

Mais le câble tint bon.

Thorne sortit à quatre pattes de dessous la remorque, l'observa de près sous la pluie. Il regarda longuement les pneus de la Jeep, pour voir s'ils bougeaient. Non. Avec le câble passé autour de l'arbre, le poids de la Jeep était suffisant pour retenir la remorque au bord du précipice.

Il repartit vers la voiture, monta et tira le frein à main.

— Doc? fit la voix d'Eddie à la radio. Doc?

— Je t'entends, Eddie.

— Vous avez réussi à l'arrêter?

— Oui. Elle ne descend plus.

— C'est très bien, reprit Eddie, au milieu des grésillements de la radio. Mais vous savez que le soufflet est fait de mailles de cinq millimètres sur un manchon en acier inoxydable. Ce n'est pas prévu pour...

– Je sais, Eddie ; je cherche une solution.

Thorne redescendit de la Jeep. Sous la pluie, il retraversa la clairière au pas de course, en direction de la remorque.

Il ouvrit la porte latérale, entra. À l'intérieur, il faisait noir comme dans un four. Il ne voyait absolument rien. Tout était sens dessus dessous. Il écrasa du verre ; toutes les fenêtres étaient brisées. Il prit la radio.

– Eddie ?

– Oui, Doc.

– Il me faut de la corde.

Il savait qu'Eddie avait apporté et mis de côté toute sorte de matériel.

– Doc...

– Dis-moi où je peux la trouver...

– Elle est dans le camion.

Doc heurta violemment une table dans l'obscurité.

– Parfait, grommela-t-il.

– Il y a peut-être une corde de nylon dans l'armoire, poursuivit Eddie. Mais je ne sais pas quelle longueur.

Il n'avait pas l'air très optimiste. Thorne continua d'avancer, jusqu'à ce qu'il atteigne les armoires murales. Elles étaient fermées, les battants coincés. Il tira dessus dans l'obscurité, finit par renoncer. L'armoire contenant le matériel était juste après. Peut-être y trouverait-il de la corde. Il en avait besoin.

LA REMORQUE

Encore suspendue par les bras au fond du camion, Sarah Harding regarda le soufflet complètement tordu qui reliait les deux véhicules. Les coups frappés par les dinosaures avaient cessé, le camion ne se balançait plus. Mais elle commença à sentir de l'eau, des gouttes froides coulant sur son visage. Elle savait ce que cela signifiait.

Le soufflet commençait à fuir.

Elle leva les yeux, vit une déchirure qui s'ouvrait dans les mailles fines, montrant les anneaux d'acier en spirale qui formaient le soufflet. La déchirure était encore petite, mais elle ne tarderait pas à s'agrandir. À mesure que les mailles se déchiraient, la spirale commencerait à se détendre, avant de se briser.

Il ne restait que quelques minutes avant que le véhicule suspendu dans le vide se détache de sa remorque pour aller se fracasser sur le sol de la vallée.

Elle partit rejoindre Malcolm, trouva une prise pour se retenir.

— Ian, fit-elle doucement.

— Je sais, souffla-t-il, l'air résigné.

— Ian, il faut sortir d'ici.

Elle le prit sous les aisselles, le mit sur son séant.

— Tu vas venir avec moi.

Il secoua la tête, dans un petit geste futile de démission. Elle connaissait cette attitude de vaincu ; elle la détestait. Sarah Harding ne baissait jamais les bras. Jamais.

— Je ne peux pas..., commença Malcolm d'une voix gémissante.

— Il le faut !

— Sarah...

– Je ne veux pas t'écouter, Ian. Il n'y a rien à dire. En route!

Elle commença à tirer; il gémit, mais se redressa. Elle tira plus fort, parvint à le soulever de la table. Un éclair illumina le camion; il sembla retrouver un peu d'énergie. Il réussit à se mettre debout, sur le bord du siège, devant la table. Il flageolait, mais il était sur ses jambes.

– Qu'allons-nous faire?

– Je ne sais pas, mais il faut sortir d'ici. Il y a une corde?

Il inclina faiblement la tête.

– Où?

Il tendit le bras vers la cabine du camion.

– En bas. Sous le tableau de bord.

– Viens.

Elle se pencha dans le vide, écarta les jambes pour prendre appui sur le plancher, adoptant la position d'un alpiniste dans une cheminée. À six mètres du tableau de bord.

– Prêt, Ian? Allons-y.

– Je n'y arriverai pas, Sarah. Sincèrement.

– Appuie-toi sur moi; je vais te porter.

– Mais...

– Dépêche-toi!

Malcolm se redressa, s'agrippa d'une main tremblante à une applique. Sa jambe droite était raide. Elle le sentit brusquement peser sur elle, de tout son poids; elle faillit lâcher prise. Les bras de Malcolm se refermèrent sur sa gorge, lui coupant la respiration. Cherchant son souffle, elle lança les deux bras en arrière, les referma autour des cuisses de Malcolm et le souleva, pendant qu'il desserrait l'étreinte de ses bras. Elle put enfin respirer.

– Pardon, murmura-t-il.

– Ça va, fit-elle. On continue.

Elle commença à descendre le passage vertical, prenant appui où elle pouvait. Elle trouva quelques prises; quand il n'y en avait pas, elle s'agrippait à des poignées de tiroir, des pieds de table, des loquets de fenêtre, même à la moquette, dont elle arrachait le bord avec les doigts. À un moment, une grande bande se détacha, elle commença à glisser, parvint à arrêter sa chute en écartant les jambes. Dans son dos, Malcolm respirait bruyamment; les bras passés autour de son cou étaient agités de tremblements.

– Tu es très forte, fit-il.

– Cela n'enlève rien à ma féminité!

Plus que trois mètres jusqu'au tableau de bord. Plus que deux. Elle trouva une bonne prise, s'y agrippa, les jambes pendantes. Elle toucha le volant du bout des pieds. Elle descendit lentement, se tourna pour permettre à Malcolm de prendre appui sur le tableau de bord. Il se renversa en arrière, haletant.

Le camion se balançait en craquant. Sarah tâtonna sous le tableau de bord, trouva une boîte à outils, l'ouvrit fébrilement. Elle écarta des objets métalliques, qui tombèrent avec fracas, trouva une corde. En nylon, un bon centimètre d'épaisseur, au moins quinze mètres de long.

Elle se redressa, regarda par le pare-brise le sol de la vallée, à cent cinquante mètres en contrebas. La portière du conducteur était juste à côté d'elle. Elle tourna la poignée, la portière s'ouvrit et alla heurter la carrosserie. Elle sentit la pluie sur son visage.

Sarah se pencha, laissa son regard courir le long de la caisse. Tout était lisse, il n'y avait aucune prise. Mais, sous le véhicule, il devait y avoir des essieux, des pièces métalliques pour se tenir debout. Agrippée au métal glissant du montant de la portière, elle se pencha, s'efforça de voir sous le châssis du camion. Elle entendit un bruit métallique et une voix s'écrier : « Enfin ! » Une silhouette massive surgit devant elle. C'était Thorne, accroché au châssis.

— Bon Dieu ! lança-t-il. Qu'est-ce que vous attendez, une carte d'invitation ? Vite !

— C'est Ian, dit-elle. Il est blessé.

« C'est bien lui, se dit Kelly en jetant un coup d'œil en coin à Arby. Dès que les choses se compliquent, il n'est plus à la hauteur. Trop d'émotion, trop de tension, et il se met à trembler comme une femmelette. » Arby s'était depuis longtemps détourné de l'abrupt ; il regardait de l'autre côté de l'abri, en direction de la rivière. Comme si rien ne se passait. Tout à fait lui !

— Où en sont-ils ? demanda Kelly en se retournant vers Levine.

— Thorne vient d'entrer.

— D'entrer ? Dans le camion, vous voulez dire ?

— Oui. Et maintenant... il y a quelqu'un qui sort.

— Qui ?

— Sarah, je pense. Elle fait sortir tout le monde.

Kelly fouilla l'obscurité du regard, essayant de distinguer quelque chose. La pluie avait presque cessé, il ne tombait plus que quelques gouttes. Devant l'abrupt rocheux, le camion était toujours suspendu dans le vide. Elle crut voir une silhouette se déplacer sous le châssis ; elle n'en était pas sûre.

— Que fait-elle ?

— Elle grimpe.

— Seule ?

— Oui, répondit Levine. Seule.

Sarah Harding se tortilla sous la pluie pour sortir tout son corps par la portière. Elle ne regarda pas en bas ; elle savait que le sol était à cent cinquante mètres. Elle sentait le balancement du camion. La corde enroulée autour de l'épaule, elle baissa lentement une jambe, posa le pied sur un carter. Sa main tâtonnante se referma sur un câble. Elle se retourna.

Penché par la portière, Thorne lui parlait.

– Jamais on ne pourra remonter Malcolm sans une corde. Arriverez-vous à grimper en haut?

La lumière vive d'un éclair lui montra le châssis du camion, luisant de pluie. Elle eut le temps d'apercevoir une tache sombre de graisse. Puis tout fut plongé dans le noir.

– Sarah? Vous y arriverez?

– Oui, répondit-elle.

Elle leva les bras, commença à grimper.

– Où est-elle? demanda Kelly. Que se passe-t-il? Tout va bien?

– Elle est en train de remonter, fit Levine.

Arby écouta les voix qui semblaient venir de loin. Il regardait de l'autre côté, la tête tournée vers la rivière, invisible dans l'obscurité. Il attendait impatiemment le prochain éclair. Pour s'assurer qu'il n'avait pas eu la berlue.

Elle ne savait pas comment elle avait fait, après avoir si souvent glissé et failli tomber, mais elle atteignit le sommet de l'escarpement, se jeta à plat ventre sur la terre ferme. Il n'y avait pas de temps à perdre; elle déroula la corde, se glissa sous la remorque. Elle passa la corde dans un arceau métallique, fit un double nœud. Puis elle repartit au bord de la paroi verticale et lança la corde.

– Doc! cria-t-elle.

Accroché aux montants de la portière, Thorne attrapa la corde, l'enroula autour de la taille de Malcolm, qui poussa un gémissement.

– En route, fit Thorne.

Il prit Malcolm par les épaules, le poussa vers l'extérieur; collés au châssis, ils parvinrent à monter sur le carter du changement de vitesse.

– Fichtre! souffla Malcolm, la tête levée vers le ciel.

Sarah tirait déjà, la corde se tendit.

– Servez-vous seulement de vos bras, fit Thorne.

Malcolm commença à s'élever; en quelques secondes, il fut trois mètres au-dessus de Doc. Sarah était au bord de l'à-pic, mais Thorne ne la voyait pas; le corps de Malcolm lui bouchait la vue. Thorne se mit à grimper, cherchant des points d'appui. Le dessous du camion était glissant. Il se dit qu'il aurait dû le rendre antidérapant; mais qui aurait l'idée de faire ça?

Il se représenta le soufflet qui s'étirait... une déchirure qui s'agrandissait lentement...

Il poursuivit son ascension. Une main après l'autre. Un pied après l'autre.

Lorsqu'un éclair jeta sa lumière éblouissante, il se rendit compte qu'il était presque en haut.

Penchée au bord de l'escarpement, Sarah tendit les mains pour aider Malcolm. Il se hissait à la force des bras, les jambes pendantes, inertes. Mais il tenait bon. Plus qu'un mètre... Sarah saisit le col de sa chemise, le tira jusqu'en haut. Malcolm s'affaissa.

Thorne poursuivit l'ascension. Ses pieds glissaient; il ne sentait plus ses bras.

Il continua mécaniquement.

Sarah se pencha vers lui.

— Courage, Doc, fit-elle.

Elle tendit la main.

Ses doigts se rapprochèrent de ceux de Thorne.

Avec un claquement sinistre, les mailles se déchirèrent, les anneaux s'écartèrent, le camion descendit de trois mètres.

Thorne repartit de plus belle, la tête levée vers Sarah.

Sa main était toujours tendue.

— Vous y êtes presque, Doc...

Il continua de grimper, les yeux fermés, agrippant la corde, la serrant de toutes ses forces. Ses bras le brûlaient, ses épaules étaient nouées, la corde semblait rapetisser entre ses mains. Il l'enroula autour de son poignet, essayant de tenir bon. Au dernier moment, il commença à glisser, sentit une violente douleur au cuir chevelu.

— Toutes mes excuses, fit Sarah.

Elle le tirait par les cheveux. La douleur était affreuse, mais cela n'avait pas d'importance, il la percevait à peine. Il était à la hauteur du soufflet; il regarda les anneaux s'ouvrir comme un corset. Le camion descendit encore, mais elle le tirait vers le haut avec une force incroyable. Il sentit de l'herbe sous ses doigts. Le sommet était là. Sauvé!

Plus bas, une succession de bruits métalliques se fit entendre, tandis que les anneaux claquaient l'un après l'autre. Dans un dernier craquement, le camion se sépara de la remorque, tomba en chute libre le long de la paroi rocheuse. Il devint de plus en plus petit, s'écrasa sur les rochers, au pied de l'escarpement. D'en haut, on eût dit un sac en papier froissé.

Thorne se retourna, leva les yeux vers Sarah.

— Merci, dit-il simplement.

Sarah se laissa lourdement tomber à côté de lui. Du sang coulait de son front bandé. Elle ouvrit les doigts, lâcha une poignée de cheveux gris, qui forma un petit tas mouillé sur l'herbe.

— Drôle de nuit, fit-elle.

LE MIRADOR

— Ils ont réussi ! s'écria Levine, les lunettes de vision nocturne braquées sur l'escarpement.

— Tous ? demanda Kelly.

— Oui ! Ils ont réussi !

Arby se retourna, arracha les lunettes à Levine.

— Hé ! Attends un peu...

— J'en ai besoin, lança Arby.

Il pivota en sens inverse, se tourna vers la plaine obscure. Pour commencer, il ne vit rien du tout, rien qu'une image verte et floue. Ses doigts trouvèrent la mollette de mise au point. Il la tourna rapidement, l'image devint nette.

— Qu'y a-t-il donc de si important ? demanda Levine avec agacement. Ce matériel est extrêmement coûteux...

Ils entendirent les grondements. Ils se rapprochaient.

En nuances pâles de vert, Arby distinguait parfaitement les raptors. Ils étaient douze, ils avançaient dans les herbes en ordre dispersé, en direction du mirador. Un animal précédait les autres de quelques mètres et semblait être le chef, mais il était difficile de percevoir une organisation dans leur bande. Tous les animaux grondaient en léchant le sang sur leur museau et en s'essuyant la tête de leurs avant-bras griffus, d'un geste qui paraissait étonnamment intelligent, presque humain. Avec les lunettes de vision nocturne, leurs yeux étaient verts et brillants.

Ils ne semblaient pas avoir remarqué la présence du mirador. Aucun d'eux ne levait les yeux vers la charpente d'aluminium ; mais ils avançaient dans cette direction.

D'un seul coup, Arby sentit qu'on lui arrachait les lunettes.

— Excuse-moi, fit Levine, mais je pense qu'il vaut mieux que je m'en occupe moi-même.

— Si je n'avais rien fait, protesta Arby, vous n'auriez encore rien remarqué.

— Ne fais pas de bruit, répliqua Levine.

Il porta les lunettes à ses yeux, régla la netteté de l'image et soupira.

— Douze animaux, à une vingtaine de mètres, annonça-t-il.

— Ils nous voient ? demanda Eddie à voix basse.

— Non. Et, comme nous sommes sous le vent, ils ne nous sentiront pas. À mon avis, ils suivent la piste qui passe au pied du mirador. Si nous ne faisons pas de bruit, ils ne remarqueront rien.

La radio d'Eddie émit des grésillements. Il baissa précipitamment l'intensité du son.

Ils fouillaient tous la plaine du regard. La nuit était devenue très silencieuse. La pluie avait cessé, la lune apparaissait à travers les nuages étirés. Ils virent les animaux approcher, des formes sombres sur l'herbe argentée.

— Ils peuvent monter jusqu'ici ? demanda Eddie à mi-voix.

— Je ne vois pas comment, répondit Levine dans un souffle. Nous sommes à près de six mètres du sol. Je pense que ça ira.

— Vous avez dit qu'ils grimpaient aux arbres.

— Chut ! Ce n'est pas un arbre. Tout le monde se baisse et silence !

Malcolm grimaça de douleur, tandis que Thorne l'aidait à s'étendre sur une table, dans la remorque.

— Décidément, fit-il, ces expéditions ne me réussissent pas.

— C'est vrai, Ian, répondit Sarah. Mais détends-toi.

Éclairée par la torche électrique de Thorne, elle entreprit de découper la jambe du pantalon de Malcolm. Il avait une plaie profonde à la cuisse droite et avait perdu beaucoup de sang.

— Avons-nous une trousse de premiers secours ? demanda Sarah.

— Je pense qu'il y en a une derrière, répondit Thorne. Là où nous rangeons la moto.

— Allez la chercher.

Thorne sortit. Ian et Sarah se retrouvèrent seuls ; elle dirigea le pinceau lumineux à l'intérieur de la plaie béante, l'examina de près.

— C'est grave ? demanda-t-il.

— Ça pourrait être pire, répondit Sarah d'un ton détaché. Tu survivras.

En réalité, la blessure était profonde, elle allait presque jusqu'à l'os. Par chance, l'artère n'était pas touchée. Mais la plaie était sale — elle vit de la graisse, des débris de feuilles mêlés aux chairs broyées. Il fallait la nettoyer, mais elle attendrait que la morphine fasse son effet.

— Sarah, murmura Malcolm, je te dois la vie.

— Ne t'occupe pas de ça, Ian.

— Si, si, c'est vrai.

— Une telle sincérité ne te ressemble pas, poursuivit-elle.

— Ça passera, répliqua-t-il avec un pauvre sourire.

Elle savait qu'il devait beaucoup souffrir.

Thorne revint avec la trousse d'urgence. Elle remplit la seringue, chassa les bulles, injecta la morphine dans l'épaule de Malcolm.

— Ouille ! Combien m'as-tu donné ?

— Beaucoup.

— Pourquoi ?

— Parce qu'il faut que je nettoie la plaie, Ian. Et tu ne vas pas aimer ça.

Malcolm se tourna vers Thorne.

— Ha ! les femmes ! soupira-t-il. Vas-y, Sarah, fais ce que tu as à faire.

Levine regarda approcher la bande de raptors. Espacés dans la plaine, ils avançaient de leur pas sautillant. Il les observait attentivement, espérant découvrir dans la troupe une organisation quelconque, une structure, le signe d'une hiérarchie. Ces animaux étaient intelligents ; la logique aurait voulu qu'il y eût chez eux une organisation hiérarchique, que cela apparût dans leur disposition dans l'espace. Mais il ne voyait rien. On eût dit une bande de maraudeurs, inorganisés, sifflant et se menaçant mutuellement.

Dans l'abri, près de Levine, Eddie et les enfants étaient accroupis. Eddie avait passé les bras autour de leurs épaules, pour les rassurer. Surtout le garçon, complètement affolé. Il était moins inquiet pour la fillette ; elle semblait plus calme.

Levine ne comprenait pas de quoi ils pouvaient avoir peur ; perchés en haut du mirador, ils ne risquaient absolument rien. Il observait la bande de raptors avec le détachement typique d'un universitaire, s'efforçant de discerner une structure dans leurs mouvements agiles.

Il ne faisait aucun doute qu'ils suivaient la piste. L'itinéraire était exactement le même que celui des parasaures ; remontant de la rivière, il contournait la petite élévation de terrain avant de longer l'arrière du mirador. Les raptors ne prêtaient aucune attention à l'échafaudage. Ils semblaient uniquement préoccupés des rapports au sein de la bande.

Les animaux commencèrent à faire le tour de la charpente d'aluminium et s'apprêtaient à poursuivre leur chemin quand le plus proche du mirador s'arrêta. Il huma l'air, laissa passer le reste de la bande. Puis il se pencha, son museau s'enfonça dans l'herbe, au pied de l'assemblage métallique.

« Que fait-il ? » se demanda Levine.

Le raptor attardé gronda. Il continua de fouiller l'herbe du museau.

Quand il se redressa, il tenait quelque chose dans sa main, entre ses doigts armés de longues griffes. Levine plissa les yeux, essayant de distinguer l'objet.

C'était un bout de papier d'emballage d'une barre de céréales.

Le raptor leva des yeux brillants vers le haut du mirador. Son regard se fixa sur Levine. Il commença à gronder.

MALCOLM

— Comment vous sentez-vous ? demanda Thorne.

— De mieux en mieux, répondit Malcolm. Si les gens aiment la morphine, il y a une raison.

Il soupira ; son corps se détendit.

Sarah Harding disposa l'attelle en plastique gonflable autour de sa jambe.

— Combien de temps avant l'arrivée de l'hélicoptère ? demanda-t-elle à Thorne.

— Moins de cinq heures. Demain, à l'aube.

— C'est sûr ?

— Absolument.

— Bon, fit Sarah en hochant la tête. Je pense que ça ira.

— Ça va, ça va, murmura Malcolm d'une voix éthérée. Je regrette seulement que l'expérience soit déjà terminée. C'était une bonne expérience. Très chic, exceptionnelle. Darwin ne soupçonnait pas ça.

— Je vais nettoyer la plaie, fit Sarah en se tournant vers Thorne. Voulez-vous lui tenir la jambe ? Qu'est-ce qu'il ne soupçonnait pas, Ian ? ajouta-t-elle d'une voix plus forte.

— Que la vie est un système complexe, répondit Malcolm, et tout ce qui en découle. Modèles d'adaptation, réseaux booléens, comportement auto-organisé. Le pauvre !... Ouille ! Qu'est-ce que tu fais ?

— Explique-nous, fit Sarah, penchée sur la blessure, ce que Darwin ne soupçonnait pas.

— Que la vie est incroyablement complexe, reprit Malcolm. À un point que nul n'imagine. Prenons un œuf fécondé ; il renferme cent mille gènes qui agissent en parfaite coordination, qui s'ouvrent et se ferment à un moment précis, afin de transformer cette cellule unique en un être vivant complet. Cette cellule commence à se diviser, mais les cellules résultant de cette division sont différentes : elles se spécialisent. Certaines sont des nerfs, d'autres des boyaux, d'autres encore des membres. Chaque groupe de cellules commence à suivre son propre programme de développement et d'interaction. Nous arrivons finalement à deux cent cinquante sortes de cellules, qui se développent ensemble, au moment précis où elles doivent le faire. Quand l'organisme a besoin d'un appareil circulatoire, la pompe cardiaque se met en marche. Au moment où il a besoin d'hormones, les surrénales commencent à les élaborer. Semaine après semaine, ce processus de développement d'une inimaginable complexité se poursuit d'une manière parfaite. Cette perfection est incroyable. Aucune activité humaine ne s'en approche. Vous est-il jamais arrivé, par exemple, de faire construire une maison ? Une maison est simple, en comparaison. Malgré tout, les ouvriers ne placent pas l'escalier où il faut ou bien ils installent l'évier dans le mauvais sens, le couvreur ne vient pas le jour où on l'attend. Toutes sortes de choses vont de travers. Mais la mouche qui se pose sur la gamelle de l'ouvrier est parfaite. Aïe !... Fais attention !

– Pardon, fit Sarah en continuant de nettoyer la blessure.

– Le plus étonnant, poursuivit Malcolm, est que nous parvenons à peine à décrire – encore moins à comprendre – ce processus complexe de développement cellulaire. Cela donne une idée des limites de notre entendement. Les mathématiques peuvent décrire l'interaction de deux choses, disons deux planètes dans l'espace. Pour trois choses – trois planètes dans l'espace –, cela devient difficile. Pour quatre ou cinq, nous ne sommes pas véritablement en mesure de le faire. À l'intérieur de la cellule, il y a *cent mille* choses en interaction. Cela nous dépasse. La complexité est telle que l'on peut se demander comment la vie est possible. D'aucuns en concluent que les êtres vivants s'organisent eux-mêmes. Que la vie crée son propre ordre, comme la cristallisation crée l'ordre. D'aucuns pensent donc que la vie résulte d'une cristallisation et que cela permet d'ordonner la complexité. En regardant un cristal, celui qui ne connaît rien à la chimie physique pourrait poser exactement les mêmes questions. Devant un spath magnifique, devant ces facettes à la géométrie parfaite, on peut s'interroger sur ce qui contrôle ce processus. Comment un cristal peut-il avoir cette forme géométrique parfaite, tout en ressemblant autant aux autres cristaux ? En réalité, un cristal est le résultat de forces moléculaires qui se solidifient. Rien ne contrôle le processus. Cela vient tout seul. Poser un tas de questions sur un cristal signifie que l'on n'a pas compris la nature des processus conduisant à sa création. Il se pourrait donc que les êtres vivants soient une forme de cristallisation. Que la vie vienne toute seule. Peut-être, comme pour les cristaux, existe-t-il un ordre spécifique aux êtres vivants, résultant de l'interaction de leurs éléments. En tout état de cause, les cristaux nous apprennent que cet ordre peut se mettre très rapidement en place. Partant d'un liquide et du mouvement désordonné des molécules, nous passons instantanément à un cristal dont toutes les molécules sont parfaitement ordonnées. D'accord ?

– D'accord.

– Bon. Venons-en maintenant à l'interaction des êtres vivants sur la planète, pour former un écosystème. C'est encore plus complexe que pour un seul animal. L'organisation est extrêmement compliquée. Prenons l'exemple du yucca. Tu connais ?

– Raconte.

– Le yucca dépend d'un papillon de nuit qui confectionne une boule de pollen et la transporte sur une autre plante – pas une autre fleur de la même plante – qu'il frotte de pollen pour la féconder. Ce n'est qu'après que le papillon pond ses œufs. Le yucca ne peut se reproduire sans lui ; il ne peut se reproduire sans le yucca. Une interaction complexe de ce type nous conduit à penser que le comportement pourrait être une sorte de cristallisation.

– Tu parles métaphoriquement ? demanda Sarah.

– Je parle de l'ordre, tel qu'il existe partout dans la nature, répondit Malcolm. Je dis qu'il peut survenir rapidement, par la cristallisation. Les animaux complexes peuvent modifier en peu de temps leur comportement. Des changements peuvent se produire très rapidement. L'homme transforme la planète et personne ne sait si cela recèle des dangers. Ces processus comportementaux peuvent donc se développer plus vite que l'idée que nous nous faisons de l'évolution. En dix mille ans, l'homme est passé de la chasse à l'agriculture, puis à la grande ville et au cyberespace. Le mouvement s'accélère, mais l'adaptation ne sera peut-être pas possible. Personne ne le sait. Je pense, à titre personnel, que le cyberespace marquera la fin de notre espèce.

– Ah bon ! Pourquoi ça ?

– Car ce sera la fin de l'innovation. L'idée d'une interconnexion de la planète entière est synonyme de destruction globale. Tous les biologistes savent que l'évolution la plus rapide s'opère dans un petit groupe isolé. Si on met un millier d'oiseaux sur une île, au milieu de l'océan, ils évolueront très vite. Si on en met dix mille sur un continent, l'évolution est plus lente. Pour ce qui est de notre espèce, l'évolution s'opère en majeure partie par le comportement. Pour nous adapter, nous innovons dans notre comportement. Tout le monde sait que l'innovation n'a lieu que dans un groupe restreint. Trois personnes formant une commission peuvent faire avancer les choses. Si elles sont dix, cela devient plus difficile. À trente, il ne se passe plus rien. À trente millions, cela devient absolument impossible. C'est l'effet des mass media ; ils empêchent quoi que ce soit de se produire. La diffusion massive de l'information étouffe la diversité. Elle rend tous les lieux semblables. À Bangkok comme à

Tokyo ou à Londres, il y a un McDonald à un coin de rue, une boutique Benetton ou Gap à l'autre. Les particularismes régionaux s'estompent. Toutes les différences sont gommées. Dans cet univers uniformisé ne subsistent que les dix livres, les dix films, les dix disques, les dix idées dont on parle. Certains s'inquiètent de voir se réduire la diversité des essences dans la forêt pluviale, mais qu'en est-il de la diversité intellectuelle, notre ressource la plus précieuse ? Elle disparaît plus vite que les arbres. Mais nous ne l'avons pas encore compris ; nous projetons de réunir cinq milliards d'individus dans le cyberespace. C'est l'humanité tout entière qui se sclérosera. Tout s'arrêtera net. Tout le monde pensera la même chose en même temps. L'uniformité sera totale. Ouille !... ça fait mal ! As-tu bientôt fini ?

— Presque, répondit Sarah. Un peu de patience.

— Et, croyez-moi, il ne faut pas longtemps. Si on représente des systèmes complexes par un modèle d'adaptation, on découvre que le comportement peut évoluer si vite que l'adaptation chute brutalement. Pas besoin d'astéroïdes, de maladies ni de quoi que ce soit d'autre. Il suffit qu'un nouveau comportement se fasse jour chez une espèce et se révèle fatal. Mon idée était que les dinosaures – des animaux complexes – avaient peut-être subi certains de ces changements comportementaux. Et que cela avait provoqué leur extinction.

— De toutes les espèces ?

— Il suffit de quelques-unes, répondit Malcolm. Des dinosaures fouissent les marécages bordant la mer intérieure, ils modifient la circulation de l'eau et détruisent l'équilibre végétal dont dépendent vingt autres espèces. Bang ! Terminé ! Cela entraîne de nouveaux bouleversements. Un prédateur s'éteint, ses proies se multiplient sans entraves, provoquant un déséquilibre de l'écosystème. Les choses vont de mal en pis, d'autres espèces disparaissent. D'un seul coup, tout se termine. Peut-être cela s'est-il passé ainsi.

— Juste le comportement...

— Oui, fit Malcolm, c'était l'idée de départ. Et je me réjouissais d'avoir l'occasion de le prouver ici... Mais c'est râpé ! Il faut repartir au plus vite. Vous devriez appeler les autres, Doc.

Thorne prit la radio.

— Eddie ? C'est Doc.

Pas de réponse.

— Eddie ?

La radio grésilla. Puis ils entendirent un son qu'ils prirent au début pour des parasites. Il leur fallut un petit moment pour comprendre que c'était un cri perçant. Un cri humain.

LE MIRADOR

Le premier raptor commença à sauter en sifflant ; il faisait trembler la charpente d'aluminium, ses griffes rayaient le métal, et il retombait. Eddie fut stupéfait par la détente de l'animal : il s'élevait à deux mètres cinquante, retombait et recommençait, sans effort apparent. Ses bonds attirèrent les autres, qui revinrent lentement et se disposèrent autour du mirador.

La structure métallique fut bientôt encerclée par la bande de raptors grondants et bondissants. Elle se mit à osciller fortement, tandis que les animaux, les griffes sorties, cherchaient vainement une prise et retombaient. Plus inquiétant, remarqua Levine, ils *apprenaient*. Déjà, quelques-uns commençaient à utiliser leurs bras pour s'accrocher aux montants d'aluminium, en cherchant un appui pour leurs jambes. Un des raptors arriva ainsi à moins d'un mètre de leur petit abri avant de basculer en arrière. Les animaux ne semblaient pas souffrir de ces chutes répétées. Ils rebondissaient aussitôt, recommençaient à sauter.

Eddie et les enfants se redressèrent.

– Reculez ! s'écria Levine. Ne passez pas la tête !

Il poussa les enfants au centre de l'abri.

Eddie fouilla dans son sac à dos, en sortit une fusée éclairante. Il l'alluma, la lança sur le côté ; deux raptors dégringolèrent. La fusée crépita sur le sol mouillé en projetant des reflets rougeoyants. Mais les raptors ne renonçaient pas. Eddie arracha un des barreaux en aluminium du plancher, le brandit comme un gourdin en se penchant sur le garde-fou.

Un des raptors était déjà assez haut pour bondir, la gueule ouverte, sur son cou. Surpris, Eddie poussa un hurlement en se rejetant en arrière. Le velociraptor le manqua de peu, ses mâchoires se refermèrent sur la chemise. L'animal perdit l'équilibre, les mâchoires serrées ; son poids entraîna Eddie par-dessus le garde-fou.

— À l'aide ! hurla-t-il en commençant à basculer de l'autre côté. Aidez-moi !

Levine passa les bras autour de sa taille, le tira en arrière. Par-dessus l'épaule d'Eddie, il vit le raptor sifflant furieusement, suspendu dans le vide, retenu par la chemise. Eddie frappa sur le museau de l'animal avec son barreau. Mais le raptor s'accrochait comme un pitbull. Penché sur le garde-fou, Eddie était dans une position précaire ; il pouvait tomber à tout moment.

Il enfonça le barreau dans un œil de l'animal ; le raptor lâcha prise d'un seul coup. Les deux hommes retombèrent dans l'abri. Quand ils se relevèrent, ils virent plusieurs raptors escalader les montants du mirador. Dès que leur tête arrivait à la hauteur du garde-fou, Eddie frappait avec son barreau, les faisait retomber.

— Vite ! cria-t-il aux enfants. Montez sur le toit ! Vite !

Kelly commença à grimper le long d'un montant, se hissa sans difficulté sur le toit. Arby resta planté au milieu de l'abri, le visage livide.

— Viens, Arby, fit Kelly en se penchant vers lui.

Il était pétrifié, les yeux écarquillés de terreur. Levine s'élança vers lui, le souleva. Eddie continuait de faire tournoyer son barreau d'aluminium et d'en marteler la tête des raptors. Un animal parvint à le saisir dans sa gueule et tira violemment. Déséquilibré, Eddie partit en arrière et bascula par-dessus le garde-fou. Il tomba en poussant un cri déchirant. Tous les animaux sautèrent immédiatement du mirador. Des hurlements retentirent dans la nuit, accompagnés des grondements des raptors.

Horrifié, Levine serra Arby dans ses bras. Il le souleva pour l'aider à atteindre le toit.

— Vas-y ! Monte ! Vas-y !

— Tu vas y arriver, lança Kelly du toit.

Le garçon s'agrippa au bord du toit, commença à se hisser, battant l'air de ses jambes avec des mouvements frénétiques. Levine reçut un violent coup de pied sur la bouche ; il lâcha Arby. Il vit le garçon glisser, tomber en arrière, comme une pierre.

— Seigneur ! souffla Levine. Ce n'est pas possible !

Allongé sous la remorque, Thorne détachait le câble. Il le tira, sortit en rampant, s'élança vers la Jeep au pas de course. Il entendit le bourdonnement d'un moteur, vit que Sarah avait pris la moto et qu'elle s'éloignait à toute vitesse, un Lindstradt en bandoulière.

Il se mit au volant, fit tourner le moteur et attendit impatiemment que le câble s'enroule autour du treuil, en suivant des yeux le crochet qui glissait sur l'herbe. L'opération lui parut interminable. Le câble fit le tour du gros arbre. Il attendit. En tournant la tête, il vit à travers le feuillage le feu arrière de la moto de Sarah qui dévalait la route en direction du mirador.

Le moteur du treuil se tut enfin. Thorne accéléra, la Jeep traversa la clairière en rugissant. Il prit la radio.

– Ian ? fit-il.

– Ne vous inquiétez pas pour moi, articula Malcolm d'une voix flottante. Je me sens très bien.

Étendue sur le toit en pente de l'abri, Kelly regardait sur le côté. Elle avait vu Arby toucher le sol, du côté opposé de celui où Eddie était tombé. Le choc lui avait semblé violent, mais elle ne savait pas ce qui s'était passé ensuite. Elle avait tourné la tête pour assurer sa prise sur le toit glissant ; quand elle s'était retournée, Arby avait disparu.

Disparu.

Sarah Harding conduisait vite sur la route boueuse. Elle ne savait pas très bien où elle était, mais elle se disait qu'en continuant à descendre elle finirait par arriver dans la plaine. Du moins elle l'espérait.

Elle accéléra encore, aborda un virage, vit un gros tronc d'arbre couché en travers de la route. Elle freina violemment, fit demi-tour et repartit d'où elle venait. Au bout de quelques centaines de mètres, elle vit les phares de la voiture de Thorne pivoter vers la droite. Elle suivit la Jeep, poussant le moteur à fond dans la nuit.

Au centre du petit abri, Levine demeurait paralysé de terreur. Les raptors ne sautaient plus, ils n'essayaient plus d'escalader le mirador. Il les entendait gronder au pied de la charpente d'aluminium. Il perçut des craquements d'os brisés. Le garçon n'avait pas émis un seul cri.

Son corps se couvrit d'une sueur d'effroi.

Puis la voix d'Arby lui parvint.

– Arrière ! Allez-vous me laisser tranquille ?

Kelly se tordit sur le toit pour essayer de voir ce qui se passait en bas. À la lueur mourante de la fusée, elle vit qu'Arby se trouvait à l'intérieur de la cage. Il avait réussi à refermer la porte ; il passa la main entre les barreaux, pour essayer de tourner la clé dans la serrure. Trois raptors tournaient autour de la cage. Ils bondirent en voyant apparaître la main ; il la retira aussitôt.

– Arrière ! cria Arby.

Les raptors s'attaquèrent à la cage, tordant la tête pour mordre les barreaux. Un des animaux se prit la mâchoire inférieure dans l'élastique qui pendait de la clé. Pour dégager sa tête, le raptor tira sur le ruban de caoutchouc. La clé sortit brusquement de la serrure, le frappant sur le cou.

Le raptor poussa un petit cri de surprise, fit un pas en arrière. L'élastique était maintenant serré autour de sa mâchoire inférieure, la clé luisait dans la nuit. L'animal leva les bras, essaya de se débarrasser du ruban de caoutchouc, mais il était pris entre ses dents pointues et les efforts de l'animal n'avaient pour résultat que de le faire claquer sur sa peau. Il changea de tactique, entreprit de frotter son museau sur la terre détrempée.

Pendant ce temps, ses congénères avaient réussi à dégager la cage de l'enceinte de la charpente d'aluminium et à la renverser. La tête baissée, ils essayaient d'atteindre Arby derrière les barreaux. Comprenant que cela ne marcherait pas, ils entreprirent de frapper la cage du pied et de sauter dessus. D'autres vinrent se joindre à eux. Ils furent bientôt sept à piétiner la cage. Elle roula sur elle-même, s'éloigna du mirador. Les corps bondissants empêchaient de voir Arby.

L'attention de Kelly fut attirée par un bruit lointain. Elle se retourna, vit des phares qui grossissaient.

Quelqu'un arrivait en voiture.

Coincé dans la cage, entouré de formes sombres, les oreilles pleines de grondements menaçants, Arby était en proie à une terreur sans nom. Les raptors ne pouvaient passer la gueule entre les barreaux, mais il sentait leur salive chaude couler sur lui. Il roulait en tous sens pour éviter les coups de griffes qui lui écorchaient les bras et les épaules. Son corps était couvert d'ecchymoses. Chaque coup de tête contre les barreaux lui arrachait un cri de douleur. Tout tournait autour de lui. Dans ce tohu-bohu terrifiant, il avait une seule certitude : les raptors faisaient rouler la cage pour l'éloigner du mirador.

Tandis que les phares se rapprochaient, Levine se pencha pour regarder en bas. Les derniers feux de la fusée lui montrèrent trois raptors tirant vers le couvert des arbres ce qui restait du corps d'Eddie. Ils s'arrêtaient fréquemment pour se disputer la dépouille en claquant des dents, mais ils réussirent à la traîner dans la jungle.

Puis il vit un autre groupe de raptors pousser la cage à coups de pied. Ils la firent rouler sur la piste en pente ; elle disparut sous les arbres.

Il entendit le moteur de la Jeep, à quelques dizaines de mètres. Il reconnut la silhouette de Thorne au volant.

Levine se prit à espérer que Doc avait un fusil. Il n'avait plus qu'une idée en tête : tuer toutes ces saloperies de raptors. Les tuer jusqu'au dernier.

Du toit, Kelly vit les raptors pousser la cage et la faire rouler. Un des animaux restait en arrière et tournait en rond comme un chien enragé.

Elle reconnut celui qui s'était pris la mâchoire dans l'élastique. La clé pendait le long de sa joue, luisant à la clarté mourante de la fusée. Le raptor secouait la tête pour essayer de s'en débarrasser.

Thorne ouvrit la portière pour permettre à Levine de monter.

— Ils ont emmené le gosse, fit Levine en montrant la piste qui se perdait dans les arbres.

— Attendez-moi! cria Kelly, qui commençait à descendre.

— Remonte! ordonna Thorne. Sarah arrive! Nous nous occupons d'Arby!

— Mais...

— Il ne faut pas perdre leurs traces!

Thorne fit rugir le moteur, engagea la Jeep sur la piste, à la poursuite des raptors.

Couché dans la remorque, Ian Malcolm entendait les voix et les cris à la radio. Il percevait la confusion, la panique.

« Bruit noir, songea-t-il. Tout part à vau-l'eau en même temps. » Cent mille choses en interaction.

Il soupira, ferma les yeux.

Thorne conduisait vite; la végétation formait de chaque côté une muraille sombre. La piste alla en se resserrant, les grandes palmes se rapprochèrent des vitres, commencèrent à gifler la voiture.

— On peut continuer? demanda-t-il.

— C'est assez large, répondit Levine. Je suis passé à pied dans la journée. Les parasaures utilisent cette piste.

— Comment est-ce possible? poursuivit Thorne. La cage était fixée aux montants du mirador.

— Je ne sais pas, répondit Levine. Elle s'est détachée.

— Comment? *Comment*?

— Je n'ai rien vu. Il s'est passé trop de choses.

— Et Eddie? interrogea Thorne, l'air grave.

— Ce fut très rapide, répondit Levine.

La Jeep dévalait la piste en cahotant; ils tressautaient, leur tête heurtait la capote. Thorne roulait pied au plancher. Devant, les raptors aussi allaient vite; il distinguait à peine le dernier de la bande, courant à toute vitesse dans l'obscurité de la jungle.

— Ils n'ont pas voulu m'écouter! cria Kelly, dès que Sarah arrêta la moto au pied du mirador.

— Écouter quoi?

— Le raptor a pris la clé! Arby est enfermé dans la cage et le raptor a pris la clé!

— Où est-il?

– Là-bas ! fit Kelly, le bras tendu vers la plaine.

À la clarté hésitante de la lune, elles discernaient à peine la silhouette du raptor qui s'enfuyait.

– Il faut récupérer la clé !

– Monte, dit Sarah en faisant glisser le fusil de son épaule.

Kelly s'installa derrière elle.

– Tu sais tirer ? reprit Sarah en lui fourrant le fusil entre les mains.

– Non. Enfin, je n'ai jamais...

– Tu sais conduire une moto ?

– Non, je...

– Alors, il faudra que tu tires, fit Sarah. Regarde : la détente est ici. D'accord ? Le cran de sûreté est là ; tu le déplaces dans ce sens. D'accord ? Ça va secouer, ne libère pas le cran de sûreté avant d'être tout près.

– Près de quoi ?

Sarah ne répondit pas. Elle tourna les poignées, la moto démarra sèchement, vers la plaine, à la poursuite du raptor. Kelly passa un bras autour de Sarah, s'accrochant de son mieux.

La Jeep cahotait sur la piste en projetant de la boue au passage des flaques.

– Je n'avais pas gardé le souvenir que la piste était si mauvaise, fit Levine, agrippé à l'accoudoir. Il vaudrait peut-être mieux ralentir...

– Certainement pas, riposta Thorne. Si nous les perdons de vue, c'est terminé. Nous ne savons pas où est leur nid. Et dans la jungle, de nuit... Merde !

Devant eux, les raptors quittaient la piste et s'enfonçaient dans la végétation. La cage avait disparu. Thorne ne distinguait pas très bien les mouvements du terrain, mais il crut voir une pente abrupte, plongeant presque à la verticale.

– On n'y arrivera pas, fit Levine. La pente est trop raide.

– Nous n'avons pas le choix.

– C'est de la folie ! reprit Levine. Il faut regarder les choses en face, Doc : le petit est perdu. C'est terrible, mais il est perdu...

– Il ne vous a pas laissé tomber, lança Thorne en le foudroyant du regard. Nous ne le laisserons pas tomber.

Il donna un coup de volant, balança la Jeep dans la pente. La voiture piqua du nez, à un angle effrayant, et prit de la vitesse.

– Merde ! rugit Levine. Vous allez nous tuer !

– Accrochez-vous !

En cahotant et rebondissant, la Jeep plongea dans l'obscurité.

SIXIÈME CONFIGURATION

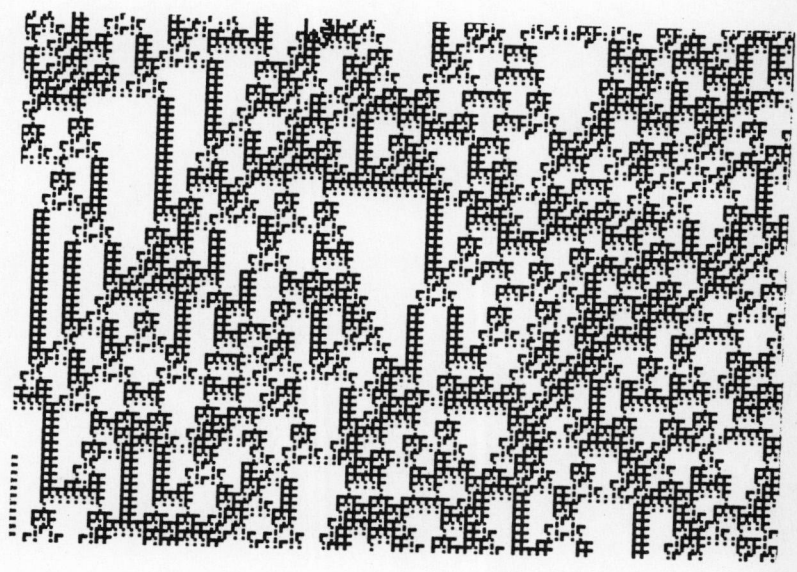

L'ordre s'écroule simultanément dans différentes régions. La survie devient impro-bable pour les individus comme pour les groupes.

IAN MALCOLM

POURSUITE

La moto filait dans la plaine. Kelly agrippait Sarah de sa main libre, l'autre tenait le fusil. L'arme était lourde ; son bras fatiguait. La moto bondissait sur le sol inégal. Le vent faisait voler ses cheveux autour de sa tête.

— Accroche-toi ! cria Sarah.

La lune perça entre les nuages, pailletant l'herbe de reflets argentés. Le raptor était à moins de quarante mètres, à la limite de la portée du phare. Elles gagnaient régulièrement du terrain. Il n'y avait aucun autre animal dans la plaine, à l'exception du troupeau d'apatosaures, au loin.

Elles se rapprochèrent du raptor. L'animal courait vite, la queue rigide, dépassant à peine des hautes herbes. Quand elles arrivèrent à sa hauteur, Sarah obliqua vers la droite. Elles étaient tout près de l'animal. Sarah inclina le buste en arrière, la bouche contre l'oreille de Kelly.

— Prépare-toi !

— Qu'est-ce que je fais ?

La moto suivait une trajectoire parallèle à la course du raptor, à la hauteur de la queue. Sarah accéléra, dépassa les jambes, arriva à la tête.

— Le cou ! hurla-t-elle. Vise le cou !

— Où ?

— N'importe où ! Dans le cou !

— Maintenant ? cria Kelly en faisant courir ses doigts sur le fusil.

— Non ! Attends ! Attends !

Affolé par la proximité de la moto, le raptor venait d'accélérer.

Kelly essaya de trouver le cran de sûreté. Le fusil sautait dans sa main. Tout sautait. Ses doigts atteignirent leur but, glissèrent. Elle recommença. Elle allait avoir besoin de ses deux mains, il faudrait donc lâcher Sarah...

— Prépare-toi! cria Sarah.

— Je ne peux pas...

— Maintenant! Vas-y! Tire!

Sarah donna un coup de guidon pour se rapprocher du raptor. Elles n'étaient plus qu'à un mètre de l'animal. Kelly sentit son odeur. Il tourna la tête, fit claquer ses mâchoires. Kelly tira. Le fusil sauta dans ses mains; elle referma le bras autour de la taille de Sarah. Le raptor continua à courir.

— Qu'est-ce qui s'est passé?

— Tu l'as raté!

Kelly secoua lentement la tête.

— Ça ne fait rien! reprit Sarah. Tu vas y arriver! Je me rapproche!

Elle tourna de nouveau le guidon vers le raptor, pour être le plus près possible. Cette fois, les choses se passèrent différemment; en les voyant arriver à sa hauteur, le raptor chargea, tête baissée. Sarah poussa un cri, tourna violemment le guidon pour écarter la moto.

— Il est intelligent! cria-t-elle. Il apprend vite!

Le raptor les poursuivit quelque temps; d'un seul coup, il changea de direction, s'éloigna dans la plaine.

— Il va vers la rivière! cria Kelly.

Sarah tourna la poignée à fond; la moto fit un bond en avant.

— Quelle profondeur d'eau?

Kelly ne répondit pas.

— Quelle profondeur?

— Je ne sais pas! cria Kelly.

Elle essaya de se rappeler à quelle hauteur montait l'eau quand les raptors avaient traversé la rivière. Elle crut se souvenir de les avoir vus nager. Cela signifiait donc...

— Plus d'un mètre? demanda Sarah.

— Oui!

— Dommage!

Elles avaient maintenant dix mètres de retard sur le raptor et perdaient du terrain. L'animal traversait une zone où poussaient de gros cycas. Les troncs rugueux les griffaient au passage. Le terrain était accidenté; la moto décollait sur les bosses.

— Je ne vois rien! cria Sarah. Accroche-toi!

Elles partirent sur la gauche, s'éloignant du raptor, filant vers la rivière. L'animal allait disparaître dans les hautes herbes.

— Qu'est-ce que vous faites?

— Il faut lui couper la route!

Une volée d'oiseaux prit son essor en protestant à grands cris. Sarah fonça au milieu des ailes battant frénétiquement l'air, Kelly baissa la tête. Le fusil tressaillait dans sa main.

— Attention ! s'écria Sarah.

— Qu'est-ce qui s'est passé ?

— Il a pris de l'avance !

— Il reste combien de fléchettes ?

— Plus que deux ! Ne le rate pas !

Juste devant elles, la rivière scintillait au clair de lune. Elles débouchèrent des hautes herbes sur la rive boueuse. Sarah braqua, les roues chassèrent, la moto fila. Kelly tomba dans la boue froide, Sarah roula sur elle, se releva aussitôt, s'élança vers la moto.

— Suis-moi ! cria-t-elle à Kelly.

Étourdie, Kelly lui emboîta le pas. Le fusil était couvert de boue ; elle se demanda s'il fonctionnerait. Sarah avait déjà enfourché la moto, le moteur rugissait, elle lui faisait signe de se dépêcher. Kelly sauta derrière elle ; la moto repartit le long de la rive.

Le raptor avait vingt mètres d'avance. Il s'approchait de l'eau.

— Il va nous échapper !

Thorne avait perdu le contrôle de la Jeep, qui dévalait la pente à toute allure. Des palmes frappaient violemment le pare-brise ; ils ne voyaient plus rien, mais sentaient que la voiture prenait de la vitesse. Elle fit une embardée. Levine poussa un cri.

Agrippé au volant, Thorne essaya de contre-braquer. Il freina légèrement ; la Jeep se redressa, poursuivit sa course folle. Dans une trouée entre les arbres, il vit un amoncellement de rochers noirs se dresser devant eux. Les raptors étaient en train de les escalader. Il se dit que, peut-être, en passant par la gauche...

— Non ! hurla Levine. Non !

— Accrochez-vous ! lança Thorne en donnant un coup de volant.

La Jeep partit en dérapage. Elle heurta le premier rocher, un phare vola en éclats. Elle décolla en travers, retomba lourdement. Thorne se dit que la transmission était foutue, mais la voiture roulait toujours, vers la gauche. Le second phare se brisa sur une branche basse. Ils continuèrent dans l'obscurité, traversèrent un bouquet de palmiers ; soudain, le sol redevint plat.

Les pneus de la Jeep roulaient sur la terre meuble.

Thorne freina, la voiture s'immobilisa.

Tout était silencieux.

Ils regardèrent par les vitres, essayant de voir où ils étaient. Il faisait trop sombre pour distinguer quoi que ce fût. Ils semblaient avoir atteint le fond d'un ravin, surplombé par une haute voûte d'arbres.

— Terrain alluvial, déclara Levine. Nous devons être dans le lit d'un cours d'eau.

Sa vue s'adaptant à l'obscurité, Thorne vit qu'il avait raison. Les raptors s'enfuyaient au milieu du lit à sec, bordé de gros rochers noirs. Mais le lit était sablonneux, assez large pour le passage d'une voiture. Thorne suivit les raptors.

— Savez-vous où nous sommes? demanda Levine.

— Non.

La Jeep suivit le lit du cours d'eau, qui s'élargit, formant une large cuvette. Les rochers noirs avaient fait place à des arbres. La lune jetait par intermittence un éclat laiteux; il leur était plus facile de voir où ils allaient.

Mais les raptors avaient disparu. Thorne arrêta la Jeep, baissa la vitre et tendit l'oreille. Il entendit des sifflements et des grondements; les bruits semblaient venir de la gauche.

Thorne passa la première, quitta le lit du ruisseau, engageant la voiture dans la végétation composée de fougères et de quelques pins.

— Croyez-vous que le gosse a survécu à cette dégringolade? demanda Levine.

— Je n'en sais rien, répondit Thorne. Je préfère ne pas y penser.

Il continua de rouler doucement. Une échappée entre les arbres leur permit de voir une clairière où les fougères avaient été piétinées. Derrière l'espace dégarni, ils distinguèrent le reflet de la lune sur l'eau. Ils étaient revenus à la rivière.

Leur attention se concentra sur la clairière. Dans le large espace dégagé, ils virent les squelettes de plusieurs apatosaures. Sur les longs os courbés des cages thoraciques géantes la lune jetait un éclat argenté. La masse sombre d'une carcasse à moitié dévorée, reposant sur le flanc, occupait le centre de la clairière. Des nuages de mouches bourdonnaient dans la nuit.

— Qu'est-ce que c'est que ça? demanda Thorne. On dirait un cimetière.

— Oui, fit Levine, mais ce n'en est pas un.

Rassemblés d'un côté de la clairière, les raptors se disputaient les restes du cadavre d'Eddie. À l'autre bout, ils virent trois monticules de terre; les murs étaient effondrés en plusieurs endroits. Ils distinguèrent des fragments de coquille d'œuf à l'intérieur des nids. Une forte odeur de pourriture flottait dans l'air.

— C'est le nid des raptors, annonça Levine.

Dans l'obscurité de la remorque, Malcolm se mit sur son séant en grimaçant. Il prit la radio.

— Vous l'avez trouvé? Le nid?

Il entendit des grésillements, puis la voix de Levine.

— Oui, je crois.

— Décrivez-le, fit Malcolm.

Levine commença à parler posément, énonçant les particularités du nid, évaluant les dimensions. Le site de nidification lui paraissait négligé, mal entretenu et mal conçu. Il s'en montra étonné, car les nids des dino-saures donnaient en général une impression d'ordre. Levine l'avait constaté à maintes reprises sur des sites fossiles, du Montana à la Mon-golie. Les œufs étaient soigneusement disposés en cercles concentriques. Il y en avait souvent plus de trente dans un seul nid, ce qui donnait à penser qu'un certain nombre de femelles partageaient le même monti-cule de terre. Des ossements fossilisés d'adultes étaient retrouvés à proxi-mité, ce qui indiquait que les dinosaures exerçaient une surveillance communautaire sur les œufs. Quelques fouilles avaient même permis de se faire une idée de leur disposition dans l'espace : les œufs au centre, les adultes à la périphérie, se déplaçant avec précaution, afin de ne pas per-turber l'incubation des œufs. Par cette structure rigide, les dinosaures rappelaient leurs descendants, les oiseaux, et leurs rituels de séduction, d'accouplement et de nidification.

Mais le comportement des velociraptors était différent. La scène s'offrant aux yeux de Levine donnait une impression de désordre, de chaos. Nids mal construits, adultes belliqueux, très peu de petits et de jeunes, coquilles écrasées, monticules de terre piétinés. Autour des nids, Levine distingua de petits os éparpillés qu'il supposa être les restes de nouveau-nés. Il ne semblait y avoir aucun bébé vivant dans la clairière. Il vit trois jeunes, mais ces animaux, obligés de se débrouiller seuls, avaient déjà le corps tout couturé. Ils paraissaient efflanqués, insuffisam-ment nourris. Ils tournaient autour de la carcasse, sur leurs gardes, prêts à bondir en arrière dès qu'un adulte montrait les dents.

— Et les apatosaures ? demanda Malcolm. Parlez-moi des cadavres.

Levine en compta quatre. À différents stades de décomposition.

— Il faut en parler à Sarah, fit Malcolm.

Mais Levine se posait une autre question ; il se demandait comment ces grosses carcasses étaient arrivées là. Les apatosaures n'étaient pas morts accidentellement ; tous les animaux devaient éviter le nid. Ils ne s'étaient pas laissé attirer dans un piège et ils étaient trop lourds pour avoir été transportés. Alors, comment étaient-ils arrivés ? Quelque chose lui chatouillait le cerveau, une réponse évidente...

— Ils ont amené Arby ? demanda Malcolm.

— Oui.

Les yeux plissés, il observa le nid. Soudain, Thorne lui donna un coup de coude dans les côtes.

— La cage est là-bas, murmura-t-il, le bras tendu.

Au fond de la clairière, partiellement cachée par des fougères, les bar-reaux d'aluminium jetaient un éclat métallique. Mais Arby était invi-sible.

— C'est loin, fit Levine.

Les raptors se disputaient toujours les restes d'Eddie et se désintéres-saient de la cage. Thorne prit le fusil, ouvrit le chargeur. Il y avait six flé-chettes.

– Ça ne suffit pas, fit-il en le refermant.

Les raptors étaient au moins une dizaine.

Levine se retourna vers le siège arrière, ramassa son sac à dos, tombé sur le plancher. Il l'ouvrit, en sortit un petit cylindre argenté, de la taille d'une boîte de Coca. L'étiquette portait une tête de mort. Sous l'emblème, une inscription annonçait : DANGER TOXIQUE MÉTACHOLINE (MIVACURIUM).

– Qu'est-ce que c'est ? demanda Thorne.

– Ça vient de Los Alamos, répondit Levine. Un incapacitant non létal. Cholinestérase en aérosol à action rapide ; paralyse tout ce qui vit pendant un maximum de trois minutes. Il y a de quoi neutraliser tous les raptors.

– Et le gamin ? fit Thorne. On ne peut pas utiliser ça ; il risque d'être paralysé, lui aussi.

– Si nous lançons le cylindre à droite de la cage, reprit Levine, le bras tendu, le gaz se propagera vers les raptors, en s'éloignant de lui.

– Si ça ne marche pas, objecta Thorne, il risque une grave intoxication.

Levine acquiesça de la tête. Il se tourna pour ranger le cylindre dans son sac, reprit sa place, le regard fixé sur les raptors.

– Alors, qu'allons-nous faire ?

Thorne regardait les barreaux d'aluminium dépassant des fougères. Il se redressa brusquement : la cage remuait légèrement, les barreaux miroitaient au clair de lune.

– Vous avez vu ? fit Levine.

– Je vais le sortir de là, déclara Thorne.

– Comment ?

– À la manière ancienne, répondit Thorne.

Il descendit de la Jeep.

Sarah accéléra sur la rive boueuse. Devant la moto, le raptor avait infléchi sa course et se rapprochait en diagonale de la rivière.

– Allez ! cria Kelly. Plus vite !

En les voyant, le raptor fit un nouveau crochet. Il essayait de les distancer, mais elles allaient plus vite, sur la rive dégagée. Quand la moto arriva à la hauteur de l'animal, Sarah s'écarta de la rive, le repoussant vers la plaine. Le raptor obliqua à droite, s'éloignant de la rivière.

– Bravo ! cria Kelly.

Sarah conserva sa vitesse, se rapprochant insensiblement du raptor. Il semblait avoir renoncé à gagner la rivière et ne plus savoir que faire ; il courait dans la plaine, droit devant lui. Petit à petit, inexorablement, elles gagnaient du terrain. Kelly sentait l'excitation la gagner ; elle essaya de nettoyer la boue du fusil, se prépara à tirer une autre fléchette.

– Merde ! s'écria Sarah.

– Quoi ?

– Regarde !

Kelly se pencha, regarda par-dessus son épaule. Juste devant la moto, elle vit le troupeau d'apatosaures. Elles n'étaient plus qu'à une cinquantaine de mètres du premier des herbivores géants affolés, qui se retournaient en mugissant. À la clarté de la lune, leur corps était gris vert.

Le raptor filait droit sur le troupeau.

– Il croit qu'il va nous échapper ! cria Sarah en accélérant à fond. Il faut tirer maintenant ! Vas-y !

Kelly coucha le raptor en joue et tira. Elle sentit le recul du fusil. Mais le raptor courait toujours.

– Raté !

Les apatosaures leur tournaient le dos, martelant le sol de leurs lourdes pattes. Ils battaient l'air de leur queue énorme, mais étaient trop lents pour fuir. Le raptor se dirigea droit vers les apatosaures.

– Qu'est-ce qu'on fait ? cria Kelly.

– Pas le choix ! répondit Sarah.

Parallèlement au raptor, elles entrèrent dans une zone d'ombre, en passant sous un énorme animal. Kelly eut le temps de voir le ventre arrondi, à un mètre au-dessus de sa tête. Les pattes, grosses comme des troncs d'arbre, martelaient le sol.

Le raptor poursuivit sa course, filant entre la forêt de pattes. La moto zigzagua pour le suivre. Au-dessus d'elles, les apatosaures meuglaient en se tournant. Elles passaient de l'ombre d'un ventre gigantesque à la clarté de la lune, plongeaient derechef dans l'ombre. Elles eurent l'impression, au milieu du troupeau, de se trouver au cœur d'une forêt d'arbres en mouvement.

Une patte monstrueuse s'abattit devant la moto avec un bruit sourd qui fit trembler le sol. Sarah l'évita de justesse ; elles frôlèrent la peau de l'animal.

– Accroche-toi ! cria-t-elle à Kelly en tournant de nouveau pour suivre le raptor.

Au-dessus d'elles, les apatosaures s'agitaient en meuglant. Le raptor changea de direction pour leur échapper ; il sortit du troupeau.

– Merde ! souffla Sarah en faisant un écart.

L'extrémité d'une queue en forme de fouet claqua tout près d'elles ; elles débouchèrent soudain dans la plaine, toujours à la poursuite du raptor.

Sarah accéléra au maximum.

– Dernière chance ! lança-t-elle. Vas-y !

Kelly leva le fusil. En roulant à fond, Sarah s'approcha tout près du raptor. L'animal se tourna pour la repousser de la tête, mais elle garda le cap, lui assena un coup de poing sur le museau.

– Tire !

Kelly appliqua le canon du fusil sur le cou du raptor et pressa la détente. Le recul de l'arme fut violent, elle reçut la crosse dans l'estomac.

Le raptor continua à courir.

– Non! s'écria Kelly. Non!

L'animal tomba d'un seul coup et roula dans l'herbe. Sarah freina brusquement, arrêta sa machine à quelques mètres du raptor qui s'agitait faiblement dans l'herbe. L'animal grondait et glapissait. Soudain, il se tut.

Sarah prit le fusil, ouvrit le chargeur. Kelly vit qu'il contenait encore cinq fléchettes.

– Je croyais que c'était la dernière.

– J'ai menti, fit Sarah. Attends-moi ici.

Kelly resta près de la moto, tandis que Sarah s'avançait avec précaution. Elle tira une autre fléchette, attendit un moment. Puis elle se pencha.

Quand elle revint, elle tenait la clé à la main.

Dans l'angle de la clairière, les raptors finissaient de nettoyer le cadavre. Mais leur frénésie retombait. Quelques animaux se détournaient, se frottaient le museau de leurs mains aux griffes acérées et gagnaient lentement le centre de la clairière.

Ils se rapprochaient de la cage.

Thorne monta à l'arrière de la Jeep, écarta la toile de la capote. Il vérifia le chargement de son fusil.

Levine se glissa derrière le volant, mit le moteur en marche. Pour se retenir, Thorne s'agrippa à l'arceau de sécurité. Il tourna la tête vers Levine.

– Allez!

La Jeep fonça dans la clairière. Surpris, les raptors rassemblés autour de la carcasse levèrent la tête. Mais la Jeep avait déjà atteint le centre de la clairière, laissant derrière elle le squelette gigantesque aux côtes dénudées, rapetissé par sa masse. Levine braqua à gauche, s'arrêta le long de la cage d'aluminium. Thorne bondit à terre, saisit la cage à deux mains. Il faisait trop sombre pour voir dans quel état était Arby; le garçon était étendu sur le ventre. Levine descendit à son tour; Thorne lui cria de remonter. Il souleva la cage au-dessus de sa tête, la balança à l'arrière de la Jeep. Il sauta à côté; la voiture démarra. Les raptors s'élancèrent en grondant à leur poursuite, bondissant au milieu des ossements. Ils traversèrent la clairière à une vitesse stupéfiante.

Levine écrasa la pédale d'accélérateur, mais le raptor le plus proche fit un bond prodigieux et retomba à l'arrière de la voiture, refermant les mâchoires sur la toile de la capote. L'animal s'accrocha en sifflant.

Levine garda le pied au plancher, la Jeep sortit de la clairière en cahotant.

Dans l'obscurité de la remorque, Malcolm s'abandonna à une rêverie provoquée par la morphine. Des images flottaient devant ses yeux : les modèles d'adaptation, les représentations informatiques multicolores employées aujourd'hui pour réfléchir sur l'évolution. Dans cet univers mathématique de pics et de vallées, on observait les populations qui grimpaient les pics de l'adaptation ou glissaient dans les vallées de la non-adaptation. Stuart Kauffman et son équipe avaient montré que des organismes évolués obéissaient à des contraintes internes complexes qui les prédisposaient à s'éloigner des optima d'adaptation pour descendre dans les vallées. En même temps, des animaux complexes étaient sélectionnés par l'évolution. Car ils étaient en mesure de s'adapter. Avec des outils, un apprentissage, une coopération.

La flexibilité adaptative des animaux complexes avait été acquise au prix de l'échange d'une dépendance pour une autre. Il ne leur était plus nécessaire de changer physiquement ; l'adaptation était devenue une affaire de comportement, elle était déterminée par la vie en société. Ce comportement reposait sur l'apprentissage. Dans un sens, chez les animaux supérieurs, les aptitudes à l'adaptation n'étaient plus transmises par l'ADN à la génération suivante. Elles reposaient sur l'apprentissage. Les chimpanzés apprenaient à leurs petits à prendre les termites avec un bâton. Des actes de ce genre impliquaient au moins l'existence de rudiments d'une culture, d'une vie sociale structurée. Mais les animaux élevés en captivité, sans parents, sans conseils, n'étaient pas pleinement fonctionnels. Il était courant, dans les jardins zoologiques, de voir des animaux incapables de s'occuper de leur progéniture, car ils ne savaient comment s'y prendre. Ils ne leur accordaient aucune attention, ils les écrasaient en se roulant sur eux ou encore, importunés par leur présence, ils les tuaient.

Les velociraptors étaient parmi les dinosaures les plus intelligents et les plus féroces, deux traits nécessitant une certaine maîtrise du comportement. Des millions d'années auparavant, au temps du crétacé, leur comportement était déterminé par la vie en société, transmis de génération en génération. Les gènes contrôlaient l'aptitude à suivre ces modèles, pas les modèles eux-mêmes. Ce comportement adaptatif avait évolué au fil des générations, il avait permis à l'espèce de durer et de se reproduire, il permettait à ses membres de coopérer, de vivre ensemble, de chasser, d'élever les petits.

Sur cette île perdue, les velociraptors avaient été recréés en laboratoire. Leur corps était déterminé par les lois de la génétique, pas leur comportement. Ces raptors nouvellement créés étaient venus au monde sans animaux plus âgés pour les guider, pour leur montrer le comportement propre à l'espèce. Ils étaient livrés à eux-mêmes ; c'est précisément ainsi qu'ils se comportaient, dans une société sans structure, sans règles, sans coopération. Ils vivaient dans un monde où la seule loi était celle du chacun pour soi, où seuls les plus féroces, les plus vicieux survivaient, où les autres étaient condamnés.

La Jeep prit de la vitesse, sautant sur le sol inégal. Thorne s'agrippait à l'arceau pour ne pas se faire éjecter. Derrière lui, le raptor, accroché par les dents à la capote, se balançait au gré des cahots. Il ne lâchait pas prise. Levine se dirigea vers la rivière, tourna à droite pour suivre la rive boueuse. Le raptor était toujours là.

Levine vit un autre squelette d'apatosaure, à moitié enfoui dans la boue. Encore un. Pourquoi y avait-il tant de squelettes à cet endroit ? Il n'avait pas le temps de réfléchir ; il longea la carcasse gigantesque. Privé de la lumière des phares, il était obligé de plisser les yeux en se penchant sur le volant pour voir les obstacles à la clarté de la lune.

Le raptor parvint à se hisser sur la voiture ; il lâcha la capote, referma les mâchoires sur la cage et commença à la tirer vers l'arrière de la Jeep. Thorne plongea pour agripper les barreaux les plus proches. La cage roula sur elle-même, entraînant Thorne, qui se retrouva sur le dos. Chacun tirait de son côté... et le raptor prenait l'avantage. Pour se retenir, Thorne serra les jambes autour du siège avant. Le raptor gronda ; Thorne perçut la fureur de l'animal qui refusait de lâcher sa proie.

— Tenez ! cria Levine en lui tendant le fusil.

Thorne était sur le dos, les deux mains agrippées aux barreaux. Il ne pouvait prendre l'arme. Levine se retourna, comprit la situation d'un coup d'œil. Il regarda dans le rétroviseur. La bande de raptors n'avait pas abandonné la poursuite ; pas question de ralentir. Thorne ne pouvait lâcher la cage. Sans lever le pied, Levine fit passer le fusil au-dessus du siège avant, le tourna vers l'arrière de la Jeep. Il le braqua dans la direction du raptor, sachant ce qui arriverait s'il touchait par mégarde Doc ou Arby.

— Attention ! hurla Thorne. Attention !

Levine parvint à faire glisser le cran de sûreté, dirigea l'arme droit sur le raptor, toujours agrippé à la cage. L'animal leva la tête et, d'un mouvement vif, referma les mâchoires sur le canon du fusil. Il commença à tirer sur l'arme.

Levine pressa la détente.

Les yeux du raptor s'agrandirent quand la fléchette se ficha au fond de sa gorge. Un gargouillement s'en échappa. Pris de convulsions, l'animal bascula en arrière et tomba de la Jeep, en arrachant le fusil des mains de Levine.

Thorne se mit à genoux, tira la cage dans la Jeep. Il baissa la tête, ne parvint pas à voir dans quel état était le garçon, toujours allongé sur le ventre. Thorne se retourna ; les autres raptors couraient encore après la Jeep, mais ils étaient déjà à vingt mètres et perdaient du terrain.

Un sifflement venant de la radio lui fit tourner la tête.

— Doc ? fit une voix de femme, la voix de Sarah.

— Oui, Sarah.

— Où êtes-vous ?

— Nous suivons la rivière, répondit Thorne.

Les nuages avaient disparu, la lune brillait dans un ciel dégagé. Les raptors étaient maintenant assez loin.

— Je ne vois pas vos phares, poursuivit Sarah.

— Nous n'en avons plus.

Il y eut un silence, interrompu par des grésillements.

— Et Arby? reprit Sarah d'une voix sourde.

— Nous l'avons récupéré.

— Dieu soit loué! Comment va-t-il?

— Je ne sais pas. Il est vivant.

Ils débouchèrent dans une large vallée couverte d'herbe, où jouaient les reflets argentés de la lune. Thorne se tourna en tous sens pour essayer de s'orienter; il comprit qu'ils étaient de retour dans la plaine, beaucoup plus au sud. Ils devaient être sur la même rive, du côté du mirador. Dans ce cas, il serait sans doute possible de rejoindre la route de la corniche, qui les ramènerait à la clairière où attendait la remorque. Ils y seraient en lieu sûr. Il tapa sur l'épaule de Levine, tendit la main vers la droite.

— Par là!

Levine donna un coup de volant.

— Sarah? fit Thorne, à la radio.

— Oui, Doc.

— Nous retournons à la remorque par la route de la corniche.

— Compris, fit Sarah. Nous vous trouverons.

Sarah se tourna vers Kelly.

— Où est la route de la corniche?

— Je crois que c'est celle-là, là-haut, répondit Kelly en indiquant le sommet de l'abrupt rocheux.

— D'accord.

Sarah fit rugir le moteur; la moto démarra.

À moitié cachée par les hautes herbes, la Jeep traversa la plaine en vrombissant. Les raptors n'étaient plus visibles.

— On dirait que nous les avons semés, fit Thorne.

— Peut-être, répondit Levine.

En quittant le bord de la rivière, il avait vu plusieurs animaux filer sur la gauche. Ils devaient être dissimulés par les herbes. Levine n'était pas sûr que les raptors abandonneraient si rapidement le combat.

La Jeep se rapprocha de l'escarpement. Juste devant, partant du pied de l'à-pic, s'ouvrait une route montant en lacet. C'était la route de la corniche, il en était presque sûr.

Profitant du terrain plus plat, Thorne se glissa entre les sièges et se pencha sur la cage. Il regarda entre les barreaux; Arby gémissait doucement.

Il avait la moitié du visage couvert de sang, sa chemise en était trempée ; mais il avait les yeux ouverts et semblait capable de remuer les bras et les jambes.

Thorne colla son visage contre les barreaux.

– Salut, gamin, fit-il d'une voix douce. Tu m'entends ?

Arby inclina la tête en gémissant.

– Comment te sens-tu, là-dedans ?

– J'ai connu mieux.

La Jeep s'élança à l'assaut de la route de terre en lacet. Levine sentait le soulagement monter en lui à mesure que la route s'élevait, s'éloignait de la vallée. Il était sur la route de la corniche, bientôt il ne risquerait plus rien.

En levant la tête vers le haut de l'escarpement, il découvrit à la clarté de la lune les formes sombres qui avaient déjà atteint le sommet et attendaient en bondissant sur place.

Les raptors.

Qui les attendaient.

– Qu'allons-nous faire ? demanda-t-il en arrêtant la Jeep.

– Poussez-vous, fit Thorne, l'air sombre. Je prends le volant.

AU BORD DU CHAOS

En arrivant sur la corniche, Thorne tourna à gauche et accéléra. La route se déroulait devant lui, tel un étroit ruban coincé entre une paroi rocheuse et un précipice. Sur la gauche, en haut de l'escarpement, il voyait les raptors grondants et bondissants courir parallèlement à la Jeep.

Levine aussi les avait vus.

— Que faisons-nous ? demanda-t-il.

— Regardez dans la boîte à outils, répondit Thorne en haussant les épaules. Cherchez dans la boîte à gants. Essayez de trouver quelque chose...

Levine se pencha, commença à tâtonner dans l'ombre. Thorne savait qu'ils étaient dans de sales draps. Ils avaient perdu le fusil, ils roulaient dans une Jeep avec une couverture en toile et les raptors les encerclaient. Il estima être à un peu moins d'un kilomètre de la clairière. Et de la remorque.

Encore près d'un kilomètre.

En abordant le virage suivant, Thorne ralentit, écartant le véhicule de la paroi abrupte. À la sortie de la courbe, il découvrit un raptor au milieu de la route, la tête baissée dans une attitude menaçante. Thorne accéléra, fonça droit sur l'animal. Le raptor bondit, les pattes levées. Il retomba sur le capot, les mains griffant le métal, heurta violemment le pare-brise, qui s'étoila. Thorne ne voyait plus rien, le corps de l'animal lui bouchait la vue. La route était trop dangereuse ; il écrasa la pédale de frein.

— Qu'est-ce que vous faites ? s'écria Levine en plongeant vers l'avant.

Le raptor glissa sur le côté, dégageant la vue de Thorne. Il accéléra ; la

Jeep bondit, Levine fut rejeté en arrière. Trois autres raptors chargeaient déjà.

Le premier sauta sur le marchepied, ses mâchoires se refermèrent en claquant sur le rétroviseur extérieur. Son œil brillant était tout près du visage de Thorne. Il donna un grand coup de volant vers la gauche, la paroi rocheuse racla la carrosserie. Dix mètres plus loin, il vit un rocher en saillie. Il tourna la tête, regarda le raptor, qui s'accrochait obstinément, jusqu'au moment où le rocher heurta violemment le rétroviseur, l'arrachant net. Le raptor disparut.

La route s'élargit légèrement. Thorne avait un peu plus de place pour manœuvrer. Il perçut un choc sourd ; en levant les yeux, il vit la capote se creuser au-dessus de sa tête. Des griffes frôlèrent son oreille, lacérant la toile.

Il tourna le volant de droite et de gauche. Les griffes disparurent, mais l'animal était encore sur le toit ; son corps déformait la toile. Levine avait trouvé un grand couteau de chasse. Il frappa à la verticale, transperçant la capote. Une griffe surgit aussitôt, tailladant la main de Levine. Il poussa un hurlement de douleur, lâcha le couteau. Thorne se pencha, le ramassa sur le plancher.

Il vit dans le rétroviseur deux autres raptors lancés à la poursuite de la Jeep. Ils gagnaient du terrain.

La route allait en s'élargissant ; cela lui permit d'accélérer. Le raptor juché sur le toit passa la tête derrière le pare-brise fêlé pour regarder à l'intérieur. La main serrée autour du manche du couteau, la lame à la verticale, Thorne frappa de toutes ses forces. Il recommença, sans résultat, sembla-t-il. Quand la route commença à tourner, il donna un grand coup de volant à droite, puis à gauche ; le véhicule pencha dangereusement, mais le raptor lâcha prise et bascula en arrière. Il arracha dans sa chute une partie de la capote. L'animal rebondit sur la route, heurta ses deux congénères lancés à la poursuite de la voiture. Les trois animaux roulèrent au sol et furent entraînés dans le vide.

– Bon débarras ! s'écria Levine.

Mais, quelques secondes plus tard, un autre raptor se laissa tomber du haut de la paroi rocheuse et se mit à courir le long de la Jeep. D'un bond léger, presque aérien, l'animal sauta à l'arrière de la voiture.

Levine se retourna, les yeux écarquillés. Le raptor était à l'intérieur du véhicule. La tête baissée, les bras levés, la gueule ouverte, en position d'attaque, il émit un sifflement menaçant.

« Tout est fini », se dit Levine.

Il était paralysé ; son corps se couvrit de sueur, la tête commença à lui tourner, il comprit en un instant qu'il ne pouvait rien faire, que la mort allait le saisir. Le raptor siffla de nouveau, ses mâchoires claquèrent, il se ramassa pour bondir... Une écume blanchâtre apparut soudain aux commissures de ses lèvres, ses yeux roulèrent dans leurs orbites. Une bave mousseuse coula de sa bouche. Le corps secoué de tremblements spasmodiques, il roula sur le flanc.

Levine découvrit la moto derrière la Jeep. Sarah conduisait, Kelly avait un fusil à la main. Thorne ralentit ; en arrivant à la hauteur de Levine, Sarah lui tendit une clé.

— La clé de la cage ! cria-t-elle.

Levine la prit entre ses doigts raides, faillit la lâcher. Il était encore sous le choc. Ses gestes étaient ralentis, engourdis. « J'ai failli mourir », se dit-il.

— Prenez le fusil ! lança Thorne.

Levine tourna la tête vers la gauche, vit d'autres raptors courir parallèlement à la voiture. Il en compta six, mais ils devaient être plus nombreux. Il essaya de recompter, mais son cerveau aussi fonctionnait au ralenti...

— Allez-vous prendre ce fusil !

Levine saisit le fusil que tendait Kelly ; il sentit le contact froid du métal.

Le moteur commença à avoir des ratés. Il se mit à tousser, s'arrêta, repartit. La Jeep avançait par secousses.

— Qu'est-ce que ça veut dire ? demanda Levine en se tournant vers Thorne.

— Les ennuis continuent. Nous sommes en panne sèche.

Thorne passa au point mort, la Jeep continua sur sa lancée, en perdant de la vitesse. Juste devant, il y avait une légère montée ; un peu plus loin, après un virage, la route redescendait. Sur la moto, Sarah secoua la tête.

Thorne comprit que le seul espoir consistait à franchir la petite côte.

— Ouvrez la cage, ordonna-t-il à Levine. Faites-le sortir.

Les mouvements de Levine se firent plus vifs, nerveux, presque paniqués. Il gagna l'arrière à quatre pattes, glissa la clé dans la serrure. La porte s'ouvrit en grinçant. Il aida Arby à sortir.

Thorne gardait les yeux fixés sur l'indicateur de vitesse. Quarante kilomètres à l'heure... trente... vingt-cinq. Les raptors commencèrent à se rapprocher, sentant que la voiture était à leur portée.

Vingt kilomètres à l'heure ; l'aiguille descendait toujours.

— Il est sorti, fit Levine en refermant la cage.

— Balancez la cage ! cria Thorne.

Levine poussa la cage, qui tomba sur la route et dévala la pente.

Quinze kilomètres à l'heure.

La Jeep se traînait.

Elle franchit enfin le sommet de la côte, commença à redescendre, en prenant de la vitesse. Vingt kilomètres à l'heure. Vingt-cinq. Trente...

Thorne laissa les roues chasser dans les virages, essayant de ne pas toucher la pédale de frein.

– Jamais nous n'arriverons à la remorque! hurla Levine à pleins poumons, les yeux écarquillés de terreur.

– Je sais, fit Thorne.

Il voyait la remorque sur la gauche; ils en étaient séparés par une petite montée. Jamais ils n'y arriveraient. Devant, la route se divisait en deux; sur la droite, elle descendait vers le laboratoire. Si sa mémoire était bonne, le reste du trajet était en descente.

Thorne tourna à droite, s'éloigna de la remorque.

Il vit à la clarté de la lune la vaste surface plane du toit. La Jeep suivit la route qui longeait le laboratoire, contourna le bâtiment, en direction du village des ouvriers. La résidence du directeur était à droite, le magasin d'alimentation générale droit devant, avec ses pompes à essence. Y avait-il un petite chance qu'il en reste?

– Regardez! lança Levine, le bras tendu vers l'arrière. Regardez!

Thorne jeta un coup d'œil par-dessus son épaule, vit que les raptors s'étaient laissé distancer. La proximité du laboratoire semblait les faire hésiter.

– Ils ne nous poursuivent plus! hurla Levine.

– Je vois, fit Thorne. Mais où est passée Sarah?

La route était vide, la moto avait disparu.

LA REMORQUE

Sarah Harding tourna les poignées à fond, la moto décolla sur la petite bosse. Elle retomba sur la route, fila vers la remorque. Quatre raptors la poursuivaient en grondant. Sarah accéléra encore, pour prendre un peu d'avance, pour gagner quelques précieux mètres. Elle allait en avoir besoin.

– Écoute ! hurla-t-elle dans l'oreille de Kelly, le corps penché en arrière. Il va falloir faire vite !

– Quoi ?

– Dès que nous arrivons à la remorque, tu sautes de la moto et tu cours te mettre à l'abri. Ne m'attends pas. D'accord ?

Kelly hocha nerveusement la tête.

– Quoi qu'il advienne, ne m'attends pas !

– D'accord !

Sarah roula à fond jusqu'à la remorque, freina sèchement. La moto dérapa sur l'herbe mouillée, termina bruyamment sa course contre la carrosserie. Kelly bondit à terre, courut vers la porte, s'élança à l'intérieur. Sarah aurait voulu mettre la moto à l'abri, mais les raptors la serraient de trop près. D'un seul mouvement, elle poussa la machine dans leur direction et se jeta à l'intérieur de la remorque. Elle atterrit sur le dos, roula sur elle-même et, du bout du pied, referma la porte à la volée, au moment où le premier raptor apparaissait dans l'ouverture.

Dans la pénombre de la remorque, elle tint la porte fermée, tandis que les animaux frappaient à coups répétés. Elle tâtonna, à la recherche d'un verrou, ne trouva rien.

– Ian, fit-elle, peut-on verrouiller cette porte ?

Elle entendit la voix de Malcolm flotter dans l'ombre.

— La vie est un cristal...

— Essaie de te concentrer, Ian.

Kelly vint la rejoindre ; les petites mains commencèrent à aller et venir le long du chambranle. Les raptors se jetaient avec violence contre la porte.

— J'ai trouvé, fit Kelly, au bout d'un moment. En bas, près du sol.

Sarah perçut un bruit sec et s'écarta ; Kelly lui prit la main dans l'obscurité. Les raptors continuaient de marteler la porte en grondant.

— Tout se passera bien, fit Sarah d'un ton rassurant.

Elle s'avança vers le lit où Malcolm était étendu. Elle vit les raptors se jeter sur la vitre. Elle entendit le claquement des mâchoires, le crissement des griffes sur le métal. Malcolm les regarda calmement.

— Ils en font, du boucan, articula-t-il à voix basse.

La trousse de premiers secours était ouverte, une seringue posée sur l'oreiller. Il avait dû se faire une autre injection de morphine.

Les raptors cessèrent de se jeter contre le panneau vitré. Sarah entendit des grincements de métal du côté de la porte ; elle vit les animaux tirer la moto, l'éloigner de la remorque. Ils sautaient avec fureur sur la machine ; les pneus ne résisteraient pas longtemps à un tel traitement.

— Ian, fit-elle, il faut faire très vite.

— Je ne suis pas pressé, dit-il posément.

— De quelles armes disposes-tu ici ?

— Des armes... oh !... je ne sais pas. Pourquoi as-tu besoin d'armes ? reprit-il, après un soupir.

— Ian, je t'en prie !

— Tu parles trop vite, reprit Malcolm. Tu sais, Sarah, tu devrais essayer de te détendre.

Kelly était terrorisée dans la pénombre ; la manière résolue dont Sarah parla d'armes la rassura quelque peu. Kelly se rendait compte que rien ne pouvait arrêter Sarah ; elle décidait quelque chose et elle le faisait. Kelly avait envie d'imiter son attitude : ne se laisser arrêter par rien ni personne, être certain de réussir ce que l'on entreprenait.

En entendant la voix du docteur Malcolm, elle avait compris qu'il ne fallait pas compter sur lui. Il était shooté, rien ne le touchait. Sarah n'avait jamais mis les pieds dans la remorque ; Kelly, elle, l'avait déjà fouillée de fond en comble en cherchant de la nourriture. Elle croyait se souvenir...

Elle commença à ouvrir les tiroirs, l'un après l'autre, les yeux plissés pour essayer de distinguer quelque chose. Elle cherchait un tiroir, près du plancher, qui, elle en était sûre, renfermait un paquet portant une tête de mort. Ce paquet contenait peut-être une arme.

Elle entendit Sarah implorer Malcolm.

— Essaie de réfléchir, Ian !

– Je réfléchis, Sarah. J'ai des idées de toute beauté. Tu sais, toutes ces carcasses à proximité du nid des raptors, elles offrent un merveilleux exemple de...

– Pas maintenant, Ian.

Kelly continua de fouiller les tiroirs ; elle les laissa ouverts pour se souvenir de ceux où elle avait déjà cherché. Elle se rapprocha de l'arrière de la remorque. Elle sentit soudain une toile rugueuse sous ses doigts. C'était ça !

Kelly sortit du tiroir un paquet carré, enveloppé de toile, qu'elle trouva étonnamment lourd.

– Sarah, lança-t-elle, regardez !

Sarah Harding emporta le paquet devant la vitre, à la clarté de la lune. Elle le déballa, ouvrit de grands yeux. Il était divisé en compartiments tapissés de mousse, renfermant trois blocs cubiques d'une substance caoutchouteuse ainsi qu'un cylindre argenté, ressemblant à une petite bouteille d'oxygène.

– Qu'est-ce que c'est que ça ?

– Nous avons cru que c'était une bonne idée, fit Malcolm. Je n'en suis plus si sûr. Le problème est que...

– Qu'est-ce que c'est ? répéta Sarah.

Il fallait fixer l'attention de Malcolm ; elle était trop flottante.

– Ce n'est pas mortel, reprit Malcolm. Ce que nous cherchions...

– Dis-moi ce que c'est, coupa Sarah en lui mettant un des blocs sous le nez.

– Un cube fumigène. Il suffit de...

– Fumigène ? reprit Sarah. Cela ne produit que de la fumée ?

– Oui, mais...

– Et ça ? poursuivit Sarah en montrant le cylindre argenté, qui portait une inscription.

– Une bombe au cholinestérase. Émission de gaz. Provoque une paralysie momentanée... C'est ce qu'on m'a dit...

– Combien de temps ?

– Quelques minutes, je crois, mais...

– Sais-tu comment cela fonctionne ? poursuivit Sarah en tournant et retournant le cylindre dans sa main.

Il y avait une capsule à un bout, avec une goupille. Elle commença à tirer, pour voir comment fonctionnait le mécanisme.

– Non ! s'écria Malcolm. C'est comme ça que ça marche ! Tu retires la goupille et tu lances. Au bout de trois secondes, le gaz s'échappe.

– Pigé, fit Sarah.

Elle remplit précipitamment la trousse de premiers secours, glissa la seringue à l'intérieur, rabattit le couvercle.

– Que fais-tu ? demanda Malcolm avec une pointe d'inquiétude.

– Nous allons sortir, répondit Sarah en s'avançant vers la porte.

Malcolm poussa un soupir.

– C'est si agréable d'avoir un homme à la maison, murmura-t-il.

Le cylindre vola dans le ciel, tournoyant devant la lune. Les raptors étaient rassemblés autour de la moto, à cinq mètres de la porte. Un des animaux leva la tête, vit le cylindre au moment où il tombait dans l'herbe, à un mètre de lui.

Sarah attendit dans l'encadrement de la porte. Rien ne se passa. Il n'y eut pas d'explosion.

Rien.

– Ian, ça n'a pas marché !

Poussé par la curiosité, le raptor sautilla jusqu'au cylindre couché dans l'herbe. Il baissa la tête ; quand il la releva, il tenait le cylindre dans sa gueule.

– Ça n'a pas marché, soupira Sarah.

– Ce n'est pas grave, fit doucement Malcolm.

Le raptor secoua la tête, mordit le cylindre luisant.

– Qu'allons-nous faire ? demanda Kelly.

Une explosion retentit, un nuage dense de fumée blanche se répandit vers le centre de la clairière. Les raptors disparurent dans la fumée.

Sarah referma vivement la porte.

– Et maintenant ? fit Kelly.

Sarah soutenant Malcolm, ils traversèrent la clairière ; le nuage de fumée s'était dissipé depuis plusieurs minutes. Le premier raptor qu'ils découvrirent dans l'herbe était étendu sur le flanc, les yeux ouverts, absolument immobile. Mais il n'était pas mort ; Sarah vit le battement régulier d'un vaisseau sanguin sur le cou de l'animal. Il était seulement paralysé.

– Cela dure combien de temps ? demanda-t-elle à Malcolm.

– Pas la moindre idée, répondit-il. Le vent est fort ?

– Il n'y a pas de vent, Ian.

– Dans ce cas, cela devrait durer un petit moment.

Ils continuèrent d'avancer. Ils virent les autres raptors, contournèrent les corps inertes, respirant l'odeur de pourriture des carnivores. Un des animaux était couché sur la moto. Sarah fit asseoir Malcolm, qui gémit. Au bout d'un moment, il se mit à chanter.

– « Je voudrais retourner au pays du coton, je n'ai pas oublié le bon vieux temps... »

Sarah tira la moto par le guidon, en essayant de la dégager du corps du raptor. L'animal était trop lourd.

– Laissez-moi faire, dit Kelly en prenant le guidon.

Sans hésiter, Sarah se pencha, passa les bras autour du cou du raptor, souleva la tête. Elle eut un mouvement de répulsion en sentant la peau chaude et écailleuse sur ses bras et sa joue. Elle se pencha en arrière, souleva le corps en ahanant.

— « À Dixieland... doo-doo-doo-doo... vivre et mourir à Dixie... »
— Ça y est? demanda Sarah.
— Pas tout à fait, répondit Kelly en continuant de tirer sur le guidon.

Le visage de Sarah était à quelques centimètres de la gueule du velociraptor. La tête montait et descendait chaque fois qu'elle modifiait sa prise. L'œil ouvert la regardait sans la voir. Sarah banda ses muscles, essayant de soulever l'animal plus haut.

— J'y suis presque, fit Kelly.
Sarah fit un nouvel effort, la respiration bloquée.
L'œil du raptor cligna.
Effrayée, Sarah lâcha l'animal, au moment où Kelly dégageait la moto.

— Ça y est!
— « Loin, très loin... loin au sud... à Dixie... »
Sara s'écarta du raptor. La grosse patte postérieure tressaillit. La cage thoracique commença à se soulever.

— En route! fit Sarah. Ian, derrière moi; Kelly sur le guidon.
— « Loin d'ici... loin au sud... »
— Allons-y, reprit Sarah en enfourchant la moto.

Elle garda les yeux fixés sur le raptor; il eut un mouvement convulsif de la tête, l'œil cligna de nouveau. L'animal se réveillait.

— En route! Vite! Vite!

LE VILLAGE

La moto surchargée descendit vers le lotissement. Par-dessus la tête de Kelly, Sarah vit la Jeep garée devant le magasin, non loin des pompes à essence. Elle s'arrêta, tout le monde descendit de la machine. Kelly ouvrit la porte du magasin, aida Malcolm à entrer. Sarah les suivit avec la moto.

— Doc ? lança-t-elle.

— Par ici, répondit Thorne. Nous sommes avec Arby.

À la clarté de la lune filtrant par les fenêtres, on eût dit une de ces petites boutiques abandonnées au bord d'une route. Il y avait une vitrine réfrigérée contenant des boissons gazeuses, à demi cachées par des moisissures. Un présentoir montrait encore quelques barres chocolatées, à l'emballage couvert de taches vertes, grouillant de larves. Sur le présentoir voisin, des revues jaunies, racornies, dont la couverture remontait à cinq ans.

D'un côté se trouvaient les produits d'hygiène : dentifrice, aspirine, lait solaire, shampooing, peignes et brosses. Plus loin, des articles de sport : tee-shirts, shorts, chaussettes, raquettes de tennis et maillots de bain. Quelques souvenirs aussi : porte-clés, cendriers, verres.

Au centre de la pièce, une sorte d'îlot regroupait une caisse enregistreuse, un four à micro-ondes et un percolateur. La porte du four était ouverte ; des animaux y avaient fait leur nid. Le percolateur fendillé était couvert de toiles d'araignée.

— Quel fouillis ! fit Malcolm.

— Pas si mal, répliqua Sarah.

Les barreaux des fenêtres tenaient encore ; les murs semblaient assez solides. Les conserves seraient encore comestibles. Sarah vit un panneau indiquant les toilettes. Il y avait peut-être toujours l'eau courante. Ils devraient être en sécurité, du moins un certain temps.

Elle aida Malcolm à s'étendre par terre. Puis elle alla rejoindre Thorne et Levine, penchés sur Arby.

— J'ai apporté la trousse d'urgence, dit-elle. Comment va le petit ?

— Il est couvert d'ecchymoses, répondit Thorne. Quelques plaies, mais rien de cassé. La tête a l'air bien abîmée.

— J'ai mal partout, murmura Arby. Même dans la bouche.

— Essayez de trouver de la lumière, fit Sarah. Ouvre la bouche, Arby. Bon... Il te manque deux dents. On arrangera ça. La blessure à la tête n'est pas trop profonde.

Elle la nettoya avec de la gaze.

— Combien de temps avant l'arrivée de l'hélicoptère, Doc ?

— Deux heures, répondit Thorne en regardant sa montre.

— Où doit-il se poser ?

— L'aire d'atterrissage est à plusieurs kilomètres d'ici.

— Très bien, reprit Sarah en continuant de soigner Arby. Il nous reste deux heures pour y arriver.

— Comment allons-nous faire ? demanda Kelly. La voiture n'a plus d'essence.

— Ne t'inquiète pas. Nous trouverons quelque chose, tout se passera bien.

— Vous dites toujours ça, reprit Kelly.

— Parce que c'est toujours vrai. Voilà, Arby, tu vas m'aider maintenant. Tu vas t'asseoir bien droit et enlever ta chemise...

Thorne s'écarta en entraînant Levine, qui avait l'œil hagard et le corps agité de tressaillements. Le trajet dans la Jeep semblait l'avoir achevé.

— Qu'est-ce qu'elle raconte ? lança Levine d'une voix hystérique. Nous sommes pris au piège ! Faits comme des rats ! On ne peut aller nulle part, on ne peut rien faire ! Croyez-moi, nous allons tous...

— Moins fort, murmura Thorne en le saisissant par le bras. Ne faites pas peur aux enfants.

— Qu'est-ce que ça changera ? poursuivit Levine. Tôt ou tard, ils comprendront... Aïe ! Vous me faites mal !

Thorne lui broyait le bras. Il se pencha, lui parla doucement à l'oreille.

— Vous êtes trop vieux pour vous conduire comme un imbécile, Richard. Reprenez-vous ! Vous m'écoutez, Richard ?

Levine hocha la tête en silence.

— Bon, reprit Thorne. Maintenant, je vais sortir pour voir si les pompes fonctionnent.

— Comment voulez-vous qu'elles fonctionnent, au bout de cinq ans ? Croyez-moi, c'est une perte de...

– Richard! coupa Thorne. Nous devons nous en assurer.

Il y eut un silence. Les deux hommes se regardèrent.

– Vous voulez dire que vous allez sortir? reprit Levine.

– Oui.

Le front de Levine se plissa; il y eut un nouveau silence.

– Avez-vous trouvé la lumière? demanda Sarah, sans relever la tête.

– Une minute, répondit Thorne.

Il se pencha vers Levine.

– D'accord, Richard?

– D'accord, fit Levine en respirant longuement.

Thorne se dirigea vers la porte, l'ouvrit et sortit dans l'obscurité. Levine referma la porte; Thorne entendit le bruit de la clé dans la serrure.

Il se retourna aussitôt, frappa à petits coups; Levine entrebâilla la porte, passa la tête dans l'ouverture.

– Ne fermez pas à clé, bon Dieu! lança Thorne à mi-voix.

– J'ai pensé que...

– Ne fermez pas à clé!

– D'accord, d'accord... Je suis désolé.

Thorne se retourna; il était seul dans la nuit.

Le silence régnait dans le village des ouvriers, seulement troublé par le chant monotone des cigales. « Tout est presque trop calme », se dit-il. Mais peut-être ne s'agissait-il que du contraste avec la poursuite et les grondements des raptors. Il demeura un long moment adossé à la porte, fouillant l'obscurité du regard. Il ne vit rien.

Il se dirigea enfin vers la Jeep, ouvrit la portière du passager avant, chercha la radio en tâtonnant dans l'obscurité. Il finit par la trouver; elle avait glissé sous le siège. Il repartit vers le magasin, frappa à la porte.

Levine ouvrit.

– Elle n'est pas fermée à clé...

– Tenez, fit Thorne.

Il lui fourra la radio dans les mains, ressortit sans ajouter un mot.

Il attendit, tous ses sens en alerte. Le lotissement était silencieux. La lune montrait sa face joufflue, il n'y avait pas un souffle d'air.

Il s'approcha des pompes, les examina attentivement. La poignée de la première était rouillée et tapissée de toiles d'araignée. Il souleva l'extrémité du tuyau, appuya sur la poignée. Rien. Il appuya plus fort. Aucun liquide ne jaillit. Il tapota la vitre de la pompe, indiquant la quantité de carburant débité. Le verre lui tomba dans la main. Il vit une araignée s'enfuir derrière les chiffres de métal.

Il n'y avait pas d'essence.

S'ils n'en trouvaient pas, jamais ils ne réussiraient à rejoindre l'aire d'atterrissage. Thorne réfléchit en considérant les pompes. Elles étaient simples, du modèle robuste que l'on trouvait sur les chantiers écartés. C'était logique, ils étaient sur une île.

Sur une île, tout arrivait par avion ou par bateau. Le plus souvent par bateau, selon toute probabilité. Sur des bateaux de petite dimension, où l'approvisionnement était déchargé à la main. Ce qui signifiait...

Il se pencha, examina la base de la pompe à la clarté de la lune. Comme il le pensait, il n'y avait pas de cuve enterrée. Il vit un gros tuyau noir en PVC, qui partait obliquement, juste au-dessous du sol. Le tuyau s'éloignait de la pompe, passait derrière l'angle du magasin.

Thorne le suivit, marchant avec prudence sous la lune. Il s'arrêta, écouta, repartit.

Il tourna l'angle, découvrit ce qu'il s'attendait à trouver. Des bidons de deux cents litres, alignés le long du mur. Il y en avait trois, reliés par des tuyaux noirs. Logique. L'approvisionnement en essence de l'île n'avait pu se faire que par des bidons.

Il les tapota en repliant une phalange ; ils étaient vides. Il en souleva un, espérant entendre le clapotement d'un peu de carburant au fond. Quelques litres d'essence leur suffiraient...

Rien.

Les bidons étaient vides.

Mais il y en avait certainement d'autres. Il fit un rapide calcul. Des installations de cette importance devaient disposer, au bas mot, d'une demi-douzaine de véhicules d'entretien. Même si leur consommation était réduite, il leur fallait cent à cent cinquante litres d'essence par semaine. Pour ne pas risquer une pénurie, InGen avait dû stocker des réserves pour deux mois minimum. Peut-être six mois.

Cela représentait entre dix et trente bidons. Comme les bidons étaient lourds, ils devaient être entreposés à proximité des pompes. Probablement à quelques mètres...

Il tourna lentement sur lui-même. La lune brillait, il voyait bien.

Derrière le magasin, il y avait un espace dégagé, puis des massifs de rhododendrons qui avaient envahi le sentier menant au court de tennis. Au-dessus des hauts arbustes, la clôture à mailles métalliques était festonnée de plantes grimpantes. Sur la gauche s'élevait le premier pavillon du lotissement. Il ne distinguait que la surface sombre du toit. Sur la droite du court de tennis, plus près du magasin, la végétation était dense, mais il semblait y avoir une trouée entre les arbres...

Un sentier.

Il s'avança ; en approchant de l'ouverture obscure, il vit une ligne verticale, comprit que c'était l'arête d'une porte de bois ouverte. Il y avait une remise, enfouie dans la végétation. Il découvrit un panneau de métal rouillé, portant une inscription en lettres rouges, à la peinture écaillée. À la clarté de la lune, les lettres paraissaient noires.

PRECAUCION
NON FUMARE
INFLAMMABLE

Il s'arrêta, l'oreille tendue. Il entendit les grondements des raptors, étouffés par la distance, venant de la corniche. Quelle qu'en fût la raison, les animaux ne s'étaient pas aventurés dans le lotissement.

Thorne attendit, le cœur battant, le regard fixé sur le rectangle noir de l'entrée de la remise. Il se décida enfin; il leur fallait de l'essence. Il s'engagea sur le sentier.

Le sol était détrempé par la pluie de la nuit, mais l'intérieur de la remise était sec. Son regard s'adapta à l'obscurité. C'était une petite construction, de dix à douze mètres carrés. Il distingua dans la pénombre une douzaine de bidons. Trois ou quatre autres étaient renversés. Thorne les secoua tous, rapidement. Ils étaient légers: vides.

Tous vides.

Abattu, il repartit vers l'entrée de la remise. Il s'arrêta sur le seuil, le regard errant dans la nuit. C'est alors qu'il perçut un bruit sur lequel il n'y avait pas à se tromper: le bruit d'une respiration.

Dans le magasin, Levine passait d'une fenêtre à l'autre, essayant de suivre la progression de Thorne. La tension était telle que son corps était parcouru de décharges nerveuses. Que pouvait bien fabriquer Thorne? Il s'était trop éloigné du magasin; c'était follement imprudent. Son regard revenait sans cesse se poser sur la porte d'entrée. Il aurait tant voulu donner un tour de clé; il se sentait si vulnérable derrière cette porte.

Thorne venait de s'enfoncer dans les buissons; il avait disparu depuis longtemps. Au moins une minute, peut-être deux.

Levine continua de regarder par la fenêtre en se mordant les lèvres. Il percevait les grondements lointains des raptors; les animaux n'avaient pas dépassé l'entrée du laboratoire. Ils n'avaient pas suivi les véhicules jusqu'au lotissement et ne s'approchaient toujours pas. Pourquoi? Il était content de se poser cette question; elle avait quelque chose d'apaisant, de rassurant. Une question qui demandait une réponse. Pourquoi les raptors n'avaient-ils pas dépassé le laboratoire?

Toutes sortes d'explications lui venaient à l'esprit. Les raptors avaient une peur atavique du laboratoire, le lieu de leur naissance. Ils se souvenaient des cages, ne voulaient plus se faire capturer... Mais il soupçonnait que l'explication la plus vraisemblable était aussi la plus simple: la zone s'étendant autour du laboratoire était le territoire d'un autre animal; elle était marquée, délimitée, défendue, et les raptors étaient peu disposés à s'y engager. Même le tyrannosaure – cela lui revenait à l'esprit – avait traversé rapidement ce territoire, sans s'arrêter.

Le territoire de qui?

Levine attendit impatiemment, scrutant la nuit derrière la vitre.

– Et la lumière, ça vient? cria Sarah, à l'autre bout de la pièce. J'ai besoin de lumière!

– Une minute, répondit Levine.

Dans l'encadrement de la porte, Thorne restait silencieux, aux aguets.

Il perçut des exhalations lentes, rappelant l'ébrouement rauque d'un cheval. Il y avait un gros animal, qui attendait. Le bruit venait de la droite. Thorne tourna lentement la tête.

Il ne vit absolument rien. La lune éclairait tout le village des ouvriers. Il voyait le magasin, les pompes à essence, la silhouette sombre de la Jeep. Sur la droite, il y avait un vaste espace dégagé et de gros rhododendrons en massifs. Derrière s'étendait le court de tennis.

Rien d'autre.

Il ouvrit grands les yeux et les oreilles.

Le souffle était encore audible; à peine une brise légère. Mais il n'y avait aucun vent; ni les arbres ni les buissons ne bougeaient.

Était-ce bien vrai?

Thorne sentait quelque chose d'anormal. Quelque chose qui était juste devant ses yeux, qu'il pouvait voir, mais ne voyait pas. À force de fouiller la nuit du regard, il commença à penser que ses yeux lui jouaient des tours. Il crut percevoir un léger mouvement sur sa droite, dans les buissons. À la clarté de la lune, le dessin des feuilles sembla se modifier. Se modifier, puis se stabiliser.

Mais il n'en était pas sûr.

Il plissa les yeux, s'efforçant de distinguer quelque chose. Il commença à se dire que ce n'étaient pas les buissons qui avaient attiré son attention; plutôt la clôture à mailles métalliques. Sur la plus grande partie de sa longueur, elle soutenait un enchevêtrement irrégulier de plantes grimpantes, mais, de loin en loin, la disposition en losange des mailles était encore visible. Et il y avait quelque chose de bizarre; la clôture semblait bouger, plus précisément onduler.

Thorne l'observa attentivement. « Peut-être ondule-t-elle vraiment, se dit-il. Peut-être y a-t-il un animal de l'autre côté, qui pousse la clôture et la fait bouger ». Mais cela ne lui paraissait pas satisfaisant.

Il y avait autre chose...

Des lumières s'allumèrent soudain à l'intérieur du magasin. Elles brillèrent à travers les fenêtres munies de barreaux, striant de bandes parallèles le sol et les buissons bordant le court de tennis. En un instant – une fraction de seconde –, Thorne vit que les buissons avaient une forme bizarre, qu'il s'agissait en réalité de deux dinosaures. Côte à côte, hauts de près de trois mètres, ils le regardaient.

Leur corps semblait couvert d'un patchwork d'ombre et de lumière, qui leur permettait de se confondre avec le feuillage et même la clôture du court de tennis. Thorne n'en revenait pas. Ils s'étaient rendus rigoureusement semblables au milieu environnant, jusqu'à ce que les lumières du magasin répandent sur eux une vive clarté.

Thorne les observa en retenant son souffle. Il remarqua que le motif d'ombre et de lumière ne montait que sur une partie de leur corps, s'arrêtait au milieu du thorax. Au-dessus, les animaux présentaient un motif en croisillons imitant les mailles de la clôture.

Il vit s'effacer les motifs ; les corps des dinosaures devinrent d'un blanc crayeux. Puis une rangée de bandes verticales apparut, qui imitait exactement l'ombre des barreaux.

Devant ses yeux, les deux dinosaures disparurent. Les yeux plissés, en concentrant toute son attention, il parvint à distinguer les contours de leur corps. S'il n'avait su qu'ils étaient là, jamais il ne les aurait vus.

De véritables caméléons. Mais dotés d'un mimétisme tel que Thorne n'en avait jamais vu chez aucun caméléon.

Il recula lentement dans la remise, s'enfonça dans l'obscurité.

– Bon Dieu ! s'écria Levine, devant la fenêtre.
– Désolée, lança Sarah, j'ai été obligée d'allumer. Le petit a besoin de soins ; je ne peux pas faire ça dans l'obscurité.

Levine ne répondit pas. Il regardait par la fenêtre, s'efforçant de se faire une idée plus claire sur ce qu'il venait de voir. Il venait de comprendre ce qu'il avait entrevu, quand Diego avait été tué. Ce sentiment fugace qu'il y avait quelque chose d'anormal. Il savait maintenant ce que c'était. Mais cela dépassait de loin ce qui existait chez les animaux terrestres...

– Que se passe-t-il ? demanda Sarah en venant le rejoindre. C'est Thorne ?
– Regardez, dit Levine.

Elle regarda à travers les barreaux.

– Quoi ? Les buissons ? Que suis-je censée regarder ?
– Regardez bien.

Elle essaya encore un peu, secoua la tête.

– Désolée, je ne vois rien.
– Commencez au pied des buissons, reprit Levine. Laissez votre regard monter très lentement... Regardez bien... Vous verrez les contours.

Il l'entendit soupirer.

— Désolée, répéta-t-elle.

— Alors, éteignez la lumière. Et vous verrez.

Elle alla éteindre ; pendant un moment très court, Levine vit les deux animaux se détacher nettement à la clarté de la lune, leur corps pâle rayé de bandes noires. Presque aussitôt, le motif commença à s'estomper.

Sarah revint, le poussa pour se faire de la place. Cette fois, elle vit instantanément les animaux. Comme Levine savait qu'elle le ferait.

— Pas possible ! souffla Sarah. Il y en a deux.

— Oui, côte à côte.

— Et... On dirait que le dessin s'efface.

— En effet, il s'efface.

La robe rayée dont leur corps était revêtu fut remplacée par le motif du feuillage des rhododendrons. Encore une fois, les dinosaures devinrent invisibles. Cette faculté de prendre une apparence si complexe laissait supposer que les couches de leur épiderme avaient une disposition similaire aux chromatophores de certains invertébrés marins. La subtilité du camouflage, la rapidité des transformations, tout...

— Quels sont ces animaux ? demanda Sarah, l'air perplexe.

— Des caméléons dotés d'un mimétisme sans pareil, comme vous pouvez le constater. Mais je ne suis pas sûr que l'on soit pleinement en droit de parler de caméléons ; en théorie, les caméléons ont seulement la faculté de...

— Comment s'appellent-ils ? fit Sarah avec agacement.

— Je dirais qu'il s'agit de *Carnotaurus sastrei*. Des spécimens ont été découverts en Patagonie. Trois mètres de haut, une tête caractéristique ; vous voyez ce museau écrasé, genre bouledogue, et les deux grosses cornes au-dessus des yeux ? On dirait presque des ailes...

— Ce sont des carnivores ?

— Bien sûr, ils ont...

— Où est Thorne ?

— Il s'est enfoncé dans les buissons, là-bas, sur la droite. Je ne l'ai pas vu, mais...

— Qu'allons-nous faire ?

— Faire ? Je ne suis pas sûr de bien comprendre...

— Il faut faire quelque chose, poursuivit Sarah en détachant soigneusement les mots, comme si elle s'adressait à un enfant. Nous devons aider Thorne à revenir.

— Je ne sais pas comment faire, reprit Levine. Ces animaux doivent peser près de deux cent cinquante kilos. Et ils sont deux. Je lui avais bien dit de ne pas s'aventurer dehors, et maintenant...

Sarah réfléchit, fouillant l'obscurité du regard.

– Rallumez la lumière, fit-elle.

– Je préférerais...

– Rallumez la lumière!

Furieux, Levine s'écarta de la fenêtre. Au lieu de lui permettre de savourer son extraordinaire découverte d'une particularité totalement inattendue chez les dinosaures – certes pas tout à fait sans précédent chez les vertébrés apparentés –, cette petite boule de muscles aboyait des ordres. Levine était outré. Comme scientifique, elle ne représentait pas grand-chose. Une simple naturaliste, un domaine où la théorie était absente. Une de ces scientifiques qui passaient leur temps à étudier les excréments des animaux en s'imaginant faire de la recherche. Une vie en plein air, agréable, voilà à quoi cela se résumait. On était bien loin de la science!...

– Allumez! cria Sarah.

Il actionna le commutateur, commença à se diriger vers la fenêtre.

– Éteignez!

Il revint précipitamment sur ses pas pour éteindre.

– Allumez!

Il ralluma.

– Ils n'ont pas apprécié, fit Sarah en s'avançant vers lui. Cela les a embêtés.

– Il y a probablement un temps de latence...

– Oui, je pense... Tenez. Ouvrez-les.

Elle prit sur un présentoir une poignée de torches électriques, les lui tendit. Sur le présentoir voisin, elle trouva des piles.

– J'espère qu'elles marcheront encore.

– Qu'allez-vous faire? demanda Levine.

– Nous, rectifia sèchement Sarah. *Nous.*

Dans l'obscurité de la remise, Thorne gardait les yeux fixés sur la porte. Les lumières du magasin s'étaient allumées, puis éteintes. Elles étaient restées allumées un moment, mais on venait de nouveau d'éteindre. La zone s'étendant devant la remise n'était plus éclairée que par la lune.

Il perçut un bruissement, un mouvement. Le souffle redevint audible. Il vit les deux dinosaures se déplacer, sur les pattes arrière, la queue rigide. L'apparence de leur peau semblait changer à mesure qu'ils avançaient; il était difficile de les suivre. Mais ils s'approchaient de la remise.

En arrivant devant la porte, leur silhouette se découpa sur le fond du ciel éclairé par la lune, les contours devinrent enfin nets. Ils ressemblaient à de petits tyrannosaures, avec des protubérances au-dessus des yeux et des membres antérieurs très courts et épais. Les carnivores baissèrent leur tête carrée, l'avancèrent prudemment dans la remise. En soufflant, en reniflant. Leur queue se balançait lentement.

Ils étaient trop gros pour entrer; Thorne se persuada qu'ils ne pourraient y arriver. Soudain, le premier animal baissa la tête en grondant et fit un pas à l'intérieur.

Thorne retint son souffle. Il se demanda ce qu'il pouvait faire, rien ne lui venait à l'esprit. Les animaux étaient méthodiques; le premier s'écarta pour laisser le passage à l'autre.

Soudain, du mur du magasin, une demi-douzaine de lumières éblouissantes projetèrent des rayons éclatants. Les lumières se déplaçaient, dansaient sur le corps des dinosaures. Les faisceaux lumineux allaient et venaient lentement, comme des projecteurs décrivant d'étranges arabesques.

Les dinosaures étaient parfaitement visibles; ils n'aimaient pas cela. Ils essayèrent en grondant de s'écarter des lumières, mais les pinceaux lumineux se déplaçaient continuellement, ne les lâchaient pas, s'entrecroisaient sur leur corps. Quand les lumières glissaient sur leur thorax, la peau pâlissait, reproduisant les mouvements des faisceaux lumineux, après leur passage. Le corps des dinosaures se couvrait de stries claires, qui s'effaçaient pour renaître aussitôt, un peu plus loin.

Les pinceaux lumineux restaient toujours en mouvement, sauf lorsqu'ils rencontraient la tête des dinosaures et les aveuglaient de leur éclat. Les gros yeux clignaient sous la saillie marquée des sourcils; les animaux agitaient la tête, la baissaient vivement, comme pour se débarrasser d'un essaim de mouches.

Les dinosaures étaient de plus en plus agités. Ils se retournèrent, s'éloignèrent de la remise avec des meuglement menaçants en direction des lumières mouvantes.

Les pinceaux lumineux continuèrent de sillonner l'obscurité, formant des dessins complexes et déroutants. Les dinosaures lancèrent un nouveau mugissement en faisant un pas menaçant vers les lumières. Mais sans conviction. À l'évidence, ils n'aimaient pas être exposés à ces sources lumineuses mouvantes. Au bout d'un moment, ils battirent en retraite, poursuivis par les faisceaux lumineux jusqu'au court de tennis.

Thorne s'avança sur le seuil de la remise. Il entendit la voix de Sarah.

– Doc? Vous feriez mieux de sortir, avant qu'ils ne décident de revenir.

Thorne se dirigea vers les lumières. Il vit Sarah Harding et Levine, agitant en tous sens des torches électriques.

Tout le monde rentra dans le magasin.

Levine claqua la porte, s'adossa au chambranle.

– Je n'ai jamais eu si peur de ma vie! lança-t-il.

– Richard! fit sèchement Sarah. Ressaisissez-vous!

Elle traversa la pièce, alla poser les torches sur le comptoir.

— C'était de la folie de sortir! reprit Levine en s'épongeant le front.

Il était baigné de sueur, sa chemise portait de grandes taches sombres.

— En fait, répliqua Sarah en se tournant vers Thorne, c'était un coup de poker. Nous avons constaté qu'il y avait un temps de latence. La réaction à un stimulus, rapide en comparaison de celle d'une pieuvre, par exemple, n'était pas instantanée. J'ai donc pris pour hypothèse que ces dinosaures étaient comme tous les animaux qui comptent sur un camouflage et se tiennent en embuscade. Ils ne sont pas particulièrement rapides ni actifs. Ils demeurent immobiles pendant des heures dans un milieu invariable, se fondent dans le paysage et attendent qu'une proie sans méfiance passe à leur portée. Mais, quand il leur faut s'adapter à des conditions d'éclairage changeantes, ils savent qu'ils ne peuvent plus rester invisibles. Ils deviennent nerveux et finissent par battre en retraite. C'est ce qui s'est passé.

— Tout est de votre faute! lança Levine en foudroyant Thorne du regard. Si vous n'étiez pas sorti, si vous ne vous étiez pas éloigné...

— Richard, coupa Sarah, sans le laisser achever, si nous ne trouvons pas de l'essence, nous ne pourrons pas partir d'ici. Vous n'avez pas envie de partir?

Levine garda le silence, la mine boudeuse.

— De toute façon, fit Thorne, il n'y en avait pas non plus dans la remise.

— Regardez! s'écria Sarah. Regardez qui vient nous voir!

Soutenu par Kelly, Arby s'avançait vers eux. Il avait trouvé dans le magasin de quoi se changer. Un maillot de bain et un tee-shirt portant l'inscription « InGen – Laboratoires de génie génétique ». Et, dessous : « Nous fabriquons l'avenir ».

Il avait un œil au beurre noir, une pommette tuméfiée et un pansement au front, sur la plaie nettoyée par Sarah. Ses membres étaient couverts d'ecchymoses, mais il marchait. Il parvint à faire un pauvre sourire.

— Comment te sens-tu, petit? demanda Thorne.

— Vous savez ce qui me ferait plaisir? fit Arby. Vraiment plaisir.

— Dis-nous, fit Thorne.

— Un Coca, répondit Arby. Et un tube d'aspirine.

Sarah se pencha sur Malcolm. Il chantonnait tout doucement, les yeux levés au plafond.

— Comment va Arby? demanda-t-il.

— Ça ira.

— Il a besoin de morphine?

— Non, je ne crois pas.

– Parfait, fit Malcolm.

Il tendit le bras, releva sa manche.

Thorne enleva le nid du four à micro-ondes et fit chauffer une boîte de bœuf en daube. Il trouva une pile d'assiettes en papier, décorées d'un motif de Halloween – citrouilles et masques –, et fit le service. Les enfants se jetèrent sur la nourriture.

Il donna une assiette à Sarah, se tourna vers Levine.

– Et vous?

– Non, répondit Levine, planté devant la fenêtre.

Thorne haussa les épaules.

– Il y en a d'autre? demanda Arby en tendant son assiette.

– Bien sûr, répondit Thorne.

Il lui donna sa part.

Levine alla s'asseoir auprès de Malcolm.

– Vous aviez au moins raison sur un point, commença-t-il. Cette île est bien un monde perdu. Un écosystème intact, vierge. Depuis le commencement, nous avions vu juste.

– Vous plaisantez? fit Malcolm en soulevant légèrement la tête. Vous oubliez les cadavres d'apatosaures?

– Je me suis posé la question, répondit Levine. À l'évidence, les raptors les ont tués. Puis les raptors ont...

– Ont quoi? demanda Malcolm. Ils les ont traînés jusqu'à leur nid? Chacun de ces animaux pèse cinquante tonnes, Richard. Une centaine de raptors n'auraient pas suffi. Non, non... Les carcasses ont dû flotter jusqu'à un coude de la rivière, poursuivit-il. Les raptors ont fait leur nid à cet endroit commode, où la nourriture venait s'échouer.

– Euh! c'est possible...

– Mais pourquoi tant de cadavres d'apatosaures, Richard? poursuivit Malcolm. Pourquoi aucun animal n'atteint-il l'âge adulte? Et pourquoi les prédateurs sont-ils si nombreux sur l'île?

– Eh bien, commença Levine, nous manquons de données pour...

– Pas du tout, répliqua Malcolm. Vous êtes passé par le laboratoire, non? Nous connaissons déjà la réponse.

– Quelle est la réponse? demanda Levine, sans cacher son agacement.

– Les prions, répondit Malcolm en fermant les yeux.

– Qu'est-ce que c'est? fit Levine, l'air perplexe.

Malcolm soupira.

– Que sont les prions, Ian? reprit Levine.

– Laissez-moi tranquille, fit Malcolm en le congédiant d'un geste de la main.

Pelotonné dans un coin, Arby allait s'endormir. Thorne roula un tee-shirt en boule, le glissa sous la tête du garçon. Arby marmonna quelque chose et sourit.

Quelques secondes plus tard, il commença à ronfler.

Thorne se releva, alla rejoindre Sarah qui regardait par la fenêtre. Dehors, au-dessus des arbres, le ciel commençait à s'éclaircir, à prendre des teintes bleutées.

— Combien de temps reste-t-il ? demanda Sarah.

— À peu près une heure, répondit Thorne.

— Il faut absolument trouver de l'essence, reprit Sarah en marchant de long en large. Pour prendre la Jeep et rejoindre l'aire d'atterrissage de l'hélico.

— Il n'y a pas d'essence.

— Il doit y en avoir quelque part, poursuivit Sarah, sans cesser de marcher. Vous avez essayé les pompes...

— Oui. Elles sont vides.

— Et dans le labo ?

— Non, je ne crois pas.

— Où pourrions-nous en trouver ? Dans la remorque ?

— Ce n'est qu'une remorque. Le véhicule tracteur a un générateur auxiliaire et quelques bidons d'essence. Mais il est tombé du haut de l'escarpement.

— Les bidons n'ont peut-être pas été détruits par la chute. Nous avons encore la moto. Je peux aller faire un tour là-bas et...

— Sarah...

— Cela vaut la peine d'essayer.

— Sarah...

— Regardez, fit doucement Levine, devant la fenêtre. Nous avons de la visite.

BONNE MÈRE

Aux premières lueurs de l'aube, les dinosaures sortirent des buissons et se dirigèrent droit sur la Jeep. Ils étaient six, de gros becs de canard, hauts de quatre mètres cinquante, à la peau brunâtre, au museau recourbé.

— Des maiasaures, annonça Levine. J'ignorais qu'il y en avait ici.

— Que font-ils?

Les gros animaux se rassemblèrent autour de la Jeep, entreprirent aussitôt de la mettre en pièces. L'un d'eux arracha ce qui restait de la capote. Un autre se pencha sur l'arceau de sécurité et commença à secouer violemment le véhicule.

— Je ne comprends pas, reprit Levine. Ce sont des hadrosaures, des herbivores. Un comportement aussi agressif n'est pas naturel.

— Ouais, fit Thorne.

Ils regardèrent les maiasaures renverser la Jeep; la voiture bascula sur le côté. Un animal se dressa sur les pattes arrière, monta sur la portière, enfonça la tôle en pesant de tout son poids. Quand la Jeep se retourna, deux grosses boîtes en polystyrène roulèrent au sol. L'attention des dinosaures sembla se concentrer sur ces récipients. Ils commencèrent à mordre la matière plastique, projetant des flocons blancs autour de la voiture. Ils agissaient précipitamment, avec une sorte de frénésie.

— Quelque chose à manger? fit Levine. Une herbe dont ils seraient friands? Mais quoi?

Le couvercle d'une des boîtes sauta; ils aperçurent à l'intérieur un œuf à la coquille brisée, d'où dépassait un bout de chair fripé. Les maiasaures se calmèrent, leurs mouvements se firent doux, précautionneux, ils poussèrent des cris et des grognements. Les corps énormes des dinosaures bouchaient la vue.

Ils entendirent soudain un piaillement.

– Pas possible! souffla Levine.

Sur le sol, un tout petit animal se déplaçait. Il avait le corps d'un brun très pâle, presque blanc. Il essaya de se tenir debout, retomba aussitôt. Il mesurait à peine trente centimètres, le cou ourlé de plis flasques. Quelques secondes plus tard, un autre roula auprès de lui.

Sarah Harding retint un petit cri.

Lentement, un des maiasaures baissa sa grosse tête, saisit délicatement le bébé dans son large bec. L'animal releva la tête en gardant la gueule ouverte. Le bébé resta assis sur sa langue, tournant en tous sens sa tête minuscule.

Le second bébé fut soulevé à son tour. Les adultes restèrent un moment groupés, comme s'ils hésitaient sur la conduite à tenir, puis, en poussant leur cri, ils se retirèrent.

Laissant la Jeep retournée, défoncée, hors d'usage.

– Nous n'aurons plus à nous préoccuper de trouver de l'essence, fit Thorne.

– J'imagine, soupira Sarah.

Le regard fixé sur l'épave de la Jeep, Thorne secoua lentement la tête.

– Pire qu'une collision frontale, fit-il. On dirait qu'elle est passée dans un compacteur. Elle n'était pas construite pour résister à de tels efforts de compression.

– Les ingénieurs de Detroit n'avaient pas prévu qu'un animal de cinq tonnes monte dessus, fit Levine en ricanant.

– J'aurais aimé voir, reprit Thorne, si la nôtre aurait tenu le coup.

– Vous voulez dire avec les travaux que vous avez faits?

– Oui, fit Thorne, elle a été conçue pour résister à des efforts fantastiques. Vraiment énormes. Nous avons fait des simulations informatiques, ajouté les panneaux en nid-d'abeilles et tout...

– Attendez un peu, lança Sarah en s'écartant de la fenêtre. De quoi parlez-vous?

– De l'autre voiture.

– Quelle autre voiture?

– Celle que nous avons amenée, répondit Thorne. L'Explorer.

– Bien sûr! s'écria-t-elle, tout excitée. Il y a une autre voiture! J'avais complètement oublié l'Explorer!

– N'en parlons plus, fit Thorne. J'ai grillé le moteur hier soir, en revenant. J'ai traversé une grande flaque, il y a eu un court-circuit.

– Et alors? Nous pouvons peut-être...

– Non, le court-jus a grillé le moteur. C'est un véhicule électrique.

– Je m'étonne que vous n'ayez pas installé des coupe-circuit pour ce genre d'accident.

— Nous n'en mettions jamais, sauf sur la version la plus récente...
Thorne n'acheva pas sa phrase. Il secoua la tête.

— Je ne peux pas le croire, murmura-t-il.

— La voiture a des coupe-circuit?

— Oui. Eddie en a monté, au dernier moment.

— Elle pourrait donc fonctionner?

— Probablement, à condition de rétablir les coupe-circuit.

— Où est-elle? demanda Sarah en se dirigeant vers la moto.

— Je l'ai abandonnée sur la petite route qui va de la corniche au mirador. Mais, Sarah...

— C'est notre seule chance, coupa-t-elle.

Elle mit son casque, plaça le micro contre sa joue, poussa la moto jusqu'à la porte.

— Appelez-moi, fit-elle. Je vais nous trouver une voiture.

Ils la regardèrent par la fenêtre; elle monta sur la machine dans la clarté laiteuse de l'aube, s'éloigna à toute allure.

— Quelles chances lui donnez-vous? demanda Levine en suivant la moto des yeux.

Thorne secoua la tête en silence.

Ils entendirent la radio grésiller.

— Doc?

— Oui, Sarah.

— Je suis sur la route qui monte vers la corniche. Je les vois... Il y en a six.

— Des raptors?

— Oui. Ils, euh!... Bon, je vais essayer de trouver un autre passage. Je vois un...

Les parasites couvrirent sa voix. La communication allait être coupée.

— Sarah?

— ... sorte de piste de gibier qui... crois que je ferais mieux...

— Sarah! cria Thorne. Nous allons être coupés!

— ... à faire maintenant. Souhaitez... bonne chance.

Ils perçurent le vrombissement de la moto. Puis un autre bruit leur parvint, peut-être le grondement d'un animal, peut-être d'autres parasites. Thorne se pencha, colla la radio contre son oreille. Il y eut un déclic, la communication s'interrompit brusquement.

— Sarah?

Pas de réponse.

— Elle a peut-être coupé, fit Levine.

— Sarah? répéta Thorne en secouant la tête.

Rien.

— Sarah, vous m'entendez?

Ils attendirent.

Rien.

— Merde! lâcha Thorne.

Le temps s'écoula lentement. Levine resta planté devant la fenêtre, le regard fixe. Kelly ronflait doucement dans un angle de la pièce. Couché à côté de Malcolm, Arby dormait profondément. Et Malcolm chantonnait, d'une voix bien peu mélodieuse.

Thorne était assis par terre, au centre de la pièce, le dos contre le comptoir. De loin en loin, il prenait la radio, appelait Sarah. En vain. Il essaya les six canaux. Aucune réponse.

Il finit par renoncer.

Des grésillements le firent sursauter.

— ... déteste ces machins-là. Ça ne marche jamais... Je ne comprends pas comment... saletés!

Levine se dressa sur son séant.

Thorne se jeta sur la radio.

— Sarah? Sarah?

— Pas trop tôt! fit la voix déformée par les parasites. Qu'est-ce que vous fabriquiez, Doc?

— Tout va bien?

— Bien sûr que tout va bien.

— Il y a des problèmes avec votre radio. Le contact s'interrompt.

— Ah bon? Qu'est-ce que je dois faire?

— Essayez de revisser le couvercle de la batterie. Il doit être desserré.

— Non, je parlais de la voiture.

— Quoi? fit Thorne.

— Je suis à la voiture, Doc. J'y suis arrivée. Que faut-il que je fasse?

Levine regarda sa montre.

— Il reste vingt minutes avant l'arrivée de l'hélico, dit-il. Elle est capable de réussir.

DODGSON

Dodgson se réveilla, le corps raide, endolori, sur le sol cimenté de la cabane à outils. Il se leva, regarda par la fenêtre. Il vit des traînées rougeâtres sur le fond bleu pâle du ciel. Il ouvrit la porte, sortit.

Il avait très soif et mal par tout le corps ; il commença à marcher sous la voûte des arbres. La jungle était silencieuse. Il lui fallait de l'eau... Avant tout, il lui fallait de l'eau. Quelque part sur sa gauche, il perçut le murmure d'un ruisseau. Il prit cette direction, en pressant le pas.

À travers les arbres, il vit que le ciel devenait plus clair. Il savait que Malcolm et ses amis étaient encore sur l'île. Ils devaient avoir prévu quelque chose pour repartir ; si les autres pouvaient quitter l'île, il le ferait aussi.

Au sommet d'une petite élévation, son regard plongea dans une ravine où coulait un ruisseau. L'eau paraissait limpide. Il commença à dévaler la pente, en se demandant si l'eau était polluée. Il décida que cela n'avait pas d'importance. Juste avant d'atteindre le lit encaissé du ruisseau, il trébucha sur une racine, s'étala de tout son long en jurant.

Il se releva, tourna la tête. Il vit que ce n'était pas dans une racine qu'il s'était pris le pied.

C'était dans la sangle d'un sac à dos vert.

Dodgson tira sur la sangle, tout le sac sortit des fougères. Il était lacéré, couvert de croûtes de sang. Quand Dodgson le souleva, le contenu se répandit au milieu des frondes ; il y avait une nuée de mouches. Il vit un appareil photo, un récipient métallique, une bouteille d'eau en plastique. Il fouilla au pied des fougères, ne trouva rien d'autre que quelques confiseries gorgées d'eau.

Dodgson vida la bouteille d'eau, se rendit compte qu'il était affamé. Il ouvrit la boîte métallique, espérant y trouver quelque chose de comestible. La boîte ne contenait pas de nourriture; elle était garnie de mousse.

Au creux de la mousse se trouvait une radio.

Dodgson la mit en marche; le témoin lumineux des piles s'alluma aussitôt. Il passa les différentes fréquences en revue, perçut des grésillements de parasites.

Il entendit soudain une voix d'homme.

— Sarah? C'est Thorne. Sarah?

Quelques secondes plus tard, une voix de femme répondit.

— Doc? Vous avez entendu? J'ai dit que j'étais à la voiture.

Dodgson écouta, un sourire se forma sur ses lèvres.

Il y avait une voiture.

Thorne rapprocha la radio de sa bouche.

— Très bien, fit-il. Sarah, écoutez-moi attentivement. Montez dans la voiture et faites exactement ce que je dis.

— Bien reçu, répondit Sarah. Mais dites-moi d'abord si Levine est avec vous.

— Il est là.

La radio grésilla.

— Demandez-lui, reprit-elle, s'il y a quelque chose à craindre d'un dinosaure vert, d'un mètre vingt de haut, à la tête bombée.

— Oui, fit Levine en hochant la tête. Ce sont des pachycéphalosaures.

— Il dit que oui, répéta Thorne. Ce sont des pachycéphalosaures et vous devez être prudente. Pourquoi?

— Parce qu'il y en a une cinquantaine autour de la voiture.

L'EXPLORER

L'Explorer était immobilisé dans une portion ombragée de la route, sous un dôme de feuillage. La voiture s'était arrêtée juste après une dépression où l'eau avait dû s'accumuler pendant l'orage. L'eau s'était transformée en boue, à cause de la douzaine d'animaux qui y étaient assis, y pataugeaient ou y buvaient. C'étaient les dinosaures verts au crâne bombé que Sarah observait depuis plusieurs minutes, en hésitant sur la conduite à tenir. Non seulement des animaux entouraient la flaque boueuse, mais il y en avait d'autres devant la voiture et sur les côtés.

Sarah avait éprouvé une certaine appréhension en observant les pachycéphalosaures. Elle avait passé beaucoup de temps sur le terrain, avec des animaux sauvages, mais, en général, des animaux qu'elle connaissait bien. Elle savait par expérience jusqu'à quelle distance elle pouvait s'approcher, et dans quelles circonstances. S'il s'agissait d'un troupeau de gnous, elle avançait sans hésitation. Devant un troupeau de bisons d'Amérique, en étant plus prudente, elle s'approchait quand même; mais, avec des buffles, elle gardait ses distances.

— Combien de temps reste-t-il? demanda Sarah en approchant le micro de sa bouche.

— Vingt minutes.

— Alors, il faut y aller. Quelqu'un a une idée?

Il y eut un silence, interrompu par des grésillements.

— Sarah? fit Doc. Levine dit que personne ne sait rien sur ces animaux.

— Parfait. Merci.

— Il dit qu'on n'en a jamais découvert un squelette complet. Personne n'a la moindre idée de leur comportement, sinon qu'ils sont probablement agressifs.

– Parfait, répéta Sarah.

Elle étudia la position de la voiture et des branches qui la surplombaient. La zone ombragée donnait une impression de tranquillité à la clarté indécise du jour.

– Levine dit que vous pouvez essayer d'avancer lentement, reprit Thorne, et que vous verrez si le troupeau vous laisse passer. Mais évitez tout mouvement brusque.

Sarah continua d'étudier les animaux en se disant qu'il devait y avoir une raison à la forme en dôme de leur tête.

– Merci, répondit-elle. Je vais essayer autre chose.

– Quoi ?

– Qu'est-ce qu'elle a dit ? demanda Levine.

– Qu'elle allait essayer autre chose.

– Quoi, autre chose ?

Levine s'avança vers la fenêtre ; le ciel blanchissait. Le front plissé par la réflexion, il se dit que ce détail pouvait avoir son importance. Cela lui rappelait quelque chose, mais il ne parvenait pas à le retrouver.

Quelque chose ayant trait à la lumière du jour...

Et au territoire.

Le territoire...

Il leva de nouveau les yeux vers le ciel, en se creusant la cervelle. Quelle importance pouvait avoir le lever du jour ? Il secoua la tête, renonça à chercher.

– Combien de temps faut-il pour rétablir les coupe-circuit ?

– Une ou deux minutes, répondit Thorne.

– Alors, il n'est peut-être pas trop tard.

La radio émit des sifflements de parasites, puis ils entendirent la voix de Sarah.

– C'est bon. Je suis au-dessus de la voiture.

– Vous êtes où ?

– Au-dessus de la voiture, répéta-t-elle. Dans un arbre.

Sarah s'éloigna du tronc, sentit ployer sous elle la branche sur laquelle elle était perchée. La branche semblait flexible. Sarah était à trois mètres au-dessus de la voiture ; la branche se courbait de plus en plus. Seuls quelques animaux avaient levé la tête vers elle, mais le troupeau paraissait excité. Ceux qui se vautraient dans la boue se levèrent, commencèrent à tourner sur eux-mêmes ; elle vit leur queue s'agiter nerveusement.

Elle avança un peu, la branche s'abaissa ; l'écorce était encore glissante de la pluie de la nuit. Elle essaya d'estimer sa position par rapport à la voiture, la trouva satisfaisante.

Soudain, un des dinosaures se jeta tête baissée contre le tronc de son arbre. Le choc fut d'une violence surprenante. L'arbre oscilla, la branche de Sarah se balança fortement ; elle se cramponna de son mieux.

« Merde ! » se dit-elle.

Elle s'éleva en l'air, redescendit, sentit qu'elle lâchait prise. Ses mains glissèrent sur les feuilles et l'écorce mouillées ; elle tomba. Au dernier moment, elle vit qu'elle allait rater la voiture. Elle toucha terre, rudement, sur le sol détrempé.

Juste à côté des animaux.

La radio grésilla.

— Sarah ? fit Thorne.

— Où en est-elle maintenant ? demanda Levine en allant et venant devant la fenêtre. J'aimerais voir ce qu'elle fait.

Dans le fond de la pièce, Kelly se leva en se frottant les yeux.

— Pourquoi ne vous servez-vous pas de la vidéo ? fit-elle.

— Quelle vidéo ? demanda Thorne en se retournant.

— C'est un ordinateur, poursuivit Kelly en montrant la caisse enregistreuse.

— Tu crois ?

— Oui, je crois.

Kelly s'installa en bâillant sur la chaise placée devant la caisse. C'était probablement un simple terminal, qui n'aurait pas accès à grand-chose ; mais cela valait la peine d'essayer. Elle mit l'appareil sous tension. Rien. Elle actionna plusieurs fois le commutateur. Toujours rien.

En balançant les jambes, elle toucha un câble sous la table. Elle se pencha, vit que le terminal était débranché. Elle brancha le câble.

L'écran s'alluma, un seul mot s'afficha : LOGING :

Elle savait qu'il lui fallait un mot de passe pour aller plus loin. Arby en avait un. Elle se tourna vers lui, vit qu'il dormait encore ; elle ne voulait pas le réveiller. Elle se rappela qu'il l'avait écrit sur un bout de papier qu'il avait fourré dans sa poche. Il y était peut-être encore. Elle traversa la pièce, se pencha sur le tas de vêtements tout crottés, entreprit d'explorer le contenu des poches. Elle trouva son portefeuille, les clés de son domicile, quelques autres bricoles. Enfin, dans la poche arrière, elle découvrit un bout de papier ; il était humide, souillé de boue. L'encre avait bavé, mais elle parvint à déchiffrer l'écriture : VIG/&*849/

Kelly repartit vers l'ordinateur avec le papier. Elle tapa soigneusement tous les caractères, appuya sur la touche Entrée. Un nouvel écran s'afficha. Elle s'étonna de voir qu'il était différent de celui qu'elle avait vu dans le camion.

InGen
Site B Network Services

Elle était entrée dans le système ; mais tout avait l'air différent. Peut-être parce que ce n'était pas le réseau radio. Elle avait dû entrer dans le système du laboratoire. Les graphiques étaient plus nombreux, car le terminal était câblé. Peut-être même utilisaient-ils la fibre optique.

– Kelly ? lança Levine, à l'autre bout de la pièce. Où en es-tu ?

– Ça avance, répondit-elle.

Prudemment, elle commença à frapper sur le clavier. Des rangées d'icônes traversèrent rapidement l'écran.

Elle savait qu'il s'agissait d'une sorte d'interface graphique, mais la signification des images n'était pas évidente, il n'y avait aucune explication. Les utilisateurs de ce système avaient dû apprendre ce qu'elles signifiaient ; Kelly n'en savait rien. Elle cherchait à entrer dans le système vidéo, mais aucune des icônes ne semblait avoir de rapport avec la vidéo. Elle déplaça le curseur en se demandant ce qu'elle devait faire.

Elle allait faire cela au pifomètre. Elle choisit l'icône en losange, en bas à gauche de l'écran. Elle cliqua.

– Aïe! fit-elle, inquiète.

– Qu'est-ce qui se passe? demanda Levine.

– Rien, répondit-elle. Tout va bien.

Elle cliqua rapidement sur l'en-tête, revint à l'écran précédent. Cette fois, elle essaya une des icônes triangulaires.

Un nouveau tableau s'afficha.

« J'y suis », se dit-elle. Le tableau s'effaça aussitôt, des images vidéo apparurent sur l'écran. Sur le petit moniteur de la caisse, les images étaient minuscules, mais elle était maintenant sur son terrain. Elle déplaça rapidement le curseur, jongla avec les images.

– Que cherchez-vous? demanda-t-elle.

– L'Explorer, répondit Thorne.

Elle cliqua. L'image s'agrandit, occupa tout l'écran.

– Je l'ai!

– Vraiment? fit Levine, l'air étonné.

– Oui, répondit Kelly en le regardant dans les yeux.

Les deux hommes s'approchèrent pour regarder l'écran par-dessus son épaule. Ils virent l'Explorer sur une route, dans l'ombre. Ils virent les pachycéphalosaures, en grand nombre, rassemblés autour de la voiture. Les animaux poussaient du front les pneus et le pare-buffle.

Mais ils ne voyaient Sarah nulle part.

– Où est-elle? fit Thorne.

Sarah Harding était sous la voiture, là joue dans la boue. Elle s'y était glissée après sa chute – c'était le seul abri possible – et regardait les pieds des animaux qui tournaient autour de la Jeep.

– Doc? fit-elle à la radio. Vous me recevez, Doc?

Cette saleté de radio ne marchait encore plus!

Les animaux tapaient du pied en grognant; ils essayaient de l'atteindre sous la voiture.

Les paroles de Thorne lui revinrent en mémoire ; il avait parlé du couvercle de la batterie. Elle passa la main dans son dos, revissa à fond le couvercle.

Elle entendit aussitôt des grésillements dans son casque.

— Doc ?

— Où êtes-vous ?

— Sous la voiture.

— Pourquoi ? Vous avez déjà essayé ?

— Essayé quoi ?

— De la mettre en marche. De démarrer la voiture.

— Non, répondit Sarha, je n'ai pas essayé de la démarrer. Je suis tombée.

— Eh bien, reprit Thorne, profitez-en pour regarder les coupe-circuit.

— Ils sont dessous ?

— Une partie. Regardez vers les roues avant.

Elle se tortilla, glissa sur la boue.

— J'y suis, fit-elle.

— Il y a une boîte juste derrière le pare-chocs, sur la gauche.

— Je la vois.

— Pouvez-vous l'ouvrir ?

— Je crois.

Elle se traîna un peu plus loin, actionna le mécanisme d'ouverture. Le couvercle s'ouvrit ; elle vit trois interrupteurs noirs.

— Je vois trois interrupteurs, en position haute.

— Haute ?

— Vers l'avant de la voiture.

— Hum ! fit Thorne. Ce n'est pas normal ; pouvez-vous lire ce qui est écrit ?

— Oui. Il y a 15 VV et 02 R.

— D'accord, fit-il. Cela explique tout.

— Quoi ?

— La boîte est à l'envers. Changez la position des interrupteurs. Vous êtes sèche ?

— Non, Doc, je suis trempée. Je suis allongée dans la boue.

— Utilisez la manche de votre chemise ou autre chose.

Sarah se traîna vers le pare-chocs. Les dinosaures les plus proches se mirent à grogner en donnant des coups de tête. Ils se baissèrent, tordant le cou pour essayer de l'atteindre.

— Ils ont très mauvaise haleine, fit Sarah.

— Vous pouvez répéter ?

— Peu importe.

Elle actionna les interrupteurs, l'un après l'autre. Elle perçut un bourdonnement, venant du moteur.

— Voilà, c'est fait. La voiture fait du bruit.

– Très bien, dit Thorne.

– Et maintenant ?

– C'est tout. Vous attendez.

Elle resta allongée dans la boue, les yeux fixés sur les pieds des pachycéphalosaures qui s'agitaient et frappaient le sol.

– Combien de temps reste-t-il ?

– Une dizaine de minutes.

– Vous savez, Doc, je suis coincée ici.

– Je sais.

Elle continua de regarder les dinosaures. Il y en avait de tous les côtés. Ils semblaient de plus en plus agités et nerveux ; ils tapaient du pied en soufflant. Elle se demanda pourquoi ils étaient si excités. Soudain, le troupeau détala bruyamment. Les animaux se précipitèrent vers l'avant de la voiture, s'élancèrent sur la route à toutes jambes. Elle se tortilla dans la boue, les regarda s'enfuir.

Le silence tomba.

– Doc ? fit-elle.

– Oui.

– Pourquoi sont-ils partis ?

– Restez sous la voiture, dit Thorne.

– Doc ?

– Ne parlez pas.

La communication fut coupée.

Elle attendit, ignorant ce qui se passait. Elle avait perçu la tension dans la voix de Thorne ; elle n'en connaissait pas la raison. Elle entendit un léger frottement, tourna la tête, vit deux pieds apparaître devant la portière du conducteur.

Deux pieds dans des bottes crottées.

Des bottes d'homme.

Sarah se rembrunit. Elle reconnaissait les bottes, elle reconnaissait le pantalon kaki, même couverts de boue.

C'était Dodgson.

Les bottes se tournèrent vers la portière. Elle entendit le déclic de la serrure.

Dodgson allait prendre la voiture.

Sarah réagit vite, sans prendre le temps de réfléchir. Elle roula sur elle-même, tendit les bras, saisit les deux chevilles. Elle tira de toutes ses forces. Dodgson bascula en arrière en poussant un cri de surprise. Il tomba sur le dos, se tourna vers Sarah, la face cramoisie.

Il la vit, lui lança un regard noir.

– Merde alors ! Je croyais en avoir fini avec vous sur le bateau !

La fureur empourpra le visage de Sarah ; elle se mit à ramper pour sortir de dessous la voiture. Son corps était à moitié dégagé, quand

Dodgson se mit à genoux. Sarah sentit le sol commencer à trembler ; elle comprit aussitôt pourquoi. Elle vit Dodgson regarder par-dessus son épaule et se jeter à plat ventre. Elle repartit précipitamment en arrière, à l'abri de la voiture.

Sarah se retourna ; elle vit le tyrannosaure monter la route dans leur direction. Le sol vibrait à chacun de ses pas. Toujours à plat ventre, Dodgson était en train de se glisser sous la voiture. Il se rapprocha de Sarah, mais elle ne s'occupa pas de lui ; toute son attention était concentrée sur les énormes pieds aux griffes écartées qui s'arrêtèrent à la hauteur de la voiture. Les pieds mesuraient près d'un mètre. Elle entendit le tyrannosaure gronder.

Elle regarda Dodgson ; il avait les yeux écarquillés de terreur. Le tyrannosaure resta près de la voiture. Les pieds se déplacèrent légèrement ; elle entendit l'animal renifler. Puis la tête descendit. La mâchoire inférieure toucha le sol ; elle ne voyait pas les yeux, juste la mâchoire. Le tyrannosaure renifla de nouveau, longuement.

Il les sentait.

Dodgson tremblait comme une feuille. Mais Sarah demeurait étrangement calme ; elle savait ce qu'elle avait à faire. Elle changea rapidement de position, se plaça de telle manière que sa tête et ses épaules prennent appui sur la roue arrière. Dodgson se retourna au moment où il sentit Sarah exercer une poussée sur ses jambes. Elle les poussait vers l'extérieur.

Dodgson résista avec une énergie décuplée par la terreur, il essaya de rentrer les jambes sous la voiture, mais la position de Sarah était beaucoup plus solide. Centimètre par centimètre, les bottes sortirent dans la lumière froide du matin. Les mollets suivirent. Elle rassembla toutes ses forces, continua de pousser en ahanant.

— Qu'est-ce que vous faites ? lança Dodgson d'une voix de fausset.

Elle entendit le tyrannosaure gronder ; elle vit les pieds gigantesques remuer.

— Arrêtez ! reprit Dodgson. Vous êtes folle ! Arrêtez tout de suite !

Mais Sarah ne l'écouta pas. Elle appuya le pied sur l'épaule de Dodgson, poussa de toutes ses forces. Il résista un moment ; d'un seul coup, son corps glissa. Elle vit que le tyrannosaure avait pris la jambe de Dodgson dans sa gueule, qu'il le tirait de dessous la voiture.

Dodgson se cramponna à la chaussure de Sarah, essayant de se retenir, de l'entraîner avec lui. Elle posa l'autre pied sur sa joue, poussa un grand coup. Il lâcha prise.

Elle vit son visage déformé par la terreur, livide, la bouche ouverte. Pas un son ne franchit ses lèvres. Elle vit ses doigts, enfoncés dans la terre détrempée, laisser des marques profondes en glissant. Puis le corps disparut. Tout devint étrangement silencieux. Elle vit Dodgson rouler sur le dos, les yeux levés au ciel, et l'ombre du tyrannosaure le recouvrir. La grosse tête descendit, la gueule ouverte. Elle entendit Dodgson former un cri inarticulé quand les mâchoires énormes le prirent pour le soulever.

En continuant de hurler, Dodgson sentit qu'il s'élevait très haut, à six mètres du sol. D'un instant à l'autre, il le savait, les mâchoires géantes se refermeraient en claquant et il allait mourir. Mais les mâchoires ne se refermaient pas. Il sentait une douleur lancinante sur ses flancs, mais elles ne se refermaient pas.

Dodgson sentit qu'il était transporté dans la jungle ; des hautes branches lui fouettaient le visage. L'haleine brûlante de l'animal enveloppait son corps, de la bave coulait sur sa poitrine. Il se dit qu'il allait tourner de l'œil.

Les mâchoires ne se refermaient toujours pas.

Les yeux rivés sur le petit moniteur du magasin, ils virent Dodgson disparaître dans la jungle, dans la gueule du tyrannosaure. Ils entendirent à la radio ses hurlements affaiblis par la distance.

— Vous voyez ? lança Malcolm. Il y a un Dieu !

— Le *rex* ne l'a pas tué, observa Levine, le front plissé. Regardez, ajouta-t-il en montrant l'écran, on voit ses bras qui s'agitent. Pourquoi ne l'a-t-il pas tué ?

Sarah Harding attendit que les cris soient à peine audibles. Elle se traîna hors de sa cachette, se mit debout dans la lumière encore indécise. Elle ouvrit la portière, s'installa au volant. La clé était sur le contact ; elle la saisit de ses doigts glissants, la tourna.

Il y eut une sorte de halètement, suivi d'un sifflement continu. Toutes les lumières du tableau de bord s'allumèrent. Puis ce fut le silence. La voiture marchait-elle ? Elle manœuvra le volant, il tourna sans difficulté. La direction répondait.

— Doc ?

— Oui, Sarah.

— La voiture fonctionne. J'arrive.

— Très bien, répondit-il. Faites vite.

Elle mit la voiture en prise, sentit la transmission s'enclencher. Le moteur était étonnamment silencieux. Cela lui permit d'entendre le murmure lointain d'un hélicoptère.

LA LUMIÈRE DU JOUR

Sarah suivait sous une épaisse couverture végétale la route qui la ramenait au lotissement. Le bruit des rotors de l'hélicoptère gagnait en intensité. L'appareil passa au-dessus d'elle, invisible derrière l'écran du feuillage. La vitre baissée, elle tendit l'oreille. L'hélico semblait se diriger vers la droite, vers le sud.

La radio grésilla.

— Sarah ?

— Oui, Doc.

— Il y a un problème : nous ne pouvons communiquer avec l'hélicoptère.

— D'accord, fit-elle.

Elle avait compris ce qu'il attendait d'elle.

— Où est l'aire d'atterrissage ?

— Au sud, à quinze cents mètres. Il y a une clairière ; prenez la route de la corniche.

Elle arrivait à l'embranchement. Elle vit la route de la corniche, qui partait sur la droite.

— C'est bon, fit-elle. J'y vais.

— Demandez-leur de nous attendre, reprit Thorne. Puis revenez nous chercher.

— Tout le monde va bien ? demanda-t-elle.

— Tout le monde va bien.

Elle suivit la route, perçut un changement dans le bruit de l'hélicoptère. L'appareil devait se poser. Les rotors continuèrent à tourner ; un vrombissement sourd, signifiant que le pilote n'allait pas couper les gaz.

La route tourna à gauche. Le bruit de l'hélicoptère n'était plus qu'un bourdonnement assourdi. Elle accéléra ; la Jeep chassa dans le virage. La route était encore mouillée, après la pluie de la nuit. La voiture ne soulevait pas de nuage de poussière ; rien n'indiquait sa présence.

– Doc ? Combien de temps vont-ils attendre ?

– Je ne sais pas, répondit Thorne. Vous voyez l'appareil ?

– Pas encore.

Levine restait planté devant la fenêtre. Il regarda le ciel qui s'éclaircissait, derrière les arbres. Les traînées rouges avaient disparu à l'orient. Tout était maintenant d'un bleu très lumineux. Le jour se levait.

Le jour...

Tout se mit en place dans son esprit. Il ne put réprimer un frisson. Il traversa le magasin, jusqu'à la fenêtre du mur opposé, regarda en direction du court de tennis. Son attention se fixa sur l'endroit où il avait vu les dinosaures, pendant la nuit. Ils n'étaient plus là.

Comme il le redoutait.

– Ça se présente mal, fit-il.

– Il est juste 8 heures, dit Thorne en jetant un coup d'œil à sa montre.

– Combien de temps lui faudra-t-il ? poursuivit Levine.

– Je ne sais pas. Trois ou quatre minutes.

– Et pour revenir ?

– Cinq autres minutes.

– J'espère que nous tiendrons jusque-là, fit Levine, la mine sombre.

– Pourquoi ? demanda Thorne. Nous sommes en sécurité, non ?

– Dans quelques minutes, poursuivit Levine, le soleil brillera dehors.

– Et alors ?

– Doc ? fit Sarah, à la radio. Je le vois. Je vois l'hélicoptère.

En débouchant du dernier virage, Sarah vit l'aire d'atterrissage sur sa gauche. L'hélicoptère était là, les pales tournant lentement. Elle aborda une autre intersection ; une route étroite descendait vers la gauche, s'enfonçait dans une végétation touffue avant d'arriver dans la clairière. Elle s'y engagea ; plusieurs virages serrés l'obligèrent à ralentir dans la descente. Elle se retrouva dans la jungle, sous une haute voûte de feuillage. Le terrain s'aplanit, elle traversa un petit ruisseau en projetant de grandes gerbes d'eau ; elle put enfin accélérer.

Droit devant, il y avait une trouée dans le couvert végétal et le soleil donnait dans la clairière. Elle vit l'hélicoptère. Les pales commençaient à tourner plus vite... Il allait partir ! Dans le cockpit le pilote portait des lunettes noires; elle le vit regarder sa montre, se tourner vers le copilote en secouant la tête. L'appareil commença à décoller.

Sarah klaxonna, écrasa la pédale d'accélérateur. Mais elle savait qu'ils ne pouvaient l'entendre. La voiture sautait, cahotait.

— Qu'y a-t-il, Sarah? demanda Thorne, à la radio. Que se passe-t-il?

Sans lâcher l'accélérateur, elle pencha la tête par la vitre baissée.

— Attendez! Attendez!

L'hélicoptère avait quitté le sol; il prit de la hauteur, cessa d'être visible. Le bruit des rotors s'estompa. Quand la voiture déboucha dans la clairière, Sarah eut le temps de voir l'appareil disparaître derrière la ceinture rocheuse de l'île.

Le ciel demeura vide.

— Restons calmes, fit Levine en marchant nerveusement dans le magasin. Dites-lui de revenir tout de suite. Et restons calmes.

Il semblait parler pour lui-même. Il alla d'un mur à l'autre, tapa du poing sur les planches en secouant la tête d'un air malheureux.

— Dites-lui de faire vite, reprit-il. Vous croyez qu'elle pourra être de retour dans cinq minutes?

— Oui, répondit Thorne. Pourquoi? Que se passe-t-il, Richard?

— La lumière du jour, fit Levine en indiquant la fenêtre. Nous sommes pris au piège, à la lumière du jour.

— Nous sommes restés ici une partie de la nuit, dit Thorne. Tout s'est bien passé.

— C'est différent à la lumière du jour.

— Pourquoi?

— La nuit, c'est le territoire des *Carnotaurus*. Les autres animaux ne s'y risquent pas; nous n'en avons vu aucun autre pendant la nuit. Mais, quand le jour se lève, les *Carnotaurus* ne peuvent plus se cacher. Ils ne peuvent rester en plein soleil, dans des endroits dégagés. Alors, ils vont partir. Et ce ne sera plus leur territoire.

— Ce qui signifie?

Levine jeta un coup d'œil en direction de Kelly, devant l'ordinateur de la caisse.

— Croyez-moi sur parole, reprit-il après une hésitation. Nous devons partir tout de suite.

— Pour aller où?

Kelly avait suivi la conversation entre Doc et le docteur Levine. Elle tripotait le bout de papier portant le mot de passe d'Arby. Elle se sentait très nerveuse. Les paroles du docteur Levine la rendaient très nerveuse. Elle attendait le retour de Sarah avec impatience; elle se sentirait mieux quand Sarah serait là.

Kelly n'avait pas envie de réfléchir à la situation. Elle avait réussi à garder le moral, à ne pas craquer jusqu'à l'arrivée de l'hélicoptère. Mais il était reparti sans eux. Elle remarqua que les deux hommes n'avaient pas dit un mot sur un prochain passage. Peut-être savaient-ils quelque chose ; que l'hélicoptère ne reviendrait pas, par exemple.

Quand le docteur Levine déclara qu'il fallait quitter rapidement le magasin, Thorne lui demanda où il voulait aller.

– Je préférerais quitter cette île, répondit Levine, mais je ne vois pas comment. J'imagine que le mieux est de regagner la remorque. Ce sera l'endroit le plus sûr.

Retourner dans la remorque ! Là où elle était allée chercher Malcolm avec Sarah. Kelly ne voulait pas retourner dans la remorque.

Elle voulait rentrer chez elle.

Elle lissa nerveusement le papier humide, l'aplatit sur la table. Le docteur Levine s'approcha.

– Tu perds ton temps, dit-il. Essaie plutôt de trouver Sarah.

– Je veux rentrer chez moi, fit Kelly.

– Je sais, Kelly, répondit Levine avec un soupir. Nous voulons tous rentrer.

Il repartit, d'un pas vif, la démarche raide.

Kelly retourna le bout de papier, s'apprêta à le glisser sous le clavier, pour le cas où elle aurait encore besoin du mot de passe. En le retournant, son attention fut attirée par des inscriptions.

Elle le reprit et lut :

SITE B LEGENDES

AILE EST	AILE OUEST	AIRE CHARGEMENT
LABORATOIRE	AIRE ASSEMBLAGE	ENTREE
BATIM ISOLES	CABLE PRINCIPAL	TURBINE GEO
MAGASIN	VILLAGE OUVRIER	CABLE GEO
STAT ESSENCE	PISCINE/TENNIS	PUTTING GREENS
LOGEM DIRECT	SENTIER JOGGING	TUYAU ESSENCE
SECURITE UN	SECURITE DEUX	LIGNES THERM
QUAI RIVIERE	ABRI BATEAUX	SOLAIRE UN
ROUTE MARAIS	ROUTE RIVIERE	ROUTE CORNICHE
ROUTE MONTAGNE	ROUTE FALAISE	ENCLOS

Elle comprit aussitôt ce que c'était : l'impression de l'écran de l'ordinateur, dans l'appartement du docteur Levine. Le soir où Arby avait récupéré les fichiers. Elle avait l'impression que cela remontait à un million d'années, dans une autre vie. En réalité, cela ne faisait que... quoi ? Deux jours seulement !

Elle se souvint de la fierté d'Arby quand il avait récupéré les informations. Ils avaient essayé de comprendre ce que signifiait la liste ; maintenant, bien sûr, tous ces noms avaient un sens. C'étaient des endroits bien réels : le laboratoire, le village des ouvriers, le magasin, la station d'essence...

Elle écarquilla les yeux.

« Tu rêves », se dit-elle.

— Docteur Thorne, lança Kelly. Vous devriez venir jeter un coup d'œil.

Thorne regarda ce que Kelly lui montrait.

— Tu crois que c'est possible ? fit-il.

— C'est ce qui est écrit : abri à bateaux.

— Peux-tu le trouver, Kelly ?

— Avec la vidéo, vous voulez dire ? Je peux essayer, ajouta Kelly en haussant les épaules.

— Vas-y.

Thorne se tourna vers Levine, qui recommençait à taper sur les murs. Il prit la radio.

— Sarah ? C'est Doc.

Il entendit des parasites, puis la voix de Sarah.

— Doc ? J'ai été obligée de faire une petite halte.

— Pourquoi ? demanda Thorne.

Sarah Harding s'était arrêtée sur la route de la corniche. Cinquante mètres devant, le tyrannosaure descendait la route. Elle voyait qu'il tenait encore Dodgson dans sa gueule. Et Dodgson était encore vivant. Son corps s'agitait ; elle crut l'entendre crier.

Elle constata avec étonnement qu'elle n'éprouvait rien pour lui. Elle suivit d'un regard froid le tyrannosaure qui quittait la route et descendait une pente abrupte pour s'enfoncer dans la jungle.

Sarah redémarra et poursuivit prudemment sa route.

Kelly fit défiler les images vidéo sur la console de l'ordinateur, jusqu'à ce qu'elle trouve ce qu'elle cherchait : un quai en bois, à l'intérieur d'une petite construction, dont une extrémité était ouverte. L'intérieur de l'abri à bateaux semblait en assez bon état ; il n'y avait pas beaucoup de plantes grimpantes ni de fougères. Elle vit un canot automobile amarré au quai, battant les planches. Elle vit aussi trois bidons de carburant. Au fond de l'abri, il y avait de l'eau, éclairée par le soleil ; ce devait être une rivière.

— Qu'en pensez-vous ? demanda-t-elle à Thorne.

— Je crois que cela vaut la peine d'essayer, répondit-il en regardant par-dessus son épaule. Mais où est cet abri ? Peux-tu trouver un plan ?

— Peut-être.

Kelly pianota sur le clavier, parvint à revenir à l'écran principal, avec ses icônes ésotériques.

Arby se réveilla, s'approcha en bâillant pour voir ce qu'elle faisait.

— L'infographie est jolie, fit-il. Alors, tu as réussi à entrer ?

— Oui, répondit Kelly, mais j'ai un peu de mal à m'y retrouver.

Levine continuait de marcher de long en large, en s'arrêtant devant les fenêtres.

— Tout ça, c'est bien beau, lança-t-il, mais il fait de plus en plus jour. Vous ne comprenez pas ? Il faut absolument sortir d'ici. Cette construction n'a pas des murs épais. C'est parfait pour les tropiques, mais ce n'est en fait qu'une cabane...

— Cela suffira, fit Thorne.

— Trois minutes, peut-être, insista Levine. Tenez, regardez ça.

Il s'avança vers la porte, frappa des jointures des doigts.

— Cette porte est...

Avec un grand bruit, le bois se fendit en éclats autour de la serrure ; la porte s'ouvrit violemment. Levine fut projeté en arrière, il tomba lourdement sur le plancher.

Un raptor sifflant s'encadra dans le chambranle.

ISSUE DE SECOURS

Devant la console, Kelly fut pétrifiée de terreur. Elle regarda Thorne s'élancer sur le côté et se jeter de tout son poids contre la porte, la faisant claquer sur le raptor. Surpris, l'animal fut repoussé en arrière. Thorne s'arc-bouta contre la porte. De l'autre côté du panneau, le raptor tambourina en grondant.

— Venez m'aider ! hurla Thorne.

Levine se releva, vint ajouter son poids à celui de Thorne.

— Je vous l'avais dit ! cria-t-il.

Des raptors apparurent soudain tout autour du magasin, ils se jetèrent en grondant sur les fenêtres, enfonçant les barreaux d'acier, les poussant vers les vitres. Ils se précipitèrent contre les murs de bois, renversant des étagères, projetant avec fracas des boîtes et des bouteilles sur le sol. Le bois des murs commença à se fendre en plusieurs endroits.

— Trouve quelque chose ! lança Levine à Kelly.

Le regard fixe, elle avait oublié l'ordinateur.

— Allez, Kelly ! fit Arby. Concentre-toi !

Elle se retourna vers l'écran, sans savoir que faire. Elle cliqua sur la croix, à gauche. Rien. Elle essaya le cercle, dans l'angle supérieur gauche. Des icônes apparurent, emplirent l'écran.

— Ne t'inquiète pas, fit Arby. Il doit y avoir une clé pour expliquer ça. Il suffirait de savoir...

Mais Kelly n'écoutait pas. Elle enfonçait des touches, elle déplaçait le curseur, espérant qu'il se passerait quelque chose, espérant trouver un menu d'assistance. N'importe quoi.

Soudain, l'image de l'écran commença à onduler, à se déformer.

— Qu'est-ce que tu as fait ? demanda Arby d'une voix inquiète.

— Je ne sais pas, répondit Kelly, le front moite de sueur.

Elle écarta les mains du clavier.

— C'est pire, déclara Arby. Il ne fallait pas faire ça.

L'image continua à se tordre, les icônes à se déformer en changeant lentement de position.

— Alors, les enfants ? rugit Levine.

— On fait ce qu'on peut ! lança Kelly.

— Cela devient un cube, souffla Arby.

Thorne poussa la grande vitrine réfrigérée devant la porte. Les raptors se jetèrent contre le fond métallique, les boîtes s'entrechoquèrent.

— Où sont les fusils ? demanda Levine.

— Sarah en a trois dans la voiture.

— Bravo !

Aux fenêtres, plusieurs barreaux, complètement tordus, firent éclater les vitres. Sur le mur de droite, le bois volait en éclats, des brèches s'ouvraient.

— Il faut sortir d'ici ! cria Levine à Kelly. Il faut trouver un moyen !

Il se précipita à l'arrière du magasin, vers les toilettes. Il revint presque aussitôt.

— Ils sont là-bas aussi !

Tout allait très vite, trop vite.

Sur l'écran, Kelly voyait maintenant un cube qui tournait, comme autour d'un pivot. Elle ne savait comment l'arrêter.

— Vas-y, Kelly! fit Arby en fixant sur elle son œil tuméfié. Tu vas réussir! Concentre-toi!

Tout le monde hurlait en même temps. Kelly suivait les rotations du cube; elle se sentait perdue, impuissante. Elle ne savait plus ce qu'elle faisait. Elle ne savait plus pourquoi elle était là. Elle ne comprenait plus rien à rien. Pourquoi Sarah n'était-elle pas revenue?

— Vas-y! souffla Arby dans son oreille. Essaie les icônes l'une après l'autre. Tu peux y arriver, Kelly! Continue! Concentre-toi!

Mais elle ne parvenait pas à se concentrer. Elle ne pouvait cliquer sur les icônes; elles tournaient trop vite sur l'écran. Il devait y avoir des processeurs montés en parallèle pour commander toute l'infographie. Kelly ne pouvait que regarder. Elle pensait à toutes sortes de choses; des idées fugaces lui traversaient l'esprit.

Le câble sous le bureau.

Le terminal était câblé.

Tous ces graphiques.

Ce que lui avait dit Sarah dans le camion.

— Vas-y, Kelly. Il faut le faire maintenant. Trouve une solution.

Dans le camion, Sarah lui avait dit : « Le plus souvent, ce que les gens te diront sera faux. »

— C'est important, Kelly!

Elle sentait Arby trembler contre elle; elle savait qu'il se servait des ordinateurs pour occulter un certain nombre de choses...

Une nouvelle brèche s'ouvrit dans le mur, une planche de vingt centimètres de large se brisa net; un raptor passa la tête dans l'ouverture en grondant et en claquant des mâchoires.

L'esprit de Kelly revenait au câble sous le bureau... Le câble sous le bureau... Ses jambes avaient touché le câble sous le bureau.

Le câble sous le bureau.

— C'est important! répéta Arby.

La lumière se fit brusquement dans l'esprit de Kelly.

— Non, dit-elle en se tournant vers Arby. Ce n'est pas important.

Elle se laissa tomber au sol, se mit à quatre pattes sous le bureau.

— Qu'est-ce que tu fais? hurla Arby.

Kelly avait déjà la réponse. Elle vit que le câble de l'ordinateur s'enfonçait dans le plancher, par un petit trou. Elle vit un joint dans le plancher. Ses doigts tâtonnèrent, cherchant une prise. Le panneau céda d'un seul coup. Elle pencha la tête. Il y avait un trou noir.

Oui.

Un espace vide. Mieux, un tunnel.

— Par ici! cria Kelly.

La vitrine réfrigérée bascula en avant. Les raptors enfoncèrent la porte. D'autres animaux s'engouffrèrent par les brèches du mur, renversant les présentoirs. Les raptors bondirent dans la pièce. En grondant, en tournant la tête en tous sens. Ils trouvèrent les vêtements mouillés d'Arby, se jetèrent dessus pour les lacérer avec fureur.

Ils se déplaçaient rapidement, furetant dans toute la pièce, cherchant les proies.

Mais les proies avaient disparu.

LA FUITE

Kelly ouvrait la marche, une torche à la main. Ils avançaient, à la file indienne, entre deux murs de ciment suintants. Ils suivaient un tunnel d'un mètre vingt en largeur et en hauteur, sur la gauche duquel couraient des câbles retenus par des supports métalliques. Des canalisations d'eau et de gaz suivaient le plafond. Il flottait une odeur de moisi. Kelly entendit des couinements de rats.

Ils arrivèrent à un embranchement. Kelly regarda des deux côtés. Sur la droite, un long passage en ligne droite s'enfonçait dans les ténèbres. Il devait mener au laboratoire. Sur la gauche, une portion de tunnel, beaucoup plus courte, se terminait par un escalier.

Elle choisit la gauche.

Elle se hissa en haut d'un puits cimenté, poussa une trappe de bois. Elle déboucha dans un local technique, rempli de câbles et de tuyaux rouillés. Le soleil entrait par les vitres brisées. Les autres la rejoignirent.

En regardant par une fenêtre, elle vit la voiture de Sarah Harding qui venait dans leur direction.

Sarah suivait le bord de la rivière au volant de l'Explorer. Kelly était assise à l'avant. Elle vit un panneau de bois indiquant l'abri à bateaux.

– C'est donc l'infographie qui t'a donné l'idée ? fit Sarah d'un ton admiratif.

– J'ai compris, d'un seul coup, que ce que je voyais sur l'écran n'avait pas d'importance. Ce qui comptait, c'est qu'il y avait des quantités de données, des millions de pixels, et qu'il fallait nécessairement un câble. S'il y avait un câble, il passait quelque part. L'espace devait être assez grand pour que des ouvriers puissent faire les réparations. Vous voyez ?

– Voilà qui t'a donné l'idée de regarder sous le bureau.

– Oui, fit Kelly.

– C'est très bien, poursuivit Sarah. Je pense que quatre personnes te doivent la vie.

– On ne peut pas dire ça, protesta Kelly avec un petit haussement d'épaules.

– Toute ta vie, répliqua Sarah avec un regard réprobateur, les autres essaieront de s'approprier tes succès. Ne te les refuse pas.

La route de la rivière était boueuse et envahie par la végétation. Ils entendirent des cris lointains de dinosaures. Sarah contourna un tronc d'arbre, couché en travers de la route ; l'abri à bateaux leur apparut.

– J'ai un mauvais pressentiment, fit Levine.

De l'extérieur, la construction paraissait délabrée ; des plantes grimpantes la recouvraient en partie. Le toit s'était effondré à plusieurs endroits. Personne ne dit un mot quand l'Explorer s'arrêta devant une grande porte à deux battants, fermée avec un cadenas rouillé. Ils descendirent, s'élancèrent vers la porte en pataugeant dans la boue.

– Vous croyez vraiment qu'il y a un bateau là-dedans ? lança Arby d'un ton dubitatif.

Malcolm s'appuya sur Sarah, tandis que Thorne donnait un coup d'épaule à la porte. Des poutres craquèrent, quelques éclats de bois se détachèrent. Le cadenas tomba dans la boue.

– Tenez-le, fit Sarah en passant le bras de Malcolm sur l'épaule de Thorne.

À coups de pied, elle fit dans la porte une ouverture assez large pour passer. Elle entra sans hésiter, disparut dans la pénombre. Kelly la suivit.

– Vous voyez quelque chose ? demanda Levine en arrachant des planches pour agrandir l'ouverture.

Une araignée velue s'enfuit sur une poutre, se laissa tomber par terre.

– Il y a un bateau, répondit Sarah. Il a l'air en bon état.

Levine passa la tête dans l'ouverture.

– Je n'en reviens pas, fit-il. Nous allons peut-être réussir à quitter cette île.

EXIT

Lewis Dodgson tomba.

Quand le tyrannosaure le lâcha, il plongea dans le vide; sa chute s'acheva sur une déclivité de terre. Le choc lui coupa le souffle, sa tête heurta rudement le sol, il resta un moment étourdi. En ouvrant les yeux, il vit un petit mur de boue séchée. Une odeur aigre de pourriture lui piqua les narines. Il entendit un piaillement aigu qui le glaça de terreur.

Il se redressa sur un coude, vit qu'il était dans le nid des tyrannosaures. Autour de lui s'élevait le monticule de terre. Il y avait trois bébés; la jambe de l'un d'eux était gainée de papier aluminium. Les bébés poussaient des piaillements excités en s'avançant vers lui à petits pas mal assurés.

Dodgson se remit péniblement debout, ne sachant que faire. Le tyrannosaure qui l'avait transporté se tenait au-dessus de lui. Le second adulte était à l'autre bout du nid; il émettait une sorte de ronronnement discontinu.

Dodgson regarda les bébés s'approcher de lui, avec leur cou duveteux et leurs petites dents acérées; il se retourna pour prendre la fuite. En un instant, la grosse tête de l'adulte s'abaissa, jeta Dodgson à terre. Le tyrannosaure releva la tête et attendit. Il observait.

« Qu'est-ce que ça veut dire ? » se demanda Dodgson. Il se releva prudemment. Il fut repoussé au sol. Les bébés se rapprochèrent en piaillant. Ils avaient le corps couvert de fragments de chair et d'excréments. L'odeur était écœurante. Il se mit à quatre pattes, s'éloigna en rampant.

Quelque chose lui saisit la jambe, pour le retenir. Il tourna la tête, vit que sa jambe était prise entre les mâchoires du tyrannosaure. L'énorme animal se contentait de la serrer. Soudain, il donna un coup de dent. Les os craquèrent, se brisèrent.

Dodgson poussa un hurlement de douleur. Il ne pouvait plus bouger. Il ne pouvait plus rien faire d'autre que hurler. Les bébés impatients s'avancèrent. Ils restèrent à distance quelques secondes, le mordillant à petits coups de dents. Voyant que Dodgson ne s'éloignait pas, l'un d'eux s'enhardit, sauta sur sa jambe, commença à arracher des lambeaux de chair sanguinolente. Le deuxième bondit sur le haut de sa cuisse pour lui picoter la taille avec ses petites dents tranchantes.

Le troisième s'avança le long du visage de Dodgson, referma vivement sa petite gueule sur sa joue. Il se mit à hurler. Il vit le bébé tyrannosaure manger la chair de sa joue ; le sang coulait sur son visage. Le bébé renversa la tête en arrière, avala le morceau de joue. Il se tourna, la gueule aux dents acérées s'ouvrit toute grande ; elle se referma sur le cou de Dodgson.

SEPTIÈME CONFIGURATION

Une restabilisation partielle peut s'effectuer, après l'élimination des éléments des-
tructeurs. La survie est partiellement déterminée par des événements accidentels.

IAN MALCOLM

DÉPART

Le canot automobile descendit la rivière de la jungle avant de plonger dans l'obscurité de la grotte. Les parois répercutaient le bruit du canot que Thorne dirigeait dans le courant impétueux. Sur leur gauche, ils aperçurent une cascade ; un rayon de soleil jouait sur l'eau. Puis ils débouchèrent en plein jour, sur l'océan, au-delà de la muraille rocheuse au pied de laquelle les vagues s'écrasaient.

Kelly poussa un hourra ; elle se jeta au cou d'Arby, qui fit une grimace et finit par sourire.

Levine se retourna pour regarder l'île.

— Je dois avouer que je désespérais d'en partir, fit-il. Mais nos caméras sont installées, la liaison fonctionne ; je pense que nous continuerons à rassembler des informations et que nous finirons par avoir notre explication de l'extinction.

— Peut-être, fit Sarah Harding. Rien n'est moins sûr.

— Pourquoi ? C'est le Monde perdu idéal !

Elle le considéra d'un air incrédule.

— Absolument pas ! Vous savez bien que les prédateurs sont trop nombreux.

— En effet, on peut avoir cette impression, mais on ne sait pas...

— Richard ! coupa-t-elle. J'ai parcouru tous les documents avec Malcolm. Une erreur a été commise sur cette île, du temps où le labo tournait à plein rendement.

— Quelle erreur ?

— Ils ne savaient pas comment nourrir les bébés dinosaures qu'ils fabriquaient. Pendant un certain temps, ils leur donnaient du lait de chèvre. Très bien, c'est hypoallergénique. Mais quand les carnivores ont commencé à grandir, ils sont passés à des extraits de protéine animale. Des farines à base de carcasse de mouton broyée.

– Et alors? Quel mal y a-t-il à ça?

– Les zoos n'utilisent jamais de farines à base de mouton, répondit-elle. À cause du danger de contamination.

– De contamination, répéta Levine d'une voix sourde. Quel genre?

– Les prions, lança Malcolm, à l'autre bout du canot.

La perplexité se peignit sur le visage de Levine.

– Les prions, expliqua Sarah, sont les plus simples des agents infectieux connus, plus simples encore que les virus. Ce ne sont que des fragments de protéine. Tellement simples que, pour contaminer un organisme, il leur faut passer par les aliments. Mais ils sont à l'origine de diverses affections : la tremblante du mouton, la maladie de la vache folle et, chez l'homme, le kuru de Nouvelle-Guinée, une dégénérescence cérébrale. Les dinosaures ont donc été atteints par une maladie à prions, baptisée DX, venant d'un lot contaminé de farine de mouton. Le labo s'est battu des années pour essayer de s'en débarrasser.

– Vous voulez dire qu'ils n'ont pas réussi?

– Pendant un certain temps, ils ont cru avoir gagné. Les dinosaures prospéraient. Ensuite, la maladie a commencé à se transmettre. Comme les prions sont évacués par excrétion, il est possible que...

– Évacués par excrétion? répéta Levine. J'ai vu les compys manger des excréments...

– Oui, tous les compys sont contaminés. Ce sont des animaux nécrophages; ils répandent la protéine sur les carcasses et transmettent la maladie à d'autres animaux. Jusqu'à ce que tous les raptors soient contaminés. Les raptors s'attaquent à des animaux sains, pas toujours avec succès. Une morsure peut suffire à contaminer l'animal. Petit à petit, la maladie s'est propagée dans toute l'île. C'est pour cette raison que les animaux meurent jeunes. Ce taux de mortalité élevé explique que la population de prédateurs soit beaucoup plus nombreuse qu'elle ne devrait l'être...

L'inquiétude avait saisi Levine.

– Vous savez, fit-il d'un ton hésitant, un compy m'a mordu.

– Vous n'avez pas à vous inquiéter, dit Sarah. Cela provoquera peut-être une encéphalite sans gravité; rien de plus, en général, que des maux de tête. Nous vous conduirons chez un médecin, à San José.

Le front de Levine se couvrit de sueur. Il s'essuya du dos de la main.

– En fait, je ne me sens pas très bien.

– Cela prend une semaine, Richard... Je suis sûre que tout ira bien.

Levine s'enfonça dans son siège, la mine sombre.

– Pour en revenir à la question de l'extinction, reprit Sarah, je doute que l'île puisse vous apprendre grand-chose.

Malcolm contempla un long moment les falaises sombres, puis se mit à parler.

– C'est peut-être mieux ainsi. L'extinction a toujours été un grand mystère. Notre planète a connu cinq grandes crises biologiques, pas toujours à cause d'un astéroïde. Tout le monde s'est passionné pour celle qui a fait disparaître les dinosaures à la fin du crétacé, mais il y en eut d'autres, à la fin du jurassique et du trias. Elles furent terribles, mais rien en comparaison de la crise du permien, qui a fait périr 90 p. 100 des espèces de la planète, aussi bien terrestres que marines. Nul ne sait à quoi est due cette catastrophe ; mais je me demande si nous ne serons pas à l'origine de la prochaine.

– Que voulez-vous dire ? demanda Kelly.

– L'humanité a le goût de la destruction, expliqua Malcolm. Il m'arrive de me demander si nous ne sommes pas une manière de fléau, qui fera un nettoyage en règle de la planète. Nous avons une telle capacité de destruction que je me demande parfois si ce n'est pas notre fonction. Peut-être, de loin en loin, au fil des périodes géologiques, apparaît-il un animal qui anéantit le reste du monde, qui fait place nette, pour la phase suivante de l'évolution.

Kelly secoua la tête en silence ; elle s'éloigna de Malcolm, alla s'asseoir près de Thorne.

– Tu as entendu ça ? fit Thorne. Ne le prends pas trop au sérieux ; ce ne sont que des théories. L'homme ne peut s'empêcher de bâtir des théories, mais ce ne sont en réalité que des productions de son imagination. Et qui changent. Quand l'Amérique était encore un pays neuf, les gens croyaient au phlogistique. Tu sais ce que c'est ? Non ? Aucune importance, cela n'existe pas. Ils croyaient aussi que quatre humeurs déterminaient le comportement et que la terre n'avait que quelques milliers d'années. Nous croyons aujourd'hui qu'elle a quatre milliards d'années, nous croyons aux photons et aux électrons, nous pensons que le comportement humain est gouverné par le respect de soi et l'amour-propre. Nous estimons que ces idées sont plus scientifiques, qu'elles sont plus justes.

– Ce n'est pas vrai ?

– Ce ne sont encore que des productions de notre esprit, répondit Thorne avec un petit haussement d'épaules. Elles n'ont pas de réalité. As-tu déjà vu un amour-propre ? Peux-tu m'en apporter un sur une assiette ? Et un photon ? Pourrais-tu m'apporter un photon ?

– Non, mais...

– Jamais tu ne pourras le faire, reprit Thorne. Ces choses n'existent pas, même si on en parle avec le plus grand sérieux. Dans un siècle, nos descendants se tiendront les côtes en pensant à nous. Ils diront : « Vous savez à quoi on croyait, à cette époque ? On croyait aux photons et aux électrons. Ce que l'on pouvait être bête ! » Et ils se moqueront de nous, car on aura élaboré d'ici là d'autres idées, bien meilleures. Mais tu sens le canot remuer sous toi, poursuivit Thorne après un silence. C'est la mer; c'est réel. Tu sens le sel dans l'air? Tu sens le soleil sur ta peau? Ces choses-là sont réelles. Tu nous vois, tous ensemble? C'est réel. La vie est merveilleuse. C'est un bonheur d'être vivant, de voir le soleil, de respirer l'air. Au fond, il n'y a rien d'autre de vrai. Regarde le compas maintenant, et dis-moi où est le sud. Je veux aller à Puerto Cortés. Il est temps de rentrer chez nous.

imprimerie gagné ltée

IMPRIMÉ AU CANADA